# VANGELO
# E ATTI DEGLI APOSTOLI

Versione ufficiale della Conferenza Episcopale Italiana

edizioni paoline

Introduzioni e note di
MONS. SALVATORE GAROFALO
Segretario della Pontificia Commissione
per la Neo-Volgata

*Venticinquesima edizione 1992*

# DALLA COSTITUZIONE DOGMATICA
## DEL CONCILIO ECUMENICO VATICANO II
## SULLA DIVINA RIVELAZIONE

[17]   La parola di Dio, che è potenza divina per la salvezza di chiunque crede (cfr. Rm 1,16), si presenta e manifesta la sua forza in modo eminente negli scritti del Nuovo Testamento. Quando infatti venne la pienezza del tempo (cfr. Gal 4,4), il Verbo si fece carne ed abitò tra noi pieno di grazia e di verità (cfr. Gv 1,14). Cristo stabilì il Regno di Dio sulla terra, manifestò con opere e parole il Padre suo e Se stesso e portò a compimento l'opera sua con la morte, la risurrezione e la gloriosa ascensione, e l'invio dello Spirito Santo. Sollevato in alto attira tutti a Sé (cfr. Gv 12,32 gr.), Lui che solo ha parole di vita eterna (cfr. Gv 6,68). Ma questo mistero non fu palesato alle generazioni, come adesso è stato svelato ai santi Apostoli suoi e ai Profeti nello Spirito Santo (cfr. Ef 3,4-6 gr.), affinché predicassero il Vangelo, suscitassero la fede in Gesù Cristo e Signore e congregassero la Chiesa. Di tutto ciò gli scritti del Nuovo Testamento sono testimonianza perenne e divina.

[18]   A nessuno sfugge che tra tutte le Scritture, anche del Nuovo Testamento, i Vangeli meritatamente eccellono, in quanto costituiscono la principale testimonianza relativa alla vita e alla dottrina del Verbo Incarnato, nostro Salvatore.
La Chiesa ha sempre e in ogni luogo ritenuto e ritiene che i quattro Vangeli sono di origine apostolica. Infatti, ciò che gli Apostoli per mandato di Cristo predicarono, dopo, per ispirazione dello Spirito Santo, fu dagli stessi e da uomini della loro cerchia tramandato in scritti, come fondamento della fede, cioè il Vangelo quadriforme, secondo Matteo, Marco, Luca e Giovanni.[1]

---

[1] Cfr. S. Ireneo, *Adv. Haer.* III,   11, 8; PG 7,885: ed. Sag., p. 194.

[19]    La Santa Madre Chiesa ha ritenuto e ritiene con fermezza e costanza massima, che i quattro suindicati Vangeli di cui afferma senza alcuna esitanza la storicità, trasmettono fedelmente quanto Gesù Figlio di Dio, durante la sua vita tra gli uomini, effettivamente operò e insegnò per la loro eterna salvezza, fino al giorno in cui fu assunto in cielo (cfr At 1,1-2). Gli Apostoli poi, dopo l'Ascensione del Signore, trasmisero ai loro ascoltatori ciò che Egli aveva detto e fatto, con quella più completa intelligenza di cui essi, ammaestrati dagli eventi gloriosi di Cristo e illuminati dallo Spirito di verità[2], godevano[3]. E gli autori sacri scrissero i quattro Vangeli, scegliendo alcune cose tra le molte che erano tramandate a voce o anche in iscritto, alcune altre sintetizzando, altre spiegando con riguardo alla situazione delle Chiese, conservando infine il carattere di predicazione, sempre però in modo tale da riferire su Gesù con sincerità e verità[4]. Essi, infatti, attingendo sia ai propri ricordi sia alla testimonianza di coloro i quali «fin dal principio furono testimoni oculari e ministri della parola», scrissero con l'intenzione di farci conoscere la "verità" (cfr. Lc 1,2-4) delle cose sulle quali siamo stati istruiti.

[20]    Il Canone del Nuovo Testamento, oltre i quattro Vangeli, contiene anche le lettere di San Paolo ed altri scritti apostolici composti per ispirazione dello Spirito Santo, con i quali, per sapiente disposizione di Dio, è confermato tutto ciò che riguarda Cristo Signore, è ulteriormente spiegata la sua autentica dottrina, è predicata la potenza salvifica dell'opera divina di Cristo, sono narrati gli inizi della Chiesa e la sua mirabile diffusione nel mondo ed è annunziata la sua gloriosa consumazione.

Il Signore Gesù, infatti, assistè i suoi Apostoli come aveva promesso (cfr. Mt 28,20) e inviò loro lo Spirito Paraclito, il quale doveva introdurli alla pienezza della verità (cfr. Gv. 16,13).

---

[2] Cfr. Gv 14,26; 16,13.
[3] Gv 2,22; 12,16; 14,26; 16,12-13; 7,39.

[4] Cfr. Istruzione *Sancta Mater Ecclesia* della *Pont. Commissione Biblica*: AAS 56 (1964), p. 715.

# SIGLE DEI LIBRI BIBLICI UTILIZZATE NELLE NOTE

| | | | | |
|---|---|---|---|---|
| Ab | = Abacuc | | 3Gv | = Giovanni (3ª Lettera) |
| Abd | = Abdia | | Is | = Isaia |
| Ag | = Aggeo | | Lam | = Lamentazioni |
| Am | = Amos | | Lc | = Luca |
| Ap | = Apocalisse | | Lv | = Levitico |
| At | = Atti degli Apostoli | | 1Mac | = Maccabei (1° Libro) |
| Bar | = Baruc | | 2Mac | = Maccabei (2° Libro) |
| Col | = Colossesi | | Mc | = Marco |
| 1Cor | = Corinzi (1ª Lettera) | | Mic | = Michea |
| 2Cor | = Corinzi (2ª Lettera) | | Ml | = Malachia |
| 1Cr | = Cronache (1° Libro) | | Mt | = Matteo |
| 2Cr | = Cronache (2° Libro) | | Na | = Naum |
| Ct | = Cantico dei Cantici | | Ne | = Neemia |
| Dn | = Daniele | | Nm | = Numeri |
| Dt | = Deuteronomio | | Os | = Osea |
| Eb | = Ebrei | | 1Pt | = Pietro (1ª Lettera) |
| Ef | = Efesini | | 2Pt | = Pietro (2ª Lettera) |
| Esd | = Esdra | | Pro | = Proverbi |
| Es | = Esodo | | Qo | = Qoèlet |
| Est | = Ester | | 1Re | = Re (1° Libro) |
| Ez | = Ezechiele | | 2Re | = Re (2° Libro) |
| Fil | = Filippesi | | Rm | = Romani |
| Fm | = Filemone | | Rt | = Rut |
| Gal | = Galati | | Sal | = Salmi |
| Gb | = Giobbe | | 1Sam | = Samuele (1° Libro) |
| Gc | = Giacomo | | 2Sam | = Samuele (2° Libro) |
| Gd | = Giuda | | Sap | = Sapienza |
| Gdc | = Giudici | | Sir | = Siràcide |
| Gdt | = Giuditta | | Sof | = Sofonia |
| Ger | = Geremia | | Tb | = Tobia |
| Gio | = Giona | | 1Tm | = Timoteo (1ª Lettera) |
| Gl | = Gioele | | 2Tm | = Timoteo (2ª Lettera) |
| Gn | = Genesi | | 1Ts | = Tessalonicesi (1ª Lett.) |
| Gs | = Giosuè | | 2Ts | = Tessalonicesi (2ª Lett.) |
| Gv | = Giovanni (Vangelo) | | Tt | = Tito |
| 1Gv | = Giovanni (1ª Lettera) | | Zc | = Zaccaria |
| 2Gv | = Giovanni (2ª Lettera) | | | |

Le citazioni dei vangeli riportate *all'inizio* di una nota rimandano ai passi paralleli.

# VANGELO
# SECONDO MATTEO

*I primi tre vangeli sono detti «sinottici» cioè «simulta-neamente visibili», perché hanno in comune non sol-tanto lo schema generale, ma spesso riferiscono con le stesse parole identici fatti. Accanto a evidenti con-cordanze essi mostrano non meno evidenti discordan-ze sia nell'ordine dei racconti che all'interno di essi. Questi singolari fenomeni pongono il problema della relazione fra i tre vangeli (la «questione sinottica») variamente risolto. I nostri tempi si interessano piutto-sto alla identificazione e alla storia del materiale evan-gelico prima che esso venisse assunto negli attuali tre libri e alla prospettiva teologica propria a ciascun evan-gelista, che li ha condotti a scelte e adattamenti vari, ma tali da non alterare la sostanza del messaggio, delle parole e dei fatti che ne costituiscono il quadro e il fondamento.*

*La tradizione unanime della Chiesa antica attribuisce il primo vangelo a Matteo, chiamato anche Levi, l'apostolo che Gesù chiamò al suo seguito, distogliendolo dalla professione di pubblicano, cioè di esattore delle impo-ste (9,9ss.). La stessa tradizione afferma che Matteo scrisse originariamente in aramaico, la lingua comune in Palestina ai tempi di Gesù.*

*L'attuale testo è una edizione greca sostanzialmente identica all'originale e conosciuta già nel I sec., per la quale sembra essere stato utilizzato il vangelo di Marco. La parte preminente del vangelo è costituita da cinque*

*grandi discorsi di Gesù (cc. 5-7; 9,35-11,1; c. 13; cc*
*24-25 preceduti da una invettiva di Cristo contro*
*farisei, c. 23). Il racconto si apre con uno scorcio sull'in*
*fanzia di Gesù (cc. 1-2), seguito dai fatti essenziali che*
*prelusero al suo ministero pubblico (3,1-4,11) e con-*
*cluso dalla storia del mistero pasquale di Cristo (cc.*
*26-28).*

*Il vangelo, che già gli antichi dissero rivolto sopra-*
*tutto ai Giudei, è dominato dalla tesi che Gesù è il*
*Messia predetto dall'A.T. e ingiustamente respinto da*
*Israele. Una attenzione particolare è dedicata alla Chie-*
*sa fondata da Cristo su Pietro, la cui professione di*
*fede (16,13-19) è come la cerniera del vangelo. Esso,*
*che è la sintesi della testimonianza apostolica in Pale-*
*stina, fu il preferito dall'antichità cristiana perché per-*
*metteva una solida e sufficiente iniziazione al mistero*
*di Cristo.*

*Il testo originale aramaico fu pubblicato forse tra gli*
*anni 40 e 50.*

# IL VANGELO DELL'INFANZIA
## (1,1-2,23)

**1** **La genealogia.** ¹Genealogia di Gesù Cristo figlio di Davide, figlio di Abramo. ²Abramo generò Isacco, Isacco generò Giacobbe, Giacobbe generò Giuda e i suoi fratelli, ³Giuda generò Fares e Zara da Tamar, Fares generò Esròm, Esròm generò Aram, ⁴Aram generò Aminadàb, Aminadàb generò Naassòn, Naassòn generò Salmòn, ⁵Salmòn generò Booz da Racab, Booz generò Obed da Rut, Obed generò Iesse, ⁶Iesse generò il re Davide.

Davide generò Salomone da quella che era stata la moglie di Urìa, ⁷Salomone generò Roboamo, Roboamo generò Abìa, Abìa generò Asàf, ⁸Asàf generò Giòsafat, Giòsafat generò Ioram, Ioram generò Ozia, ⁹Ozia generò Iotam, Iotam generò Acaz, Acaz generò Ezechia, ¹⁰Ezechia generò Manasse, Manasse generò Amos, Amos generò Giosia, ¹¹Giosia generò Ieconia e i suoi fratelli, al tempo della deportazione in Babilonia.

¹²Dopo la deportazione in Babilonia, Ieconia generò Salatiel, Salatiel generò Zorobabèle, ¹³Zorobabèle generò Abiùd, Abiùd generò Elìacim, Elìacim generò Azor, ¹⁴Azor generò Sadoc, Sadoc generò Achim, Achim generò Eliùd, ¹⁵Eliùd generò Eleàzar, Eleàzar generò Mattan, Mattan generò Giacobbe, ¹⁶Giacobbe generò Giuseppe, lo sposo di Maria, dalla quale è nato Gesù chiamato Cristo.

---

**1.** ¹ Lc 3,23-38. Mt connette Gesù con Abramo, capostipite del popolo eletto e depositario delle antiche promesse divine (cfr. Gn 12,3; ecc.), e con Davide, al quale era stato assicurato un trono eterno nella persona del Messia (cfr. Lc 1,32-33). « Figlio di Davide » era un titolo messianico assai po-

polare: cfr. 9,27; 12,23; 22,42; Gv 7,42.
³⁻⁵ Si noti la menzione di tre donne straniere cooptate nel popolo di Dio: Tamar, Rut e Betsabea, moglie di Urìa.
¹⁶ Giuseppe era padre soltanto legale di Gesù, per trasmettergli il diritto e il privilegio della di-

[17]La somma di tutte le generazioni, da Abramo a Davide, è così di quattordici; da Davide fino alla deportazione in Babilonia è ancora di quattordici; dalla deportazione in Babilonia a Cristo è, infine, di quattordici.

## La nascita di Gesù. [18]Ecco come avvenne la nascita di Gesù Cristo: sua madre Maria, essendo promessa sposa di Giuseppe, prima che andassero a vivere insieme si trovò incinta per opera dello Spirito Santo. [19]Giuseppe suo sposo, che era giusto e non voleva ripudiarla, decise di licenziarla in segreto. [20]Mentre però stava pensando a queste cose, ecco che gli apparve in sogno un angelo del Signore e gli disse: « Giuseppe, figlio di Davide, non temere di prendere con te Maria, tua sposa, perché quel che è generato in lei viene dallo Spirito Santo. [21]Essa partorirà un figlio e tu lo chiamerai Gesù: egli infatti salverà il suo popolo dai suoi peccati ».
[22]Tutto questo avvenne perché si adempisse ciò che era stato detto dal Signore per mezzo del profeta:

> [23]*Ecco, la vergine concepirà e partorirà un figlio*
> *che sarà chiamato Emmanuele,*

che significa *Dio con noi.* [24]Destatosi dal sonno, Giuseppe fece come gli aveva ordinato l'angelo del Signore e prese con sé la sua sposa, [25]la quale, senza che egli la conoscesse, partorì un figlio, che egli chiamò Gesù.

---

scendenza davidica: cfr. v. 20.
[17] Mt schematizza la genealogia omettendo alcuni anelli, per ridurla a gruppi di quattordici generazioni, in rappresentanza dei tre grandi periodi della storia biblica. *Cristo*, in greco, significa unto, consacrato, e corrisponde all'ebraico *Messia*. L'unzione era propria dei re.
[18] L'ultimo atto del matrimonio era la coabitazione degli sposi,

a conclusione del fidanzamento, che aveva gli stessi effetti giuridici del matrimonio: cfr. Lc 1,27; 2,5.
[19] Giuseppe sa di essere estraneo alla maternità di Maria e pensa alla soluzione più prudente.
[21] In ebraico, *Gesù* significa « Dio salva ».
[22] Citazione di Is 7,14.
[25] Conoscere indica eufemisticamente i rapporti coniugali. Mt

# 2 La venuta dei Magi.

¹Gesù nacque a Betlemme di Giudea, al tempo del re Erode. Alcuni Magi giunsero da oriente a Gerusalemme e domandavano: ²« Dov'è il re dei Giudei che è nato? Abbiamo visto sorgere la sua stella, e siamo venuti per adorarlo ». ³All'udire queste parole, il re Erode restò turbato e con lui tutta Gerusalemme. ⁴Riuniti tutti i sommi sacerdoti e gli scribi del popolo, s'informava da loro sul luogo in cui doveva nascere il Messia. ⁵Gli risposero: « A Betlemme di Giudea, perché così è scritto per mezzo del profeta:

⁶*E tu, Betlemme, terra di Giuda,*
*non sei davvero il più piccolo capoluogo di Giuda:*
*da te uscirà infatti un capo*
*che pascerà il mio popolo, Israele* ».

⁷Allora Erode, chiamati segretamente i Magi, si fece dire con esattezza da loro il tempo in cui era apparsa la stella ⁸e li inviò a Betlemme esortandoli: « Andate e informatevi accuratamente del bambino e, quando l'avrete trovato, fatemelo sapere, perché anch'io venga ad adorarlo ».

⁹Udite le parole del re, essi partirono. Ed ecco la stella, che avevano visto nel suo sorgere, li precedeva, finché giunse e si fermò sopra il luogo dove si trovava il bambino. ¹⁰Al vedere la stella, essi provarono una

---

non si occupa della condizione successiva di Maria, della sua perpetua verginità, che è dogma di fede cattolica: cfr. 12,46 ecc.
**2.** ¹ Erode morì nell'a. 750 di Roma, che corrisponde al 4 a.C. Per un errore di calcolo, nel VI sec. l'inizio dell'era cristiana fu fissato all'a. 754 di Roma; Gesù è nato probabilmente tra il 7-6 a.C.; cfr. l'età dei bambini uccisi da Erode in 2,16. Betlemme è a circa 10 km. a sud di Gerusalemme. I magi erano capi religiosi persiani.

² La stella è da intendere come un fenomeno luminoso nell'atmosfera terrestre.
⁴ « Sommi sacerdoti », al plurale, indica il sommo sacerdote in carica e i suoi predecessori o i membri delle rispettive famiglie. Gli scribi erano i dottori della legge, i quali, con i sacerdoti e gli anziani del popolo, costituivano il sinedrio, cioè il gran Consiglio che si occupava degli affari religiosi e civili della nazione.
⁶ Citazione di Mic 5,1.

grandissima gioia. [11]Entrati nella casa, videro il bambino con Maria sua madre, e prostratisi lo adorarono. Poi aprirono i loro scrigni e gli offrirono in dono oro, incenso e mirra. [12]Avvertiti poi in sogno di non tornare da Erode, per un'altra strada fecero ritorno al loro paese.

**La fuga in Egitto.** [13]Essi erano appena partiti, quando un angelo del Signore apparve in sogno a Giuseppe e gli disse: « Alzati, prendi con te il bambino e sua madre e fuggi in Egitto, e resta là finché non ti avvertirò, perché Erode sta cercando il bambino per ucciderlo ».
[14]Giuseppe, destatosi, prese con sé il bambino e sua madre nella notte e fuggì in Egitto, [15]dove rimase fino alla morte di Erode, perché si adempisse ciò che era stato detto dal Signore per mezzo del profeta:

*Dall'Egitto ho chiamato il mio figlio.*

**La strage degli innocenti.** [16]Erode, accortosi che i Magi si erano presi gioco di lui, s'infuriò e mandò ad uccidere tutti i bambini di Betlemme e del suo territorio dai due anni in giù, corrispondenti al tempo su cui era stato informato dai Magi. [17]Allora si adempì quel che era stato detto per mezzo del profeta Geremia:

[18]*Un grido è stato udito in Rama,*
*un pianto e un lamento grande;*
*Rachele piange i suoi figli*
*e non vuole essere consolata, perché non sono più.*

**Il ritorno.** [19]Morto Erode, un angelo del Signore apparve in sogno a Giuseppe in Egitto [20]e gli disse: « Alzati, prendi con te il bambino e sua madre e va' nel

---

[11] I doni erano di quelli che si offrivano ai re. Forse Mt si riferisce tacitamente alle profezie sull'omaggio di pagani al vero Dio nell'èra messianica.

[15] Citazione di Os 11,1.
[18] Citazione di Ger 31,15. La tomba di Rachele era venerata a 9 chilometri a nord di Gerusalemme.

paese d'Israele; perché sono morti coloro che volevano la vita del bambino ». ²¹Egli, alzatosi, prese con sé il bambino e sua madre, ed entrò nel paese d'Israele. ²²Avendo però saputo che era re della Giudea Archelào al posto di suo padre Erode, ebbe paura di andarvi. Avvertito poi in sogno, si ritirò nelle regioni della Galilea ²³e, appena giunto, andò ad abitare in una città chiamata Nàzaret, perché si adempisse ciò che era stato detto dai profeti: « Sarà chiamato Nazareno ».

## IL PROGRAMMA DEL REGNO
### (3,1-7,29)

**3** **La missione del Battista.** ¹In quei giorni comparve Giovanni il Battista a predicare nel deserto della Giudea, ²dicendo: « Convertitevi, perché il regno dei cieli è vicino! ».

³Egli è colui che fu annunziato dal profeta Isaia quando disse:

> Voce di uno che grida nel deserto:
> Preparate la via del Signore,
> raddrizzate i suoi sentieri!

⁴Giovanni portava un vestito di peli di cammello e una cintura di pelle attorno ai fianchi; il suo cibo erano lo-

---

²² Archelao fu successore di suo padre Erode il Grande nel governo della Giudea dal 4 a.C. al 6 d.C.
²³ Il nome ebraico *Nazaret* ha la stessa radice verbale di « germoglio », per il quale cfr. Is 11,1. Il villaggio sorgeva sugli ultimi contrafforti dei monti galilei, a circa 140 km. a nord di Gerusalemme.
**3.** ¹ Mc 1,2-8; Lc 3,1-18. Co-

mincia il racconto « sinottico » dei tre primi vangeli.
² La conversione è mutare pensieri e condotta per entrare nelle vie di Dio. Il « Regno dei cieli », espressione di stampo ebraico tipica di Mt, è il dominio di Dio nelle coscienze e la sua attuazione anche visibile: cfr. 4,17.
³ Citazioni di Is 40,3.
⁴ Per il vestito cfr. 2Re 1,8.

custe e miele selvatico. ⁵Allora accorrevano a lui da
Gerusalemme, da tutta la Giudea e dalla zona adiacente
il Giordano; ⁶e, confessando i loro peccati, si facevano
battezzare da lui nel fiume Giordano.
⁷Vedendo però molti farisei e sadducei venire al suo
battesimo, disse loro: « Razza di vipere! Chi vi ha
suggerito di sottrarvi all'ira imminente? ⁸Fate dunque
frutti degni di conversione, ⁹e non crediate di poter
dire fra voi: Abbiamo Abramo per padre. Vi dico
che Dio può far sorgere figli di Abramo da queste pietre. ¹⁰Già la scure è posta alla radice degli alberi: ogni
albero che non produce frutti buoni viene tagliato e
gettato nel fuoco. ¹¹Io vi battezzo con acqua per la
conversione; ma colui che viene dopo di me è più potente di me e io non son degno neanche di portargli
i sandali; egli vi battezzerà in Spirito Santo e fuoco.
¹²Egli ha in mano il ventilabro, pulirà la sua aia e rac-
coglierà il suo grano nel granaio, ma brucerà la pula
con un fuoco inestinguibile ».

**Battesimo di Gesù.** ¹³In quel tempo Gesù dalla Galilea andò al Giordano da Giovanni per farsi battezzare da lui. ¹⁴Giovanni però voleva impedirglielo, dicendo: « Io ho bisogno di essere battezzato da te e tu
vieni da me? ». ¹⁵Ma Gesù gli disse: « Lascia fare per
ora, poiché conviene che così adempiamo ogni giusti-

⁶ Il battesimo, cioè l'immersione
rituale adottata dal Battista significa il ritorno a Dio con una
vita intemerata.
⁷ I farisei, cioè « i separati », si
distinguevano per la loro rigo-
rosa osservanza della legge; i
sadducei, cioè discendenti di Za-
dòk (1Re 2,35; Ez 44,15; 48,11),
erano invece lassisti. Le due sette differivano anche su alcuni
punti di dottrina: cfr. 22,23.
L'ira imminente è il giudizio di

Dio sugli empi: cfr. Am 5,18;
Sof 1,14-15.
⁹ Non è la discendenza carnale
da Abramo che fa eredi delle
promesse a lui fatte, ma l'imita-
zione della sua fede.
¹¹ Il fuoco simboleggia l'efficacia
purificatrice radicale, che risale
all'azione dello Spirito Santo.
¹³ Mc 1,9-11; Lc 3,21-22; cfr.
Gv 1,31-34.
¹⁵ La giustizia è ciò che si deve
fare per obbedire a Dio e adem-

zia ». Allora Giovanni acconsentì. ¹⁶Appena battezzato, Gesù uscì dall'acqua: ed ecco, si aprirono i cieli ed egli vide lo Spirito di Dio scendere come una colomba e venire su di lui. ¹⁷Ed ecco una voce dal cielo che disse: « Questi è il *Figlio mio prediletto, nel quale mi sono compiaciuto* ».

**4 Le tentazioni.** ¹Allora Gesù fu condotto dallo Spirito nel deserto per essere tentato dal diavolo. ²E dopo aver digiunato quaranta giorni e quaranta notti, ebbe fame. ³Il tentatore allora gli si accostò e gli disse: « Se sei Figlio di Dio, di' che questi sassi diventino pane ». ⁴Ma egli rispose: « Sta scritto:

*Non di solo pane vivrà l'uomo,*
*ma di ogni parola che esce dalla bocca di Dio* ».

⁵Allora il diavolo lo condusse con sé nella città santa, lo depose sul pinnacolo del tempio ⁶e gli disse: « Se sei Figlio di Dio, gettati giù, poiché sta scritto:

*Ai suoi angeli darà ordini a tuo riguardo,*
*ed essi ti sorreggeranno con le loro mani,*
*perché non abbia a urtare contro un sasso il tuo*
                                                        [*piede* ».

⁷Gesù gli rispose: « Sta scritto anche:

*Non tentare il Signore Dio tuo* ».

⁸Di nuovo il diavolo lo condusse con sé sopra un monte altissimo e gli mostrò tutti i regni del mondo con la

---

piere il suo disegno di salvezza.
¹⁶ Gesù non s'attarda nell'acqua perché non ha peccati da confessare.
¹⁷ La voce del Padre echeggia i testi messianici di Is 42,1 e Sal 2,7.
**4.** ¹ Mc 1,12-13; Lc 4,1-13. Il diavolo suggerirà a Gesù di adempiere la sua missione con miracoli che colpiscano la fantasia o

con ambizioni di potere, per tentare di farlo fallire.
⁴ Citazione di Dt 8,3.
⁵ « Città santa » espressione usuale per designare Gerusalemme. Il pinnacolo era l'angolo sud-est delle mura del tempio di Gerusalemme, a strapiombo su un burrone.
⁶ Citazione del Sal 90,11-12.
⁷ Citazione di Dt 6,16.

loro gloria e gli disse: ⁹« Tutte queste cose io ti darò, se, prostrandoti, mi adorerai ». ¹⁰Ma Gesù gli rispose: « Vattene, satana! Sta scritto:

*Adora il Signore Dio tuo*
*e a lui solo rendi culto* ».

¹¹Allora il diavolo lo lasciò ed ecco angeli gli si accostarono e lo servivano.

## Inizio della predicazione in Galilea. ¹²Avendo intanto saputo che Giovanni era stato arrestato, Gesù si ritirò nella Galilea ¹³e, lasciata Nàzaret, venne ad abitare a Cafàrnao, presso il mare, nel territorio di Zàbulon e di Nèftali, ¹⁴perché si adempisse ciò che era stato detto per mezzo del profeta Isaia:

¹⁵*Il paese di Zàbulon e il paese di Nèftali,*
  *sulla via del mare, al di là del Giordano,*
  *Galilea delle genti;*
¹⁶*il popolo immerso nelle tenebre*
  *ha visto una grande luce;*
  *su quelli che dimoravano in terra e ombra di morte*
  *una luce si è levata.*

¹⁷Da allora Gesù cominciò a predicare e a dire: « Convertitevi, perché il regno dei cieli è vicino ».

## I primi discepoli. ¹⁸Mentre camminava lungo il mare di Galilea vide due fratelli, Simone, chiamato Pietro, e Andrea suo fratello, che gettavano la rete in mare, poiché erano pescatori.

---

¹⁰ Citazione di Dt 6,13.
¹² Mc 1,14-15; Lc 4,14-15. Sull'arresto di Giovanni cfr. 14,3-4.
¹³ Cafarnao era sulla riva del lago — all'ebraica, *mare* — di Galilea (v. 18), detto anche di Tiberiade o di Genezaret, nel territorio che era stato della tribù di Zabulon e di Neftali.

¹⁵ Citazione di Is 9,1-2. La Galilea era detta delle « genti » perché confinante con nazioni pagane e frequentata dai loro abitanti.
¹⁷ Cfr. 3,2.
¹⁸-²² Mt schematizza il racconto delle vocazioni degli apostoli: cfr. Gv 1,35-42.

[19]E disse loro: «Seguitemi, vi farò pescatori di uomini». [20]Ed essi subito, lasciate le reti, lo seguirono. [21]Andando oltre, vide altri due fratelli, Giacomo di Zebedèo e Giovanni suo fratello, che nella barca insieme con Zebedèo, loro padre, riassettavano le reti; e li chiamò. [22]Ed essi subito, lasciata la barca e il padre, lo seguirono.

**Le prime opere.** [23]Gesù andava attorno per tutta la Galilea, insegnando nelle loro sinagoghe e predicando la buona novella del regno e curando ogni sorta di malattie e di infermità nel popolo. [24]La sua fama si sparse per tutta la Siria e così condussero a lui tutti i malati, tormentati da varie malattie e dolori, indemoniati, epilettici e paralitici; ed egli li guariva. [25]E grandi folle cominciarono a seguirlo dalla Galilea, dalla Decàpoli, da Gerusalemme, dalla Giudea e da oltre il Giordano.

**5** Le « beatitudini ». [1]Vedendo le folle, Gesù salì sulla montagna e, messosi a sedere, gli si avvicinarono i suoi discepoli. [2]Prendendo allora la parola, li ammaestrava dicendo:

[3]Beati i poveri in spirito,
perché di essi è il regno dei cieli.
[4]Beati gli afflitti,
perché saranno consolati.
[5]Beati i miti,

23 Buona novella, in greco: *evangelo*, è il lieto annunzio della salvezza, che s'incentra in Cristo. Le sinagoghe erano luoghi di istruzione e di preghiera: cfr. Lc 4,15-21.
25 La Decapoli era un complesso di dieci città a est del Giordano, amministrate dal governatore della Siria.
**5.** [1] Comincia il «discorso della montagna» tenuto su una collina nei pressi di Cafarnao, da

Gesù che assume atteggiamenti di maestro: « seduto ».
[3] La povertà in spirito è una disposizione interiore, non necessariamente legata a una condizione sociale ed economica. È la coscienza del bisogno di Dio e dei suoi doni.
[4] L'afflizione è soprattutto sofferenza per gli ostacoli posti dal mondo all'adempimento della volontà divina di salvezza.
[5] La « terra » allude alla Pale-

perché erediteranno la terra.
[6]Beati quelli che hanno fame e sete della giustizia,
    perché saranno saziati.
[7]Beati i misericordiosi,
    perché troveranno misericordia.
[8]Beati i puri di cuore,
    perché vedranno Dio.
[9]Beati gli operatori di pace,
    perché saranno chiamati figli di Dio.
[10]Beati i perseguitati per causa della giustizia,
    perché di essi è il regno dei cieli.

[11]Beati voi quando vi insulteranno, vi perseguiteranno e, mentendo, diranno ogni sorta di male contro di voi per causa mia. [12]Rallegratevi ed esultate, perché grande è la vostra ricompensa nei cieli. Così infatti hanno perseguitato i profeti prima di voi.

**La luce delle buone opere.** [13]Voi siete il sale della terra; ma se il sale perdesse il sapore, con che cosa lo si potrà render salato? A null'altro serve che ad essere gettato via e calpestato dagli uomini.
[14]Voi siete la luce del mondo; non può restare nascosta una città collocata sopra un monte, [15]né si accende una lucerna per metterla sotto il moggio, ma sopra il lucerniere perché faccia luce a tutti quelli che sono nella casa. [16]Così risplenda la vostra luce davanti agli uomini, perché vedano le vostre opere buone e rendano gloria al vostro Padre che è nei cieli.

---

stina, che fu dono di Dio a Israele, come simbolo dei beni messianici: cfr. Sal 36,11.
[6] La giustizia è l'adempimento di ogni dovere verso Dio: cfr. 1,19; Lc 1,6.
[8] La purezza di cuore, poiché nella Bibbia questo è la sede dell'intelligenza e della volontà,

equivale alla purezza delle intenzioni.
[10-12] La beatitudine della persecuzione è una novità del vangelo.
[13] Mc 9,50; Lc 14,34-35.
[15] Mc 4,21; Lc 8,16; 11,33. Il moggio aveva la forma di un mastello poggiato su tre o quattro piedi.

**Il compimento della legge.** [17]Non pensate che io sia venuto ad abolire la Legge o i Profeti; non son venuto per abolire, ma per dare compimento. [18]In verità vi dico: finché non siano passati il cielo e la terra, non passerà neppure un iota o un segno dalla legge, senza che tutto sia compiuto. [19]Chi dunque trasgredirà uno solo di questi precetti, anche minimi, e insegnerà agli uomini a fare altrettanto, sarà considerato minimo nel regno dei cieli. Chi invece li osserverà e li insegnerà agli uomini, sarà considerato grande nel regno dei cieli. [20]Poiché io vi dico: se la vostra giustizia non supererà quella degli scribi e dei farisei, non entrerete nel regno dei cieli.

**L'ira.** [21]Avete inteso che fu detto agli antichi: *Non uccidere;* chi avrà ucciso sarà sottoposto a giudizio. [22]Ma io vi dico: chiunque si adira con il proprio fratello, sarà sottoposto a giudizio. Chi poi dice al fratello: stupido, sarà sottoposto al sinedrio; e chi gli dice: pazzo, sarà sottoposto al fuoco della Geenna.
[23]Se dunque presenti la tua offerta sull'altare e lì ti ricordi che tuo fratello ha qualche cosa contro di te, [24]lascia lì il tuo dono davanti all'altare e va' prima a riconciliarti con il tuo fratello e poi torna ad offrire il tuo dono.
[25]Mettiti presto d'accordo con il tuo avversario mentre sei per via con lui, perché l'avversario non ti consegni

---

[17] La legge e i profeti erano le prime due grandi parti della Bibbia ebraica; per estensione, indicano tutto l'A.T. Il compimento della legge è anche il suo perfezionamento e la sua osservanza con spirito nuovo: cfr. 9,17.
[18] Lc 16,17; Mc 13,31, Lo *iota* (in ebr. *jod*) era la più piccola lettera dell'alfabeto ebraico; il segno indica i tratti o prolungamenti che distinguevano lettere simili.
[21] Citazione di Es 20,13. La legge non valuta soltanto gli atti esteriori, ma educa l'intimo dell'uomo. Stupido o pazzo, nel senso religioso di empio. La Geenna è una valletta che corre lungo le mura sud-occidentali di Gerusalemme, immagine popolare dell'inferno, a motivo dei rifiuti che vi bruciavano continuamente.
[25] Lc 12,58-59.

al giudice e il giudice alla guardia e tu venga gettato in prigione. [26]In verità ti dico: non uscirai di là finché tu non abbia pagato fino all'ultimo spicciolo!

**Il desiderio malvagio.** [27]Avete inteso che fu detto: *Non commettere adulterio;* [28]ma io vi dico: chiunque guarda una donna per desiderarla, ha già commesso adulterio con lei nel suo cuore. [29]Se il tuo occhio destro ti è occasione di scandalo, cavalo e gettalo via da te: conviene che perisca uno dei tuoi membri, piuttosto che tutto il tuo corpo venga gettato nella Geenna. [30]E se la tua mano destra ti è occasione di scandalo, tagliala e gettala via da te: conviene che perisca uno dei tuoi membri, piuttosto che tutto il tuo corpo vada a finire nella Geenna.

**Il divorzio.** [31]Fu pure detto: *Chi ripudia la propria moglie, le dia l'atto di ripudio;* [32]ma io vi dico: chiunque ripudia sua moglie, eccetto il caso di concubinato, la espone all'adulterio e chiunque sposa una ripudiata, commette adulterio.

**Il giuramento.** [33]Avete anche inteso che fu detto agli antichi: *Non spergiurare, ma adempi con il Signore i tuoi giuramenti;* [34]ma io vi dico: non giurate affatto: né per *il cielo,* perché è *il trono di Dio;* [35]né per *la terra,* perché è *lo sgabello per i suoi piedi;* né per *Gerusalemme,* perché è *la città del gran re.* [36]Non giurare neppure per la tua testa, perché non hai il potere di rendere bianco o nero un solo capello. [37]Sia invece

[27] Citazione di Es 20,13; Dt 5,18.
[29-30] Cfr. 18,8-9; Mc 9,43-47. In forma paradossale, Gesù afferma la necessità di difendersi contro ogni occasione di peccato.
[31] Citazione di Dt 24,1. Nessuna reale eccezione alla indissolubilità del matrimonio: cfr. Mc 10,

11; Lc 16,18; 1Cor 7,10-11. Il concubinato comprendeva le unioni illecite proibite dalla legge: cfr. Lv 18,7-18; v. qui, 19,3-8.
[33-35] Cfr. Es 20,7; Nm 30,3; Dt 23,21-22.
[37] Nelle circostanze ordinarie deve bastare un linguaggio ordina-

il vostro parlare sì, sì; no, no; il di più viene dal
maligno.

**La vendetta.** [38]Avete inteso che fu detto: *Occhio per
occhio e dente per dente;* [39]ma io vi dico di non op-
porvi al malvagio; anzi se uno ti percuote la guancia
destra, tu porgigli anche l'altra; [40]e a chi ti vuol chiamare in giudizio per toglierti la tunica, tu lascia anche
il mantello. [41]E se uno ti costringerà a fare un miglio,
tu fanne con lui due. [42]Da' a chi ti domanda e a chi
desidera da te un prestito non volgere le spalle.

**L'odio dei nemici.** [43]Avete inteso che fu detto: *Amerai il tuo prossimo* e odierai il tuo nemico; [44]ma io vi
dico: amate i vostri nemici e pregate per i vostri persecutori, [45]perché siate figli del Padre vostro celeste,
che fa sorgere il suo sole sopra i malvagi e sopra i
buoni, e fa piovere sopra i giusti e sopra gli ingiusti.
[46]Infatti se amate quelli che vi amano, quale merito
ne avete? Non fanno così anche i pubblicani? [47]E se
date il saluto soltanto ai vostri fratelli, che cosa fate
di straordinario? Non fanno così anche i pagani? [48]Siate
voi dunque perfetti come è perfetto il Padre vostro
celeste.

**6** **L'elemosina.** [1]Guardatevi dal praticare le vostre
buone opere davanti agli uomini per essere da loro
ammirati, altrimenti non avrete ricompensa presso il
Padre vostro che è nei cieli. [2]Quando dunque fai l'ele-

---

rio; in circostanze eccezionali è
lecito il giuramento come appello
a Dio-Verità.
[38] Lc 6,29-30. Gesù abolisce l'antica, ferrea legge del taglione
(cfr. Es 21,23-25; Lv 24,19-20;
Dt 19,18-21), sostituendola con la
legge evangelica della generosità,
che non tradisce, ma supera la
giustizia.

[43] Lc 6,27-36. Citazione di Lv
19,18. Gli Ebrei preferivano con-
siderare come prossimo soltanto i
connazionali.
[46] I pubblicani riscuotevano le
imposte per conto dell'autorità
occupante; per questa ragione, e
anche perché indulgevano alla frode, erano considerati pubblici
peccatori.

mosina, non suonare la tromba davanti a te, come fanno
gli ipocriti nelle sinagoghe e nelle strade per essere
lodati dagli uomini. In verità vi dico: hanno già ricevuto la loro ricompensa. ³Quando invece tu fai l'elemosina, non sappia la tua sinistra ciò che fa la tua
destra, ⁴perché la tua elemosina resti segreta; e il Padre
tuo, che vede nel segreto, ti ricompenserà.

**La preghiera.** ⁵Quando pregate, non siate simili agli
ipocriti che amano pregare stando ritti nelle sinagoghe
e negli angoli delle piazze, per essere visti dagli uomini.
In verità vi dico: hanno già ricevuto la loro ricompensa. ⁶Tu invece, quando preghi, entra nella tua ca-
mera e, chiusa la porta, prega il Padre tuo nel segreto;
e il Padre tuo, che vede nel segreto, ti ricompenserà.
⁷Pregando poi, non sprecate parole come i pagani, i
quali credono di venire ascoltati a forza di parole.
⁸Non siate dunque come loro, perché il Padre vostro sa
di quali cose avete bisogno ancor prima che gliele
chiediate.

**Il « Padre nostro ».** ⁹Voi dunque pregate così:

Padre nostro che sei nei cieli
sia santificato il tuo nome;
¹⁰venga il tuo regno;
sia fatta la tua volontà,
come in cielo così in terra.
¹¹Dacci oggi il nostro pane quotidiano,
¹²e rimetti a noi i nostri debiti
come noi li rimettiamo ai nostri debitori,
.¹³e non ci indurre in tentazione,
ma liberaci dal male.

---

**6**. ⁶ Gesù non condanna affatto
la preghiera in comune (sia nel
tempio che nelle sinagoghe o in
qualsiasi altro luogo), ma solo
l'ostentazione nella preghiera.
⁹ Lc 11,2-4. Santificare il nome
di Dio è riconoscere Dio per
quello che è.
¹³ Tentazione, nel senso biblico
di prova. Dio non può indurre
l'uomo al male: cfr. Gc 1,13-14;
1Cor 10,13.

[14]Se voi infatti perdonerete agli uomini le loro colpe, il
Padre vostro celeste perdonerà anche a voi; [15]ma se voi
non perdonerete agli uomini, neppure il Padre vostro
perdonerà le vostre colpe.

**Il digiuno.** [16]E quando digiunate, non assumete aria
malinconica come gli ipocriti, che si sfigurano la faccia
per far vedere agli uomini che digiunano. In verità vi
dico: hanno già ricevuto la loro ricompensa.
[17]Tu invece, quando digiuni, profumati la testa e lavati
il volto, [18]perché la gente non veda che tu digiuni, ma
solo tuo Padre che è nel segreto; e il Padre tuo, che
vede nel segreto, ti ricompenserà.

**I veri tesori.** [19]Non accumulatevi tesori sulla terra,
dove tignola e ruggine consumano e dove ladri scassinano e rubano; [20]accumulatevi invece tesori nel cielo,
dove né tignola né ruggine consumano, e dove ladri
non scassinano e non rubano. [21]Perché là dov'è il tuo
tesoro, sarà anche il tuo cuore.

**L'occhio, lucerna del corpo.** [22]La lucerna del corpo
è l'occhio; se dunque il tuo occhio è chiaro, tutto il tuo
corpo sarà nella luce; [23]ma se il tuo occhio è malato,
tutto il tuo corpo sarà tenebroso. Se dunque la luce
che è in te è tenebra, quanto grande sarà la tenebra!

**O Dio o mammona.** [24]Nessuno può servire a due padroni: o odierà l'uno e amerà l'altro, o preferirà l'uno
e disprezzerà l'altro: non potete servire a Dio e a
mammona.

**Non preoccuparsi.** [25]Perciò vi dico: per la vostra vita
non affannatevi di quello che mangerete o berrete, e

[19] Lc 12,33-34.
[22] Lc 11,34-35.
[24] Lc 16,13. In aramaico, *mam-*

*mona* è la ricchezza personificata.
[25] Lc 12,22-31. Il regno di Dio e-
sige una dedizione incondizionata.

neanche per il vostro corpo, di quello che indosserete;
la vita forse non vale più del cibo e il corpo più del
vestito? [26]Guardate gli uccelli del cielo: non seminano,
né mietono, né ammassano nei granai; eppure il Padre
vostro celeste li nutre. Non contate voi forse più di
loro? [27]E chi di voi, per quanto si dia da fare, può
aggiungere un'ora sola alla sua vita? [28]E perché vi affannate per il vestito? Osservate come crescono i gigli del
campo: non lavorano e non filano. [29]Eppure io vi dico
che neanche Salomone, con tutta la sua gloria, vestiva
come uno di loro. [30]Ora se Dio veste così l'erba del
campo, che oggi c'è e domani verrà gettata nel forno,
non farà assai più per voi, gente di poca fede? [31]Non
affannatevi dunque dicendo: Che cosa mangeremo? Che
cosa berremo? Che cosa indosseremo? [32]Di tutte queste
cose si preoccupano i pagani; il Padre vostro celeste
infatti sa che ne avete bisogno. [33]Cercate prima il regno
di Dio e la sua giustizia, e tutte queste cose vi saranno
date in aggiunta. [34]Non affannatevi dunque per il domani, perché il domani avrà già le sue inquietudini.
A ciascun giorno basta la sua pena.

## 7 Non giudicare. [1]Non giudicate, per non essere giu-
dicati; [2]perché col giudizio con cui giudicate sarete
giudicati, e con la misura con la quale misurate sarete
misurati. [3]Perché osservi la pagliuzza nell'occhio del tuo
fratello, mentre non ti accorgi della trave che hai nel
tuo occhio? [4]O come potrai dire al tuo fratello: permetti
che tolga la pagliuzza dal tuo occhio, mentre nell'occhio tuo c'è la trave? [5]Ipocrita, togli prima la trave dal
tuo occhio e poi ci vedrai bene per togliere la pagliuzza dall'occhio del tuo fratello.

[33] La giustizia del regno è la
perfezione da esso richiesta. Nel
Pater il regno di Dio è al primo
posto.

7. [1] Lc 6,34-42; Mc 4,24. Giudicare importa un significato sfa-
vorevole: condannare. Colui dal
quale siamo giudicati è Dio.

**Non dare le perle ai porci.** [6]Non date le cose sante ai cani e non gettate le vostre perle davanti ai porci, perché non le calpestino con le loro zampe e poi si voltino per sbranarvi.

**Pregare con fede.** [7]Chiedete e vi sarà dato; cercate e troverete; bussate e vi sarà aperto; [8]perché chiunque chiede riceve, e chi cerca trova e a chi bussa sarà aperto. [9]Chi tra di voi al figlio che gli chiede un pane darà una pietra? [10]O se gli chiede un pesce, darà una serpe? [11]Se voi dunque che siete cattivi sapete dare cose buone ai vostri figli, quanto più il Padre vostro che è nei cieli darà cose buone a quelli che gliele domandano!

**La regola d'oro.** [12]Tutto quanto volete che gli uomini facciano a voi, anche voi fatelo a loro: questa infatti è la Legge ed i Profeti.

**La porta stretta.** [13]Entrate per la porta stretta, perché larga è la porta e spaziosa la via che conduce alla perdizione, e molti sono quelli che entrano per essa; [14]quanto stretta invece è la porta e angusta la via che conduce alla vita, e quanto pochi sono quelli che la trovano!

**Come l'albero, così i frutti.** [15]Guardatevi dai falsi profeti che vengono a voi in veste di pecore, ma dentro son lupi rapaci. [16]Dai loro frutti li riconoscerete. Si raccoglie forse uva dalle spine, o fichi dai rovi? [17]Così ogni albero buono produce frutti buoni e ogni albero cattivo produce frutti cattivi; [18]un albero buono non può produrre frutti cattivi, né un albero cattivo produrre frutti buoni. [19]Ogni albero che non produce frutti

---

[6] Cfr. 15,26. Le cose sante — compresa la dottrina — non vanno esposte alla derisione e al ludibrio.

[7] Lc 11,9-13.
[12] Lc 6,31; per « legge e profeti » v. 5,17.

buoni viene tagliato e gettato nel fuoco. [20]Dai loro frutti dunque li potrete riconoscere.

**Non farsi illusioni!** [21]Non chiunque mi dice: Signore, Signore, entrerà nel regno dei cieli, ma colui che fa la volontà del Padre mio che è nei cieli. [22]Molti mi diranno in quel giorno: Signore, Signore, non abbiamo noi profetato nel tuo nome e cacciato demòni nel tuo nome e compiuto molti miracoli nel tuo nome?. [23]Io però dichiarerò loro: Non vi ho mai conosciuti; allontanatevi da me, voi operatori di iniquità.

**Edificare sulla roccia!** [24]Perciò chiunque ascolta queste mie parole e le mette in pratica, è simile a un uomo saggio che ha costruito la sua casa sulla roccia. [25]Cadde la pioggia, straripatono i fiumi, soffiarono i venti e si abbatterono su quella casa, ed essa non cadde, perché era fondata sopra la roccia. [26]Chiunque ascolta queste mie parole e non le mette in pratica, è simile a un uomo stolto che ha costruito la sua casa sulla sabbia. [27]Cadde la pioggia, straripatono i fiumi, soffiarono i venti e si abbatterono su quella casa, ed essa cadde, e la sua rovina fu grande.

**L'ammirazione delle folle.** [28]Quando Gesù ebbe finito questi discorsi, le folle restarono stupite del suo insegnamento: [29]egli infatti insegnava loro come uno che ha autorità e non come i loro scribi.

---

[21] Lc 6,46; 13,26-27. Cfr. Mt 25, 11-12.
[22] Il giorno è quello del giudizio.
[23] Cfr. 25,41; Lc 13,27; Sal 6,9.

[24] Cfr. Lc 6,47-49.
[28] Lc 7,1; Mc 1,22. Gesù parlava come arbitro, non come interprete della legge.

## I MISSIONARI DEL REGNO
### (8,1-11,1)

**8** **Il lebbroso guarito.** ¹Quando Gesù fu sceso dal monte, molta folla lo seguiva. ²Ed ecco venire un lebbroso e prostrarsi a lui dicendo: « Signore, se vuoi, tu puoi sanarmi ». ³E Gesù stese la mano e lo toccò dicendo: « Lo voglio, sii sanato ». E subito la sua lebbra scomparve. ⁴Poi Gesù gli disse: « Guardati dal dirlo a qualcuno, ma va' a mostrarti al sacerdote e presenta l'offerta prescritta da Mosè, e ciò serva come testimonianza per loro ».

**La fede del centurione.** ⁵Entrato in Cafàrnao, gli venne incontro un centurione che lo scongiurava: ⁶« Signore, il mio servo giace in casa paralizzato e soffre terribilmente ». ⁷Gesù gli rispose: « Io verrò e lo curerò ». ⁸Ma il centurione riprese: « Signore, io non son degno che tu entri sotto il mio tetto, di' soltanto una parola e il mio servo sarà guarito. ⁹Perché anch'io, che sono un subalterno, ho soldati sotto di me e dico a uno: Va', ed egli va; e a un altro: Vieni, ed egli viene, e al mio servo: Fa' questo, ed egli lo fa ». ¹⁰All'udire ciò, Gesù ne fu ammirato e disse a quelli che lo seguivano: « In verità vi dico, presso nessuno in Israele ho trovato una fede così grande. ¹¹Ora vi dico che molti verranno dall'oriente e dall'occidente e sie-

---

**8.** ¹ Nei cc. 8-9, narrazione di dieci miracoli, nei quali Gesù manifesta il suo supremo potere sulle malattie, sulla morte e sui demoni.
² Mc 1,40-44; Lc 5,12-14.
⁴ La guarigione di un lebbroso doveva essere ufficialmente riconosciuta dai sacerdoti perché i guariti potessero essere riammessi nella comunità civile e reli-

giosa. Il lebbroso guarito doveva offrire dei sacrifici nel tempio: cfr. Lv cc. 13-14. Gesù vuole evitare la pubblicità per impedire pericolosi entusiasmi.
⁵ Lc 7,1-10.
¹⁰ La fede, con la quale l'uomo si abbandona a Dio, è la condizione prima della salvezza.
¹¹ Il convito simboleggia la felicità.

deranno a mensa con Abramo, Isacco e Giacobbe nel regno dei cieli, [12]mentre i figli del regno saranno cacciati fuori nelle tenebre, ove sarà pianto e stridore di denti ». [13]E Gesù disse al centurione: « Va', e sia fatto secondo la tua fede ». In quell'istante il servo guarì.

**In casa di Pietro.** [14]Entrato Gesù nella casa di Pietro, vide la suocera di lui che giaceva a letto con la febbre. [15]Le toccò la mano e la febbre scomparve; poi essa si alzò e si mise a servirlo. [16]Venuta la sera, gli portarono molti indemoniati ed egli scacciò gli spiriti con la sua parola e guarì tutti i malati, [17]perché si adempisse ciò che era stato detto per mezzo del profeta Isaia:

*Egli ha preso le nostre infermità*
*e si è addossato le nostre malattie.*

**Esigenze della vocazione.** [18]Vedendo Gesù una gran folla intorno a sé, ordinò di passare all'altra riva. [19]Allora uno scriba si avvicinò e gli disse: « Maestro, io ti seguirò dovunque andrai ». [20]Gli rispose Gesù: « Le volpi hanno le loro tane e gli uccelli del cielo i loro nidi, ma il Figlio dell'uomo non ha dove posare il capo ».
[21]E un altro dei discepoli gli disse: « Signore, permettimi di andar prima a seppellire mio padre ». [22]Ma Gesù gli rispose: « Seguimi e lascia i morti seppellire i loro morti ».

---

[12] I figli del regno sono gli Ebrei. Il Messia respinto da Israele sarà accolto dai pagani. Le tenebre e il batter dei denti simboleggiano disperazione e terrore.
[14] Mc 1,29-34; Lc 4,38-41.
[17] Citazione di Is 53,4. I miracoli vogliono significare che Gesù viene a liberare l'umanità dal male profondo, che è il peccato.

[18] Lc 9,57-60.
[20] Per circa ottanta volte nei vangeli Gesù indica se stesso come Figlio dell'uomo, espressione che in Dn 7,13ss. indica l'origine celeste e la condizione umana del Messia.
[21] Gesù vuol sottolineare l'urgenza della risposta alla vocazione divina.

**La tempesta sedata.** [23]Essendo poi salito su una barca, i suoi discepoli lo seguirono. [24]Ed ecco scatenarsi nel mare una tempesta così violenta che la barca era ricoperta dalle onde; ed egli dormiva. [25]Allora, accostatisi a lui, lo svegliarono dicendo: « Salvaci, Signore, siamo perduti! ». [26]Ed egli disse loro: « Perché avete paura, uomini di poca fede? ». Quindi levatosi, sgridò i venti e il mare e si fece una grande bonaccia. [27]I presenti furono presi da stupore e dicevano: « Chi è mai costui al quale i venti e il mare obbediscono? ».

**Gli indemoniati di Gadara.** [28]Giunto all'altra riva, nel paese dei Gadarèni, due indemoniati, uscendo dai sepolcri, gli vennero incontro; erano tanto furiosi che nessuno poteva più passare per quella strada. [29]Cominciarono a gridare: « Che cosa abbiamo noi in comune con te, Figlio di Dio? Sei venuto qui prima del tempo a tormentarci? ».

[30]A qualche distanza da loro c'era una numerosa mandria di porci a pascolare; [31]e i demòni presero a scongiurarlo dicendo: « Se ci scacci, mandaci in quella mandria ». [32]Egli disse loro: « Andate! ». Ed essi, usciti dai corpi degli uomini, entrarono in quelli dei porci: ed ecco tutta la mandria si precipitò dal dirupo nel mare e perì nei flutti. [33]I mandriani allora fuggirono ed entrati in città raccontarono ogni cosa e il fatto degli indemoniati. [34]Tutta la città allora uscì incontro a Gesù e, vistolo, lo pregarono che si allontanasse dal loro territorio.

[23] Mc 4,35-41; Lc 8,22-25.

[28] Mc 5,1-17; Lc 8,26-37. La città di Gadara era a circa 12 chilometri a sud-est del lago di Tiberiade.

[29] Prima del tempo, cioè prima del giudizio finale.

[32] La salvezza di un uomo importava più di una mandria di porci.

**9** **Il paralitico guarito.** [1]Salito su una barca, Gesù passò all'altra riva e giunse nella sua città. [2]Ed ecco, gli portarono un paralitico steso su un letto. Gesù, vista la loro fede, disse al paralitico: « Coraggio, figliolo, ti sono rimessi i tuoi peccati ». [3]Allora alcuni scribi cominciarono a pensare: « Costui bestemmia ». [4]Ma Gesù, conoscendo i loro pensieri, disse: « Perché mai pensate cose malvagie nel vostro cuore? [5]Che cosa dunque è più facile, dire: Ti sono rimessi i peccati, o dire: Alzati e cammina? [6]Ora, perché sappiate che il Figlio dell'uomo ha il potere in terra di rimettere i peccati: alzati, disse allora al paralitico, prendi il tuo letto e va' a casa tua ». [7]Ed egli si alzò e andò a casa sua. [8]A quella vista, la folla fu presa da timore e rese gloria a Dio che aveva dato un tale potere agli uomini.

**Vocazione di Matteo.** [9]Andando via di là, Gesù vide un uomo seduto al banco delle imposte, chiamato Matteo, e gli disse: « Seguimi ». Ed egli si alzò e lo seguì. [10]Mentre Gesù sedeva a mensa in casa, sopraggiunsero molti pubblicani e peccatori e si misero a tavola con lui e con i discepoli. [11]Vedendo ciò, i farisei dicevano ai suoi discepoli: « Perché il vostro maestro mangia insieme ai pubblicani e ai peccatori? ». [12]Gesù li udì e disse: « Non sono i sani che hanno bisogno del medico, ma i malati. [13]Andate dunque e imparate che cosa significhi: *Misericordia io voglio e non sacrificio*. Infatti non sono venuto a chiamare i giusti, ma i peccatori ».

**Il vecchio e il nuovo.** [14]Allora gli si accostarono i discepoli di Giovanni e gli dissero: « Perché, mentre noi e i farisei digiuniamo, i tuoi discepoli non digiunano? ».

---

**9.** [1] La città è Cafarnao, dove risiedeva Gesù: cfr. 4,13.
[2] Mc 2,3-12; Lc 5,17-26.
[9] Mc 2,13-17; Lc 5,27-32.
[10] Per i pubblicani v. 5,46. Per scrupolo di purezza, i farisei evitavano ogni rapporto coi peccatori.
[13] Citazione di Os 6,6.
[14] Mc 2,18-22; Lc 5,33-38.

[15]E Gesù disse loro: « Possono forse gli invitati a nozze essere in lutto mentre lo sposo è con loro? Verranno però i giorni quando lo sposo sarà loro tolto e allora digiuneranno.
[16]Nessuno mette un pezzo di stoffa grezza su un vestito vecchio, perché il rattoppo squarcia il vestito e si fa uno strappo peggiore. [17]Né si mette vino nuovo in otri vecchi, altrimenti si rompono gli otri e il vino si versa e gli otri van perduti. Ma si versa vino nuovo in otri nuovi, e così l'uno e gli altri si conservano ».

## L'emorroissa guarita e la fanciulla risuscitata.

[18]Mentre diceva loro queste cose, giunse uno dei capi che gli si prostrò innanzi e gli disse: « Mia figlia è morta proprio ora; ma vieni, imponi la tua mano sopra di lei ed essa vivrà ». [19]Alzatosi, Gesù lo seguiva con i suoi discepoli.
[20]Ed ecco una donna, che soffriva d'emorragia da dodici anni, gli si accostò alle spalle e toccò il lembo del suo mantello. [21]Pensava infatti: « Se riuscirò anche solo a toccare il suo mantello, sarò guarita ». [22]Gesù, voltatosi, la vide e disse: « Coraggio, figliola, la tua fede ti ha guarita ». E in quell'istante la donna guarì.
[23]Arrivato poi Gesù nella casa del capo e veduti i flautisti e la gente in agitazione, disse: [24]« Ritiratevi, perché la fanciulla non è morta, ma dorme ». Quelli si misero a deriderlo. [25]Ma dopo che fu cacciata via la gente egli entrò, le prese la mano e la fanciulla si alzò. [26]E se ne sparse la fama in tutta quella regione.

## Altre guarigioni. [27]Mentre Gesù si allontanava di là,

[15] Allusione di Gesù alla sua morte violenta: è il suo primo annunzio, anche se velato.
[16-17] La nuova legge comporta uno spirito nuovo: cfr. 5,17.
[18] Mc 5,21-43; Lc 8,40-56.
[20] A causa della sua malattia la donna era considerata impura dalla legge, perciò non osa parlare in pubblico.
[23] I musicanti accompagnavano le cerimonie funebri.
[27] Per « Figlio di Davide » v. 1,1.

due ciechi lo seguivano urlando: « Figlio di Davide, abbi pietà di noi ». [28]Entrato in casa, i ciechi gli si accostarono, e Gesù disse loro: « Credete voi che io possa fare questo? ». Gli risposero: « Sì, o Signore! ». [29]Allora toccò loro gli occhi e disse: « Sia fatto a voi secondo la vostra fede ». [30]E si aprirono loro gli occhi. Quindi Gesù li ammonì dicendo: « Badate che nessuno lo sappia! ». [31]Ma essi, appena usciti, ne sparsero la fama in tutta quella regione.

[32]Usciti costoro, gli presentarono un muto indemoniato. [33]Scacciato il demonio, quel muto cominciò a parlare e la folla presa da stupore diceva: « Non si è mai vista una cosa simile in Israele! ». [34]Ma i farisei dicevano: « Egli scaccia i demòni per opera del principe dei demòni ».

**La messe è molta.** [35]Gesù andava attorno per tutte le città e i villaggi, insegnando nelle loro sinagoghe, predicando il vangelo del regno e curando ogni malattia e infermità. [36]Vedendo le folle ne sentì compassione, perché erano stanche e sfinite, come pecore senza pastore. [37]Allora disse ai suoi discepoli: « La messe è molta, ma gli operai sono pochi! [38]Pregate dunque il padrone della messe che mandi operai nella sua messe! ».

# 10 I dodici apostoli.

**I dodici apostoli.** [1]Chiamati a sé i dodici discepoli, diede loro il potere di scacciare gli spiriti immondi e di guarire ogni sorta di malattie e d'infermità.
[2]I nomi dei dodici apostoli sono: primo, Simone, chiamato Pietro, e Andrea, suo fratello; Giacomo di Zebedèo e Giovanni suo fratello, [3]Filippo e Bartolomeo, Tommaso e Matteo il pubblicano, Giacomo di

---

[30] Cfr. nota a 8,4.
**10.** [1-2] Mc 3,13-19; 6,7-11; Lc 6,13-16; 9,1-5; 12,51-53. Apostolo

significa inviato. Gesù provvede alla continuazione della sua opera nel mondo.

Alfeo e Taddeo, [4]Simone il Cananeo e Giuda l'Iscariota, che poi lo tradì.

**L'invio alla casa d'Israele.** [5]Questi dodici Gesù li inviò dopo averli così istruiti: « Non andate fra i pagani e non entrate nelle città dei Samaritani; [6]rivolgetevi piuttosto alle pecore perdute della casa d'Israele. [7]E strada facendo, predicate che il regno dei cieli è vicino. [8]Guarite gli infermi, risuscitate i morti, sanate i lebbrosi, cacciate i demòni. Gratuitamente avete ricevuto, gratuitamente date. [9]Non procuratevi oro, né argento, né moneta di rame nelle vostre cinture, [10]né bisaccia da viaggio, né due tuniche, né sandali, né bastone, perché l'operaio ha diritto al suo nutrimento.

**Annunziare la pace.** [11]In qualunque città o villaggio entriate, fatevi indicare se vi sia qualche degna persona, e lì rimanete fino alla vostra partenza. [12]Entrando nella casa, rivolgetele il saluto. [13]Se quella casa ne sarà degna, la vostra pace scenda sopra di essa; ma se non sarà degna, la vostra pace ritorni a voi. [14]Se qualcuno poi non vi accoglierà e non darà ascolto alle vostre parole, uscite da quella casa o da quella città e scuotete la polvere dai vostri piedi. [15]In verità vi dico, nel giorno del giudizio il paese di Sòdoma e Gomorra avrà una sorte più sopportabile di quella città.

**La sorte dei messaggeri del Vangelo.** [16]Ecco: io vi mando come pecore in mezzo ai lupi; siate dunque prudenti come i serpenti e semplici come le colombe.

---

[4] Cananeo significa zelante. Iscariota, cioè uomo di Keriot, una località nel profondo sud della Palestina.
[5] Soltanto gli Ebrei conoscevano le promesse di Dio. I Samaritani erano considerati pratica-mente dei pagani: cfr. Gv 4,9.
[14] Scuotere la polvere significava rompere ogni rapporto.
[15] Il castigo di Sodoma e Gomorra (Gn 19,15-29) era il classico esempio della punizione dell'empio.

[17]Guardatevi dagli uomini, perché vi consegneranno ai loro tribunali e vi flagelleranno nelle loro sinagoghe; [18]e sarete condotti davanti ai governatori e ai re per causa mia, per dare testimonianza a loro e ai pagani. [19]E quando vi consegneranno nelle loro mani, non preoccupatevi di come o di che cosa dovrete dire, perché vi sarà suggerito in quel momento ciò che dovrete dire: [20]non siete infatti voi a parlare, ma è lo Spirito del Padre vostro che parla in voi.

[21]Il fratello darà a morte il fratello e il padre il figlio, e i figli insorgeranno contro i genitori e li faranno morire. [22]E sarete odiati da tutti a causa del mio nome; ma chi persevererà sino alla fine sarà salvato. [23]Quando vi perseguiteranno in una città, fuggite in un'altra; in verità vi dico: non avrete finito di percorrere le città di Israele, prima che venga il Figlio dell'uomo.

[24]Un discepolo non è da più del maestro, né un servo da più del suo padrone; [25]è sufficiente per il discepolo essere come il suo maestro e per il servo come il suo padrone. Se hanno chiamato Beelzebùl il padrone di casa, quanto più i suoi familiari!

**Via ogni timore!** [26]Non li temete dunque, poiché non v'è nulla di nascosto che non debba essere svelato, e di segreto che non debba essere manifestato. [27]Quello che vi dico nelle tenebre ditelo nella luce, e quello che ascoltate all'orecchio predicatelo sui tetti. [28]E non abbiate paura di quelli che uccidono il corpo, ma non hanno potere di uccidere l'anima; temete piuttosto colui che ha il potere di far perire e l'anima e il corpo nella Geenna. [29]Due passeri non si vendono forse per un soldo? Eppure neanche uno di essi cadrà a terra senza che il Padre vostro lo voglia.

---

[23] Questa venuta del Figlio dell'uomo si riferisce alla distruzione di Gerusalemme e del tempio nel 70 d.C., considerata come effetto del giudizio di Dio.

[25] Beelzebùl, cioè « Baal il principe », era il nome di un'antica divinità fenicio-cananea (cfr. 2Re 1,1-4) dato al demonio per disprezzo.

³⁰Quanto a voi, perfino i capelli del vostro capo sono tutti contati; ³¹non abbiate dunque timore: voi valete più di molti passeri!
³²Chi dunque mi riconoscerà davanti agli uomini, anch'io lo riconoscerò davanti al Padre mio che è nei cieli; ³³chi invece mi rinnegherà davanti agli uomini, anch'io lo rinnegherò davanti al Padre mio che è nei cieli.

**Dedizione incondizionata a Cristo.** ³⁴Non crediate che io sia venuto a portare pace sulla terra; non sono venuto a portare pace, ma una spada. ³⁵Sono venuto infatti a separare

il figlio *dal padre, la figlia dalla madre,*
*la nuora dalla suocera:*
³⁶*e i nemici dell'uomo saranno quelli della sua casa.*

³⁷Chi ama il padre o la madre più di me non è degno di me; chi ama il figlio o la figlia più di me non è degno di me; ³⁸chi non prende la sua croce e non mi segue, non è degno di me. ³⁹Chi avrà trovato la sua vita, la perderà: e chi avrà perduto la sua vita per causa mia, la troverà.

**Ricompensa per chi accoglie il messo evangelico.** ⁴⁰Chi accoglie voi accoglie me, e chi accoglie me accoglie colui che mi ha mandato. ⁴¹Chi accoglie un profeta come profeta, avrà la ricompensa del profeta, e chi accoglie un giusto come giusto, avrà la ricompensa del giusto. ⁴²E chi avrà dato anche solo un bicchiere di acqua fresca a uno di questi piccoli, perché è mio discepolo, in verità io vi dico: non perderà la sua ricompensa ».

---

³⁴ Una spada, perché richiede una decisione, a volte contrastata.
³⁵⁻³⁶ Citazione da Mic 7,6.

⁴¹⁻⁴² Profeta, giusto, piccolo indicano gli inviati di Cristo e i suoi fedeli.

**11** Conclusione. ¹Quando Gesù ebbe terminato di dare queste istruzioni ai suoi dodici discepoli, partì di là per insegnare e predicare nelle loro città.

## I MISTERI DEL REGNO
### (11,2-13,52)

**L'ambasciata di Giovanni.** ²Giovanni intanto, che era in carcere, avendo sentito parlare delle opere del Cristo, mandò a dirgli per mezzo dei suoi discepoli: ³« Sei tu colui che deve venire o dobbiamo attenderne un altro? ». ⁴Gesù rispose: « Andate e riferite a Giovanni ciò che voi udite e vedete: ⁵*I ciechi ricuperano la vista,* gli storpi camminano, i lebbrosi sono guariti, i sordi riacquistano l'udito, i morti risuscitano, *ai poveri è predicata la buona novella,* ⁶e beato colui che non si scandalizza di me ».

**L'elogio di Giovanni Battista.** ⁷Mentre questi se ne andavano, Gesù si mise a parlare di Giovanni alle folle: « Che cosa siete andati a vedere nel deserto? Una canna sbattuta dal vento? ⁸Che cosa dunque siete andati a vedere? Un uomo avvolto in morbide vesti? Coloro che portano morbide vesti stanno nei palazzi dei re! ⁹E allora, che cosa siete andati a vedere? Un profeta? Sì, vi dico, anche più di un profeta. ¹⁰Egli è colui, del quale sta scritto:

*Ecco, io mando davanti a te il mio messaggero
che preparerà la tua via davanti a te.*

¹¹In verità vi dico: tra i nati di donna non è sorto uno più grande di Giovanni il Battista; tuttavia il più pic-

---

**11.** ² Lc 7,18-23. Per la prigionia del Battista cfr. 14,3-4.
³ L'espressione « colui che deve venire » designa il Messia.
⁵ Citazione di Is 35,5-6.

⁶ *Scandalo* in greco significa « ostacolo ». I nemici di Gesù inciamperanno in lui.
⁷ Lc 7,24-28.
¹⁰ Citazione di Ml 3,1.

colo nel regno dei cieli è più grande di lui. [12]Dai giorni di Giovanni il Battista fino ad ora, il regno dei cieli soffre violenza e i violenti se ne impadroniscono. [13]La Legge e tutti i Profeti infatti hanno profetato fino a Giovanni. [14]E se lo volete accettare, egli è quell'Elia che deve venire. [15]Chi ha orecchi intenda.

**La sapienza e le opere.** [16]Ma a chi paragonerò io questa generazione? Essa è simile a quei fanciulli seduti sulle piazze che si rivolgono agli altri compagni e dicono:

> [17]Vi abbiamo suonato il flauto e non avete ballato,
> abbiamo cantato un lamento e non avete pianto.

[18]È venuto Giovanni, che non mangia e non beve, e hanno detto: Ha un demonio. [19]È venuto il Figlio dell'uomo, che mangia e beve, e dicono: Ecco un mangione e un beone, amico dei pubblicani e dei peccatori. Ma alla sapienza è stata resa giustizia dalle sue opere ».

**Guai alle città incredule!** [20]Allora si mise a rimproverare le città nelle quali aveva compiuto il maggior numero di miracoli, perché non si erano convertite: [21]« Guai a te, Corazin! Guai a te, Betsàida! Perché, se a Tiro e a Sidone fossero stati compiuti i miracoli che sono stati fatti in mezzo a voi, già da tempo avrebbero fatto penitenza, ravvolte nel cilicio e nella cenere. [22]Ebbene io ve lo dico: Tiro e Sidone nel giorno del giudizio avranno una sorte meno dura della vostra. [23]E tu, Cafàrnao,

---

[12] La violenza può essere o l'entusiasmo dei buoni o l'aversione dei cattivi.
[14] Cfr. Ml 3,23. Giovanni aveva lo zelo coraggioso dell'antico profeta: cfr. 17,10-12.
[16] Lc 7,31-35. I contemporanei di Gesù sono come ragazzi capricciosi.
[18] Ha un demonio, cioè è un pazzo: ecco la risposta a Giovanni.
[19] La sapienza divina, nonostante le incomprensioni, avrà i suoi effetti.
[20-21] Lc 10,12-15. I vangeli non raccontano i miracoli compiuti a Corazin e Betsàida, città a nord del lago di Tiberiade. Tiro e Sidone erano città fenicie, pagane.
[23] Cfr. Is 14,13-15.

*sarai* forse *innalzata fino al cielo?*
*Fino agli inferi precipiterai!*

Perché, se in Sòdoma fossero avvenuti i miracoli compiuti in te, oggi ancora essa esisterebbe! [24]Ebbene io vi
dico: Nel giorno del giudizio avrà una sorte meno dura
della tua! ».

**Il Vangelo rivelato ai semplici.** [25]In quel tempo Gesù
disse: « Ti benedico, o Padre, Signore del cielo e della
terra, perché hai tenuto nascoste queste cose ai sapienti e agli intelligenti e le hai rivelate ai piccoli. [26]Sì,
o Padre, perché così è piaciuto a te. [27]Tutto mi è stato
dato dal Padre mio; nessuno conosce il Figlio se non il
Padre, e nessuno conosce il Padre se non il Figlio e
colui al quale il Figlio lo voglia rivelare.
[28]Venite a me, voi tutti, che siete affaticati e oppressi,
e io vi ristorerò. [29]Prendete il mio giogo sopra di voi e
imparate da me, che sono mite e umile di cuore, *e troverete ristoro* per le vostre anime. [30]Il mio giogo infatti è dolce e il mio carico leggero ».

**12** **Le spighe e il riposo sabatico.** [1]In quel tempo
Gesù passò tra le messi in giorno di sabato, e i
suoi discepoli ebbero fame e cominciarono a cogliere
spighe e le mangiavano. [2]Ciò vedendo, i farisei gli
dissero: « Ecco, i tuoi discepoli stanno facendo quello
che non è lecito fare in giorno di sabato ». [3]Ed egli
rispose: « Non avete letto quello che fece Davide
quando ebbe fame insieme ai suoi compagni? [4]Come

[25] Lc 10,21-22. Benedire è anche lodare, ringraziare. Gesù manifesta una sicura coscienza della
sua filiazione divina. Per i piccoli v. 10,41-42.
[29] Cfr. Sir 51,27.
[30] Il giogo è dolce perché portato con sentimenti filiali: cfr.
1Gv 5,3-4.

**12.** [1-2] Mc 2,23-28; Lc 6,1-5. I
farisei equiparavano quel coglier
le spighe (cfr. Dt 23,26) alla mietitura, proibita nel giorno di assoluto riposo: cfr. Es 34,21.
[3-4] Cfr. 1Sam 21,1-6 e Lv 24,
5-9. I pani erano settimanalmente
offerti nel santuario a rappresenta-
re Israele al cospetto di Dio.

entrò nella casa di Dio e mangiarono i pani dell'offerta, che non era lecito mangiare né a lui né ai suoi compagni, ma solo ai sacerdoti? [5]O non avete letto nella Legge che nei giorni di sabato i sacerdoti nel tempio infrangono il sabato e tuttavia sono senza colpa? [6]Ora io vi dico che qui c'è qualcosa più grande del tempio. [7]Se aveste compreso che cosa significa: *Misericordia io voglio e non sacrificio,* non avreste condannato individui senza colpa. [8]Perché il Figlio dell'uomo è signore del sabato ».

**L'uomo dalla mano arida.** [9]Allontanatosi di là, andò nella loro sinagoga. [10]Ed ecco, c'era un uomo che aveva una mano inaridita, ed essi chiesero a Gesù: « È permesso curare di sabato? ». Dicevano ciò per accusarlo. [11]Ed egli disse loro: « Chi tra voi, avendo una pecora, se questa gli cade di sabato in una fossa, non l'afferra e la tira fuori? [12]Ora, quanto è più prezioso un uomo di una pecora! Perciò è permesso fare del bene anche di sabato ». [13]E rivolto all'uomo, gli disse: « Stendi la mano ». Egli la stese, e quella ritornò sana come l'altra. [14]I farisei però, usciti, tennero consiglio contro di lui per toglierlo di mezzo.

**Il « servo di Dio » mansueto.** [15]Ma Gesù, saputolo, si allontanò di là. Molti lo seguirono ed egli guarì tutti, [16]ordinando loro di non divulgarlo, [17]perché si adempisse ciò che era stato detto dal profeta Isaia:

[18]*Ecco il mio servo che io ho scelto;*
   *il mio prediletto, nel quale mi sono compiaciuto.*

---

[6] Cfr. 12,41.
[7] Cfr. 9,13. Citazione di Os 6,6; cfr. 1Sam 15,22.
[8] Gesù, come Dio, ha pieni poteri sulla legge.
[9] Mc 3,1-12; Lc 6,6-11.
[10-11] Di sabato era permesso curare soltanto in caso di pericolo di morte. La perdita di una pecora era ritenuta grave danno.
[18] Citazione della profezia messianica di Is 42,1-4. Il servo è colui che si consacra al volere di Dio e alla missione affidatagli.

*Porrò il mio spirito sopra di lui*
*e annunzierà la giustizia alle genti.*
[19]*Non contenderà, né griderà,*
*né si udrà sulle piazze la sua voce.*
[20]*La canna infranta non spezzerà,*
*non spegnerà il lucignolo fumigante,*
*finché abbia fatto trionfare la giustizia;*
[21]*nel suo nome spereranno le genti.*

**Regno di Dio e regno di satana.** [22]In quel tempo gli
fu portato un indemoniato, cieco e muto, ed egli lo
guarì, sicché il muto parlava e vedeva. [23]E tutta la folla
era sbalordita e diceva: « Non è forse costui il figlio
di Davide? ». [24]Ma i farisei, udendo questo, presero a
dire: « Costui scaccia i demòni in nome di Beelzebùl,
principe dei demòni ».
[25]Ma egli, conosciuto il loro pensiero, disse loro: « Ogni
regno discorde cade in rovina, e nessuna città o famiglia discorde può reggersi. [26]Ora, se satana scaccia satana, egli è discorde con se stesso; come potrà dunque
reggersi il suo regno? [27]E se io scaccio i demòni in nome
di Beelzebùl, i vostri figli in nome di chi li scacciano?
Per questo loro stessi saranno i vostri giudici. [28]Ma
se io scaccio i demòni per virtù dello Spirito di Dio,
è certo giunto fra voi il regno di Dio. [29]Come potrebbe
uno penetrare nella casa dell'uomo forte e rapirgli le
sue cose, se prima non lo lega? Allora soltanto gli
potrà saccheggiare la casa. [30]Chi non è con me è contro
di me, e chi non raccoglie con me, disperde.

**La bestemmia contro lo Spirito.** [31]Perciò io vi dico:
Qualunque peccato e bestemmia sarà perdonata agli
uomini, ma la bestemmia contro lo Spirito non sarà

---

[22] Mc 3,22-30; Lc 11,14-20; 12,
10. Per Beelzebùl v. 10,25.
[31-32] La bestemmia contro lo Spirito Santo consiste nell'attribuire,

con una distorsione sacrilega, le
opere compiute con lo spirito di
Dio alla potenza di satana; cfr.
Gv 8,21; 1Gv 5,16. Il peccato

perdonata. [32]A chiunque parlerà male del Figlio dell'uomo sarà perdonato; ma la bestemmia contro lo Spirito, non gli sarà perdonata né in questo secolo, né in quello futuro.

## Le parole rivelano il cuore. [33]Se prendete un albero

buono, anche il suo frutto sarà buono; se prendete un albero cattivo, anche il suo frutto sarà cattivo: dal frutto infatti si conosce l'albero. [34]Razza di vipere, come potete dire cose buone, voi che siete cattivi? Poiché la bocca parla dalla pienezza del cuore. [35]L'uomo buono dal suo buon tesoro trae cose buone, mentre l'uomo cattivo dal suo cattivo tesoro trae cose cattive. [36]Ma io vi dico che di ogni parola infondata gli uomini renderanno conto nel giorno del giudizio; [37]poiché in base alle tue parole sarai giustificato e in base alle tue parole sarai condannato ».

## Il segno di Giona. [38]Allora alcuni scribi e farisei lo

interrogarono: « Maestro, vorremmo che tu ci facessi vedere un segno ». Ed egli rispose: [39]« Una generazione perversa e adultera pretende un segno! Ma nessun segno le sarà dato, se non il segno di Giona profeta. [40]Come infatti Giona rimase tre giorni e tre notti nel ventre del pesce, così il Figlio dell'uomo resterà tre giorni e tre notti nel cuore della terra. [41]Quelli di Nìnive si alzeranno a giudicare questa generazione e la condanneranno, perché essi si convertirono alla predicazione di Giona. Ecco, ora qui c'è più di Giona! [42]La regina del sud si leverà a giudicare questa generazione e la condannerà, perché essa venne dall'estremità della terra per ascoltare la sapienza di Salomone; ecco, ora qui c'è più di Salomone!

contro il Figlio dell'uomo è scusato in quanto era arduo riconoscere in un uomo il Figlio di Dio.
[33] Cfr. Lc 6,43-45.
[38] Lc 11,24-26.29-32.

[39] Adultera, nel senso di infedele a Dio, Sposo d'Israele.
[40] Cfr. Gio 2,11.
[42] Allusione alla regina di Saba: cfr. 1Re 10,1-10.

**La ricaduta.** ⁴³Quando lo spirito immondo esce da un
uomo, se ne va per luoghi aridi cercando sollievo, ma
non ne trova. ⁴⁴Allora dice: Ritornerò alla mia abitazione, da cui sono uscito. E tornato la trova vuota,
spazzata e adorna. ⁴⁵Allora va, si prende sette altri
spiriti peggiori ed entra a prendervi dimora; e la nuova
condizione di quell'uomo diventa peggiore della prima.
Così avverrà anche a questa generazione perversa ».

**La famiglia di Gesù.** ⁴⁶Mentre egli parlava ancora
alla folla, sua madre e i suoi fratelli, stando fuori in
disparte, cercavano di parlargli. ⁴⁷Qualcuno gli disse:
« Ecco di fuori tua madre e i tuoi fratelli che vogliono parlarti ». ⁴⁸Ed egli, rispondendo a chi lo informava, disse: « Chi è mia madre e chi sono i miei fratelli? ». ⁴⁹Poi stendendo la mano verso i suoi discepoli
disse: « Ecco mia madre ed ecco i miei fratelli; ⁵⁰per-
ché chiunque fa la volontà del Padre mio che è nei cieli,
questi è per me fratello, sorella e madre ».

**13** **Le parabole del Regno.** ¹Quel giorno Gesù uscì
di casa e si sedette in riva al mare. ²Si cominciò a
raccogliere attorno a lui tanta folla che dovette salire
su una barca e là porsi a sedere mentre tutta la folla
rimaneva sulla spiaggia.
³Egli parlò loro di molte cose in parabole.

**Il seminatore.** E disse: « Ecco, il seminatore uscì
a seminare. ⁴E mentre seminava, una parte del seme
cadde sulla strada e vennero gli uccelli e la divorarono.
⁵Un'altra parte cadde in luogo sassoso, dove non c'era
molta terra; subito germogliò, perché il terreno non
era profondo. ⁶Ma, spuntato il sole, restò bruciata e
non avendo radici si seccò. ⁷Un'altra parte cadde sulle
spine e le spine crebbero e la soffocarono. ⁸Un'altra

⁴⁶ Mc 3,31-35; Lc 8,19-21. Per i          **13.** ¹ Mc 4,1-20; Lc 2,4-15. È
fratelli di Gesù v. 13,55.                  la « giornata » delle parabole.

parte cadde sulla terra buona e diede frutto, dove il
cento, dove il sessanta, dove il trenta. ⁹Chi ha orecchi,
intenda ».

**Il perché delle parabole.** ¹⁰Gli si avvicinarono allora
i discepoli e gli dissero: « Perché parli loro in parabole? ».
¹¹Egli rispose: « Perché a voi è dato di conoscere i
misteri del regno dei cieli, ma a loro non è dato. ¹²Così
a chi ha sarà dato e sarà nell'abbondanza; e a chi non
ha sarà tolto anche quello che ha. ¹³Per questo parlo
loro in parabole: perché pur vedendo non vedono, e
pur udendo non odono e non comprendono. ¹⁴E così si
adempie per loro la profezia di Isaia che dice:

> *Voi udrete, ma non comprenderete,*
> *guarderete, ma non vedrete.*
> ¹⁵*Perché il cuore di questo popolo*
> *si è indurito,*
> *son diventati duri di orecchi,*
> *e hanno chiuso gli occhi,*
> *per non vedere con gli occhi,*
> *non sentire con gli orecchi*
> *e non intendere con il cuore e convertirsi,*
> *e io li risani.*

¹⁶Ma beati i vostri occhi perché vedono e i vostri orecchi perché sentono. ¹⁷In verità vi dico: molti profeti
e giusti hanno desiderato vedere ciò che voi vedete, e
non lo videro, e ascoltare ciò che voi ascoltate, e non
l'udirono!

⁹ Cfr. 11,15; 13,43.
¹² Chi non corrisponde e non
dà frutto perde anche quello
che ha.
¹³ Le parabole sul regno di Dio
velavano una dottrina che l'im-
preparazione di molti rischiava

di distorcere in senso nazionali-
stico e materiale: cfr. Gv 6,15. I
docili e gli umili potevano avere
da Gesù l'esatta interpretazione
delle parabole.
¹⁴ Citazione di Is 6,9-10 (v. la
nota a questo testo).

**Il seme è la parola del Regno.** [18]Voi dunque intendete la parabola del seminatore: [19]tutte le volte che uno ascolta la parola del regno e non la comprende, viene il maligno e ruba ciò che è stato seminato nel suo cuore: questo è il seme seminato lungo la strada. [20]Quello che è stato seminato nel terreno sassoso è l'uomo che ascolta la parola e subito l'accoglie con gioia, [21]ma non ha radice in sé ed è incostante, sicché appena giunge una tribolazione o persecuzione a causa della parola, egli ne resta scandalizzato. [22]Quello seminato tra le spine è colui che ascolta la parola, ma la preoccupazione del mondo e l'inganno della ricchezza soffocano la parola ed essa non dà frutto. [23]Quello seminato nella terra buona è colui che ascolta la parola e la comprende; questi dà frutto e produce ora il cento, ora il sessanta, ora il trenta ».

**La zizzania.** [24]Un'altra parabola espose loro così: « Il regno dei cieli si può paragonare a un uomo che ha seminato del buon seme nel suo campo. [25]Ma mentre tutti dormivano venne il suo nemico, seminò zizzania in mezzo al grano e se ne andò. [26]Quando poi la messe fiorì e fece frutto, ecco apparve anche la zizzania. [27]Allora i servi andarono dal padrone di casa e gli dissero: Padrone, non hai seminato del buon seme nel tuo campo? Da dove viene dunque la zizzania? [28]Ed egli rispose loro: Un nemico ha fatto questo. E i servi gli dissero: Vuoi dunque che andiamo a raccoglierla? [29]No, rispose, perché non succeda che, cogliendo la zizzania, con essa sradichiate anche il grano. [30]Lasciate che l'una e l'altro crescano insieme fino alla mietitura e al momento della mietitura dirò ai mietitori: Cogliete prima la zizzania e legatela in fastelli per bruciarla; il grano invece riponetelo nel mio granaio ».

[19] Il maligno è satana, avversario del regno di Dio e degli uomini « che Dio ama ».

[26] La zizzania, all'inizio della sua crescita, si confonde all'aspetto con il frumento.

**Il granellino di senapa.** [31]Un'altra parabola espose
loro: « Il regno dei cieli si può paragonare a un granellino di senapa, che un uomo prende e semina nel
suo campo. [32]Esso è il più piccolo di tutti i semi ma,
una volta cresciuto, è più grande degli altri legumi e
diventa un albero, tanto che vengono gli uccelli del cielo
e si annidano fra i suoi rami ».

**Il lievito.** [33]Un'altra parabola disse loro: « Il regno
dei cieli si può paragonare al lievito che una donna
ha preso e impastato con tre misure di farina perché
tutta si fermenti ».
[34]Tutte queste cose Gesù disse alla folla in parabole e
non parlava ad essa se non in parabole, [35]perché si
adempisse ciò che era stato detto dal profeta:

　　*Aprirò la mia bocca in parabole,*
　　*proclamerò cose nascoste* fin dalla fondazione del
　　　　　　　　　　　　　　　　　　[mondo.

**Il senso della parabola della zizzania.** [36]Poi Gesù
lasciò la folla ed entrò in casa; i suoi discepoli gli si
accostarono per dirgli: « Spiegaci la parabola della
zizzania nel campo ». [37]Ed egli rispose: « Colui che
semina il buon seme è il Figlio dell'uomo. [38]Il campo
è il mondo. Il seme buono sono i figli del regno; la
zizzania sono i figli del maligno, [39]e il nemico che l'ha
seminata è il diavolo. La mietitura rappresenta la fine
del mondo, e i mietitori sono gli angeli. [40]Come dunque
si raccoglie la zizzania e si brucia nel fuoco, così avverrà alla fine del mondo. [41]Il Figlio dell'uomo manderà i suoi angeli, i quali raccoglieranno dal suo regno
tutti gli scandali e tutti gli operatori di iniquità [42]e
li getteranno nella fornace ardente dove sarà pianto e

---

[31] Mc 4,30-34; Lc 13,18-21. Il
regno di Dio — la Chiesa — ha
umili origini, ma avrà un rigo-
glioso sviluppo.

[33] Il regno di Dio solleva e tra-
sforma il mondo.
[35] Citazione del Sal 77,2.
[42] V. 8,12.

stridore di denti. [43]Allora i giusti splenderanno come il sole nel regno del Padre loro. Chi ha orecchi intenda!

**Il tesoro nascosto e la perla preziosa.** [44]Il regno dei cieli è simile a un tesoro nascosto in un campo; un uomo lo trova e lo nasconde di nuovo, poi va, pieno di gioia, e vende tutti i suoi averi e compra quel campo. [45]Il regno dei cieli è simile a un mercante che va in cerca di perle preziose; [46]trovata una perla di grande valore, va, vende tutti i suoi averi e la compra.

**La rete gettata in mare.** [47]Il regno dei cieli è simile anche a una rete gettata nel mare, che raccoglie ogni genere di pesci. [48]Quando è piena, i pescatori la tirano a riva e poi, sedutisi, raccolgono i pesci buoni nei canestri e buttano via i cattivi. [49]Così sarà alla fine del mondo. Verranno gli angeli e separeranno i cattivi dai buoni [50]e li getteranno nella fornace ardente, dove sarà pianto e stridore di denti.

**Cose nuove e cose antiche.** [51]Avete capito tutte queste cose? ». Gli risposero: « Sì ». [52]Ed egli disse loro: « Per questo ogni scriba divenuto discepolo del regno dei cieli è simile a un padrone di casa che estrae dal suo tesoro cose nuove e cose antiche ».

# L'ORGANIZZAZIONE DEL REGNO
## (13,53-18,35)

**Incredulità dei concittadini.** [53]Terminate queste parabole, Gesù partì di là [54]e venuto nella sua patria insegnava nella loro sinagoga e la gente rimaneva stupita e diceva: « Da dove mai viene a costui questa sa-

---

[52] Per lo scriba cfr. 2,4. L'antica e nuova legge è l'intero tesoro della divina rivelazione. [53] Mc 6,1-6; Lc 4,16-30.

pienza e questi miracoli? [55]Non è egli forse il figlio del carpentiere? Sua madre non si chiama Maria e i suoi fratelli Giacomo, Giuseppe, Simone e Giuda? E le sue sorelle non sono tutte fra noi? Da dove gli vengono dunque tutte queste cose?». [56]E si scandalizzavano per causa sua. Ma Gesù disse loro: «Un profeta non è disprezzato se non nella sua patria e in casa sua». [57]E non fece molti miracoli a causa della loro incredulità.

**14** **Martirio di Giovanni Battista.** [1]In quel tempo il tetrarca Erode ebbe notizia della fama di Gesù. [2]Egli disse ai suoi cortigiani: «Costui è Giovanni il Battista risuscitato dai morti; per ciò la potenza dei miracoli opera in lui». [3]Erode aveva arrestato Giovanni e lo aveva fatto incatenare e gettare in prigione per causa di Erodìade, moglie di Filippo suo fratello. [4]Giovanni infatti gli diceva: «Non ti è lecito tenerla!». [5]Benché Erode volesse farlo morire, temeva il popolo perché lo considerava un profeta.

[6]Venuto il compleanno di Erode, la figlia di Erodìade

---

[55-56] Il carpentiere si occupava di lavori in legno, specialmente per le costruzioni. Per la scarsità di termini ebraici indicanti i vari gradi di parentela (cfr. Gn 13, 8; 14,14; 29,15; 1Cr 23,21-22; 2Cr 36,10), «fratello» e «sorella» potevano indicare anche parenti in secondo grado. Giacomo e Giuseppe sono figli di una Maria (27,56; Mc 15,40), che è forse la sorella della madre di Gesù di Gv 19,25. È inverosimile che due sorelle abbiano lo stesso nome, quindi questa Maria era forse cugina della Vergine. Il N.T. parla di «fratelli» di Gesù, ma mai di altri figli della Vergine, al di fuori di Cristo.

Le «sorelle» di Gesù sono ricordate soltanto qui e in Mc 6,3.
[56] Si scandalizzavano: v. 11,6.
[57] Era impossibile superare la diffidenza dei compaesani di Gesù; per la fede cfr. 9,28.
**14.** [1] Mc 6,14-29; Lc 9,7-9; 3, 19-20. Erode Antipa, figlio di Erode il grande, aveva ereditato il governo della Galilea e della Perea col titolo di tetrarca, cioè capo di una quarta parte del regno.
[3] L'Antipa aveva preso Erodiade al suo fratellastro Erode Filippo, ripudiando la figlia del re nabateo Areta IV.
[6] La figlia di Erodiade era Salome: v. il vivace racconto di Mc.

danzò in pubblico e piacque tanto a Erode [7]che egli le
promise con giuramento di darle tutto quello che avesse
domandato. [8]Ed essa, istigata dalla madre, disse: « Dammi qui, su un vassoio, la testa di Giovanni il Battista ».
[9]Il re ne fu contristato, ma a causa del giuramento e
dei commensali ordinò che le fosse data [10]e mandò a
decapitare Giovanni nel carcere. [11]La sua testa venne
portata su un vassoio e fu data alla fanciulla, ed ella
la portò a sua madre. [12]I suoi discepoli andarono a
prendere il cadavere, lo seppellirono e andarono a informarne Gesù.

**Prima moltiplicazione dei pani.** [13]Udito ciò, Gesù
partì di là su una barca e si ritirò in disparte in un
luogo deserto. Ma la folla, saputolo, lo seguì a piedi
dalle città. [14]Egli, sceso dalla barca, vide una grande
folla e sentì compassione per loro e guarì i loro malati.
[15]Sul far della sera, gli si accostarono i discepoli e gli
dissero: « Il luogo è deserto ed è ormai tardi; congeda
la folla perché vada nei villaggi a comprarsi da mangiare ». [16]Ma Gesù rispose: « Non occorre che vadano;
date loro voi stessi da mangiare ». [17]Gli risposero:
« Non abbiamo che cinque pani e due pesci! ». [18]Ed egli
disse: « Portatemeli qua ». [19]E dopo aver ordinato alla
folla di sedersi sull'erba, prese i cinque pani e i due
pesci e, alzati gli occhi al cielo, pronunziò la benedizione, spezzò i pani e li diede ai discepoli e i discepoli
li distribuirono alla folla. [20]Tutti mangiarono e furono
saziati; e portarono via dodici ceste piene di pezzi
avanzati. [21]Quelli che avevano mangiato erano circa cinquemila uomini, senza contare le donne e i bambini.

**Gesù cammina sulle acque.** [22]Subito dopo ordinò ai

[13] Mc 6,31-44; Lc 9,10-17; Gv
6,1-15. Per il significato eucaristico del pane moltiplicato cfr.
Gv.

[19] La benedizione era la preghiera prima del pasto.
[22] Mc 6,45-56; Gv 6,16-21. I Galilei erano in subbuglio e vole-

discepoli di salire sulla barca e di precederlo sull'altra
sponda, mentre egli avrebbe congedato la folla. [23]Conge-
data la folla, salì sul monte, solo, a pregare. Venuta
la sera, egli se ne stava ancora solo lassù.
[24]La barca intanto distava già qualche miglio da terra
ed era agitata dalle onde, a causa del vento contrario. [25]Verso la fine della notte egli venne verso di
loro camminando sul mare. [26]I discepoli, a vederlo camminare sul mare, furono turbati e dissero: « È un fantasma » e si misero a gridare dalla paura. [27]Ma subito
Gesù parlò loro: « Coraggio, sono io, non abbiate
paura ». [28]Pietro gli disse: « Signore, se sei tu, comanda che io venga da te sulle acque ». [29]Ed egli disse:
« Vieni! ». Pietro, scendendo dalla barca, si mise a
camminare sulle acque e andò verso Gesù. [30]Ma per la
violenza del vento, s'impaurì e, cominciando ad af-
fondare, gridò: « Signore, salvami! ». [31]E subito Gesù
stese la mano, lo afferrò e gli disse: « Uomo di poca
fede, perché hai dubitato? ». [32]Appena saliti sulla barca,
il vento cessò. [33]Quelli che erano sulla barca gli si prostrarono davanti, esclamando: « Tu sei veramente il Figlio di Dio! ».

**Nella regione di Genèsaret.** [34]Compiuta la traversata,
approdarono a Genèsaret. [35]E la gente del luogo, riconosciuto Gesù, diffuse la notizia in tutta la regione;
gli portarono tutti i malati, [36]e lo pregavano di poter
toccare almeno l'orlo del suo mantello. E quanti lo
toccavano guarivano.

**15** **La tradizione degli antichi.** [1]In quel tempo vennero a Gesù da Gerusalemme alcuni farisei e alcuni scribi e gli dissero: [2]« Perché i tuoi discepoli tra-

---

vano rapire Gesù (Gv 6,15). Cristo è il signore degli elementi
della natura e veglia sulla navigazione perigliosa della barca-chiesa.

[30] Cfr. 8,25-26.
[34] Genèsaret era la pianura a
nord-ovest del lago.
**15.** [1] Mc 7,1-23. La tradizione

sgrediscono la tradizione degli antichi? Poiché non si lavano le mani quando prendono cibo! ». ³Ed egli rispose loro: « Perché voi trasgredite il comandamento di Dio in nome della vostra tradizione? ⁴Dio ha detto:

*Onora il padre e la madre*

e inoltre:

*Chi maledice il padre e la madre sia messo a morte.*

⁵Invece voi asserite: Chiunque dice al padre o alla madre: Ciò con cui ti dovrei aiutare è offerto a Dio, ⁶non è più tenuto a onorare suo padre o sua madre. Così avete annullato la parola di Dio in nome della vostra tradizione. ⁷Ipocriti! Bene ha profetato di voi Isaia, dicendo:

⁸*Questo popolo mi onora con le labbra*
*ma il suo cuore è lontano da me.*
⁹*Invano essi mi rendono culto,*
*insegnando dottrine che sono precetti di uomini* ».

**Purità legale e purità morale.** ¹⁰Poi, riunita la folla, disse: « Ascoltate e intendete! ¹¹Non quello che entra nella bocca rende impuro l'uomo, ma quello che esce dalla bocca rende impuro l'uomo! ». ¹²Allora i discepoli gli si accostarono per dirgli: « Sai che i farisei si sono scandalizzati nel sentire queste parole? ». ¹³Ed egli rispose: « Ogni pianta che non è stata piantata dal mio Padre celeste sarà sradicata. ¹⁴Lasciateli! Sono ciechi e guide di ciechi. E quando un cieco guida un altro cieco, tutti e due cadranno in un fosso! ». ¹⁵Pietro allora gli disse: « Spiegaci questa parabola ». ¹⁶Ed egli rispose: « Anche voi siete ancora senza intelletto? ¹⁷Non capite che tutto ciò che entra nella bocca, passa nel ventre e va a finire nella fogna?

era l'insegnamento orale dei maestri ebrei a commento della legge.
4-5 Citazione di Es 20,12; 21,17; cfr. Lv 20,9; Dt 5,16. L'offerta

votiva sottraeva la materia offerta ad altri usi.
⁸ Citazione di Is 29,13.
¹¹ Per i farisei, il cibo preso sen-

[18]Invece ciò che esce dalla bocca proviene dal cuore. Questo rende immondo l'uomo. [19]Dal cuore, infatti, provengono i propositi malvagi, gli omicidi, gli adultèri, le prostituzioni, i furti, le false testimonianze, le bestemmie. [20]Queste sono le cose che rendono immondo l'uomo, ma il mangiare senza lavarsi le mani non rende immondo l'uomo ».

**La Cananèa.** [21]Partito di là, Gesù si diresse verso le parti di Tiro e Sidone. [22]Ed ecco una donna Cananèa, che veniva da quelle regioni, si mise a gridare: « Pietà di me, Signore, figlio di Davide. Mia figlia è crudelmente tormentata da un demonio ». [23]Ma egli non le rivolse neppure una parola.
Allora i discepoli gli si accostarono implorando: « Esaudiscila, vedi come ci grida dietro ». [24]Ma egli rispose: « Non sono stato inviato che alle pecore perdute della casa di Israele ». [25]Ma quella si fece avanti e gli si prostrò dicendo: « Signore, aiutami! ». [26]Ed egli rispose: « Non è bene prendere il pane dei figli per gettarlo ai cagnolini ». [27]« È vero, Signore, disse la donna, ma anche i cagnolini si cibano delle briciole che cadono dalla tavola dei loro padroni ». [28]Allora Gesù le replicò: « Donna, davvero grande è la tua fede! Ti sia fatto come desideri ». E da quell'istante sua figlia fu guarita.

**Seconda moltiplicazione dei pani.** [29]Allontanatosi di là, Gesù giunse presso il mare di Galilea e, salito sul monte, si fermò là. [30]Attorno a lui si radunò molta folla recando con sé zoppi, storpi, ciechi, sordi e molti altri malati; li deposero ai suoi piedi, ed egli li guarì. [31]E la folla era piena di stupore nel vedere i muti che

za la previa abluzione provocava l'impurità rituale.
[21] Mc 7,24-30. Tiro e Sidone erano città fenicie e Cananei era l'antico nome della loro popolazione.

[24] Cfr. 10,5.
[26] Nella risposta Gesù si attiene alla concezione tradizionale. Però la fede della donna, provocata dal Salvatore, merita una eccezione.
[29] Mc 8,1-10.

parlavano, gli storpi raddrizzati, gli zoppi che camminavano e i ciechi che vedevano. E glorificava il Dio
di Israele.
[32]Allora Gesù chiamò a sé i discepoli e disse: « Sento
compassione di questa folla: ormai da tre giorni mi
vengono dietro e non hanno da mangiare. Non voglio
rimandarli digiuni, perché non svengano lungo la strada ». [33]E i discepoli gli dissero: « Dove potremo noi
trovare in un deserto tanti pani da sfamare una folla
così grande? ». [34]Ma Gesù domandò: « Quanti pani avete? ». Risposero: « Sette, e pochi pesciolini ». [35]Dopo
aver ordinato alla folla di sedersi per terra, [36]Gesù prese
i sette pani e i pesci, rese grazie, li spezzò, li dava ai
discepoli, e i discepoli li distribuivano alla folla. [37]Tutti
mangiarono e furono saziati. Dei pezzi avanzati portarono via sette sporte piene. [38]Quelli che avevano mangiato erano quattromila uomini, senza contare le donne
e i bambini. [39]Congedata la folla, Gesù salì sulla barca e
andò nella regione di Magadàn.

**16** I segni dei tempi. [1]I farisei e i sadducei si avvicinarono per metterlo alla prova e gli chiesero che
mostrasse loro un segno dal cielo. [2]Ma egli rispose:
« Quando si fa sera, voi dite: Bel tempo, perché il
cielo rosseggia; [3]e al mattino: Oggi burrasca, perché il
cielo è rosso cupo. Sapete dunque interpretare l'aspetto
del cielo e non sapete distinguere i segni dei tempi?
[4]Una generazione perversa e adultera cerca un segno,
ma nessun segno le sarà dato se non il segno di Giona ». E lasciatili, se ne andò.

**Incomprensione dei discepoli.** [5]Nel passare però al-

---

[39] Magadàn è forse una località
sulla riva occidentale del lago.
**16.** [1] Mc 8,11-21.
[3] I segni dei tempi, nel vangelo,
sono i miracoli in quanto segno
dell'èra messianica.

[4] Adultera nel senso d'infedele a
Dio, incredula (17,17); il segno
di Giona allude al miracolo della
risurrezione di Cristo; cfr. 12,
38-42. La vicenda di Giona è nar-
rata nel libro profetico omonimo.

l'altra riva, i discepoli avevano dimenticato di prendere il pane. [6]Gesù disse loro: « Fate bene attenzione e guardatevi dal lievito dei farisei e dei sadducei ». [7]Ma essi parlavano tra loro e dicevano: « Non abbiamo preso il pane! ». [8]Accortosene, Gesù chiese: « Perché, uomini di poca fede, andate dicendo che non avete il pane? [9]Non capite ancora e non ricordate i cinque pani per i cinquemila e quante ceste avete portato via? [10]E neppure i sette pani per i quattromila e quante sporte avete raccolto? [11]Come mai non capite ancora che non alludevo al pane quando vi ho detto: Guardatevi dal lievito dei farisei e dei sadducei? ». [12]Allora essi compresero che egli non aveva detto che si guardassero dal lievito del pane, ma dalla dottrina dei farisei e dei sadducei.

**La « confessione » di Pietro.** [13]Essendo giunto Gesù nella regione di Cesarèa di Filippo, chiese ai suoi discepoli: « La gente chi dice che sia il Figlio dell'uomo? ». [14]Risposero: « Alcuni Giovanni il Battista, altri Elia, altri Geremia o qualcuno dei profeti ». [15]Disse loro: « Voi chi dite che io sia? ». [16]Rispose Simon Pietro: « Tu sei il Cristo, il Figlio del Dio vivente ».

**Il primato.** [17]E Gesù: « Beato te, Simone figlio di Giona, perché né la carne né il sangue te l'hanno rivelato, ma il Padre mio che sta nei cieli. [18]E io ti dico: Tu sei Pietro e su questa pietra edificherò la mia chiesa e le porte degli inferi non prevarranno contro di essa. [19]A te darò le chiavi del regno dei cieli, e tutto ciò che

---

[13] Mc 8,27-30; Lc 9,18-21. Cesarèa di Filippo — figlio di Erode — era presso le sorgenti del Giordano, ai piedi del monte Ermon. [14] Il popolo si aspettava che un profeta redivivo annunziasse l'avvento del Messia: cfr. 17,10-12. [17] La carne e il sangue indicano l'umanità dell'uomo.

[18-19] Per il nome Pietro v. Gv 1,42. Le porte degli inferi sono le potenze diaboliche; le chiavi erano simbolo della sovranità (cfr. Is 22,22; Ap 3,7); legare e sciogliere è proibire e permettere, condannare e assolvere. Il termine chiesa, nei vangeli, si trova soltanto in Mt, qui e 18,17.

legherai sulla terra sarà legato nei cieli, e tutto ciò
che scioglierai sulla terra sarà sciolto nei cieli ».

## Primo annunzio della Passione e protesta di Pietro.

[20]Allora ordinò ai discepoli di non dire ad alcuno che
egli era il Cristo.
[21]Da allora Gesù cominciò a dire apertamente ai suoi
discepoli che doveva andare a Gerusalemme e soffrire
molto da parte degli anziani, dei sommi sacerdoti e
degli scribi, e venire ucciso e risuscitare il terzo giorno.
[22]Ma Pietro lo trasse in disparte e cominciò a protestare
dicendo: « Dio te ne scampi, Signore; questo non ti
accadrà mai ». [23]Ma egli, voltandosi, disse a Pietro:
« Lungi da me, satana! Tu mi sei di scandalo, perché
non pensi secondo Dio, ma secondo gli uomini! ».

## Dalla croce alla gloria.

[24]Allora Gesù disse ai suoi
discepoli: « Se qualcuno vuol venire dietro a me rinneghi se stesso, prenda la sua croce e mi segua. [25]Per-
ché chi vorrà salvare la propria vita, la perderà; ma
chi perderà la propria vita per causa mia, la troverà.
[26]Qual vantaggio infatti avrà l'uomo se guadagnerà il
mondo intero, e poi perderà la propria anima? O che
cosa l'uomo potrà dare in cambio della propria anima?
[27]Poiché il Figlio dell'uomo verrà nella gloria del Padre
suo, con i suoi angeli, e renderà a ciascuno secondo le
sue azioni. [28]In verità vi dico: vi sono alcuni tra i presenti che non morranno finché non vedranno il Figlio
dell'uomo venire nel suo regno ».

**17** La trasfigurazione. [1]Sei giorni dopo, Gesù prese
con sé Pietro, Giacomo e Giovanni suo fratello

[20] V. 8,4.
[21-23] Mc 8,31-33; Lc 9,22. Pietro,
sia pure per amore, si comporta
come satana tentando di deviare
Gesù dalla sua missione: 4,1ss.
[24] Mc 8,34-9,1; Lc 9,23-27.

[28] Allusione alla catastrofe di Gerusalemme nel 70: cfr. 10,23.
**17.** [1] Mc 9,2-13; Lc 9,28-36.
Dal IV sec., la montagna viene
identificata col Tabor (altezza 600
m.) nella pianura galilea.

e li condusse in disparte, su un alto monte. [2]E fu trasfigurato davanti a loro; il suo volto brillò come il sole e le sue vesti divennero candide come la luce. [3]Ed ecco apparvero loro Mosè ed Elia, che conversavano con lui. [4]Pietro prese allora la parola e disse a Gesù: « Signore, è bello per noi restare qui; se vuoi, farò qui tre tende, una per te, una per Mosè e una per Elia ». [5]Egli stava ancora parlando quando una nuvola luminosa li avvolse con la sua ombra. Ed ecco una voce che diceva: « Questi è il Figlio mio prediletto, nel quale mi sono compiaciuto. Ascoltatelo ». [6]All'udire ciò, i discepoli caddero con la faccia a terra e furono presi da grande timore. [7]Ma Gesù si avvicinò e, toccatili, disse: « Alzatevi e non temete ». [8]Sollevando gli occhi non videro più nessuno, se non Gesù solo.

[9]E mentre discendevano dal monte, Gesù ordinò loro: « Non parlate a nessuno di questa visione, finché il Figlio dell'uomo non sia risorto dai morti ».

**Il Precursore.** [10]Allora i discepoli gli domandarono: « Perché dunque gli scribi dicono che prima deve venire Elia? ». [11]Ed egli rispose: « Sì, verrà Elia e ristabilirà ogni cosa. [12]Ma io vi dico: Elia è già venuto e non l'hanno riconosciuto; anzi, l'hanno trattato come hanno voluto. Così anche il Figlio dell'uomo dovrà soffrire per opera loro ». [13]Allora i discepoli compresero che egli parlava di Giovanni il Battista.

**Il ragazzo epilettico.** [14]Appena ritornati presso la folla, si avvicinò a Gesù un uomo [15]che, gettatosi in ginocchio, gli disse: « Signore, abbi pietà di mio figlio. Egli

---

[2] Lo splendore di Gesù e la nube del v. 5, antichi segni di teofania, indicano la divina presenza.
[3] Mosè ed Elia rappresentano la legge e la profezia, cioè l'A.T.

[9] I tre apostoli saranno anche i testimoni delle sofferenze di Cristo: cfr. 26,37. Per il silenzio imposto v. 8,4.
[10] V. Ml 3,23.
[14] Mc 9,14-29; Lc 9,37-43.

è epilettico e soffre molto; cade spesso nel fuoco e spesso anche nell'acqua; [16]l'ho già portato dai tuoi discepoli, ma non hanno potuto guarirlo». [17]E Gesù rispose: «O generazione incredula e perversa! Fino a quando starò con voi? Fino a quando dovrò sopportarvi? Portatemelo qui». [18]E Gesù gli parlò minacciosamente, e il demonio uscì da lui e da quel momento il ragazzo fu guarito.

[19]Allora i discepoli, accostatisi a Gesù in disparte, gli chiesero: «Perché noi non abbiamo potuto scacciarlo?». [20]Ed egli rispose: «Per la vostra poca fede. In verità vi dico: se avrete fede pari a un granellino di senapa, potrete dire a questo monte: spostati da qui a là, ed esso si sposterà, e niente vi sarà impossibile. [[21]Questa razza di demòni non si scaccia se non con la preghiera e il digiuno]».

**Secondo annunzio della Passione.** [22]Mentre si trovavano insieme in Galilea, Gesù disse loro: «Il Figlio dell'uomo sta per esser consegnato nelle mani degli uomini [23]e lo uccideranno, ma il terzo giorno risorgerà». Ed essi furono molto rattristati.

**La tassa per il tempio.** [24]Venuti a Cafàrnao, si avvicinarono a Pietro gli esattori della tassa per il tempio e gli dissero: «Il vostro maestro non paga la tassa per il tempio?». [25]Rispose: «Sì». Mentre entrava in casa, Gesù lo prevenne dicendo: «Che cosa ti pare, Simone? I re di questa terra da chi riscuotono le tasse e i tributi? Dai propri figli o dagli altri?». [26]Rispose: «Dagli estranei». E Gesù: «Quindi i figli sono esenti. [27]Ma perché non si scandalizzino, va' al mare, getta l'amo e il primo pesce che viene prendilo, aprigli la bocca e vi troverai

---

[21] Questo v. manca nei manoscritti più importanti e sembra desunto da Mc 9,29.
[24] Gli Israeliti adulti dovevano

pagare una tassa annuale per il mantenimento del tempio: cfr. Es 30,11-16; 38,25; 2Cr 24,6.
[26] I figli, cioè i sudditi.

una moneta d'argento. Prendila e consegnala a loro per me e per te ».

# 18 Il più grande nel regno dei cieli.

¹In quel momento i discepoli si avvicinarono a Gesù dicendo: « Chi dunque è il più grande nel regno dei cieli? ». ²Allora Gesù chiamò a sé un bambino, lo pose in mezzo a loro e disse: ³« In verità vi dico: se non vi convertirete e non diventerete come i bambini, non entrerete nel regno dei cieli. ⁴Perciò chiunque diventerà piccolo come questo bambino, sarà il più grande nel regno dei cieli. ⁵E chi accoglie anche uno solo di questi bambini in nome mio, accoglie me.

**Lo scandalo dei piccoli.** ⁶Chi invece scandalizza anche uno solo di questi piccoli che credono in me, sarebbe meglio per lui che gli fosse appesa al collo una macina girata da asino, e fosse gettato negli abissi del mare. ⁷Guai al mondo per gli scandali! È inevitabile che avvengano scandali, ma guai all'uomo per colpa del quale avviene lo scandalo!
⁸Se la tua mano o il tuo piede ti è occasione di scandalo, taglialo e gettalo via da te; è meglio per te entrare nella vita monco o zoppo, che avere due mani o due piedi ed essere gettato nel fuoco eterno. ⁹E se il tuo occhio ti è occasione di scandalo, cavalo e gettalo via da te; è meglio per te entrare nella vita con un occhio solo, che avere due occhi ed essere gettato nella Geenna del fuoco.
¹⁰Guardatevi dal disprezzare uno solo di questi piccoli, perché vi dico che i loro angeli nel cielo vedono sempre la faccia del Padre mio che è nei cieli.

---

**18.** ¹ Mc 9,33-48; Lc 9,46-48.
³ Come bambini, cioè disponibili alla grazia, confidenti in Dio, senza orgoglio e ambizioni.

⁶ La macina era la parte mobile dei mulini di pietra.
⁸⁻⁹ V. 5,29; per la Geenna v. nota 5,21.

**La pecora smarrita.** [¹¹È venuto infatti il Figlio dell'uomo a salvare ciò che era perduto].
¹²Che ve ne pare? Se un uomo ha cento pecore e ne smarrisce una, non lascerà forse le novantanove sui monti, per andare in cerca di quella perduta? ¹³Se gli riesce di trovarla, in verità vi dico, si rallegrerà per quella più che per le novantanove che non si erano smarrite. ¹⁴Così il Padre vostro celeste non vuole che si perda neanche uno solo di questi piccoli.

**La correzione fraterna.** ¹⁵Se il tuo fratello commette una colpa, va' e ammoniscilo fra te e lui solo; se ti ascolterà, avrai guadagnato il tuo fratello; ¹⁶se non ti ascolterà, prendi con te una o due persone, perché *ogni cosa sia risolta sulla parola di due o tre testimoni.* ¹⁷Se poi non ascolterà neppure costoro, dillo all'assemblea; e se non ascolterà neanche l'assemblea, sia per te come un pagano e un pubblicano. ¹⁸In verità vi dico: tutto quello che legherete sopra la terra sarà legato anche in cielo e tutto quello che scioglierete sopra la terra sarà sciolto anche in cielo.

**La preghiera in comune.** ¹⁹In verità vi dico ancora: se due di voi sopra la terra si accorderanno per domandare qualunque cosa, il Padre mio che è nei cieli ve la concederà. ²⁰Perché dove sono due o tre riuniti nel mio nome, io sono in mezzo a loro ».

**Il perdono illimitato.** ²¹Allora Pietro gli si avvicinò e gli disse: « Signore, quante volte dovrò perdonare al mio fratello, se pecca contro di me? Fino a sette vol-

---

¹¹ Il v., mancante in molti manoscritti, sembra trasferito qui da Lc 19,10. Esso serve da ponte tra il discorso sullo scandalo e la pecora smarrita.

¹⁶ Citazione di Dt 19,15.
¹⁷ Pubblicano, cioè peccatore; cfr. 5,46.
¹⁸ Cfr. 16,18-19. Il potere viene esteso ai Dodici.

te?». ²²E Gesù gli rispose: «Non ti dico fino a sette,
ma fino a settanta volte sette.

## Il debitore disumano. ²³A proposito, il regno dei cieli
è simile a un re che volle fare i conti con i suoi servi.
²⁴Incominciati i conti, gli fu presentato uno che gli era
debitore di diecimila talenti. ²⁵Non avendo però costui
il denaro da restituire, il padrone ordinò che fosse venduto lui con la moglie, con i figli e con quanto possedeva, e saldasse così il debito. ²⁶Allora quel servo, gettatosi a terra, lo supplicava: Signore, abbi pazienza con
me e ti restituirò ogni cosa. ²⁷Impietositosi del servo,
il padrone lo lasciò andare e gli condonò il debito. ²⁸Ap-
pena uscito, quel servo trovò un altro servo come lui
che gli doveva cento denari e, afferratolo, lo soffocava
e diceva: Paga quel che devi! ²⁹Il suo compagno, gettatosi a terra, lo supplicava dicendo: Abbi pazienza con
me e ti rifonderò il debito. ³⁰Ma egli non volle esaudirlo,
andò e lo fece gettare in carcere, fino a che non avesse
pagato il debito.
³¹Visto quel che accadeva, gli altri servi furono addo-
lorati e andarono a riferire al loro padrone tutto l'accaduto. ³²Allora il padrone fece chiamare quell'uomo e
gli disse: Servo malvagio, io ti ho condonato tutto il
debito perché mi hai pregato. ³³Non dovevi forse anche
tu aver pietà del tuo compagno, così come io ho avuto
pietà di te? ³⁴E, sdegnato, il padrone lo diede in mano
agli aguzzini, finché non gli avesse restituito tutto il
dovuto. ³⁵Così anche il mio Padre celeste farà a ciascuno di voi, se non perdonerete di cuore al vostro
fratello».

²² Settanta volte sette, cioè senza computo, sempre.
²⁴ La somma equivale a 60 mi-
lioni di paghe giornaliere di un
operaio del tempo del Nazareno.
²⁸ Cento denari, una somma 600
mila volte minore di quella del
v. 24.

# LA CONSUMAZIONE DEL REGNO
## (19,1-25,46)

**19** **Verso Gerusalemme.** [1]Terminati questi discorsi, Gesù partì dalla Galilea e andò nel territorio della Giudea, al di là del Giordano. [2]E lo seguì molta folla e colà egli guarì i malati.

**Indissolubilità del matrimonio.** [3]Allora gli si avvicinarono alcuni farisei per metterlo alla prova e gli chiesero: « È lecito ad un uomo ripudiare la propria moglie per qualsiasi motivo? ». [4]Ed egli rispose: « Non avete letto che il Creatore da principio *li creò maschio e femmina* e disse: [5]*Per questo l'uomo lascerà suo padre e sua madre e si unirà a sua moglie e i due saranno una carne sola*? [6]Così che non sono più due, ma una carne sola. Quello dunque che Dio ha congiunto, l'uomo non lo separi ». [7]Gli obiettarono: « Perché allora Mosè ha ordinato *di darle l'atto di ripudio e di mandarla via*? ». [8]Rispose loro Gesù: « Per la durezza del vostro cuore Mosè vi ha permesso di ripudiare le vostre mogli, ma da principio non fu così. [9]Perciò io vi dico: Chiunque ripudia la propria moglie, se non in caso di concubinato, e ne sposa un'altra, commette adulterio ».

**Il celibato per il regno dei cieli.** [10]Gli dissero i discepoli: « Se questa è la condizione dell'uomo rispetto alla donna, non conviene sposarsi ». [11]Egli rispose loro: « Non tutti possono capirlo, ma solo coloro ai quali è stato concesso. [12]Vi sono infatti eunuchi che sono nati così dal ventre della madre; ve ne sono alcuni che sono

**19.** [1] Mc 10,1-12.
[3] Per qualsiasi motivo, per una corrente di farisei; per un'altra, era lecito soltanto in caso di adulterio.
[4-5] Citazione di Gn 1,27; 2,24.
[7] Citazione di Dt 24,1, che cercava di regolare le conseguenze del divorzio.
[9] V. nota a 5,32.
[12] Invito a rinunziare al matrimonio per consacrarsi al regno di Dio con cuore indiviso: cfr. 1Cor 7,1.32-33.

stati resi eunuchi dagli uomini, e vi sono altri che si
sono fatti eunuchi per il regno dei cieli. Chi può capire,
capisca ».

**Gesù e i bambini.** [13]Allora gli furono portati dei bambini
perché imponesse loro le mani e pregasse; ma i discepoli li sgridavano. [14]Gesù però disse loro: « Lasciate che
i bambini vengano a me, perché di questi è il regno
dei cieli ». [15]E dopo avere imposto loro le mani, se ne
partì.

**Il giovane ricco.** [16]Ed ecco un tale gli si avvicinò e
gli disse: « Maestro, che cosa devo fare di buono per
ottenere la vita eterna? ». [17]Egli rispose: « Perché mi
interroghi su ciò che è buono? Uno solo è buono. Se
vuoi entrare nella vita, osserva i comandamenti ». [18]Ed
egli chiese: « Quali? ». Gesù rispose: « *Non uccidere,
non commettere adulterio, non rubare, non testimoniare
il falso,* [19]*onora il padre e la madre, ama il prossimo
tuo come te stesso* ». [20]Il giovane gli disse: « Ho sempre osservato tutte queste cose; che mi manca ancora? ». [21]Gli disse Gesù: « Se vuoi essere perfetto, va',
vendi quello che possiedi, dallo ai poveri e avrai un
tesoro nel cielo; poi vieni e seguimi ». [22]Udito questo,
il giovane se ne andò triste; poiché aveva molte ricchezze.
[23]Gesù allora disse ai suoi discepoli: « In verità vi
dico: difficilmente un ricco entrerà nel regno dei cieli.
[24]Ve lo ripeto: è più facile che un cammello passi per la
cruna di un ago, che un ricco entri nel regno dei cieli ».
[25]A queste parole i discepoli rimasero costernati e chiesero: « Chi si potrà dunque salvare? ». [26]E Gesù, fissando su di loro lo sguardo, disse: « Questo è impossibile agli uomini, ma a Dio tutto è possibile ».

---

[13] Mc 10,13-16; Lc 18,15-17.
[16] Mc 10,17-31; Lc 18,18-30.
[17] Dio, sommo bene, aveva espresso la sua volontà nella legge.
[18-19] Citazione di Es 20,12-17;
Dt 5,17-20.

**La ricompensa dei discepoli.** [27]Allora Pietro prendendo la parola disse: « Ecco, noi abbiamo lasciato tutto e ti abbiamo seguito; che cosa dunque ne otterremo? ». [28]E Gesù disse loro: « In verità vi dico: voi che mi avete seguito, nella nuova creazione, quando il Figlio dell'uomo sarà seduto sul trono della sua gloria, siederete anche voi su dodici troni a giudicare le dodici tribù di Israele. [29]Chiunque avrà lasciato case, o fratelli, o sorelle, o padre, o madre, o figli, o campi per il mio nome, riceverà cento volte tanto e avrà in eredità la vita eterna.

[30]Molti dei primi saranno ultimi e gli ultimi i primi ».

**20** **Gli operai della vigna.** [1]« Il regno dei cieli è simile a un padrone di casa che uscì all'alba per prendere a giornata lavoratori per la sua vigna. [2]Accordatosi con loro per un denaro al giorno, li mandò nella sua vigna. [3]Uscito poi verso le nove del mattino, ne vide altri che stavano sulla piazza disoccupati [4]e disse loro: Andate anche voi nella mia vigna; quello che è giusto ve lo darò. Ed essi andarono. [5]Uscì di nuovo verso mezzogiorno e verso le tre e fece altrettanto. [6]Uscito ancora verso le cinque, ne vide altri che se ne stavano là e disse loro: Perché ve ne state qui tutto il giorno oziosi? [7]Gli risposero: Perché nessuno ci ha presi a giornata. Ed egli disse loro: Andate anche voi nella mia vigna.

[8]Quando fu sera, il padrone della vigna disse al suo fattore: Chiama gli operai e da' loro la paga, incominciando dagli ultimi fino ai primi. [9]Venuti quelli delle cinque del pomeriggio, ricevettero ciascuno un denaro. [10]Quando arrivarono i primi, pensavano che avrebbero

[28] La nuova creazione è la fase gloriosa del regno dei cieli, alla fine dei tempi. Le 12 tribù indicano la Chiesa nuovo popolo eletto; gli apostoli sono i patriarchi del nuovo popolo di Dio.
[29] Il nome equivale alla persona. Cento volte tanto si riferisce a un premio nell'ordine spirituale.

ricevuto di più. Ma anch'essi ricevettero un denaro per ciascuno. [11]Nel ritirarlo però, mormoravano contro il padrone dicendo: [12]Questi ultimi hanno lavorato un'ora soltanto e li hai trattati come noi, che abbiamo sopportato il peso della giornata e il caldo. [13]Ma il padrone, rispondendo a uno di loro, disse: Amico, io non ti faccio torto. Non hai forse convenuto con me per un denaro? [14]Prendi il tuo e vattene; ma io voglio dare anche a quest'ultimo quanto a te. [15]Non posso fare delle mie cose quello che voglio? Oppure tu sei invidioso perché io sono buono? [16]Così gli ultimi saranno primi e i primi gli ultimi ».

**Terzo annunzio della Passione.** [17]Mentre saliva a Gerusalemme, Gesù prese in disparte i dodici e lungo la via disse loro: [18]« Ecco, noi stiamo salendo a Gerusalemme e il Figlio dell'uomo sarà consegnato ai sommi sacerdoti e agli scribi, che lo condanneranno a morte [19]e lo consegneranno ai pagani perché sia schernito e flagellato e crocifisso; ma il terzo giorno risusciterà ».

**I figli di Zebedèo.** [20]Allora gli si avvicinò la madre dei figli di Zebedèo con i suoi figli, e si prostrò per chiedergli qualcosa. [21]Egli le disse: « Che cosa vuoi? ». Gli rispose: « Di' che questi miei figli siedano uno alla tua destra e uno alla tua sinistra nel tuo regno ». [22]Rispose Gesù: « Voi non sapete quello che chiedete. Potete bere il calice che io sto per bere? ». Gli dicono: « Lo possiamo ». [23]Ed egli soggiunse: « Il mio calice lo berrete; però non sta a me concedere che vi sediate alla mia

---

**20.** [15] La misericordia non viola la giustizia perché i patti sono stati mantenuti.
[16] Nel suo immediato contesto l'affermazione riguarda la situazione degli Ebrei e dei pagani nel regno di Dio: cfr. Lc 13, 28-30.

[17] Mc 10,32-34; Lc 18,31-33. È il terzo annunzio della passione: cfr. 16,21; 17,22.
[20] Mc 10,35-45; Lc 22,24-30. I figli di Zebedeo sono Giacomo e Giovanni: cfr. 4,21; 10,2.
[22] Bere il calice significa dividere le sofferenze.

destra o alla mia sinistra, ma è per coloro per i quali
è stato preparato dal Padre mio ». [24]Gli altri dieci, udito questo, si sdegnarono con i due
fratelli; [25]ma Gesù, chiamatili a sé, disse: « I capi delle
nazioni, voi lo sapete, dominano su di esse e i grandi
esercitano su di esse il potere. [26]Non così dovrà essere
tra voi; ma colui che vorrà diventare grande tra voi,
si farà vostro servo, [27]e colui che vorrà essere il primo
tra voi, si farà vostro schiavo; [28]appunto come il Figlio
dell'uomo, che non è venuto per essere servito, ma per
servire e dare la sua vita in riscatto per molti ».

**I ciechi di Gèrico.** [29]Mentre uscivano da Gèrico, una
gran folla seguiva Gesù. [30]Ed ecco che due ciechi, seduti lungo la strada, sentendo che passava, si misero
a gridare: « Signore, abbi pietà di noi, figlio di Davide! ». [31]La folla li sgridava perché tacessero; ma essi
gridavano ancora più forte: « Signore, figlio di Davide,
abbi pietà di noi! ». [32]Gesù, fermatosi, li chiamò e disse:
« Che volete che io vi faccia? ». [33]Gli risposero: « Signore, che i nostri occhi si aprano! ». [34]Gesù si commosse, toccò loro gli occhi e subito ricuperarono la vista
e lo seguirono.

**21** **Ingresso messianico a Gerusalemme.** [1]Quan-
do furono vicini a Gerusalemme e giunsero presso
Bètfage, verso il monte degli Ulivi, Gesù mandò due
dei suoi discepoli [2]dicendo loro: « Andate nel villaggio che vi sta di fronte: subito troverete un'asina legata e con essa un puledro. Scioglieteli e conduceteli
a me. [3]Se qualcuno poi vi dirà qualche cosa, risponderete: Il Signore ne ha bisogno, ma li rimanderà su-

---

[28] Molti sta per moltitudine e
dà rilievo a un unico Salvatore
nei confronti di tutti i salvati:
cfr. 26,28; 1Tm 2,6; Rm 5,6-21.
[29] Cfr. Mc .10,46-52; Lc 18,35-43.
Gerico era un'antichissima città

nella valle del fiume Giordano.
**21.** [1] Mc 11,1-11; Lc 19,29-40;
Gv 12,12-19. Betfage era sul ver-
sante orientale del monte degli
Ulivi, immediatamente a est di
Gerusalemme.

bito ». ⁴Ora questo avvenne perché si adempisse ciò che
era stato annunziato dal profeta:

⁵*Dite alla figlia di Sion:*
*Ecco, il tuo re viene a te*
*mite, seduto su un'asina,*
*con un puledro figlio di bestia da soma.*

⁶I discepoli andarono e fecero quello che aveva ordinato loro Gesù: ⁷condussero l'asina e il puledro, misero
su di essi i mantelli ed egli vi si pose a sedere. ⁸La folla
numerosissima stese i suoi mantelli sulla strada mentre
altri tagliavano rami dagli alberi e li stendevano sulla
via. ⁹La folla che andava innanzi e quella che veniva
dietro, gridava:

*Osanna al figlio di Davide!*
*Benedetto colui che viene nel nome del Signore!*
*Osanna nel più alto dei cieli!*

¹⁰Entrato Gesù in Gerusalemme, tutta la città fu in
agitazione e la gente si chiedeva: « Chi è costui? ».
¹¹E la folla rispondeva: « Questi è il profeta Gesù, da
Nàzaret di Galilea ».

**I venditori cacciati dal tempio.** ¹²Gesù entrò poi nel
tempio e scacciò tutti quelli che vi trovò a comprare
e a vendere; rovesciò i tavoli dei cambiavalute e le
sedie dei venditori di colombe ¹³e disse loro: « La Scrittura dice:

*La mia casa sarà chiamata casa di preghiera*
   ma voi ne fate *una spelonca di ladri* ».

¹⁴Gli si avvicinarono ciechi e storpi nel tempio ed egli

---

⁵ Citazione di Zc 9,9. Figlia di
Sion designa poeticamente la popolazione di Gerusalemme.
⁹ *Osanna*, in ebraico, significa
« Deh! Salva »; è un'acclamazione: « Viva il Figlio di Davide ».
Citazione del Sal 117,26.

¹² Mc 11,15-19; Lc 19,45-46; cfr.
Gv 2,13-17. L'episodio si svolge
nel cortile più esterno del tempio,
dove si vendevano gli animali
per i sacrifici e si cambiava la
moneta corrente in moneta sacra.
¹³ Citazione di Is 56,7; Ger 7,11.

li guarì. [15]Ma i sommi sacerdoti e gli scribi, vedendo
le meraviglie che faceva e i fanciulli che acclamavano
nel tempio: « Osanna al figlio di Davide », si sdegnarono [16]e gli dissero: « Non senti quello che dicono? ».
Gesù rispose loro: « Sì, non avete mai letto:

> Dalla bocca dei bambini e dei lattanti
> ti sei procurata una lode? ».

[17]E, lasciatili, uscì fuori dalla città, verso Betània, e là
trascorse la notte.

**Il fico infruttuoso.** [18]La mattina dopo, mentre rien-
trava in città, ebbe fame. [19]Vedendo un fico sulla
strada, gli si avvicinò, ma non vi trovò altro che foglie,
e gli disse: « Non nasca più frutto da te ». E subito
quel fico si seccò. [20]Vedendo ciò i discepoli rimasero
stupiti e dissero: « Come mai il fico si è seccato immediatamente? ». [21]Rispose Gesù: « In verità vi dico: Se
avrete fede e non dubiterete, non solo potrete fare ciò
che è accaduto a questo fico, ma anche se direte a
questo monte: Levati di lì e gettati nel mare, ciò avverrà. [22]E tutto quello che chiederete con fede nella preghiera, lo otterrete ».

**L'autorità di Gesù.** [23]Entrato nel tempio, mentre insegnava gli si avvicinarono i sommi sacerdoti e gli anziani del popolo e gli dissero: « Con quale autorità
fai questo? Chi ti ha dato questa autorità? ». [24]Gesù rispose: « Vi farò anch'io una domanda e se voi mi rispondete, vi dirò anche con quale autorità faccio questo. [25]Il battesimo di Giovanni da dove veniva? Dal
Cielo o dagli uomini? ». Ed essi riflettevano tra sé di-

---

[16] Citazione del Sal 8,3.
[17] Betania era sul versante orientale del monte degli Ulivi.
[19] Gesù compie un gesto simbolico nello stile dei profeti. Il
fico rappresenta Israele.

[21] L'iperbole sottolinea l'efficacia della preghiera sostenuta da
una fede ardente: cfr. 17,20.
[23] Mc 11,27-33; Lc 20,1-8. Il
traffico nel tempio era approvato
dai sacerdoti.

cendo: « Se diciamo: "dal Cielo", ci risponderà: "perché dunque non gli avete creduto?"; [26]se diciamo "dagli
uomini", abbiamo timore della folla, perché tutti consi-
derano Giovanni un profeta ». [27]Rispondendo perciò a
Gesù, dissero: « Non lo sappiamo ». Allora anch'egli
disse loro: « Neanch'io vi dico con quale autorità faccio
queste cose ».

**I due figli.** [28]« Che ve ne pare? Un uomo aveva due
figli; rivoltosi al primo disse: Figlio, va' oggi a lavorare nella vigna. [29]Ed egli rispose: Sì, signore; ma non
andò. [30]Rivoltosi al secondo, gli disse lo stesso. Ed
egli rispose: Non ne ho voglia; ma poi, pentitosi, ci
andò. [31]Chi dei due ha compiuto la volontà del padre? ».
Dicono: « L'ultimo ». E Gesù disse loro: « In verità vi
dico: I pubblicani e le prostitute vi passano avanti nel
regno di Dio. [32]È venuto a voi Giovanni nella via della
giustizia e non gli avete creduto; i pubblicani e le
prostitute invece gli hanno creduto. Voi, al contrario,
pur avendo visto queste cose, non vi siete nemmeno
pentiti per credergli.

**I vignaioli omicidi.** [33]Ascoltate un'altra parabola: C'era
un padrone che *piantò una vigna e la circondò con una
siepe, vi scavò un frantoio, vi costruì una torre*, poi l'affidò a dei vignaioli e se ne andò. [34]Quando fu il tempo dei
frutti, mandò i suoi servi da quei vignaioli a ritirare il
raccolto. [35]Ma quei vignaioli presero i servi e uno lo
bastonarono, l'altro lo uccisero, l'altro lo lapidarono.
[36]Di nuovo mandò altri servi più numerosi dei primi, ma
quelli si comportarono nello stesso modo. [37]Da ultimo
mandò loro il proprio figlio dicendo: Avranno rispetto
di mio figlio! [38]Ma quei vignaioli, visto il figlio, dissero

[32] La via della giustizia è la
retta osservanza della volontà di
Dio.
[33] Mc 12,1-12; Lc 20,9-19. Riferimento a Is 5,1-2. I vignaioli
sono i figli d'Israele che hanno
respinto i profeti — i servi —
e Cristo, figlio del padrone.

tra sé: Costui è l'erede; venite, uccidiamolo, e avremo
noi l'eredità. [39]E, presolo, lo cacciarono fuori della vigna
e l'uccisero. [40]Quando dunque verrà il padrone della
vigna che farà a quei vignaioli? ». [41]Gli rispondono:
« Farà morire miseramente quei malvagi e darà la vigna
ad altri vignaioli che gli consegneranno i frutti a suo
tempo ».

**La pietra angolare.** [42]E Gesù disse loro: « Non avete
mai letto nelle Scritture:

> *La pietra che i costruttori hanno scartata*
> *è diventata testata d'angolo;*
> *dal Signore è stato fatto questo*
> *ed è mirabile agli occhi nostri?*

[43]Perciò io vi dico: vi sarà tolto il regno di Dio e sarà
dato a un popolo che lo farà fruttificare. [44]Chi cadrà
sopra questa pietra sarà sfracellato; e qualora essa cada
su qualcuno, lo stritolerà ».
[45]Udite queste parabole, i sommi sacerdoti e i farisei
capirono che parlava di loro e cercavano di catturarlo;
ma avevano paura della folla che lo considerava un
profeta.

**22** **Il banchetto nuziale.** [1]Gesù riprese a parlar loro
in parabole e disse: [2]« Il regno dei cieli è simile a
un re che fece un banchetto di nozze per suo figlio.
[3]Egli mandò i suoi servi a chiamare gli invitati alle
nozze, ma questi non vollero venire. [4]Di nuovo mandò
altri servi a dire: Ecco ho preparato il mio pranzo;
i miei buoi e i miei animali ingrassati sono già macel-
lati e tutto è pronto; venite alle nozze. [5]Ma costoro non
se ne curarono e andarono chi al proprio campo, chi

[42] Citazione del Sal 117,22-23. La
pietra è Gesù: cfr. Ef 1,22-23.
[43] I pagani affolleranno il regno di Dio.

**22.** [1] Lc 14,15-24. Anche questa parabola, come le due prece-
denti, riguarda l'atteggiamento de-
gl'Israeliti verso Gesù.

ai propri affari; [6]altri poi presero i suoi servi, li insultarono e li uccisero. [7]Allora il re si indignò e, mandate le sue truppe, uccise quegli assassini e diede alle fiamme la loro città. [8]Poi disse ai suoi servi: Il banchetto nuziale è pronto, ma gli invitati non ne erano degni; [9]andate ora ai crocicchi delle strade e tutti quelli che troverete, chiamateli alle nozze. [10]Usciti nelle strade, quei servi raccolsero quanti ne trovarono, buoni e cattivi, e la sala si riempì di commensali. [11]Il re entrò per vedere i commensali e, scorto un tale che non indossava l'abito nuziale, [12]gli disse: Amico, come hai potuto entrare qui senz'abito nuziale? Ed egli ammutolì. [13]Allora il re ordinò ai servi: Legatelo mani e piedi e gettatelo fuori nelle tenebre; là sarà pianto e stridore di denti. [14]Perché molti sono chiamati, ma pochi eletti ».

**Il tributo a Cesare.** [15]Allora i farisei, ritiratisi, tennero consiglio per vedere di coglierlo in fallo nei suoi discorsi. [16]Mandarono dunque a lui i propri discepoli, con gli erodiani, a dirgli: « Maestro, sappiamo che sei veritiero e insegni la via di Dio secondo verità e non hai soggezione di nessuno perché non guardi in faccia ad alcuno. [17]Dicci dunque il tuo parere: È lecito o no pagare il tributo a Cesare? ». [18]Ma Gesù, conoscendo la loro malizia, rispose: « Ipocriti, perché mi tentate? [19]Mostratemi la moneta del tributo ». Ed essi gli presentarono un denaro. [20]Egli domandò loro: « Di chi è questa immagine e l'iscrizione? ». [21]Gli risposero: « Di Ce-

---

[7] Allusione all'incendio di Gerusalemme nel 70 d.C.
[13] V. 8,12.
[14] La massima si riferisce all'atteggiamento negativo degli Ebrei del tempo di Gesù.
[15] Mc 12,13-17; Lc 20,20-26. Gli erodiani costituivano un partito di cortigiani di Erode favorevoli ai romani.

[17] In caso di risposta affermativa Gesù sarebbe stato additato al popolo come fautore dell'imperatore pagano; la risposta negativa sarebbe servita come accusa presso l'autorità romana.
[19] Il denaro d'argento di Tiberio recava l'immagine dell'imperatore.

sare ». Allora disse loro: « Rendete dunque a Cesare
quello che è di Cesare e a Dio quello che è di Dio ».
²²A queste parole rimasero sorpresi e, lasciatolo, se ne
andarono.

**La risurrezione.** ²³In quello stesso giorno vennero a
lui dei sadducei, i quali affermano che non c'è risurrezione, e lo interrogarono: ²⁴« Maestro, Mosè ha detto:
*Se qualcuno muore senza figli, il fratello ne sposerà la
vedova e così susciterà una discendenza al suo fratello.*
²⁵Ora, c'erano tra noi sette fratelli; il primo appena sposato morì e, non avendo discendenza, lasciò la moglie
a suo fratello. ²⁶Così anche il secondo, e il terzo, fino al
settimo. ²⁷Alla fine, dopo tutti, morì anche la donna.
²⁸Alla risurrezione, di quale dei sette essa sarà moglie?
Poiché tutti l'hanno avuta ». ²⁹E Gesù rispose loro:
« Voi vi ingannate, non conoscendo né le Scritture né
la potenza di Dio. ³⁰Alla risurrezione infatti non si
prende né moglie né marito, ma si è come angeli nel
cielo. ³¹Quanto poi alla risurrezione dei morti, non avete
letto quello che vi è stato detto da Dio: ³²*Io sono il
Dio di Abramo e il Dio di Isacco e il Dio di Giacobbe?*
Ora, non è Dio dei morti, ma dei vivi ». ³³Udendo ciò,
la folla era sbalordita per la sua dottrina.

**Il comandamento più grande.** ³⁴Allora i farisei, udito
che egli aveva chiuso la bocca ai sadducei, si riunirono
insieme ³⁵e uno di loro, un dottore della legge, lo interrogò per metterlo alla prova: ³⁶« Maestro, qual è il più
grande comandamento della legge? ». ³⁷Gli rispose:
« *Amerai il Signore Dio tuo con tutto il cuore, con tutta*

²³ Mc 12,18-27; Lc 20,27-40. I
sadducei (v. 3,7) negavano, al
contrario dei farisei, l'immortali-
tà dell'anima, la risurrezione dei
corpi e l'esistenza degli angeli.
²⁴ Citazione di Dt 25,5.

³² Citazione di Es 3,6. I patriarchi vivono nell'al di là, perciò
il loro Dio è il Dio dei viventi.
³⁴ Mc 12,28-36.
³⁷-³⁹ Citazione di Dt 6,5 e Lv
19,18.

*la tua anima* e con tutta la tua mente. [38]Questo è il più grande e il primo dei comandamenti. [39]E il secondo è simile al primo: *Amerai il prossimo tuo come te stesso.* [40]Da questi due comandamenti dipende tutta la Legge e i Profeti ».

**Il Cristo, figlio e signore di Davide.** [41]Trovandosi i farisei riuniti insieme, Gesù chiese loro: [42]« Che ne pensate del Messia? Di chi è figlio? ». Gli risposero: « Di Davide ». [43]Ed egli a loro: « Come mai allora Davide, sotto ispirazione, lo chiama Signore, dicendo:

[44]*Ha detto il Signore al mio Signore:*
   *Siedi alla mia destra,*
   *finché io non abbia posto i tuoi nemici sotto i tuoi*
                                                  [*piedi?*

[45]Se dunque Davide lo chiama Signore, come può essere suo figlio? ». [46]Nessuno era in grado di rispondergli nulla; e nessuno, da quel giorno in poi, osò interrogarlo.

**23** **Incongruenza e vanità.** [1]Allora Gesù si rivolse alla folla e ai suoi discepoli dicendo: [2]« Sulla cattedra di Mosè si sono seduti gli scribi e i farisei. [3]Quanto vi dicono, fatelo e osservatelo, ma non fate secondo le loro opere, perché dicono e non fanno. [4]Legano infatti pesanti fardelli e li impongono sulle spalle della gente, ma loro non vogliono muoverli neppure con un dito. [5]Tutte le loro opere le fanno per essere ammirati dagli uomini: allargano i loro filattèri e allungano le frange; [6]amano posti d'onore nei conviti, i primi seggi

---

[44] Citazione del Sal 109,1. Il Messia, discendente di Davide (1,1; 9,27), è il suo Signore come Dio.
**23.** [1] Mc 12,38-40; Lc 20,45-47; cfr. Lc 11,37-44; 13,34-45. Una antologia di invettive contro gli oppositori di Cristo.

[2] Gli scribi e i farisei pretendono di essere i soli depositari della legge di Dio.

[5] I filattèri erano scatolette, contenenti testi della legge, fissate con strisce di pergamene o cuoio sulla fronte e sull'avambraccio si-

nelle sinagoghe [7]e i saluti nelle piazze, come anche sentirsi chiamare "rabbì" dalla gente.

## La fraternità cristiana. [8]Ma voi non fatevi chiamare "rabbì", perché uno solo è il vostro maestro e voi siete tutti fratelli. [9]E non chiamate nessuno "padre" sulla terra, perché uno solo è il Padre vostro, quello del cielo. [10]E non fatevi chiamare "maestri", perché uno solo è il vostro Maestro, il Cristo. [11]Il più grande tra voi sia vostro servo; [12]chi invece si innalzerà sarà abbassato e chi si abbasserà sarà innalzato.

## Contro i farisei ipocriti. [13]Guai a voi, scribi e farisei ipocriti, che chiudete il regno dei cieli davanti agli uomini; perché così voi non vi entrate, e non lasciate entrare nemmeno quelli che vogliono entrarci [[14]].
[15]Guai a voi, scribi e farisei ipocriti, che percorrete il mare e la terra per fare un solo proselito e, ottenutolo, lo rendete figlio della Geenna il doppio di voi.
[16]Guai a voi, guide cieche, che dite: Se si giura per il tempio non vale, ma se si giura per l'oro del tempio si è obbligati. [17]Stolti e ciechi: che cosa è più grande, l'oro o il tempio che rende sacro l'oro? [18]E dite ancora: Se si giura per l'altare non vale, ma se si giura per l'offerta che vi sta sopra, si resta obbligati. [19]Ciechi! Che cosa è più grande, l'offerta o l'altare che rende sacra l'offerta? [20]Ebbene, chi giura per l'altare, giura per l'altare e per quanto vi sta sopra; [21]e chi giura per il tempio, giura per il tempio e per Colui che l'abita. [22]E chi giura per il cielo, giura per il trono di Dio e per Colui che vi è assiso.

nistro, secondo una interpretazione letterale di Dt 6,8; 11,18. Cfr. Nm 15,37. Per le frange v. Nm 15,38.
8-9 I titoli di *rabbì*, cioè maestro, e di *padre* erano riservati ai dottori d'Israele.

[14] Questo v. è omesso perché tolto da Mc 12,40.
[15] I proseliti erano pagani che accettavano la fede d'Israele. Figlio della Geenna (v. 5,21) significa destinato alla perdizione.
[16] Cfr. 5,34.

²³Guai a voi, scribi e farisei ipocriti, che pagate la decima della menta, dell'anèto e del cumìno, e trasgredite le prescrizioni più gravi della legge: la giustizia,
la misericordia e la fedeltà. Queste cose bisognava praticare, senza omettere quelle. ²⁴Guide cieche, che filtrate
il moscerino e ingoiate il cammello!
²⁵Guai a voi, scribi e farisei ipocriti, che pulite l'esterno del bicchiere e del piatto mentre all'interno sono
pieni di rapina e d'intemperanza. ²⁶Fariseo cieco, pulisci
prima l'interno del bicchiere, perché anche l'esterno
diventi netto!
²⁷Guai a voi, scribi e farisei ipocriti, che rassomigliate
a sepolcri imbiancati: essi all'esterno son belli a vedersi,
ma dentro sono pieni di ossa di morti e di ogni putri-
dume. ²⁸Così anche voi apparite giusti all'esterno davanti
agli uomini, ma dentro siete pieni d'ipocrisia e d'iniquità.
²⁹Guai a voi, scribi e farisei ipocriti, che innalzate i
sepolcri ai profeti e adornate le tombe dei giusti, ³⁰e
dite: Se fossimo vissuti al tempo dei nostri padri, non
ci saremmo associati a loro per versare il sangue dei
profeti; ³¹e così testimoniate, contro voi stessi, di essere
figli degli uccisori dei profeti. ³²Ebbene, colmate la misura dei vostri padri!

**Il giudizio di Dio è prossimo.** ³³Serpenti, razza di
vipere, come potrete scampare dalla condanna della
Geenna? ³⁴Perciò ecco, io vi mando profeti, sapienti e
scribi; di questi alcuni ne ucciderete e crocifiggerete,
altri ne flagellerete nelle vostre sinagoghe e li persegui-
terete di città in città; ³⁵perché ricada su di voi tutto il
sangue innocente versato sopra la terra, dal sangue del
giusto Abele fino al sangue di Zaccaria, figlio di Ba-
rachìa, che avete ucciso tra il santuario e l'altare. ³⁶In

---

²³ La legge delle decime non        ²⁵ Cfr. Mc 7,4.
si estendeva alle erbe aromatiche.   ³⁵ Per Zaccaria cfr. 2Cr 24,20-22.

verità vi dico: tutte queste cose ricadranno su questa generazione. [37]Gerusalemme, Gerusalemme, che uccidi i profeti e lapidi quelli che ti sono inviati, quante volte ho voluto raccogliere i tuoi figli, come una gallina raccoglie i pulcini sotto le ali, e voi non avete voluto! [38]Ecco: *la vostra casa vi sarà lasciata deserta!* [39]Vi dico infatti che non mi vedrete più finché non direte: *Benedetto colui che viene nel nome del Signore!* ».

## 24 La domanda dei discepoli.

[1]Mentre Gesù, uscito dal tempio, se ne andava, gli si avvicinarono i suoi discepoli per fargli osservare le costruzioni del tempio. [2]Gesù disse loro: « Vedete tutte queste cose? In verità vi dico, non resterà qui pietra su pietra che non venga diroccata ».

[3]Sedutosi poi sul monte degli Ulivi, i suoi discepoli gli si avvicinarono e, in disparte, gli dissero: « Dicci quando accadranno queste cose, e quale sarà il segno della tua venuta e della fine del mondo ».

## L'inizio delle sofferenze.

[4]Gesù rispose: « Guardate che nessuno vi inganni; [5]molti verranno nel mio nome, dicendo: Io sono il Cristo, e trarranno molti in inganno. [6]Sentirete poi parlare di guerre e di rumori di guerre. Guardate di non allarmarvi; è necessario che tutto questo avvenga, ma non è ancora la fine. [7]Si solleverà popolo contro popolo e regno contro regno; vi saranno carestie e terremoti in vari luoghi; [8]ma tutto

---

[37] Allusione a una predicazione di Gesù a Gerusalemme della quale parla diffusamente il solo Gv.
[38] Dio abbandona il tempio di Gerusalemme: Ger 22,5; cfr. Ez 11,22-23.
[39] Citazione del Sal 117,26. Gesù lascia aperto uno spiraglio alla conversione: cfr. Rm 11,25-33.

**24.** [1] Mc 13,1-37; Lc 21,5-33. Un discorso di chiaro stile profetico, con elementi apocalittici, nel quale Gesù parla della fine di Gerusalemme e della fine del mondo intrecciando le due prospettive. La catastrofe di Gerusalemme, fine di tutto un mondo, era figura della fine di tutto il mondo.

questo è solo l'inizio dei dolori. [9]Allora vi consegneranno ai supplizi e vi uccideranno, e sarete odiati da
tutti i popoli a causa del mio nome. [10]Molti ne resteranno scandalizzati, ed essi si tradiranno e odieranno
a vicenda. [11]Sorgeranno molti falsi profeti e inganneranno molti; [12]per il dilagare dell'iniquità, l'amore di molti
si raffredderà. [13]Ma chi persevererà sino alla fine, sarà
salvato. [14]Frattanto questo vangelo del regno sarà annunziato in tutto il mondo, perché ne sia resa testimonianza a tutte le genti; e allora verrà la fine.

**Il segno decisivo.** [15]Quando dunque vedrete *l'abominio della desolazione*, di cui parlò il profeta Daniele,
stare *nel luogo santo* – chi legge comprenda –, [16]allora
quelli che sono in Giudea fuggano ai monti, [17]chi si
trova sulla terrazza non scenda a prendere la roba
di casa, [18]e chi si trova nel campo non torni indietro
a prendersi il mantello. [19]Guai alle donne incinte e a
quelle che allatteranno in quei giorni. [20]Pregate perché
la vostra fuga non accada d'inverno o di sabato.
[21]Poiché vi sarà allora *una tribolazione* grande, *quale
mai avvenne dall'inizio del mondo fino a ora*, né mai
più ci sarà. [22]E se quei giorni non fossero abbreviati,
nessun vivente si salverebbe; ma a causa degli eletti
quei giorni saranno abbreviati.

**I falsi cristi.** [23]Allora se qualcuno vi dirà: Ecco, il
Cristo è qui, o: È là, non ci credete. [24]Sorgeranno infatti falsi cristi e falsi profeti e faranno grandi portenti
e miracoli, così da indurre in errore, se possibile, anche gli eletti. [25]Ecco, io ve l'ho predetto. [26]Se dunque
vi diranno: Ecco, è nel deserto, non ci andate; o: È
in casa, non ci credete. [27]Come la folgore viene da oriente

---

[15] Citazione di Dn 9,27: è la pro-
fanazione del tempio.
[20] A causa della legge del riposo festivo, di sabato si potevano

fare soltanto duemila passi, cioè
circa mille metri.
[21] Cfr. Dn 12,1.
[24] Cfr. Dn 13,1.

e brilla fino a occidente, così sarà la venuta del Figlio dell'uomo. [28]Dovunque sarà il cadavere, ivi si raduneranno gli avvoltoi.

## La parusia. [29]Subito dopo la tribolazione di quei giorni,

*il sole si oscurerà,*
*la luna non darà più la sua luce,*
*gli astri cadranno dal cielo*
*e le potenze dei cieli* saranno sconvolte.

[30]Allora comparirà nel cielo il segno del Figlio dell'uomo e *allora si batteranno il petto tutte le tribù della terra,* e vedranno *il Figlio dell'uomo venire sopra le nubi del cielo* con grande potenza e gloria. [31]Egli manderà i suoi angeli con una grande tromba e raduneranno tutti i suoi eletti dai quattro venti, da un estremo all'altro dei cieli.

## Imminenza del tempo e incertezza dell'ora. [32]Dal fico poi imparate la parabola: quando ormai il suo ramo diventa tenero e spuntano le foglie, sapete che l'estate è vicina. [33]Così anche voi, quando vedrete tutte queste cose, sappiate che Egli è proprio alle porte. [34]In verità vi dico: non passerà questa generazione prima che tutto questo accada. [35]Il cielo e la terra passeranno, ma le mie parole non passeranno.
[36]Quanto a quel giorno e a quell'ora, però, nessuno lo sa, neanche gli angeli del cielo e neppure il Figlio, ma solo il Padre.

[28] Proverbio, per dire che nessuno sfuggirà al giudizio.
[29] Tradizionali immagini di tipo profetico-apocalittico per indicare i grandiosi interventi di Dio. Cfr. Is 13,10; 34,3 ecc.
[30] Il segno del Figlio dell'uomo, nell'interpretazione tradizionale, è la croce; si può intendere anche del Figlio dell'uomo che viene sulle nubi: Dn 7,13.
[34] Dal tempo del discorso di Gesù alla fine di Gerusalemme passeranno quarant'anni, cioè lo spazio di una generazione.
[36] Il Figlio non ha avuto la missione di far conoscere la data: cfr. At 1,7.

**Come il diluvio.** [37]Come fu ai giorni di Noè, così sarà la venuta del Figlio dell'uomo. [38]Infatti, come nei giorni che precedettero il diluvio mangiavano e bevevano, prendevano moglie e marito, fino a quando Noè entrò nell'arca, [39]e non si accorsero di nulla finché venne il diluvio e inghiottì tutti, così sarà anche alla venuta del Figlio dell'uomo. [40]Allora due uomini saranno nel campo: uno sarà preso e l'altro lasciato. [41]Due donne macineranno alla mola: una sarà presa e l'altra lasciata.

**Come il ladro.** [42]Vegliate dunque, perché non sapete in quale giorno il Signore vostro verrà. [43]Questo considerate: se il padrone di casa sapesse in quale ora della notte viene il ladro, veglierebbe e non si lascerebbe scassinare la casa. [44]Perciò anche voi state pronti, perché nell'ora che non immaginate, il Figlio dell'uomo verrà.

**Il servo fidato.** [45]Qual è dunque il servo fidato e prudente che il padrone ha preposto ai suoi domestici con l'incarico di dar loro il cibo al tempo dovuto? [46]Beato quel servo che il padrone al suo ritorno troverà ad agire così! [47]In verità vi dico: gli affiderà l'amministrazione di tutti i suoi beni. [48]Ma se questo servo malvagio dicesse in cuor suo: Il mio padrone tarda a venire, [49]e cominciasse a percuotere i suoi compagni e a bere e a mangiare con gli ubriaconi, [50]arriverà il padrone quando il servo non se l'aspetta e nell'ora che non sa, [51]lo punirà con rigore e gli infliggerà la sorte che gli ipocriti si meritano: e là sarà pianto e stridore di denti.

**25** **Le dieci vergini.** [1]Il regno dei cieli è simile a dieci vergini che, prese le loro lampade, uscirono incontro allo sposo. [2]Cinque di esse erano stolte e cinque

---

[38] Cfr. Gn 7,7.
[41] Si tratta della mola a mano.
[42] Lc 12,38-46.

**25.** [1] Esortazioni alla vigilanza nell'attesa del ritorno glorioso di Cristo. La parabola si ispira

sagge; [3]le stolte presero le lampade, ma non presero
con sé olio; [4]le sagge invece, insieme alle lampade, presero anche dell'olio in piccoli vasi. [5]Poiché lo sposo
tardava, si assopirono tutte e dormirono. [6]A mezzanotte
si levò un grido: Ecco lo sposo, andategli incontro!
[7]Allora tutte quelle vergini si destarono e prepararono
le loro lampade. [8]E le stolte dissero alle sagge: Dateci
del vostro olio, perché le nostre lampade si spengono.
[9]Ma le sagge risposero: No, che non abbia a mancare
per noi e per voi; andate piuttosto dai venditori e
compratevene. [10]Ora, mentre quelle andavano per comprare l'olio, arrivò lo sposo e le vergini che erano
pronte entrarono con lui alle nozze, e la porta fu
chiusa. [11]Più tardi arrivarono anche le altre vergini e
incominciarono a dire: Signore, signore, aprici! [12]Ma
egli rispose: In verità vi dico: non vi conosco. [13]Ve-
gliate dunque, perché non sapete né il giorno né l'ora.

**I talenti.** [14]Avverrà come di un uomo che, partendo
per un viaggio, chiamò i suoi servi e consegnò loro i
suoi beni. [15]A uno diede cinque talenti, a un altro due,
a un altro uno, a ciascuno secondo la sua capacità, e
partì. [16]Colui che aveva ricevuto cinque talenti, andò
subito a impiegarli e ne guadagnò altri cinque. [17]Così
anche quello che ne aveva ricevuti due, ne guadagnò
altri due. [18]Colui invece che aveva ricevuto un solo talento, andò a fare una buca nel terreno e vi nascose
il denaro del suo padrone. [19]Dopo molto tempo il padrone di quei servi tornò, e volle regolare i conti con
loro. [20]Colui che aveva ricevuto cinque talenti, ne presentò altri cinque, dicendo: Signore, mi hai consegnato
cinque talenti; ecco ne ho guadagnati altri cinque.

al corteo che accompagnava la
sposa nella casa dello sposo.
[13] Lo sposo della parabola è il
Cristo, che tornerà senza che se
ne sappia né il tempo né l'ora.

[14] È necessario far fruttificare i
doni di Dio: cfr. Lc 19,12-27. Il
talento equivale a seimila denari,
cioè al salario di altrettante gior-
nate lavorative.

²¹Bene, servo buono e fedele, gli disse il suo padrone, sei stato fedele nel poco, ti darò autorità su molto; prendi parte alla gioia del tuo padrone. ²²Presentatosi poi colui che aveva ricevuto due talenti, disse: Signore, mi hai consegnato due talenti; vedi, ne ho guadagnati altri due. ²³Bene, servo buono e fedele, gli rispose il padrone, sei stato fedele nel poco, ti darò autorità su molto; prendi parte alla gioia del tuo padrone. ²⁴Venuto infine colui che aveva ricevuto un solo talento, disse: Signore, so che sei un uomo duro, che mieti dove non hai seminato e raccogli dove non hai sparso, ²⁵per paura andai a nascondere il tuo talento sotterra; ecco qui il tuo. ²⁶Il padrone gli rispose: Servo malvagio e infingardo, sapevi che mieto dove non ho seminato e raccolgo dove non ho sparso; ²⁷avresti dovuto affidare il mio denaro ai banchieri e così, ritornando, avrei ritirato il mio con l'interesse. ²⁸Toglietegli dunque il talento, e datelo a chi ha i dieci talenti. ²⁹Perché a chiunque ha sarà dato e sarà nell'abbondanza; ma a chi non ha sarà tolto anche quello che ha. ³⁰E il servo fannullone gettatelo fuori nelle tenebre; là sarà pianto e stridore di denti.

**Il giudizio finale.** ³¹Quando il Figlio dell'uomo verrà nella sua gloria con tutti i suoi angeli, si siederà sul trono della sua gloria. ³²E saranno riunite davanti a lui tutte le genti, ed egli separerà gli uni dagli altri, come il pastore separa le pecore dai capri, ³³e porrà le pecore alla sua destra e i capri alla sinistra. ³⁴Allora il re dirà a quelli che stanno alla sua destra: Venite, benedetti del Padre mio, ricevete in eredità il regno preparato per voi fin dalla fondazione del mondo. ³⁵Perché io ho avuto fame e mi avete dato da mangiare, ho avuto sete e mi avete dato da bere; ero forestiero e mi avete

---

²⁹ Cfr. 13,12.                      ³⁵ L'amore fraterno è un precet-
³¹ Gesù in veste di giudice.        to sommo (22,39).

ospitato, [36]nudo e mi avete vestito, malato e mi avete
visitato, carcerato e siete venuti a trovarmi. [37]Allora i
giusti gli risponderanno: Signore, quando mai ti abbiamo veduto affamato e ti abbiamo dato da mangiare,
assetato e ti abbiamo dato da bere? [38]Quando ti abbiamo visto forestiero e ti abbiamo ospitato, o nudo e ti
abbiamo vestito? [39]E quando ti abbiamo visto ammalato o in carcere e siamo venuti a visitarti? [40]Rispon-
dendo, il re dirà loro: In verità vi dico: ogni volta che
avete fatto queste cose a uno solo di questi miei fratelli più piccoli, l'avete fatto a me. [41]Poi dirà anche a
quelli alla sua sinistra: Via, lontano da me, maledetti,
nel fuoco eterno, preparato per il diavolo e per i suoi
angeli. [42]Perché ho avuto fame e non mi avete dato da
mangiare; ho avuto sete e non mi avete dato da bere;
[43]ero forestiero e non mi avete ospitato, nudo e non
mi avete vestito, malato e in carcere e non mi avete
visitato. [44]Anch'essi allora risponderanno: Signore, quando mai ti abbiamo visto affamato o assetato o forestiero o nudo o malato o in carcere e non ti abbiamo
assistito? [45]Ma egli risponderà: In verità vi dico: ogni
volta che non avete fatto queste cose a uno di questi
miei fratelli più piccoli, non l'avete fatto a me. [46]E se
ne andranno, questi al supplizio eterno, e i giusti alla
vita eterna ».

# GLI EVENTI PASQUALI
## (26,1-28,20)

**26** Nell'imminenza della Pasqua. [1]Terminati tutti
questi discorsi, Gesù disse ai suoi discepoli: [2]« Voi
sapete che fra due giorni è Pasqua e che il Figlio del-
l'uomo sarà consegnato per essere crocifisso ».
[3]Allora i sommi sacerdoti e gli anziani del popolo si

---

[40] Per i piccoli v. 10,41-42.
**26.** [1]Mc 14,1-2; Lc 22,1-2.

[3] Giuseppe Caifa fu sommo sacerdote nel 18-36 d.C.

riunirono nel palazzo del sommo sacerdote, che si chiamava Caifa, ⁴e tennero consiglio per arrestare con un
inganno Gesù e farlo morire. ⁵Ma dicevano: « Non
durante la festa, perché non avvengano tumulti fra il
popolo ».

**Un gesto significativo.** ⁶Mentre Gesù si trovava a Betània, in casa di Simone il lebbroso, ⁷gli si avvicinò una
donna con un vaso di alabastro di olio profumato molto
prezioso, e glielo versò sul capo mentre stava a mensa.
⁸I discepoli vedendo ciò si sdegnarono e dissero: « Perché questo spreco? ⁹Lo si poteva vendere a caro prezzo
per darlo ai poveri! ». ¹⁰Ma Gesù, accortosene, disse
loro: « Perché infastidite questa donna? Essa ha compiuto un'azione buona verso di me. ¹¹I poveri infatti
li avete sempre con voi, me, invece, non sempre mi
avete. ¹²Versando questo olio sul mio corpo, lo ha fatto
in vista della mia sepoltura. ¹³In verità vi dico: dovunque
sarà predicato questo vangelo, nel mondo intero, sarà
detto anche ciò che essa ha fatto, in ricordo di lei ».

**Il tradimento di Giuda.** ¹⁴Allora uno dei Dodici, chiamato Giuda Iscariota, andò dai sommi sacerdoti ¹⁵e
disse: « Quanto mi volete dare perché io ve lo consegni? ». E quelli gli *fissarono trenta monete d'argento.*
¹⁶Da quel momento cercava l'occasione propizia per
consegnarlo.

**I preparativi per la cena pasquale.** ¹⁷Il primo giorno
degli Azzimi, i discepoli si avvicinarono a Gesù e gli

⁶ Mc 14,3-9; Gv 12,1-8. Betania
era sul monte degli Ulivi, 3
km. circa da Gerusalemme.
⁷ V. Gv 12,5.
¹⁴ Mc 14,10-11; Lc 22,3-6; cfr.
Gv 12,6, che chiama ladro Giuda. Probabilmente deluso nei suoi
interessi, preoccupato dallo svol-

gersi degli avvenimenti, volle ancora profittare materialmente del
Maestro.
⁴⁵ Citazione di Zc 11,12. Il
compenso fissato era il prezzo di
uno schiavo: cfr. Es 21,32.
¹⁷ Mc 14,12-25; Lc 22,7-23; cfr.
Gv 13,21-30. Durante la setti-

dissero: « Dove vuoi che ti prepariamo, per mangiare
la Pasqua? ». [18]Ed egli rispose: « Andate in città, da
un tale, e ditegli: Il Maestro ti manda a dire: Il mio
tempo è vicino; farò la Pasqua da te con i miei discepoli ». [19]I discepoli fecero come aveva loro ordinato
Gesù e prepararono la Pasqua.

**Annunzio del tradimento.** [20]Venuta la sera, si mise
a mensa con i Dodici. [21]Mentre mangiavano disse: « In
verità io vi dico: uno di voi mi tradirà ». [22]Ed essi, ad-
dolorati profondamente, incominciarono ciascuno a domandargli: « Sono forse io, Signore? ». [23]Ed egli rispose:
« Colui che ha intinto con me la mano nel piatto,
quello mi tradirà. [24]Il Figlio dell'uomo se ne va, come
è scritto di lui, ma guai a colui dal quale il Figlio del-
l'uomo viene tradito; sarebbe meglio per quell'uomo se
non fosse mai nato! ». [25]Giuda, il traditore, disse:
« Rabbì, sono forse io? ». Gli rispose: « Tu l'hai detto ».

**Istituzione dell'eucaristia.** [26]Ora, mentre essi mangiavano, Gesù prese il pane e, pronunziata la benedizione,
lo spezzò e si diede ai discepoli dicendo: « Prendete e
mangiate; questo è il mio corpo ». [27]Poi prese il calice e,
dopo aver reso grazie, lo diede loro, dicendo: « Beve-
tene tutti, [28]perché questo è il mio sangue dell'alleanza,
versato per molti, in remissione dei peccati. [29]Io vi dico
che da ora non berrò più di questo frutto della vite

mana di Pasqua si mangiava soltanto pane senza lievito: cfr. Es
12,1-20, donde il nome « settimana degli Azzimi ». Il termine Pasqua indicava anche l'agnello che veniva immolato per la festa.
[26-28] Mc 14,22-25; Lc 22,15-20; cfr. 1Cor 11,23-25. Istituzione dell'eucaristia sacramento (mangiate, bevete) e sacrificio (il sangue versato). La chiarezza e pre-

cisione del linguaggio di Cristo escludono ogni significato metaforico; l'onnipotenza della sua parola garantisce la realtà del miracolo. Il sangue della vittima unica e perfetta sancisce (cfr. Es 24,4-8) la nuova e definitiva alleanza di Dio con l'uomo, annunziata dai profeti: cfr. Ger 31,31; Eb 9,11-22. I molti è la moltitudine dei credenti.

fino al giorno in cui lo berrò nuovo con voi nel regno
del Padre mio ».

## Annunzio del rinnegamento di Pietro. [30]E dopo aver
cantato l'inno, uscirono verso il monte degli Ulivi. [31]Allora Gesù disse loro: « Voi tutti vi scandalizzerete per
causa mia in questa notte. Sta scritto infatti:

> *Percuoterò il pastore*
> *e saranno disperse le pecore del gregge,*

[32]ma dopo la mia risurrezione, vi precederò in Galilea ».
[33]E Pietro gli disse: « Anche se tutti si scandalizzassero
di te, io non mi scandalizzerò mai ». [34]Gli disse Gesù:
« In verità ti dico: questa notte stessa, prima che il
gallo canti, mi rinnegherai tre volte ». [35]E Pietro gli rispose: « Anche se dovessi morire con te, non ti rinnegherò ». Lo stesso dissero tutti gli altri discepoli.

## La passione interiore. [36]Allora Gesù andò con loro
in un podere, chiamato Getsèmani, e disse ai discepoli:
« Sedetevi qui, mentre io vado là a pregare ». [37]E presi
con sé Pietro e i due figli di Zebedèo, cominciò a provare tristezza e angoscia. [38]Disse loro: « La mia anima
è triste fino alla morte; restate qui e vegliate con me ».
[39]E avanzatosi un poco, si prostrò con la faccia a terra
e pregava dicendo: « Padre mio, se è possibile, passi
da me questo calice! Però non come voglio io, ma come
vuoi tu! ». [40]Poi tornò dai discepoli e li trovò che dormivano. E disse a Pietro: « Così non siete stati capaci
di vegliare un'ora sola con me? [41]Vegliate e pregate,
per non cadere in tentazione. Lo spirito è pronto, ma

[30] Mc 14,26-31; Lc 22,31-34; Gv
13,36-38. L'inno sono i Sal 114-
117.
[31] Citazione di Zc 13,7.
[36] Mc 14,32-42; Lc 22,39-46. *Getsemani* significa « pressoio dell'olio »; era un fondo rustico ai
piedi del monte degli Ulivi.

[37] Gli stessi testimoni della trasfigurazione: v. 17,1.
[38] Oppresso dai peccati del mondo, Gesù non si rifiuta alla volontà del Padre, che vuole salva
l'umanità.
[39] Il calice, cioè la dolorosa sorte: cfr. 20,22-23.

la carne è debole ». [42]E di nuovo, allontanatosi, pregava dicendo: « Padre mio, se questo calice non può passare da me senza che io lo beva, sia fatta la tua volontà ». [43]E tornato di nuovo trovò i suoi che dormivano, perché gli occhi loro si erano appesantiti. [44]E lasciatili, si allontanò di nuovo e pregò per la terza volta, ripetendo le stesse parole.

**Il tradimento.** [45]Poi si avvicinò ai discepoli e disse loro: « Dormite ormai e riposate! Ecco, è giunta l'ora nella quale il Figlio dell'uomo sarà consegnato in mano ai peccatori. [46]Alzatevi, andiamo; ecco, colui che mi tradisce si avvicina ».
[47]Mentre parlava ancora, ecco arrivare Giuda, uno dei Dodici, e con lui una gran folla con spade e bastoni, mandata dai sommi sacerdoti e dagli anziani del popolo. [48]Il traditore aveva dato loro questo segnale dicendo: « Quello che bacerò, è lui; arrestatelo! ». [49]E subito si avvicinò a Gesù e disse: « Salve, Rabbì! ». E lo baciò. [50]E Gesù gli disse: « Amico, per questo sei qui! ». Allora si fecero avanti e misero le mani addosso a Gesù e lo arrestarono.

**L'adempimento delle Scritture.** [51]Ed ecco, uno di quelli che erano con Gesù, messa mano alla spada, la estrasse e colpì il servo del sommo sacerdote, staccandogli un orecchio.
[52]Allora Gesù gli disse: « Rimetti la spada nel fodero, perché tutti quelli che mettono mano alla spada periranno di spada. [53]Pensi forse che io non possa pregare il Padre mio, che mi darebbe subito più di dodici legioni di angeli? [54]Ma come allora si adempirebbero le Scritture, secondo le quali così deve avvenire? ». [55]In quello stesso momento Gesù disse alla folla: « Siete usciti come contro un brigante, con spade e bastoni, per

---

[47] Mc 14,43-50; Lc 22,47-53; Gv 18,1-12.       [53] Le legioni simboleggiano un numero illimitato.

catturarmi. Ogni giorno stavo seduto nel tempio ad insegnare, e non mi avete arrestato. [56]Ma tutto questo è avvenuto perché si adempissero le Scritture dei profeti ». Allora tutti i discepoli, abbandonatolo, fuggirono.

**Il processo religioso.** [57]Or quelli che avevano arrestato Gesù, lo condussero dal sommo sacerdote Caifa, presso il quale già si erano riuniti gli scribi e gli anziani. [58]Pietro intanto lo aveva seguito da lontano fino al palazzo del sommo sacerdote; ed entrato anche lui, si pose a sedere tra i servi, per vedere la conclusione. [59]I sommi sacerdoti e tutto il sinedrio cercavano qualche falsa testimonianza contro Gesù, per condannarlo a morte; [60]ma non riuscirono a trovarne alcuna, pur essendosi fatti avanti molti falsi testimoni. [61]Finalmente se ne presentarono due, che affermarono: « Costui ha dichiarato: Posso distruggere il tempio di Dio e ricostruirlo in tre giorni ». [62]Alzatosi il sommo sacerdote gli disse: « Non rispondi nulla? Che cosa testimoniano costoro contro di te? ». [63]Ma Gesù taceva. Allora il sommo sacerdote gli disse: « Ti scongiuro, per il Dio vivente, perché ci dica se tu sei il Cristo, il Figlio di Dio ». [64]« Tu l'hai detto, gli rispose Gesù, anzi io vi dico:

> d'ora innanzi vedrete *il Figlio dell'uomo*
> *seduto alla destra di Dio,*
> e *venire sulle nubi del cielo* ».

[65]Allora il sommo sacerdote si stracciò le vesti dicendo: « Ha bestemmiato! Perché abbiamo ancora bisogno di testimoni? Ecco, ora avete udito la bestemmia; [66]che ve

---

[57] Mc 14,53-65; Lc 22,54-55 e 63-71; Gv 18,12-15.19-24. Sul sinedrio v. 2,4.
[61] Interpretazione distorta delle profezie di Gesù sulla sua resurrezione: Gv 11,19-22.
[64] Riprendendo i due celebri testi

messianici del Sal 109,1 e di Dn 7,13, Gesù afferma solennemente la sua filiazione divina nel senso più proprio.
[65] Gesto rituale che esprime indignazione per una bestemmia.
[66] La sentenza doveva essere fir-

ne pare? ». E quelli risposero: « È reo di morte! ».
[67]Allora gli sputarono in faccia e lo schiaffeggiarono;
altri lo bastonavano, [68]dicendo: « Indovina, Cristo! Chi
è che ti ha percosso? ».

**Il rinnegamento di Pietro.** [69]Pietro intanto se ne stava
seduto fuori, nel cortile. Una serva gli si avvicinò e
disse: « Anche tu eri con Gesù, il Galileo! ». [70]Ed egli
negò davanti a tutti: « Non capisco che cosa tu voglia
dire ». [71]Mentre usciva verso l'atrio, lo vide un'altra
serva e disse ai presenti: « Costui era con Gesù, il Nazareno ». [72]Ma egli negò di nuovo giurando: « Non conosco quell'uomo ». [73]Dopo un poco, i presenti gli si
accostarono e dissero a Pietro: « Certo anche tu sei di
quelli; la tua parlata ti tradisce! ». [74]Allora egli cominciò a imprecare e a giurare: « Non conosco quell'uomo! ». E subito un gallo cantò. [75]E Pietro si ricordò
delle parole dette da Gesù: « Prima che il gallo canti,
mi rinnegherai tre volte ». E uscito all'aperto, pianse
amaramente.

**27** **Gesù consegnato all'autorità civile.** [1]Venuto il
mattino, tutti i sommi sacerdoti e gli anziani del
popolo tennero consiglio contro Gesù, per farlo morire.
[2]Poi, messolo in catene, lo condussero e consegnarono
al governatore Pilato.

**La fine del traditore.** [3]Allora Giuda, il traditore, vedendo che Gesù era stato condannato, si pentì e riportò
le trenta monete d'argento ai sommi sacerdoti e agli
anziani [4]dicendo: « Ho peccato, perché ho tradito san-

---

mata dal rappresentante dell'imperatore romano: cfr. Gv 18,31.
[69] Mc 14,66-72; Lc 22,56-62; Gv
18,17.25-27.
[73] I Galilei avevano un modo
caratteristico di pronunciare certe
gutturali.

[75] Cfr. 26,34.
**27.** [2] Ponzio Pilato governò la
Giudea come rappresentante del-
l'imperatore Tiberio dal 26 al 36
d.C.
[4-6] Agli occhi della Chiesa primitiva la confessione di Giuda è

gue innocente ». Ma quelli dissero: « Che ci riguarda? Veditela tu! ». [5]Ed egli, gettate le monete d'argento nel tempio, si allontanò e andò ad impiccarsi. [6]Ma i sommi sacerdoti, raccolto quel denaro, dissero: « Non è lecito metterlo nel tesoro, perché è prezzo di sangue ». [7]E, tenuto consiglio, comprarono con esso il Campo del vasaio per la sepoltura degli stranieri. [8]Perciò quel campo fu denominato "Campo di sangue" fino al giorno d'oggi. [9]Allora si adempì quanto era stato detto dal profeta Geremia: *E presero trenta denari d'argento, il prezzo del venduto, che i figli di Israele avevano mercanteggiato,* [10]*e li diedero per il campo del vasaio, come mi aveva ordinato il Signore.*

**Il processo civile.** [11]Gesù intanto comparve davanti al governatore, e il governatore l'interrogò dicendo: « Sei tu il re dei Giudei? ». Gesù rispose: « Tu lo dici ». [12]E mentre lo accusavano i sommi sacerdoti e gli anziani, non rispondeva nulla. [13]Allora Pilato gli disse: « Non senti quante cose attestano contro di te? ». [14]Ma Gesù non gli rispose neanche una parola, con grande meraviglia del governatore.

**Gesù o Barabba.** [15]Il governatore era solito, per ciascuna festa di Pasqua, rilasciare al popolo un prigioniero, a loro scelta. [16]Avevano in quel tempo un prigioniero famoso, detto Barabba. [17]Mentre quindi si trovavano riuniti, Pilato disse loro: « Chi volete che vi rilasci: Barabba o Gesù chiamato il Cristo? ». [18]Sapeva bene infatti che glielo avevano consegnato per invidia.

---

una testimonianza importante dell'innocenza di Gesù. Il compenso del tradimento avrebbe reso impuro il tesoro del tempio.
[7] Cfr. 1,18-20.
[9] Citazioni accostate di Ger 32, 9-10 e Zc 11,12-13.

[11] Mc 15,1-15; Lc 23,1-25; Gv 18,28-19,16. Re dei Giudei equivaleva a Messia (2,2): confronta Gv 18,33-37.
[14] Cfr. la profezia di Is 53,7.
[15] La Pasqua celebrava la liberazione di Israele dall'Egitto.

¹⁹Mentre egli sedeva in tribunale, sua moglie gli mandò
·a dire: « Non avere a che fare con quel giusto; perché oggi fui molto turbata in sogno, per causa sua ».
²⁰Ma i sommi sacerdoti e gli anziani persuasero la folla
a richiedere Barabba e a far morire Gesù. ²¹Allora il
governatore domandò: « Chi dei due volete che vi
rilasci? ». Quelli risposero: « Barabba! ». ²²Disse loro
Pilato: « Che farò dunque di Gesù chiamato il Cristo? ». Tutti gli risposero: « Sia crocifisso! ». ²³Ed egli
aggiunse: « Ma che male ha fatto? ». Essi allora urla-
rono: « Sia crocifisso! ».
²⁴Pilato, visto che non otteneva nulla, anzi che il tumulto cresceva sempre più, presa dell'acqua, si lavò le
mani davanti alla folla: « Non sono responsabile, disse,
di questo sangue; vedetevela voi! ». ²⁵E tutto il popolo
rispose: « Il suo sangue ricada sopra di noi e sopra i
nostri figli ». ²⁶Allora rilasciò loro Barabba e, dopo aver
fatto flagellare Gesù, lo consegnò ai soldati perché fosse
crocifisso.

**Il dileggio dei soldati.** ²⁷Allora i soldati del governatore condussero Gesù nel pretorio e gli radunarono
attorno tutta la coorte. ²⁸Spogliatolo, gli misero addosso
un manto scarlatto ²⁹e, intrecciata una corona di spine,
gliela posero sul capo, con una canna nella destra; poi
mentre gli si inginocchiavano davanti, lo schernivano:
« Salve, re dei Giudei! ». ³⁰E sputandogli addosso, gli
tolsero di mano la canna e lo percuotevano sul capo.

**La « via crucis ».** ³¹Dopo averlo così schernito, lo spo-

---

¹⁹ I sogni di primo mattino erano ritenuti presaghi.
²² La croce era decretata ai peggiori delinquenti e a quelli che
erano privi di pieni diritti civili.
²⁴ Il gesto indicava tradizional-
mente che non si intendeva assu-
mere la responsabilità. La moti-

vazione della condanna di Gesù
era, infatti, giudaica e Pilato non
poteva intromettersi in questioni
religiose che spettavano al sinedrio.
²⁷ Mc 15,16-20; Gv 19,2-3. Il pretorio era la residenza del procuratore.

gliarono del mantello, gli fecero indossare i suoi vestiti e lo portarono via per crocifiggerlo.
[32]Mentre uscivano, incontrarono un uomo di Cirene, chiamato Simone, e lo costrinsero a prender su la croce di lui.

**Sul Gòlgota.** [33]Giunti a un luogo detto Gòlgota, che significa luogo del cranio, [34]gli *diedero da bere vino* mescolato con *fiele*; ma egli, assaggiatolo, non ne volle bere. [35]Dopo averlo quindi crocifisso, *si spartirono le sue vesti tirandole a sorte*. [36]E sedutisi, gli facevano la guardia. [37]Al di sopra del suo capo, posero la motivazione scritta della sua condanna: « *Questi è Gesù, il re dei Giudei* ».
[38]Insieme con lui furono crocifissi due ladroni, uno a destra e uno a sinistra.

**Lo scherno dei Giudei.** [39]E quelli che passavano di là lo insultavano *scuotendo il capo* e dicendo: [40]« Tu che distruggi il tempio e lo ricostruisci in tre giorni, salva te stesso! Se tu sei Figlio di Dio, scendi dalla croce! ».
[41]Anche i sommi sacerdoti con gli scribi e gli anziani lo schernivano: [42]« Ha salvato gli altri, non può salvare se stesso. È il re d'Israele, scenda ora dalla croce e gli crederemo. [43]*Ha confidato in Dio; lo liberi lui* ora, *se gli vuol bene.* Ha detto infatti: Sono Figlio di Dio! ».
[44]Anche i ladroni crocifissi con lui lo oltraggiavano allo stesso modo.

**La morte.** [45]Da mezzogiorno fino alle tre del pomeriggio

---

[33] « Luogo del cranio », in latino *calvaria*, perché si trattava di un rialzo roccioso tondeggiante, alto circa 5 m.
[34] Mc 15,21-32; Lc 23,26-43; Gv 19,17-27. Il vino con fiele doveva attenuare la sofferenza.
[35] Citazione del Sal 21,19.

[39-43] Per le parole in corsivo cfr. Sal 21,8-9.
[40] V. 26,61.
[43] Citazione del Sal 21,9; cfr. Sap 2,18-20.
[45] Mc 15,33-41; Lc 23,44-49; Gv 19,28-30. Le tenebre annunziavano gli interventi di Dio giu-

si fece buio su tutta la terra. [46]Verso le tre, Gesù gridò a gran voce: « Elì, Elì, lemà sabactàni? », che significa: « Dio mio, Dio mio, perché mi hai abbandonato? ». [47]Udendo questo, alcuni dei presenti dicevano: « Costui chiama Elia ». [48]E subito uno di loro corse a prendere una spugna e, imbevutala di aceto, la fissò su una canna e così gli dava da bere. [49]Gli altri dicevano: « Lascia, vediamo se viene Elia a salvarlo! ». [50]E Gesù, emesso un alto grido, spirò.

## « Davvero costui era Figlio di Dio »

[51]Ed ecco il velo del tempio si squarciò in due da cima a fondo, la terra si scosse, le rocce si spezzarono, [52]i sepolcri si aprirono e molti corpi di santi morti risuscitarono. [53]E uscendo dai sepolcri, dopo la sua risurrezione, entrarono nella città santa e apparvero a molti. [54]Il centurione e quelli che con lui facevano la guardia a Gesù, sentito il terremoto e visto quel che succedeva, furono presi da grande timore e dicevano: « Davvero costui era Figlio di Dio! ».
[55]C'erano anche là molte donne che stavano a osservare da lontano; esse avevano seguito Gesù dalla Galilea per servirlo. [56]Tra costoro Maria di Màgdala, Maria madre di Giacomo e di Giuseppe, e la madre dei figli di Zebedèo.

## La sepoltura.

[57]Venuta la sera giunse un uomo ricco di Arimatèa, chiamato Giuseppe, il quale era diventato

dice: cfr. Am 8,9; Is 13,10; Ger 15,9.
[46] Citazione del Sal 21,1, in aramaico. La citazione iniziale si prolunga a tutto il Salmo, che nella seconda parte esalta i benefici universali della passione del Messia; quindi non è una esclamazione di disperazione.
[47] Equivocazione voluta: infatti il profeta Elia veniva invocato co-

me soccorritore degli afflitti.
[48] Citazione del Sal 68,2.
[51] Il velo divideva le parti più riservate del tempio, il Santo e il Santo dei Santi. Il suo squarciarsi indica la fine dell'antica economia religiosa: cfr. Eb 10,20.
[56] Màgdala era un villaggio a ovest del lago di Galilea.
[57] Mc 15,42-47; Lc 23,50-56; Gv 19,38-42. Gesù doveva essere se-

anche lui discepolo di Gesù. [58]Egli andò da Pilato e
gli chiese il corpo di Gesù. Allora Pilato ordinò che
gli fosse consegnato. [59]Giuseppe, preso il corpo di Gesù,
lo avvolse in un candido lenzuolo [60]e lo depose nella
sua tomba nuova, che si era fatta scavare nella roccia;
rotolata poi una gran pietra sulla porta del sepolcro,
se ne andò. [61]Erano lì, davanti al sepolcro, Maria di
Màgdala e l'altra Maria.

**Il sepolcro vigilato.** [62]Il giorno dopo, che era Parasceve, si riunirono presso Pilato i sommi sacerdoti e i
farisei, dicendo: [63]« Signore, ci siamo ricordati che quel-
l'impostore disse mentre era vivo: Dopo tre giorni ri-
sorgerò. [64]Ordina dunque che sia vigilato il sepolcro
fino al terzo giorno, perché non vengano i suoi discepoli, lo rubino e poi dicano al popolo: È risuscitato dai
morti. Così quest'ultima impostura sarebbe peggiore
della prima! ». [65]Pilato disse loro: « Avete la vostra guardia, andate e assicuratevi come credete ». [66]Ed essi andarono e assicurarono il sepolcro, sigillando la pietra e
mettendovi la guardia.

**28** **Il sepolcro vuoto.** [1]Passato il sabato, all'alba del
primo giorno della settimana, Maria di Màgdala e
l'altra Maria andarono a visitare il sepolcro. [2]Ed ecco
che vi fu un gran terremoto: un angelo del Signore,
sceso dal cielo, si accostò, rotolò la pietra e si pose a
sedere su di essa. [3]Il suo aspetto era come la folgore
e il suo vestito bianco come la neve. [4]Per lo spavento
che ebbero di lui le guardie tremarono tramortite. [5]Ma

polto prima del tramonto, quando cominciava il riposo festivo.
Arimatea (forse l'antica Rama-
taim, patria di Samuele) era 35
km. a nord-ovest di Gerusalemme.
[62] Parasceve o preparazione era
la vigilia del sabato, quando si
preparava il pasto per il giorno

seguente, che era di assoluto
riposo.
**28.** [1]Mc 16,1-10; Lc 24,1-10;
Gv 20,1.11-18. Il primo giorno
della settimana per gli Ebrei è
diventato per i cristiani la domenica, cioè « il giorno del Signore ». Cfr. At 20,7.

l'angelo disse alle donne: « Non abbiate paura, voi! So
che cercate Gesù il crocifisso. [6]Non è qui. È risorto, come aveva detto; venite a vedere il luogo dove era deposto. [7]Presto, andate a dire ai suoi discepoli: È risuscitato dai morti, e ora vi precede in Galilea; là lo
vedrete. Ecco, io ve l'ho detto ».

**L'apparizione alle donne.** [8]Abbandonato in fretta il
sepolcro, con timore e gioia grande, le donne corsero
a dare l'annunzio ai suoi discepoli.
[9]Ed ecco Gesù venne loro incontro dicendo: « Salute
a voi ». Ed esse, avvicinatesi, gli presero i piedi e lo
adorarono. [10]Allora Gesù disse loro: « Non temete; andate ad annunziare ai miei fratelli che vadano in Galilea e là mi vedranno ».

**La corruzione dei soldati.** [11]Mentre esse erano per
via, alcuni della guardia giunsero in città e annunziarono ai sommi sacerdoti quanto era accaduto. [12]Questi
si riunirono allora con gli anziani e deliberarono di
dare una buona somma di denaro ai soldati dicendo:
[13]« Dichiarate: i suoi discepoli sono venuti di notte e
l'hanno rubato, mentre noi dormivamo. [14]E se mai la
cosa verrà all'orecchio del governatore noi lo persuade-
remo e vi libereremo da ogni noia ». [15]Quelli, preso il
denaro, fecero secondo le istruzioni ricevute. Così questa diceria si è divulgata fra i Giudei fino ad oggi.

**L'apparizione in Galilea e la missione universale.**
[16]Gli undici discepoli, intanto, andarono in Galilea, sul
monte che Gesù aveva loro fissato. [17]Quando lo videro,

---

[9] L'abbraccio dei piedi era gesto
di devota tenerezza.
[10] Gli evangelisti non esaurisco-
no il racconto delle apparizio-
ni di Gesù Risorto: cfr. 1Cor
15,3-7.

[16] Mc 16,15-16: si ignora il nome
del monte, forse di valore simbolico.
[17] Il dubbio dei discepoli evoca
in scorcio i fatti di Mc 16,11-13;
Lc 24,11.37-41; Gv 20,25.

gli si prostrarono innanzi; alcuni però dubitavano. [18]E Gesù, avvicinatosi, disse loro: « Mi è stato dato ogni potere in cielo e in terra. [19]Andate dunque e ammaestrate tutte le nazioni, battezzandole nel nome del Padre e del Figlio e dello Spirito Santo, [20]insegnando loro ad osservare tutto ciò che vi ho comandato. Ecco, io sono con voi tutti i giorni, fino alla fine del mondo ».

[19] Invocare il nome di qualcuno su un altro significava affermare la proprietà del primo sul secondo.

[20] L'economia religiosa instaurata da Cristo è definitiva, fino alla fine dei tempi.

# VANGELO
# SECONDO MARCO

*L'autore del secondo vangelo fu un personaggio di secondo piano nella Chiesa apostolica, collaboratore dell'apostolo Paolo (At 12,25; 13,5; 2Tm 4,11) e soprattutto di Pietro, che lo predilesse (1Pt 5,13; cfr. At 12, 12-17). Di Pietro, appunto, egli è, secondo l'antica tradizione della Chiesa, interprete fedele, riferendone la predicazione nel vangelo.*

*In tutto il libretto, appena una cinquantina di versetti riferiscono cose nuove in rapporto agli altri due vangeli, ma il dettato dell'originale greco è singolarmente vivace e assai spesso tradisce un testimone oculare: Pietro, giacché Marco non conobbe a fondo Gesù (cfr. 14,51-52). Di tradizione pietrina sembra essere anche lo schema fondamentale del secondo vangelo (cfr. At 10,37-41).*

*Il racconto ha inizio, come la predicazione apostolica (cfr. At 1,22), dal ministero del Battista (1,1-13), preludio del ministero pubblico di Gesù in Galilea (1,14-9,50), per poi passare alla sua attività in Giudea (cc. 10-13), fino agli avvenimenti del mistero pasquale di morte (cc. 14-15) e di gloria (c. 16).*

*Marco scrive per fedeli di origine non ebraica; secondo l'antica tradizione, per i cristiani di Roma, ai quali presenta al vivo Gesù Messia e Figlio di Dio, operatore di significativi miracoli, dominatore di satana, il quale è costretto a riconoscere la divina superiorità di Cristo. Il vangelo fu pubblicato verso il 65, poiché fu largamente utilizzato da Luca.*

# GLI INIZI DEL VANGELO
## (1,1-13)

**1** ¹Inizio del vangelo di Gesù Cristo, Figlio di Dio.

**Giovanni il precursore.** ²Come è scritto nel profeta Isaia:

> *Ecco, io mando il mio messaggero davanti a te,*
> *egli ti preparerà la strada.*
> ³*Voce di uno che grida nel deserto:*
> *preparate la strada del Signore,*
> *raddrizzate i suoi sentieri,*

⁴si presentò Giovanni a battezzare nel deserto, predicando un battesimo di conversione per il perdono dei peccati. ⁵Accorreva a lui tutta la regione della Giudea e tutti gli abitanti di Gerusalemme. E si facevano battezzare da lui nel fiume Giordano, confessando i loro peccati. ⁶Giovanni era vestito di peli di cammello, con una cintura di pelle attorno ai fianchi, si cibava di locuste e miele selvatico ⁷e predicava: « Dopo di me viene uno che è più forte di me e al quale io non son degno di chinarmi per sciogliere i legacci dei suoi sandali. ⁸Io vi ho battezzati con acqua, ma Egli vi battezzerà con lo Spirito Santo ».

**Battesimo di Gesù.** ⁹In quei giorni Gesù venne da Nàzaret di Galilea e fu battezzato nel Giordano da Giovanni. ¹⁰E, uscendo dall'acqua, vide aprirsi i cieli e lo Spirito discendere su di lui come una colomba. ¹¹E si sentì una voce dal cielo: « Tu sei il Figlio mio prediletto, in te mi sono compiaciuto ».

---

**1.** ¹ Mt 3,1-12; Lc 3,1-18. Per le note storiche, geografiche ed esegetiche nei passi paralleli il lettore dovrà riferirsi a Mt. Per vangelo cfr. Mt 4,23.

²⁻³ Citazione di Ml 3,1 e Is 40,3.
⁹ Mt 3,13-4,11; Lc 3,21-22; 4, 1-13; Gv 1,31-34. Per Nàzaret v. Mt 2,23.

**La tentazione.** [12]Subito dopo lo Spirito lo sospinse nel deserto [13]e vi rimase quaranta giorni, tentato da satana; stava con le fiere e gli angeli lo servivano.

# INIZI DEL MINISTERO GALILAICO
## (1,14-45)

[14]Dopo che Giovanni fu arrestato, Gesù si recò nella Galilea predicando il vangelo di Dio e diceva: [15]« Il tempo è compiuto e il regno di Dio è vicino; convertitevi e credete al vangelo ».

**I primi discepoli.** [16]Passando lungo il mare della Galilea, vide Simone e Andrea, fratello di Simone, mentre gettavano le reti in mare; erano infatti pescatori. [17]Gesù disse loro: « Seguitemi, vi farò diventare pescatori di uomini ». [18]E subito, lasciate le reti, lo seguirono. [19]Andando un poco oltre, vide anche sulla barca Giacomo di Zebedèo e Giovanni suo fratello mentre riassettavano le reti. [20]Li chiamò. Ed essi, lasciato il loro padre Zebedèo sulla barca con i garzoni, lo seguirono.

**Nella sinagoga di Cafàrnao.** [21]Andarono a Cafàrnao e, entrato proprio di sabato nella sinagoga, Gesù si mise ad insegnare. [22]Ed erano stupiti del suo insegnamento, perché insegnava loro come uno che ha autorità e non come gli scribi.

**Guarigione di un indemoniato.** [23]Allora un uomo che era nella sinagoga, posseduto da uno spirito immondo,

---

[14] Mt 4,12-22; Lc 4,14-15; 5,1-11. Il vangelo di Dio è l'annunzio della salvezza, a compimento dei disegni di misericordia del Padre.

[15] È il tempo previsto dai profeti; adesso si deve accettare la rivelazione di Cristo.
[21] Lc 4,31-37; cfr. Mt 7,28-29.

si mise a gridare: <sup>24</sup>« Che c'entri con noi, Gesù Na
zareno? Sei venuto a rovinarci! Io so chi tu sei: i
santo di Dio ». <sup>25</sup>E Gesù lo sgridò: « Taci! Esci da quel
l'uomo ». <sup>26</sup>E lo spirito immondo, straziandolo e gridan
do forte, uscì da lui. <sup>27</sup>Tutti furono presi da timore
tanto che si chiedevano a vicenda: « Che è mai que
sto? Una dottrina nuova insegnata con autorità. Co
manda persino agli spiriti immondi e gli obbediscono! »
<sup>28</sup>La sua fama si diffuse subito dovunque nei dintorni
della Galilea.

**Nella casa di Pietro.** <sup>29</sup>E, usciti dalla sinagoga, si reca
rono subito in casa di Simone e di Andrea, in com
pagnia di Giacomo e di Giovanni. <sup>30</sup>La suocera di Si
mone era a letto con la febbre e subito gli parlarono
di lei. <sup>31</sup>Egli, accostatosi, la sollevò prendendola per
mano; la febbre la lasciò ed essa si mise a servirli.
<sup>32</sup>Venuta la sera, dopo il tramonto del sole, gli porta
vano tutti i malati e gli indemoniati. <sup>33</sup>Tutta la città era
riunita davanti alla porta. <sup>34</sup>Guarì molti che erano afflitti
da varie malattie e scacciò molti demòni; ma non per
metteva ai demòni di parlare, perché lo conoscevano.

**Peregrinazioni apostoliche.** <sup>35</sup>Al mattino si alzò quan
do ancora era buio e, uscito di casa, si ritirò in un
luogo deserto e là pregava. <sup>36</sup>Ma Simone e quelli che
erano con lui si misero sulle sue tracce <sup>37</sup>e, trovatolo,
gli dissero: « Tutti ti cercano! ». <sup>38</sup>Egli disse loro: « An
diamocene altrove per i villaggi vicini, perché io pre-

---

<sup>24</sup> Il santo di Dio è il Messia,
Figlio di Dio, che si è consa
crato all'opera di salvezza.
<sup>29</sup> Mt 8,14-17; Lc 4,38-44.
<sup>32-33</sup> Cfr. Mt 8,16; Lc 4,40-41. Al
tramonto del sole aveva termine
il rigoroso precetto del riposo
festivo.
<sup>34</sup> Mc insiste sul silenzio che Ge
sù impose per impedire che il

popolo, facilmente entusiasta, in
tendesse la sua missione messia
nica in senso trionfalistico: cfr.
Mt 4,2; 13,13. I demoni cono
scono meglio degli uomini il
mondo soprannaturale al quale
Cristo appartiene.
<sup>38</sup> La folla preferisce i miracoli,
ma l'insegnamento è più impor
tante.

dichi anche là; per questo infatti sono venuto! ». [39]E
andò per tutta la Galilea, predicando nelle loro sinagoghe e scacciando i demòni.

**Guarigione di un lebbroso.** [40]Allora venne a lui un lebbroso: lo supplicava in ginocchio e gli diceva: « Se vuoi,
puoi guarirmi! ». [41]Mosso a compassione, stese la mano, lo toccò e gli disse: « Lo voglio, guarisci! ». [42]Su-
bito la lebbra scomparve ed egli guarì. [43]E, ammonendolo
severamente, lo rimandò e gli disse: [44]« Guarda di non
dir niente a nessuno, ma va', presentati al sacerdote, e
offri per la tua purificazione quello che Mosè ha ordinato, a testimonianza per loro ». [45]Ma quegli, allontanatosi, cominciò a proclamare e a divulgare il fatto, al
punto che Gesù non poteva più entrare pubblicamente
in una città, ma se ne stava fuori, in luoghi deserti, e
venivano a lui da ogni parte.

# CINQUE CASI DI CONFLITTO
## (2,1-3,6)

**2 Guarigione di un paralitico.** [1]Ed entrò di nuovo
a Cafàrnao dopo alcuni giorni. Si seppe che era
in casa [2]e si radunarono tante persone, da non esserci
più posto neanche davanti alla porta, ed egli annunziava
loro la parola. [3]Si recarono da lui con un paralitico
portato da quattro persone. [4]Non potendo però portar-
glielo innanzi, a causa della folla, scoperchiarono il
tetto nel punto dov'egli si trovava e, fatta un'apertura,
calarono il lettuccio su cui giaceva il paralitico. [5]Gesù,
vista la loro fede, disse al paralitico: « Figliolo, ti sono
rimessi i tuoi peccati ».
[6]Seduti là erano alcuni scribi che pensavano in cuor

---

[40] Mt 8,2-4; Lc 5,12-16.
**2.** [1] Mt 9,1-8; Lc 5,17-26. Gesù
è nella casa di Pietro.

[2] La parola è il vangelo di Dio,
la predicazione (1,14) della lieta
novella, di cui Gesù è l'araldo.

loro: [7]« Perché costui parla così? Bestemmia! Chi può rimettere i peccati se non Dio solo? ». [8]Ma Gesù, avendo subito conosciuto nel suo spirito che così pensavano tra sé, disse loro: « Perché pensate così nei vostri cuori? [9]Che cosa è più facile: dire al paralitico: Ti sono rimessi i peccati, o dire: Alzati, prendi il tuo lettuccio e cammina? [10]Ora, perché sappiate che il Figlio dell'uomo ha il potere sulla terra di rimettere i peccati, [11]ti ordino – disse al paralitico – alzati, prendi il tuo lettuccio e va' a casa tua ». [12]Quegli si alzò, prese il suo lettuccio e se ne andò in presenza di tutti e tutti si meravigliarono e lodavano Dio dicendo: « Non abbiamo mai visto nulla di simile! ».

**La vocazione di Levi.** [13]Uscì di nuovo lungo il mare; tutta la folla veniva a lui éd egli li ammaestrava. [14]Nel passare, vide Levi, il figlio di Alfeo, seduto al banco delle imposte, e gli disse: « Seguimi ». Egli, alzatosi, lo seguì. [15]Mentre Gesù stava a mensa in casa di lui, molti pubblicani e peccatori si misero a mensa insieme con Gesù e i suoi discepoli; erano molti infatti quelli che lo seguivano. [16]Allora gli scribi della setta dei farisei, vedendolo mangiare con i peccatori e i pubblicani, dicevano ai suoi discepoli: « Come mai egli mangia e beve in compagnia dei pubblicani e dei peccatori? ». [17]Avendo udito questo, Gesù disse loro: « Non sono i sani che hanno bisogno del medico, ma i malati; non sono venuto per chiamare i giusti, ma i peccatori ».

**Questione sul digiuno.** [18]Ora i discepoli di Giovanni e i farisei stavano facendo un digiuno. Si recarono allora da Gesù e gli dissero: « Perché i discepoli di Giovanni e i discepoli dei farisei digiunano, mentre i tuoi disce-

---

[13] Mt 9,9-13; Lc 5,27-32. Il mare è il lago di Tiberiade; Levi è un altro nome di Matteo. Spesso gli Ebrei avevano un duplice nome.

[16] Non tutti gli scribi professavano le dottrine dei farisei; cfr. Mt 5,20; At 23,9.
[18] Mt 9,14-17; Lc 5,33-38.

poli non digiunano? ». ¹⁹Gesù disse loro: « Possono forse digiunare gli invitati a nozze quando lo sposo è con loro? Finché hanno lo sposo con loro, non possono digiunare. ²⁰Ma verranno i giorni in cui sarà loro tolto lo sposo e allora digiuneranno. ²¹Nessuno cuce una toppa di panno grezzo su un vestito vecchio; altrimenti il rattoppo nuovo squarcia il vecchio e si forma uno strappo peggiore. ²²E nessuno versa vino nuovo in otri vecchi, altrimenti il vino spaccherà gli otri e si perdono vino e otri, ma vino nuovo in otri nuovi ».

**Le spighe raccolte di sabato.** ²³In giorno di sabato Gesù passava per i campi di grano, e i discepoli, camminando, cominciarono a strappare le spighe. ²⁴I farisei gli dissero: « Vedi, perché essi fanno di sabato quel che non è permesso? ». ²⁵Ma egli rispose loro: « Non avete mai letto che cosa fece Davide quando si trovò nel bisogno ed ebbe fame, lui e i suoi compagni? ²⁶Come entrò nella casa di Dio, sotto il sommo sacerdote Abiatàr, e mangiò i pani dell'offerta, che soltanto ai sacerdoti è lecito mangiare, e ne diede anche ai suoi compagni? ». ²⁷E diceva loro: « Il sabato è stato fatto per l'uomo e non l'uomo per il sabato! ²⁸Perciò il Figlio dell'uomo è signore anche del sabato ».

**3** **L'uomo dalla mano inaridita.** ¹Entrò di nuovo nella sinagoga. C'era un uomo che aveva una mano inaridita, ²e lo osservavano per vedere se lo guariva in giorno di sabato per poi accusarlo. ³Egli disse all'uomo che aveva la mano inaridita: « Mettiti nel mezzo! ». ⁴Poi domandò loro: « È lecito in giorno di sabato fare

---

²⁵⁻²⁶ Cfr. Mt 12,1-4. Abiatàr era sommo sacerdote al tempo di Davide. In 1Sam 21,2-3 è nominato suo padre Achimelec.
²⁷ La legge del sabato vuole aiutare l'uomo a conformarsi alla volontà di Dio; i farisei, invece,

pretendevano che fosse osservata in modo da risultare un tormento per l'uomo.
²⁸ Per « Figlio dell'uomo » v. Mt 8,20.
**3.** ¹ Mt 12,9-14; Lc 6,6-11. Probabilmente la sinagoga di Cafarnao

il bene o il male, salvare una vita o toglierla? ». ⁵Ma
essi tacevano. E guardandoli tutt'intorno con indignazione, rattristato per la durezza dei loro cuori, disse
a quell'uomo: « Stendi la mano! ». La stese e la sua
mano fu risanata. ⁶E i farisei uscirono subito con gli
erodiani e tennero consiglio contro di lui per farlo
morire.

## MOVIMENTO ATTORNO A GESÙ
### (3,7-35)

**In riva al lago.** ⁷Gesù intanto si ritirò presso il mare
con i suoi discepoli e lo seguì molta folla dalla Galilea. ⁸Dalla Giudea e da Gerusalemme e dall'Idumea e
dalla Transgiordania e dalle parti di Tiro e Sidone una
gran folla, sentendo ciò che faceva, si recò da lui. ⁹Allora egli pregò i suoi discepoli che gli mettessero a
disposizione una barca, a causa della folla, perché non
lo schiacciassero. ¹⁰Infatti ne aveva guariti molti, così
che quanti avevano qualche male gli si gettavano addosso per toccarlo. ¹¹Gli spiriti immondi, quando lo vedevano, gli si gettavano ai piedi gridando: « Tu sei il
Figlio di Dio! ». ¹²Ma egli li sgridava severamente perché non lo manifestassero.

**La scelta dei Dodici.** ¹³Salì poi sul monte, chiamò a
sé quelli che egli volle ed essi andarono da lui. ¹⁴Ne
costituì Dodici che stessero con lui ¹⁵e anche per mandarli a predicare e perché avessero il potere di scacciare
i demòni. ¹⁶Costituì dunque i Dodici: Simone, al quale

---

⁶ Per gli erodiani v. Mt 22,15.
⁸ L'Idumea era nell'estremo sud
della Giudea.
¹¹-¹² Gesù non vuole che il rico-
noscimento dei demoni venga mal
compreso dal popolo e sfruttato
dai suoi nemici.

¹³ Mt 10,1-4; Lc 6,12-16.
¹⁴ « Costituì » lascia intendere che
si tratta di una iniziativa divina.
¹⁶ Cfr. Mt 16,18; Gv 1,42. « I
Dodici », con l'articolo è abituale
in Mc (9 volte) per indicare il
collegio apostolico.

impose il nome di Pietro; [17]poi Giacomo di Zebedèo e Giovanni fratello di Giacomo, ai quali diede il nome di Boanèrghes, cioè figli del tuono; [18]e Andrea, Filippo, Bartolomeo, Matteo, Tommaso, Giacomo di Alfeo, Taddeo, Simone il Cananèo [19]e Giuda Iscariota, quello che poi lo tradì.

**Gesù e Beelzebùl.** [20]Entrò in una casa e si radunò di nuovo attorno a lui molta folla, al punto che non potevano neppure prendere cibo. [21]Allora i suoi, sentito questo, uscirono per andare a prenderlo; poiché dicevano: « È fuori di sé ».
[22]Ma gli scribi, che erano discesi da Gerusalemme, dicevano: « Costui è posseduto da Beelzebùl e scaccia i demòni per mezzo del principe dei demòni ». [23]Ma egli, chiamatili, diceva loro in parabole: « Come può satana scacciare satana? [24]Se un regno è diviso in se stesso, quel regno non può reggersi; [25]se una casa è divisa in se stessa, quella casa non può reggersi. [26]Alla stessa maniera, se satana si ribella contro se stesso ed è diviso, non può resistere, ma sta per finire. [27]Nessuno può entrare nella casa di un uomo forte e rapire le sue cose se prima non avrà legato l'uomo forte; allora ne saccheggerà la casa. [28]In verità vi dico: tutti i peccati saranno perdonati ai figli degli uomini e anche tutte le bestemmie che diranno; [29]ma chi avrà bestemmiato contro lo Spirito Santo, non avrà perdono in eterno: sarà reo di colpa eterna ». [30]Poiché dicevano: « È posseduto da uno spirito immondo ».

**I veri parenti di Gesù.** [31]Giunsero sua madre e i suoi fratelli e, stando fuori, lo mandarono a chiamare.

---

[17] Il soprannome aramaico sottolinea il carattere ardente dei due fratelli.
[20] Mt 12,24-32; Lc 11,15-22; 12,10.
[21] L'impersonale « dicevano » può

riferirsi all'opinione della folla.
[31] Mt 12,46-50! Lc 8,19-21. .I « fratelli » e le « sorelle ») di Gesù sono dei cugini o più semplicemente dei congiunti.

[32]Tutto attorno era seduta la folla e gli dissero: « Ecco tua madre, i tuoi fratelli e le tue sorelle sono fuori e ti cercano ». [33]Ma egli rispose loro: « Chi è mia madre e chi sono i miei fratelli? ». [34]Girando lo sguardo su quelli che gli stavano seduti attorno, disse: « Ecco mia madre e i miei fratelli! [35]Chi compie la volontà di Dio, costui è mio fratello, sorella e madre ».

## LE PARABOLE DEL REGNO
### (4,1-34)

**4** **La parabola del seminatore.** [1]Di nuovo si mise a insegnare lungo il mare. E si riunì attorno a lui una folla enorme, tanto che egli salì su una barca e là restò seduto, stando in mare, mentre la folla era a terra lungo la riva. [2]Insegnava loro molte cose in parabole e diceva loro nel suo insegnamento: [3]« Ascoltate. Ecco, uscì il seminatore a seminare. [4]Mentre seminava, una parte cadde lungo la strada e vennero gli uccelli e la divorarono. [5]Un'altra cadde fra i sassi, dove non c'era molta terra, e subito spuntò perché non c'era un terreno profondo; [6]ma quando si levò il sole, restò bruciata e, non avendo radice, si seccò. [7]Un'altra cadde tra le spine; le spine crebbero, la soffocarono e non diede frutto. [8]E un'altra cadde sulla terra buona, diede frutto che venne su e crebbe, e rese ora il trenta, ora il sessanta e ora il cento per uno ». [9]E diceva: « Chi ha orecchi per intendere intenda! ».

**Il perché delle parabole.** [10]Quando poi fu solo, i suoi insieme ai Dodici lo interrogavano sulle parabole. Ed egli disse loro: [11]« A voi è stato confidato il mistero del regno di Dio; a quelli di fuori invece tutto viene esposto in parabole, [12]perché:

---

**4.** [1] Mt 13,1-23; Lc 8,4-15.			[12] Citazione libera di Is 6,9-10.

*guardino, ma non vedano,*
*ascoltino, ma non intendano,*
*perché non si convertano e venga loro perdonato* ».

**Spiegazione della parabola del seminatore.** [13]Continuò dicendo loro: «Se non comprendete questa parabola, come potrete capire tutte le altre parabole? [14]Il seminatore semina la parola. [15]Quelli lungo la strada sono coloro nei quali viene seminata la parola; ma quando l'ascoltano, subito viene satana, e porta via la parola seminata in loro. [16]Similmente quelli che ricevono il seme sulle pietre sono coloro che, quando ascoltano la parola, subito l'accolgono con gioia, [17]ma non hanno radice in se stessi, sono incostanti e quindi, al sopraggiungere di qualche tribolazione o persecuzione a causa della parola, subito si abbattono. [18]Altri sono quelli che ricevono il seme tra le spine: sono coloro che hanno ascoltato la parola, [19]ma sopraggiungono le preoccupazioni del mondo e l'inganno della ricchezza e tutte le altre bramosie, soffocano la parola e questa rimane senza frutto. [20]Quelli poi che ricevono il seme su terreno buono, sono coloro che ascoltano la parola, l'accolgono e portano frutto nella misura chi del trenta, chi del sessanta, chi del cento per uno ».

**Raccolta di parabole e di sentenze.** [21]Diceva loro: « Si porta forse la lampada per metterla sotto il moggio o sotto il letto? O non piuttosto per metterla sul lucerniere? [22]Non c'è nulla infatti di nascosto che non debba essere manifestato e nulla di segreto che non debba essere messo in luce. [23]Se uno ha orecchi per intendere, intenda! ».
[24]Diceva loro: « Fate attenzione a quello che udite: Con la stessa misura con la quale misurate, sarete misurati anche voi; anzi vi sarà dato di più. [25]Poiché a

[21] Lc 8,16-18; cfr. Mt 5,15; 7,2;    10,26;  13,12;  Lc 6,38;  8,16-18.

chi ha, sarà dato e a chi non ha, sarà tolto anche quello
che ha ».

**Parabola del seme.** [26]Diceva: « Il regno di Dio è come un uomo che getta il seme nella terra; [27]dorma o
vegli, di notte o di giorno, il seme germoglia e cresce;
come, egli stesso non lo sa. [28]Poiché la terra produce
spontaneamente, prima lo stelo, poi la spiga, poi il chicco pieno nella spiga. [29]Quando il frutto è pronto, subito
si mette mano alla falce, perché è venuta la mietitura ».

**Il granellino di senapa.** [30]Diceva: « A che cosa possiamo paragonare il regno di Dio o con quale parabola
possiamo descriverlo? [31]Esso è come un granellino di
senapa che, quando viene seminato per terra, è il più
piccolo di tutti i semi che sono sulla terra; [32]ma appena
seminato cresce e diviene più grande di tutti gli ortaggi
e fa rami tanto grandi che gli uccelli del cielo possono
ripararsi alla sua ombra ».

**Conclusione del discorso delle parabole.** [33]Con molte parabole di questo genere annunziava loro la parola
secondo quello che potevano intendere. [34]Senza parabole non parlava loro; ma in privato, ai suoi discepoli,
spiegava ogni cosa.

# SERIE DI MIRACOLI
## (4,35-5,43)

**La tempesta sedata.** [35]In quel medesimo giorno, verso
sera, disse loro: « Passiamo all'altra riva ». [36]E lasciata
la folla, lo presero con sé, così com'era, nella barca.

---

[26] Il regno di Dio ha in sé la
forza per crescere e dar frutto;
progredisce con lentezza, ma irre-
sistibilmente.

[30] Mt 13,31-32; Lc 13,18-29.
[33] La parola: v. 2,2.
[35] Si ricollega alla giornata delle
parabole. Mt 8,18.23-37.

C'erano anche altre barche con lui. [37]Nel frattempo si sollevò una gran tempesta di vento e gettava le onde nella barca, tanto che ormai era piena. [38]Egli se ne stava a poppa, sul cuscino, e dormiva. Allora lo svegliarono e gli dissero: « Maestro, non t'importa che moriamo? ». [39]Destatosi, sgridò il vento e disse al mare: « Taci, calmati! ». Il vento cessò e vi fu grande bonaccia. [40]Poi disse loro: « Perché siete così paurosi? Non avete ancora fede? ». [41]E furono presi da grande timore e si dicevano l'un l'altro: « Chi è dunque costui, al quale anche il vento e il mare obbediscono? ».

**5** L'indemoniato di Gerasa. [1]Intanto giunsero all'altra riva del mare, nella regione dei Geraséni. [2]Come scese dalla barca, gli venne incontro dai sepolcri un uomo posseduto da uno spirito immondo. [3]Egli aveva la sua dimora nei sepolcri e nessuno più riusciva a tenerlo legato neanche con catene, [4]perché più volte era stato legato con ceppi e catene, ma aveva sempre spezzato le catene e infranto i ceppi, e nessuno più riusciva a domarlo. [5]Continuamente, notte e giorno, tra i sepolcri e sui monti, gridava e si percuoteva con pietre. [6]Visto Gesù da lontano, accorse, gli si gettò ai piedi, [7]e urlando a gran voce disse: « Che hai tu in comune con me, Gesù, Figlio del Dio altissimo? Ti scongiuro, in nome di Dio, non tormentarmi! ». [8]Gli diceva infatti: « Èsci, spirito immondo, da quest'uomo! ». [9]E gli domandò: « Come ti chiami? ». « Mi chiamo Legione, gli rispose, perché siamo in molti ». [10]E prese a scongiurarlo con insistenza perché non lo cacciasse fuori da quella regione.
[11]Ora c'era là, sul monte, un numeroso branco di porci

**5.** [1] Mt 8,28-34; Lc 8,26-39. Il paese dei Geraséni era a sud-est del lago di Tiberiade.
[3] I sepolcri erano ricavati in caverne: cfr. Mt 27,60.

[9] La legione contava cinquemila-seimila uomini. Vuol dire che si trattava di una ossessione violentissima: cfr. Mt 12,45; 18,21.

al pascolo. [12]E gli spiriti lo scongiurarono: « Mandaci da
quei porci, perché entriamo in essi ». [13]Glielo permise.
E gli spiriti immondi uscirono ed entrarono nei porci
e il branco si precipitò dal burrone nel mare; erano
circa duemila e affogarono uno dopo l'altro nel mare.
[14]I mandriani allora fuggirono, portarono la notizia in
città e nella campagna e la gente si mosse a vedere che
cosa fosse accaduto. [15]Giunti che furono da Gesù, videro l'indemoniato seduto, vestito e sano di mente, lui
che era stato posseduto dalla Legione, ed ebbero paura.
[16]Quelli che avevano visto tutto, spiegarono loro che
cosa era accaduto all'indemoniato e il fatto dei porci.
[17]Ed essi si misero a pregarlo di andarsene dal loro territorio. [18]Mentre risaliva nella barca, colui che era stato
indemoniato lo pregava di permettergli di stare con lui.
[19]Non glielo permise, ma gli disse: « Va' nella tua casa,
dai tuoi, annunzia loro ciò che il Signore ti ha fatto e la
misericordia che ti ha usato ». [20]Egli se ne andò e si
mise a proclamare per la Decàpoli ciò che Gesù gli
aveva fatto, e tutti ne erano meravigliati.

**La figlia di Giàiro e l'emorroissa.** [21]Essendo passato
di nuovo Gesù all'altra riva, gli si radunò attorno molta
folla, ed egli stava lungo il mare. [22]Si recò da lui uno
dei capi della sinagoga, di nome Giàiro, il quale, vedutolo, gli si gettò ai piedi [23]e lo pregava con insistenza:
« La mia figlioletta è agli estremi; vieni a imporle le
mani perché sia guarita e viva ». [24]Gesù andò con lui.
Molta folla lo seguiva e gli si stringeva intorno.
[25]Or una donna, che da dodici anni era affetta da emorragia [26]e aveva molto sofferto per opera di molti me-
dici, spendendo tutti i suoi averi senza nessun vantaggio, anzi peggiorando, [27]udito parlare di Gesù, venne
tra la folla, alle sue spalle, e gli toccò il mantello. Diceva infatti: [28]« Se riuscirò anche solo a toccare il suo

[21] Mt 9,18-26; Lc 8,40-56.

mantello, sarò guarita ». [29]E subito le si fermò il flusso di sangue, e sentì nel suo corpo che era stata guarita da quel male. [30]Ma subito Gesù, avvertita la potenza che era uscita da lui, si voltò alla folla dicendo: « Chi mi ha toccato il mantello? ». [31]I discepoli gli dissero: « Tu vedi la folla che ti si stringe attorno e dici: Chi mi ha toccato? ». [32]Egli intanto guardava intorno, per vedere colei che aveva fatto questo. [33]E la donna impaurita e tremante, sapendo ciò che le era accaduto, venne, gli si gettò davanti e gli disse tutta la verità. [34]Gesù rispose: « Figlia, la tua fede ti ha salvata. Va' in pace e sii guarita dal tuo male ».

[35]Mentre ancora parlava, dalla casa del capo della sinagoga vennero a dirgli: « Tua figlia è morta. Perché disturbi ancora il Maestro? ». [36]Ma Gesù, udito quanto dicevano, disse al capo della sinagoga: « Non temere, continua solo ad aver fede! ». [37]E non permise a nessuno di seguirlo fuorché a Pietro, Giacomo e Giovanni, fratello di Giacomo. [38]Giunsero alla casa del capo della sinagoga ed egli vide trambusto e gente che piangeva e urlava. [39]Entrato, disse loro: « Perché fate tanto strepito e piangete? La bambina non è morta, ma dorme ». [40]Ed essi lo deridevano. Ma egli, cacciati tutti fuori, prese con sé il padre e la madre della fanciulla e quelli che erano con lui, ed entrò dove era la bambina. [41]Presa la mano della bambina, le disse: « Talità kum », che significa: « Fanciulla, io ti dico, alzati! ». [42]Subito la fanciulla si alzò e si mise a camminare; aveva dodici anni. Essi furono presi da grande stupore. [43]Gesù raccomandò loro con insistenza che nessuno venisse a saperlo e ordinò di darle da mangiare.

---

[30] Non si tratta di una sensazione fisica.

[41] *Talità kum* è aramaico. Mc è il solo a trascrivere queste parole.

## PEREGRINAZIONI VARIE
### (6,1-8,26)

**6** **Gesù a Nàzaret.** [1]Partito quindi di là, andò nella sua patria e i discepoli lo seguirono. [2]Venuto il sabato, incominciò a insegnare nella sinagoga. E molti ascoltandolo rimanevano stupiti e dicevano: « Donde gli vengono queste cose? E che sapienza è mai questa che gli è stata data? E questi prodigi compiuti dalle sue mani? [3]Non è costui il carpentiere, il figlio di Maria, il fratello di Giacomo, di Joses, di Giuda e di Simone? E le sue sorelle non stanno qui da noi? ». E si scandalizzavano di lui. [4]Ma Gesù disse loro: « Un profeta non è disprezzato che nella sua patria, tra i suoi parenti e in casa sua ». [5]E non vi poté operare nessun prodigio, ma solo impose le mani a pochi ammalati e li guarì. [6]E si meravigliava della loro incredulità.

**La missione dei Dodici.** Gesù andava attorno per i villaggi, insegnando.
[7]Allora chiamò i Dodici, ed incominciò a mandarli a due a due e diede loro potere sugli spiriti immondi. [8]E ordinò loro che, oltre al bastone, non prendessero nulla per il viaggio: né pane, né bisaccia, né denaro nella borsa; [9]ma, calzati solo i sandali, non indossassero due tuniche. [10]E diceva loro: « Entrati in una casa, rimanetevi fino a che ve ne andiate da quel luogo. [11]Se in qualche luogo non vi riceveranno e non vi ascolteranno, andandovene, scuotete la polvere di sotto ai vostri piedi, a testimonianza per loro ». [12]E partiti, pre-

---

**6.** [1]Mt 13,53-58; cfr. Lc 4,16-30.
[5] Gesù non può fare miracoli nel senso che il popolo non è disposto a capirli.
[7] Mt 10,1.9-15; Lc 9,1-6.
[8-9] Nessuna difficoltà se tra Mc e gli altri sinottici c'è una certa diversità nelle cose da prendere o non prendere con sé nel viaggio. Qui si tratta dello spirito.
[12] Gli apostoli predicano la conversione come il Battista (1,4); non era ancora una vera e propria predicazione evangelica.

dicavano che la gente si convertisse, [13]scacciavano molti
demòni, ungevano di olio molti infermi e li guarivano.

**Il giudizio di Erode.** [14]Il re Erode sentì parlare di
Gesù, poiché intanto il suo nome era diventato famoso.
Si diceva: « Giovanni il Battista è risuscitato dai morti
e per questo il potere dei miracoli opera in lui ». [15]Altri
invece dicevano: « È Elia »; altri dicevano ancora: « È
un profeta, come uno dei profeti ». [16]Ma Erode, al sen-
tirne parlare, diceva: « Quel Giovanni che io ho fatto
decapitare è risuscitato! ».

**La morte di Giovanni Battista.** [17]Erode infatti aveva
fatto arrestare Giovanni e lo aveva messo in prigione
a causa di Erodìade, moglie di suo fratello Filippo, che
egli aveva sposato. [18]Giovanni diceva a Erode: « Non ti
è lecito tenere la moglie di tuo fratello ». [19]Per questo
Erodìade gli portava rancore e avrebbe voluto farlo
uccidere, ma non poteva, [20]perché Erode temeva Giovanni, sapendolo giusto e santo, e vigilava su di lui; e
anche se nell'ascoltarlo restava molto perplesso, tuttavia
lo ascoltava volentieri.
[21]Venne però il giorno propizio, quando Erode per il
suo compleanno fece un banchetto per i grandi della
sua corte, gli ufficiali e i notabili della Galilea. [22]Entrata
la figlia della stessa Erodìade, danzò e piacque a Erode
e ai commensali. Allora il re disse alla ragazza: « Chie-
dimi quello che vuoi e io te lo darò ». [23]E le fece questo
giuramento: « Qualsiasi cosa mi chiederai, te la darò,
fosse anche la metà del mio regno ». [24]La ragazza uscì
e disse alla madre: « Che cosa devo chiedere? ». Quella
rispose: « La testa di Giovanni il Battista ». [25]Ed entrata
di corsa dal re fece la richiesta dicendo: « Voglio che
tu mi dia subito su un vassoio la testa di Giovanni il

---

[13] Le unzioni venivano usate
nell'antica medicina; qui hanno
un significato simbolico, ad indicare una guarigione miracolosa.
[14] Mt 14,1-12; Lc 9,7-9; 3,19-20.
Erode è l'Antipa.

Battista ». ²⁶Il re divenne triste; tuttavia, a motivo del giuramento e dei commensali, non volle opporle un rifiuto. ²⁷Subito il re mandò una guardia con l'ordine che gli fosse portata la testa. ²⁸La guardia andò, lo decapitò in prigione e portò la testa su un vassoio, la diede alla ragazza e la ragazza la diede a sua madre. ²⁹I discepoli di Giovanni, saputa la cosa, vennero, ne presero il cadavere e lo posero in un sepolcro.

**Ritorno degli apostoli.** ³⁰Gli apostoli si riunirono attorno a Gesù e gli riferirono tutto quello che avevano fatto e insegnato. ³¹Ed egli disse loro: « Venite in disparte, in un luogo solitario, e riposatevi un po' ». Era infatti molta la folla che andava e veniva e non avevano più neanche il tempo di mangiare. ³²Allora partirono sulla barca verso un luogo solitario, in disparte. ³³Molti però li videro partire e capirono, e da tutte le città cominciarono ad accorrere là a piedi e li precedettero.

**Prima moltiplicazione dei pani.** ³⁴Sbarcando, vide molta folla e si commosse per loro, perché erano come pecore senza pastore, e si mise a insegnare loro molte cose. ³⁵Essendosi ormai fatto tardi, gli si avvicinarono i discepoli dicendo: « Questo luogo è solitario ed è ormai tardi; ³⁶congedali perciò, in modo che, andando per le campagne e i villaggi vicini, possano comprarsi da mangiare ». ³⁷Ma egli rispose: « Voi stessi date loro da mangiare ». Gli dissero: « Dobbiamo andar noi a comprare duecento denari di pane e dare loro da mangiare? ». ³⁸Ma egli replicò loro: « Quanti pani avete? Andate a vedere ». E accertatisi, riferirono: « Cinque pani e due pesci ». ³⁹Allora ordinò loro di farli mettere tutti a sedere, a gruppi, sull'erba verde. ⁴⁰E sedettero tutti a gruppi e gruppetti di cento e di cinquanta. ⁴¹Presi

---

³⁰ Mt 14,13-21; Lc 9,10-17; Gv 6,1-13.

³⁷ Il denaro compensava una giornata di fatica.

i cinque pani e i due pesci, levò gli occhi al cielo, pronunziò la benedizione, spezzò i pani e li dava ai discepoli perché li distribuissero; e divise i due pesci fra tutti. [42]Tutti mangiarono e si sfamarono, [43]e portarono via dodici ceste piene di pezzi di pane e anche dei pesci. [44]Quelli che avevano mangiato i pani erano cinquemila uomini.

**Gesù cammina sulle acque.** [45]Ordinò poi ai discepoli di salire sulla barca e precederlo sull'altra riva, verso Betsàida, mentre egli avrebbe licenziato la folla. [46]Appena li ebbe congedati, salì sul monte a pregare. [47]Venuta la sera, la barca era in mezzo al mare ed egli solo a terra. [48]Vedendoli però tutti affaticati nel remare, poiché avevano il vento contrario, già verso l'ultima parte della notte andò verso di loro camminando sul mare, e voleva oltrepassarli. [49]Essi, vedendolo camminare sul mare, pensarono: « È un fantasma », e cominciarono a gridare, [50]perché tutti lo avevano visto ed erano rimasti turbati. Ma egli subito rivolse loro la parola e disse: « Coraggio, sono io, non temete! ». [51]Quindi salì con loro sulla barca e il vento cessò. Ed erano enormemente stupiti in se stessi, [52]perché non avevano capito il fatto dei pani, essendo il loro cuore indurito.

**Guarigioni a Genèsaret.** [53]Compiuta la traversata, approdarono e presero terra a Genèsaret. [54]Appena scesi dalla barca, la gente lo riconobbe, [55]e accorrendo da tutta quella regione cominciarono a portargli sui lettucci quelli che stavano male, dovunque udivano che si trovasse. [56]E dovunque giungeva, in villaggi o città o campagne, ponevano i malati nelle piazze e lo pregavano di potergli toccare almeno la frangia del mantello; e quanti lo toccavano guarivano.

---

[45] Mt 14,22-36; Gv 6,16-21. Forse da est ad ovest di Betsaida.

[52] Il cuore duro è ottusità di mente.

**7** **La tradizione degli antichi.** [1]Allora si riunirono attorno a lui i farisei e alcuni degli scribi venuti da Gerusalemme. [2]Avendo visto che alcuni dei suoi discepoli prendevano cibo con mani immonde, cioè non lavate – [3]i farisei infatti e tutti i Giudei non mangiano se non si sono lavate le mani fino al gomito, attenendosi alla tradizione degli antichi, [4]e tornando dal mercato non mangiano senza aver fatto le abluzioni, e osservano molte altre cose per tradizione, come lavature di bicchieri, stoviglie e oggetti di rame – [5]quei farisei e scribi lo interrogarono: « Perché i tuoi discepoli non si comportano secondo la tradizione degli antichi, ma prendono cibo con mani immonde? ». [6]Ed egli rispose loro: « Bene ha profetato Isaia di voi, ipocriti, come sta scritto:

*Questo popolo mi onora con le labbra,*
*ma il suo cuore è lontano da me.*
[7]*Invano essi mi rendono culto,*
*insegnando dottrine che sono precetti di uomini.*

[8]Trascurando il comandamento di Dio, voi osservate la tradizione degli uomini ». [9]E aggiungeva: « Siete veramente abili nell'eludere il comandamento di Dio, per osservare la vostra tradizione. [10]Mosè infatti disse: *Onora tuo padre e tua madre*, e *chi maledice il padre e la madre sia messo a morte*. [11]Voi invece dicendo: Se uno dichiara al padre o alla madre: Korbàn, cioè offerta sacra è quello che ti sarebbe dovuto da me, [12]non gli permettete più di fare nulla per il padre e la madre, [13]annullando così la parola di Dio con la tradizione che avete tramandato voi. E di cose simili ne fate molte ».

---

**7.** [1] Mt 15,1-20.
[3-4] Il lungo inciso era a beneficio dei lettori provenienti dal paganesimo. Al mercato, il contatto con pagani provocava l'impurità rituale.

[6] Citazione di Is 29,13.
[10] Cfr. Es 20,12; 21,17; Dt 5,16; Lv 20,9.
[11] *Korbàn*, termine ebraico, che Mc come sempre traduce per i suoi lettori (offerta a Dio).

[14]Chiamata di nuovo la folla, diceva loro: « Ascoltatemi tutti e intendete bene: [15]non c'è nulla fuori del-
l'uomo che, entrando in lui, possa contaminarlo; sono invece le cose che escono dall'uomo a contaminarlo ». [[16]]
[17]Quando entrò in una casa lontano dalla folla, i discepoli lo interrogarono sul significato di quella parabola.
[18]E disse loro: « Siete anche voi così privi di intelletto?
Non capite che tutto ciò che entra nell'uomo dal di fuori non può contaminarlo, [19]perché non gli entra nel
cuore ma nel ventre e va a finire nella fogna? ». Dichiarava così mondi tutti gli alimenti. [20]Quindi soggiunse: « Ciò che esce dall'uomo, questo sì contamina
l'uomo. [21]Dal di dentro infatti, cioè dal cuore degli uomini, escono le intenzioni cattive: prostituzioni, furti,
omicidi, [22]adultèri, cupidigie, malvagità, inganno, impudicizia, invidia, calunnia, superbia, stoltezza. [23]Tutte queste cose cattive vengono fuori dal di dentro e contami-
nano l'uomo ».

**La donna siro-fenìcia.** [24]Partito di là, andò nella regione di Tiro e di Sidone. Ed entrato in una casa, voleva che nessuno lo sapesse, ma non potè restare nascosto. [25]Subito una donna che aveva la sua figlioletta
posseduta da uno spirito immondo, appena lo seppe,
andò e si gettò ai suoi piedi. [26]Ora, quella donna che
lo pregava di scacciare il demonio dalla figlia era greca,
di origine siro-fenìcia. [27]Ed egli le disse: « Lascia prima
che si sfamino i figli; non è bene prendere il pane dei
figli e gettarlo ai cagnolini ». [28]Ma essa replicò: « Sì,
Signore, ma anche i cagnolini sotto la tavola mangiano
delle briciole dei figli ». [29]Allora le disse: « Per questa
tua parola va', il demonio è uscito da tua figlia ». [30]Tor-
nata a casa, trovò la bambina coricata sul letto e il
demonio se n'era andato.

[16] V. omesso perché manca nei migliori manoscritti antichi. (« Chi
ha orecchi da intendere, intenda!».
[24] Mt 15,21-28.

**Guarigione di un sordomuto.** [31]Di ritorno dalla regione di Tiro, passò per Sidone, dirigendosi verso il mare di Galilea in pieno territorio della Decàpoli. [32]E gli condussero un sordomuto, pregandolo di imporgli la mano. [33]E portandolo in disparte lontano dalla folla, gli pose le dita negli orecchi e con la saliva gli toccò la lingua; [34]guardando quindi verso il cielo, emise un sospiro e disse: « Effatà » cioè: « Apriti! ». [35]E subito gli si aprirono gli orecchi, si sciolse il nodo della sua lingua e parlava correttamente. [36]E comandò loro di non dirlo a nessuno. Ma più egli lo raccomandava, più essi ne parlavano [37]e, pieni di stupore, dicevano: « Ha fatto bene ogni cosa; fa udire i sordi e fa parlare i muti! ».

**8 Seconda moltiplicazione dei pani.** [1]In quei giorni, essendoci di nuovo molta folla che non aveva da mangiare, chiamò a sé i discepoli e disse loro: [2]« Sento compassione di questa folla, perché già da tre giorni mi stanno dietro e non hanno da mangiare. [3]Se li rimando digiuni alle proprie case, verranno meno per via; e alcuni di loro vengono di lontano ». [4]Gli risposero i discepoli: « E come si potrebbe sfamarli di pane qui, in un deserto? ». [5]E domandò loro: « Quanti pani avete? ». Gli dissero: « Sette ». [6]Gesù ordinò alla folla di sedersi per terra. Presi allora quei sette pani, rese grazie, li spezzò e li diede ai discepoli perché li distribuissero; ed essi li distribuirono alla folla. [7]Avevano anche pochi pesciolini; dopo aver pronunziata la benedizione su di essi, disse di distribuire anche quelli. [8]Così essi mangiarono e si saziarono; e portarono via sette sporte di pezzi avanzati. [9]Erano circa quattromila. E li congedò.

---

[33] Gesù vuol far capire al malato che lo guarisce. Per gli antichi, la saliva aveva qualità terapeutiche.

[34] *Effatà*: questo termine aramaico, con cui viene operato il miracolo, è rivolto all'ammalato.
**8.** [1] Mt 15,22-39.

[10]Salì poi sulla barca con i suoi discepoli e andò dalle parti di Dalmanùta.

**Richiesta di un segno dal cielo.** [11]Allora vennero i farisei e incominciarono a discutere con lui, chiedendogli un segno dal cielo, per metterlo alla prova. [12]Ma egli, traendo un profondo sospiro, disse: « Perché questa generazione chiede un segno? In verità vi dico: non sarà dato alcun segno a questa generazione ». [13]E lasciatili, risalì sulla barca e si avviò all'altra sponda.

**Il lievito dei farisei.** [14]Ma i discepoli avevano dimenticato di prendere dei pani e non avevano con sé sulla barca che un pane solo. [15]Allora egli li ammoniva dicendo: « Fate attenzione, guardatevi dal lievito dei farisei e dal lievito di Erode! ». [16]E quelli dicevano fra loro: « Non abbiamo pane ». [17]Ma Gesù, accortosi di questo, disse loro: « Perché discutete che non avete pane? Non intendete e non capite ancora? Avete il cuore indurito? [18]*Avete occhi e non vedete, avete orecchi e non udite?* E non vi ricordate, [19]quando ho spezzato i cinque pani per i cinquemila, quante ceste colme di pezzi avete portato via? ». Gli dissero: « Dodici ». [20]« E quando ho spezzato i sette pani per i quattromila, quante sporte piene di pezzi avete portato via? ». Gli dissero: « Sette ». [21]E disse loro: « Non capite ancora? ».

**Il cieco di Betsàida.** [22]Giunsero a Betsàida, dove gli condussero un cieco pregandolo di toccarlo. [23]Allora preso il cieco per mano, lo condusse fuori del villaggio e, dopo avergli messo della saliva sugli occhi, gli impose le mani e gli chiese: « Vedi qualcosa? ». [24]Quegli, alzando gli occhi, disse: « Vedo gli uomini, poiché vedo

[10] Non si sa dove sia stata Dalmanùta.
[11] Mt 16,1-12.
[15] Il lievito dei farisei è il loro ipocrito formalismo; quello di Erode Antipa è l'immoralità.
[21] Cfr. 1,34; 4,13. Invito di Gesù a superare le apprensioni materiali.

come degli alberi che camminano ». ²⁵Allora gli impose
di nuovo le mani sugli occhi ed egli ci vide chiaramente e fu sanato e vedeva a distanza ogni cosa. ²⁶E
lo rimandò a casa dicendo: « Non entrare nemmeno
nel villaggio ».

# IL MISTERO DEL CRISTO
## (8,27-10,52)

**La « confessione » di Pietro.** ²⁷Poi Gesù partì con i
suoi discepoli verso i villaggi intorno a Cesarèa di Filippo; e per via interrogava i suoi discepoli dicendo:
« Chi dice la gente che io sia? ». ²⁸Ed essi gli risposero:
« Giovanni il Battista, altri poi Elia e altri uno dei profeti ». ²⁹Ma egli replicò: « E voi chi dite che io sia? ».
Pietro gli rispose: « Tu sei il Cristo ». ³⁰E impose loro
severamente di non parlare di lui a nessuno.

**Primo annunzio della Passione.** ³¹E cominciò a inse-
gnar loro che il Figlio dell'uomo doveva molto soffrire,
ed essere riprovato dagli anziani, dai sommi sacerdoti
e dagli scribi, poi venire ucciso e, dopo tre giorni, risuscitare. ³²Gesù faceva questo discorso apertamente. Allora Pietro lo prese in disparte, e si mise a rimpro-
verarlo. ³³Ma egli voltatosi e guardando i discepoli, rimproverò Pietro e gli disse: « Lungi da me, satana! Perché tu non pensi secondo Dio, ma secondo gli uomini ».

**Per seguire Gesù.** ³⁴Convocata la folla insieme ai suoi
discepoli, disse loro: « Se qualcuno vuol venire dietro
di me rinneghi se stesso, prenda la sua croce e mi segua. ³⁵Perché chi vorrà salvare la propria vita, la perderà; ma chi perderà la propria vita per causa mia e
del vangelo, la salverà. ³⁶Che giova infatti all'uomo gua-

²⁷ Mt 16,13-23;  Lc 9,18-22.          ³⁴ Mt 16,24-28;  Lc 9,23-27.

dagnare il mondo intero, se poi perde la propria anima? [37]E che cosa potrebbe mai dare un uomo in cambio della propria anima? [38]Chi si vergognerà di me e delle mie parole davanti a questa generazione adultera e peccatrice, anche il Figlio dell'uomo si vergognerà di lui, quando verrà nella gloria del Padre suo con gli angeli santi ».

**9** [1]E diceva loro: « In verità vi dico: vi sono alcuni qui presenti, che non morranno senza aver visto il regno di Dio venire con potenza ».

**La trasfigurazione.** [2]Dopo sei giorni, Gesù prese con sé Pietro, Giacomo e Giovanni e li portò sopra un monte alto, in un luogo appartato, loro soli. Si trasfigurò davanti a loro [3]e le sue vesti divennero splendenti, bianchissime: nessun lavandaio sulla terra potrebbe renderle così bianche. [4]E apparve loro Elia con Mosè e discorrevano con Gesù. [5]Prendendo allora la parola, Pietro disse a Gesù: « Maestro, è bello per noi stare qui; facciamo tre tende, una per te, una per Mosè e una per Elia! ». [6]Non sapeva infatti che cosa dire, poiché erano stati presi dallo spavento. [7]Poi si formò una nube che li avvolse nell'ombra e uscì una voce dalla nube: « Questi è il Figlio mio prediletto; ascoltatelo! ». [8]E subito guardandosi attorno, non videro più nessuno, se non Gesù solo con loro.

[9]Mentre scendevano dal monte, ordinò loro di non raccontare a nessuno ciò che avevano visto, se non dopo che il Figlio dell'uomo fosse risuscitato dai morti. [10]Ed essi tennero per sé la cosa, domandandosi però che cosa volesse dire risuscitare dai morti. [11]E lo interrogarono: « Perché gli scribi dicono che prima deve venire

**9.** [1]Allusione alla rovina di Gerusalemme nel 70: cfr. Mt 16,28; Lc 9,27.
[2]Mt 17,1-13; Lc 9,28-36.
[5]La proposta di Pietro tendeva a impedire a Gesù di recarsi a Gerusalemme, incontro alla morte.
[10]I discepoli sapevano soltanto che tutti gli uomini dovevano risorgere.

Elia?». <sup></sup>¹²Egli rispose loro: «Sì, prima viene Elia e ristabilisce ogni cosa; ma come sta scritto del Figlio dell'uomo? Che deve soffrire molto ed essere disprezzato. ¹³Orbene, io vi dico che Elia è già venuto, ma hanno fatto di lui quello che hanno voluto, come sta scritto di lui».

**Guarigione di un ragazzo indemoniato.** ¹⁴E giunti presso i discepoli, li videro circondati da molta folla e da scribi che discutevano con loro. ¹⁵Tutta la folla, al vederlo, fu presa da meraviglia e corse a salutarlo. ¹⁶Ed egli li interrogò: «Di che cosa discutete con loro?». ¹⁷Gli rispose uno della folla: «Maestro, ho portato da te mio figlio, posseduto da uno spirito muto. ¹⁸Quando lo afferra, lo getta al suolo ed egli schiuma, digrigna i denti e si irrigidisce. Ho detto ai tuoi discepoli di scacciarlo, ma non ci sono riusciti». ¹⁹Egli allora in risposta, disse loro: «O generazione incredula! Fino a quando starò con voi? Fino a quando dovrò sopportarvi? Portatelo da me». ²⁰E glielo portarono. Alla vista di Gesù lo spirito scosse con convulsioni il ragazzo ed egli, caduto a terra, si rotolava spumando. ²¹Gesù interrogò il padre: «Da quanto tempo gli accade questo?». Ed egli rispose: «Dall'infanzia; ²²anzi spesso lo ha buttato persino nel fuoco e nell'acqua per ucciderlo. Ma se tu puoi qualcosa, abbi pietà di noi e aiutaci». ²³Gesù gli disse: «Se tu puoi! Tutto è possibile per chi crede». ²⁴Il padre del fanciullo rispose ad alta voce: «Credo, aiutami nella mia incredulità». ²⁵Allora Gesù, vedendo accorrere la folla, minacciò lo spirito immondo dicendo: «Spirito muto e sordo, io te l'ordino, esci da lui e non vi rientrare più». ²⁶E gridando e scuotendolo fortemente, se ne uscì. E il fanciullo diventò come morto, sicché

¹³ Il Battista, nuovo Elia, ha subìto la sorte — sia pure in maniera differente — dell'antico profeta; cfr. 1Re 19,1-10.

¹⁴ Mt 17,14-21; Lc 9,37-43. L'episodio si svolge alle pendici del monte (Tabor?) su cui Gesù si è appena trasfigurato.

molti dicevano: « È morto ». [27]Ma Gesù, presolo per mano, lo sollevò ed egli si alzò in piedi.
[28]Entrò poi in una casa e i discepoli gli chiesero in privato: « Perché noi non abbiamo potuto scacciarlo? ». [29]Ed egli disse loro: « Questa specie di demòni non si può scacciare in alcun modo, se non con la preghiera ».

**Secondo annunzio della Passione.** [30]Partiti di là, attraversavano la Galilea, ma egli non voleva che alcuno lo sapesse. [31]Istruiva infatti i suoi discepoli e diceva loro: « Il Figlio dell'uomo sta per esser consegnato nelle mani degli uomini e lo uccideranno; ma una volta ucciso, dopo tre giorni, risusciterà ». [32]Essi però non comprendevano queste parole e avevano timore di chiedergli spiegazioni.

**Il più grande.** [33]Giunsero intanto a Cafàrnao. E quando fu in casa, chiese loro: « Di che cosa stavate discutendo lungo la via? ». [34]Ed essi tacevano. Per la via infatti avevano discusso tra loro chi fosse il più grande. [35]Allora, sedutosi, chiamò i Dodici e disse loro: « Se uno vuol essere il primo, sia l'ultimo di tutti e il servo di tutti ». [36]E preso un bambino, lo pose in mezzo e abbracciandolo disse loro:
[37]« Chi accoglie uno di questi bambini nel mio nome, accoglie me; chi accoglie me, non accoglie me, ma colui che mi ha mandato ».

**L'esorcista straniero.** [38]Giovanni gli disse: « Maestro, abbiamo visto uno che scacciava i demòni nel tuo nome e glielo abbiamo vietato, perché non era dei nostri ». [39]Ma Gesù disse: « Non glielo proibite, perché non c'è nessuno che faccia un miracolo nel mio nome e subito dopo possa parlare male di me. [40]Chi non è

---

[29] Gli apostoli forse si fidavano un po' troppo del potere loro concesso.
[30] Mt 17,22-23; Lc 9,43-45.

[33] Mt 18,1-9; Lc 9,46-50; 17,1-2.
[38-40] Tutto sommato, quell'esorcista credeva nell'efficacia della invocazione del nome di Gesù.

contro di noi, è per noi. ⁴¹Chiunque vi darà da bere un bicchiere d'acqua nel mio nome perché siete di Cristo, vi dico in verità che non perderà la sua ricompensa.

**Lo scandalo.** ⁴²Chi scandalizza uno di questi piccoli che credono, è meglio per lui che gli si metta una macina girata da asino al collo e venga gettato nel mare. ⁴³Se la tua mano ti scandalizza, tagliala: è meglio per te entrare nella vita monco, che con due mani andare nella Geenna, nel fuoco inestinguibile. [⁴⁴] ⁴⁵Se il tuo piede ti scandalizza, taglialo: è meglio per te entrare nella vita zoppo, che esser gettato con due piedi nella Geenna. [⁴⁶] ⁴⁷Se il tuo occhio ti scandalizza, cavalo: è meglio per te entrare nel regno di Dio con un occhio solo, che essere gettato con due occhi nella Geenna, ⁴⁸dove *il loro verme non muore e il fuoco non si estingue.* ⁴⁹Perché ciascuno sarà salato con il fuoco. ⁵⁰Buona cosa è il sale; ma se il sale diventasse senza sapore, con che cosa lo salerete? Abbiate sale in voi stessi e siate in pace gli uni con gli altri ».

**10** **Il divorzio.** ¹Partito di là, si recò nel territorio della Giudea e oltre il Giordano. La folla accorse di nuovo a lui e di nuovo egli l'ammaestrava, come era solito fare. ²E avvicinatisi dei farisei, per metterlo alla prova, gli domandarono: « È lecito ad un marito ripudiare la propria moglie? ». ³Ma egli rispose loro: « Che cosa vi ha ordinato Mosè? ». ⁴Dissero: « Mosè ha permesso di *scrivere un atto di ripudio e di rimandarla* ».

---

⁴³ I vv. 44 e 46 omessi, ripetono il v. 48.
⁴⁸ Citazione di Is 66,24. Il verme simboleggia il rimorso.
⁴⁹ Questa parola di Gesù è introdotta qui a motivo del richiamo del fuoco nel v. 48. Per essere gradite a Dio, le vittime dovevano essere cosparse di sale, simbolo di fedeltà (Lv 2,13; Ez 43,24); le prove fedelmente sostenute fanno il credente gradito a Dio.
⁵⁰ Anche questa parola è inserita qui per il richiamo del sale nel v. 49. Il sale preserva dalla corruzione.
**10.** ¹ Mt 19,1-12. Nel v. 4 citazione di Dt 24,1; nei vv. 6-7: Gn 1,27 e 2,24.

[5]Gesù disse loro: « Per la durezza del vostro cuore egli scrisse per voi questa norma. [6]Ma all'inizio della creazione *Dio li creò maschio e femmina;* [7]*per questo l'uomo lascerà suo padre e sua madre e i due saranno una carne sola.* [8]Sicché non sono più due, ma una sola carne. [9]L'uomo dunque non separi ciò che Dio ha congiunto ». [10]Rientrati a casa, i discepoli lo interrogarono di nuovo su questo argomento. Ed egli disse: [11]« Chi ripudia la propria moglie e ne sposa un'altra, commette adulterio contro di lei; [12]se la donna ripudia il marito e ne sposa un altro, commette adulterio ».

**Gesù e i bambini.** [13]Gli presentavano dei bambini perché li accarezzasse, ma i discepoli li sgridavano. [14]Gesù, al vedere questo, s'indignò e disse loro: « Lasciate che i bambini vengano a me e non glielo impedite, perché a chi è come loro appartiene il regno di Dio. [15]In verità vi dico: Chi non accoglie il regno di Dio come un bambino, non entrerà in esso ». [16]E prendendoli fra le braccia e ponendo le mani sopra di loro li benediceva.

**Il giovane ricco.** [17]Mentre usciva per mettersi in viaggio, un tale gli corse incontro e, gettandosi in ginocchio davanti a lui, gli domandò: « Maestro buono, che cosa devo fare per avere la vita eterna? ». [18]Gesù gli disse: « Perché mi chiami buono? Nessuno è buono, se non Dio solo. [19]Tu conosci i comandamenti: *Non uccidere, non commettere adulterio, non rubare, non dire falsa testimonianza,* non frodare, *onora il padre e la madre* ». [20]Egli allora gli disse: « Maestro, tutte queste cose le ho osservate fin dalla mia giovinezza ». [21]Allora Gesù, fissatolo, lo amò e gli disse: « Una cosa sola ti manca:

[12] Nel mondo greco-romano, a differenza di quello ebraico, la donna poteva prendere l'iniziativa del divorzio.

[13] Mt 19,13-15; Lc 18,15-17.
[17] Mt 19,16-30; Lc 18,18-30.
[19] Citazioni di Es 20,12-16; Dt 5,16-22.

va', vendi quello che hai e dallo ai poveri e avrai un tesoro in cielo; poi vieni e seguimi ». [22]Ma egli, rattristatosi per quelle parole, se ne andò afflitto, poiché aveva molti beni.
[23]Gesù, volgendo lo sguardo attorno, disse ai suoi discepoli: « Quanto difficilmente coloro che hanno ricchezze entreranno nel regno di Dio! ». [24]I discepoli rimasero stupefatti a queste sue parole; ma Gesù riprese: « Figlioli, com'è difficile entrare nel regno di Dio! [25]È più facile che un cammello passi per la cruna di un ago, che un ricco entri nel regno di Dio ». [26]Essi, ancora più sbigottiti, dicevano tra loro: « E chi mai si può salvare? ». [27]Ma Gesù, guardandoli, disse: « Impossibile presso gli uomini, ma non presso Dio! Perché tutto è possibile presso Dio ».
[28]Pietro allora gli disse: « Ecco, noi abbiamo lasciato tutto e ti abbiamo seguito ». [29]Gesù gli rispose: « In verità vi dico: non c'è nessuno che abbia lasciato casa o fratelli o sorelle o madre o padre o figli o campi a causa mia e a causa del vangelo, [30]che non riceva già al presente cento volte tanto in case e fratelli e sorelle e madri e figli e campi, insieme a persecuzioni, e nel futuro la vita eterna. [31]E molti dei primi saranno ultimi e gli ultimi i primi ».

**Terzo annunzio della Passione.** [32]Mentre erano in viaggio per salire a Gerusalemme, Gesù camminava davanti a loro ed essi erano stupiti; coloro che venivano dietro erano pieni di timore. Prendendo di nuovo in disparte i Dodici, cominciò a dir loro quello che gli sarebbe accaduto: [33]« Ecco, noi saliamo a Gerusalemme e il Figlio dell'uomo sarà consegnato ai sommi sacerdoti e agli scribi: lo condanneranno a morte, lo consegneranno ai pagani, [34]lo scherniranno, gli sputeranno ad-

---

[30] Sulla persecuzione come beatitudine cfr. Mt 5,11-12. Cento indica grande quantità: cfr. 4,8.20.

[32] Mt 20,17-19; Lc 18,31-33. I discepoli sono spaventati dai continui annunci di morte di Gesù.

dosso, lo flagelleranno e lo uccideranno; ma dopo tre giorni risusciterà ».

**La richiesta di Giacomo e Giovanni.** [35]E gli si avvicinarono Giacomo e Giovanni, i figli di Zebedèo, dicendogli: « Maestro, noi vogliamo che tu ci faccia quello che ti chiederemo ». [36]Egli disse loro: « Cosa volete che io faccia per voi? ». Gli risposero: [37]« Concedici di sedere nella tua gloria uno alla tua destra e uno alla tua sinistra ». [38]Gesù disse loro: « Voi non sapete ciò che domandate. Potete bere il calice che io bevo, o ricevere il battesimo con cui io sono battezzato? ». Gli risposero: « Lo possiamo ». [39]E Gesù disse: « Il calice che io bevo anche voi lo berrete, e il battesimo che io ricevo anche voi lo riceverete. [40]Ma sedere alla mia destra o alla mia sinistra non sta a me concederlo; è per coloro per i quali è stato preparato ». [41]All'udire questo, gli altri dieci si sdegnarono con Giacomo e Giovanni. [42]Allora Gesù, chiamatili a sé, disse loro: « Voi sapete che coloro che sono ritenuti capi delle nazioni le dominano, e i loro grandi esercitano su di esse il potere. [43]Fra voi però non è così; ma chi vuol essere grande tra voi si farà vostro servitore, [44]e chi vuol essere il primo tra voi sarà il servo di tutti. [45]Il Figlio dell'uomo infatti non è venuto per essere servito, ma per servire e dare la propria vita in riscatto per molti ».

**Bartimèo risanato.** [46]E giunsero a Gèrico. E mentre partiva da Gèrico insieme ai discepoli e a molta folla, il figlio di Timèo, Bartimèo, cieco, sedeva lungo la strada a mendicare. [47]Costui, al sentire che c'era Gesù

---

[35] Mt 20,20-28; l'episodio non è riferito da Lc.
[38] Questo « battesimo » (che in greco significa: immersione) indica le sofferenze dalle quali Cristo sarà come sommerso.

[46] Mt 20,29-34; Lc 18,35-43. *Bartimèo* — Mc è l'unico a fornirci questo nome — significa in aramaico figlio di Timèo. Mt, a differenza di Mc e Lc, parla di due ciechi.

Nazareno, cominciò a gridare e a dire: « Figlio di Davide, Gesù, abbi pietà di me! ». [48]Molti lo sgridavano per farlo tacere, ma egli gridava più forte: « Figlio di Davide, abbi pietà di me! ». [49]Allora Gesù si fermò e disse: « Chiamatelo! ». E chiamarono il cieco dicendogli: « Coraggio! Alzati, ti chiama! ». [50]Egli, gettato via il mantello, balzò in piedi e venne da Gesù. [51]Allora Gesù gli disse: « Che vuoi che io ti faccia? ». E il cieco a lui: « Rabbunì, che io riabbia la vista! ». [52]E Gesù gli disse: « Va', la tua fede ti ha salvato ». E subito riacquistò la vista e prese a seguirlo per la strada.

# LA MANIFESTAZIONE PUBBLICA
## (11,1-13,37)

**11** L'ingresso a Gerusalemme. [1]Quando si avvicinarono a Gerusalemme, verso Bètfage e Betània, presso il monte degli Ulivi, mandò due dei suoi discepoli [2]e disse loro: « Andate nel villaggio che vi sta di fronte, e subito entrando in esso troverete un asinello legato, sul quale nessuno è mai salito. Scioglietelo e conducetelo. [3]E se qualcuno vi dirà: Perché fate questo?, rispondete: Il Signore ne ha bisogno, ma lo rimanderà qui subito ». [4]Andarono e trovarono un asinello legato vicino a una porta, fuori sulla strada, e lo sciolsero. [5]E alcuni dei presenti però dissero loro: « Che cosa fate, sciogliendo questo asinello? ». [6]Ed essi risposero come aveva detto loro il Signore. E li lasciarono fare. [7]Essi condussero l'asinello da Gesù, e vi gettarono sopra i loro mantelli, ed egli vi montò sopra. [8]E molti stendevano i propri mantelli sulla strada e altri delle fronde, che avevano tagliate dai campi. [9]Quelli poi che andavano innanzi, e quelli che venivano dietro gridavano:

*Osanna!*
*Benedetto colui che viene nel nome del Signore!*
[10]Benedetto il regno che viene, del nostro padre Davide!
*Osanna nel più alto dei cieli!*

**Maledizione del fico.** [11]Ed entrò a Gerusalemme, nel tempio. E dopo aver guardato ogni cosa attorno, essendo ormai l'ora tarda, uscì con i Dodici diretto a Betània. [12]La mattina seguente, mentre uscivano da Betània, ebbe fame. [13]E avendo visto di lontano un fico che aveva delle foglie, si avvicinò per vedere se mai vi trovasse qualche cosa; ma giuntovi sotto, non trovò altro che foglie. Non era infatti quella la stagione dei fichi. [14]E gli disse: « Nessuno possa mai più mangiare i tuoi frutti ». E i discepoli l'udirono.

**I venditori cacciati dal tempio.** [15]Andarono intanto a Gerusalemme. Ed entrato nel tempio, si mise a scacciare quelli che vendevano e comperavano nel tempio; rovesciò i tavoli dei cambiavalute e le sedie dei venditori di colombe [16]e non permetteva che si portassero cose attraverso il tempio. [17]Ed insegnava loro dicendo: « Non sta forse scritto:

*La mia casa sarà chiamata casa di preghiera per tutte*
[*le genti?*
*Voi invece ne avete fatto una spelonca di ladri!* ».

[18]L'udirono i sommi sacerdoti e gli scribi e cercavano il modo di farlo morire. Avevano infatti paura di lui, perché tutto il popolo era ammirato del suo insegnamento. [19]Quando venne la sera uscirono dalla città.

---

[9] Citazione del Sal 117,26.
[10] Acclamazione messianica.
[12] Mt 21,18-29.
[13-14] Il gesto di Gesù ha valore

simbolico per deplorare la sterilità spirituale dei Giudei del suo tempo.
[15] Mt 21,12-17; Lc 19,45-48.

**Il fico dissecato.** [20]La mattina seguente, passando, videro il fico seccato fin dalle radici. [21]Allora Pietro, ricordatosi, gli disse: « Maestro, guarda: il fico che hai maledetto si è seccato ». [22]Gesù allora disse loro: « Abbiate fede in Dio! [23]In verità vi dico: chi dicesse a questo monte: Lèvati e gettati nel mare, senza dubitare in cuor suo ma credendo che quanto dice avverrà, ciò gli sarà accordato. [24]Per questo vi dico: tutto quello che domandate nella preghiera, abbiate fede di averlo ottenuto e vi sarà accordato. [25]Quando vi mettete a pregare, se avete qualcosa contro qualcuno, perdonate, perché anche il Padre vostro che è nei cieli perdoni a voi i vostri peccati » [26].

**L'autorità di Gesù.** [27]Andarono di nuovo a Gerusalemme. E mentre egli si aggirava per il tempio, gli si avvicinarono i sommi sacerdoti, gli scribi e gli anziani e gli dissero: [28]« Con quale autorità fai queste cose? O chi ti ha dato l'autorità di farlo? ». [29]Ma Gesù disse loro: « Vi farò anch'io una domanda e, se mi risponderete, vi dirò con quale potere lo faccio. [30]Il battesimo di Giovanni veniva dal cielo o dagli uomini? Rispondetemi ». [31]Ed essi discutevano tra sé dicendo: « Se rispondiamo "dal cielo", dirà: Perché allora non gli avete creduto? [32]Diciamo dunque "dagli uomini"? ». Però temevano la folla, perché tutti consideravano Giovanni come un vero profeta. [33]Allora diedero a Gesù questa risposta: « Non sappiamo ». E Gesù disse loro: « Neanch'io vi dico con quale autorità faccio queste cose ».

**12** **Parabola dei vignaioli omicidi.** [1]Gesù si mise a parlare loro in parabole: « Un uomo *piantò una vigna, vi pose attorno una siepe, scavò un torchio, co-*

---

[26] Il v. è qui omesso perché è un'aggiunta della Volgata latina da Mt 6,15.
[27] Mt 21,23-27; Lc 20,1-8.

**12.** [1]Mt 21,33-48; Lc 20,9-19; cfr. Is 5,1-2. Mc parla di un servo per volta e della violenza subìta da ciascuno di essi.

*struì una torre,* poi la diede in affitto a dei vignaioli e se ne andò lontano. ²A suo tempo inviò un servo a ritirare da quei vignaioli i frutti della vigna. ³Ma essi, afferratolo, lo bastonarono e lo rimandarono a mani vuote. ⁴Inviò loro di nuovo un altro servo: anche quello lo picchiarono sulla testa e lo coprirono di insulti. ⁵Ne inviò ancora un altro, e questo lo uccisero; e di molti altri, che egli ancora mandò, alcuni li bastonarono, altri li uccisero. ⁶Aveva ancora uno, il figlio prediletto: lo inviò loro per ultimo, dicendo: Avranno rispetto per mio figlio! ⁷Ma quei vignaioli dissero tra di loro: Questi è l'erede; su, uccidiamolo e l'eredità sarà nostra. ⁸E afferratolo, lo uccisero e lo gettarono fuori della vigna. ⁹Che cosa farà dunque il padrone della vigna? Verrà e sterminerà quei vignaioli e darà la vigna ad altri. ¹⁰Non avete forse letto questa scrittura:

> *La pietra che i costruttori hanno scartata*
> *è diventata testata d'angolo;*
> ¹¹*dal Signore è stato fatto questo*
> *ed è mirabile agli occhi nostri* »?

¹²Allora cercarono di catturarlo, ma ebbero paura della folla; avevano capito infatti che aveva detto quella parabola contro di loro. E, lasciatolo, se ne andarono.

**Il tributo a Cesare.** ¹³Gli mandarono però alcuni farisei ed erodiani per coglierlo in fallo nel discorso. ¹⁴E venuti, quelli gli dissero: « Maestro, sappiamo che sei veritiero e non ti curi di nessuno; infatti non guardi gli uomini in faccia, ma secondo verità insegni la via di Dio. È lecito o no dare il tributo a Cesare? Lo dobbiamo dare o no? ». ¹⁵Ma egli, conoscendo la loro ipocrisia, disse: « Perché mi tentate? Portatemi un denaro perché io lo veda ». ¹⁶Ed essi glielo portarono. Allora disse loro: « Di chi è questa immagine e l'iscrizione? ». Gli risposero: « Di Cesare ». ¹⁷Gesù disse loro: « Ren-

¹⁰⁻¹¹ Citazione del Sal 117,22-23.        ¹³ Mt 22,15-22; Lc 20,22-26.

dete a Cesare ciò che è di Cesare e a Dio ciò che è
di Dio ». E rimasero ammirati di lui.

**La risurrezione dei morti.** [18]Vennero a lui dei sadducei, i quali dicono che non c'è risurrezione, e lo interrogarono dicendo: [19]« Maestro, Mosè ci ha lasciato scritto che *se muore il fratello di uno* e lascia la moglie
*senza figli, il fratello ne prenda la moglie per dare di-
scendenti al fratello.* [20]C'erano sette fratelli: il primo
prese moglie e morì senza lasciare discendenza; [21]allora
la prese il secondo, ma morì senza lasciare discendenza;
e il terzo egualmente, [22]e nessuno dei sette lasciò discendenza. Infine, dopo tutti, morì anche la donna.
[23]Nella risurrezione, quando risorgeranno, a chi di loro
apparterrà la donna? Poiché in sette l'hanno avuta come
moglie ». [24]Rispose loro Gesù: « Non siete voi forse
in errore dal momento che non conoscete le Scritture,
né la potenza di Dio? [25]Quando risusciteranno dai morti,
infatti, non prenderanno moglie né marito, ma saranno
come angeli nei cieli. [26]A riguardo poi dei morti che
devono risorgere, non avete letto nel libro di Mosè, a
proposito del roveto, come Dio gli parlò dicendo: *Io
sono il Dio di Abramo, il Dio di Isacco e di Giacobbe?*
[27]Non è un Dio dei morti ma dei viventi! Voi siete in
grande errore ».

**Il primo dei comandamenti.** [28]Allora si accostò uno
degli scribi che li aveva uditi discutere, e, visto come
aveva loro ben risposto, gli domandò: « Qual è il primo di tutti i comandamenti? ». [29]Gesù rispose: « Il primo è: *Ascolta, Israele. Il Signore Dio nostro è l'unico
Signore;* [30]*amerai dunque il Signore Dio tuo con tutto*

[18] Mt 22,23-33; Lc 20,27-38.
[19] Cfr. Dt 25,5-6.
[26] In quel tempo la Bibbia non
era divisa in cc. e vv. e per ci-
tare un testo si faceva, come qui,
riferimento al contesto.

[28] Mt 22,34-40.
[29] Citazione di Dt 6,4-5; Lv 19,
18. La parola iniziale « Ascolta »
indicava la formula della preghiera quotidiana degli Ebrei, che
ripeteva appunto questi vv.

il tuo cuore, con tutta la tua mente e con tutta la tua forza. [31]E il secondo è questo: Amerai il prossimo tuo come te stesso. Non c'è altro comandamento più importante di questo ». [32]Allora lo scriba gli disse: « Hai detto bene, Maestro, e secondo verità che Egli è unico e non v'è altri all'infuori di lui; [33]amarlo con tutto il cuore e con tutta la mente e con tutta la forza e amare il prossimo come se stesso val più di tutti gli olocausti e i sacrifici ». [34]Gesù, vedendo che aveva risposto saggiamente, gli disse: « Non sei lontano dal regno di Dio ». E nessuno aveva più il coraggio di interrogarlo.

**Il Messia figlio di Davide.** [35]Gesù continuava a parlare, insegnando nel tempio: « Come mai dicono gli scribi che il Messia è figlio di Davide? [36]Davide stesso infatti ha detto, mosso dallo Spirito Santo:

> Disse il Signore al mio Signore:
> Siedi alla mia destra,
> finché io ponga i tuoi nemici
> come sgabello ai tuoi piedi.

[37]Davide stesso lo chiama Signore: come dunque può essere suo figlio? ». E la numerosa folla lo ascoltava volentieri.

**Contro gli scribi.** [38]Diceva loro mentre insegnava: « Guardatevi dagli scribi, che amano passeggiare in lunghe vesti, ricevere saluti nelle piazze, [39]avere i primi seggi nelle sinagoghe e i primi posti nei banchetti. [40]Divorano le case delle vedove e ostentano di fare lunghe preghiere; essi riceveranno una condanna più grave ».

**L'obolo della vedova.** [41]E sedutosi di fronte al tesoro, osservava come la folla gettava monete nel te-

35 Mt 22,41-45; Lc 20,41-44.        41 Lc 21,1-4. Il tesoro era una
38 Mt 23,5-7; Lc 20,45-47.          sala nell'ambito del cortile in-

soro. E tanti ricchi ne gettavano molte. [42]Ma venuta
una povera vedova vi gettò due spiccioli, cioè un quat-
trino. [43]Allora, chiamati a sé i discepoli, disse loro:
« In verità vi dico: questa vedova ha gettato nel tesoro
più di tutti gli altri. [44]Poiché tutti hanno dato del loro
superfluo, essa invece, nella sua povertà, vi ha messo
tutto quello che aveva, tutto quanto aveva per vivere ».

**13** La distruzione del tempio. [1]Mentre usciva dal
tempio, un discepolo gli disse: « Maestro, guarda
che pietre e che costruzioni! ». [2]Gesù gli rispose: « Vedi
queste grandi costruzioni? Non rimarrà qui pietra su
pietra, che non sia distrutta ».

**Il principio dei dolori.** [3]Mentre era seduto sul monte
degli Ulivi, di fronte al tempio, Pietro, Giacomo, Giovanni e Andrea lo interrogavano in disparte: [4]« Dicci,
quando accadrà questo, e quale sarà il segno che tutte
queste cose staranno per compiersi? ».
[5]Gesù si mise a dire loro: « Guardate che nessuno v'inganni! [6]Molti verranno in mio nome, dicendo: "Sono
io", e inganneranno molti. [7]E quando sentirete parlare
di guerre, non allarmatevi; bisogna infatti che ciò avvenga, ma non sarà ancora la fine. [8]Si leverà infatti nazione contro nazione e regno contro regno; vi saranno
terremoti sulla terra e vi saranno carestie. Questo sarà
il principio dei dolori.
[9]Ma voi badate a voi stessi! Vi consegneranno ai sine-
dri, sarete percossi nelle sinagoghe, comparirete davanti a governatori e re a causa mia, per render testimonianza davanti a loro. [10]Ma prima è necessario che
il vangelo sia proclamato a tutte le genti. [11]E quando
vi condurranno via per consegnarvi, non preoccupa-

terno del tempio, dove le donne
potevano entrare. Lo spicciolo
era la più piccola moneta del
tempio.

13. [1]Mt 24,1-51; Lc 21,5-33. Per
le citazioni in corsivo v. questi
testi paralleli.
[6] « Sono io », cioè il Messia.

tevi di ciò che dovrete dire, ma dite ciò che in quell'ora vi sarà dato: poiché non siete voi a parlare, ma lo Spirito Santo. ¹²Il fratello consegnerà a morte il fratello, il padre il figlio e i figli insorgeranno contro i genitori e li metteranno a morte. ¹³Voi sarete odiati da tutti a causa del mio nome, ma chi avrà perseverato sino alla fine sarà salvato.

**La grande tribolazione.** ¹⁴Quando vedrete *l'abominio della desolazione* stare là dove non conviene, chi legge capisca, allora quelli che si trovano nella Giudea fuggano ai monti; ¹⁵chi si trova sulla terrazza non scenda per entrare a prender qualcosa nella sua casa; ¹⁶chi è nel campo non torni indietro a prendersi il mantello. ¹⁷Guai alle donne incinte e a quelle che allatteranno in quei giorni! ¹⁸Pregate che ciò non accada d'inverno; ¹⁹perché quei giorni saranno *una tribolazione, quale non è mai stata dall'inizio della creazione,* fatta da Dio, *fino al presente,* né mai vi sarà. ²⁰Se il Signore non abbreviasse quei giorni, nessun uomo si salverebbe. Ma a motivo degli eletti che si è scelto ha abbreviato quei giorni. ²¹Allora, dunque, se qualcuno vi dirà: "Ecco, il Cristo è qui, ecco è là", non ci credete; ²²perché sorgeranno falsi cristi e falsi profeti e faranno segni e portenti per ingannare, se fosse possibile, anche gli eletti. ²³Voi però state attenti! Io vi ho predetto tutto.

**La venuta del Figlio dell'uomo.** ²⁴In quei giorni, dopo quella tribolazione,

   *il sole si oscurerà*
      *e la luna non darà più il suo splendore*
²⁵*e gli astri si metteranno a cadere* dal cielo
   *e le potenze che sono nei cieli* saranno sconvolte.

²⁶Allora vedranno *il Figlio dell'uomo venire sulle nubi* con grande potenza e gloria. ²⁷Ed egli manderà gli angeli e riunirà i suoi eletti dai quattro venti, dall'estremità della terra fino all'estremità del cielo.

**La parabola del fico.** [28]Dal fico imparate questa parabola: quando già il suo ramo si fa tenero e mette le foglie, voi sapete che l'estate è vicina; [29]così anche voi, quando vedrete accadere queste cose, sappiate che egli è vicino, alle porte. [30]In verità vi dico: non passerà questa generazione prima che tutte queste cose siano avvenute. [31]Il cielo e la terra passeranno, ma le mie parole non passeranno.

**La vigilanza.** [32]Quanto poi a quel giorno o a quell'ora, nessuno li conosce, neanche gli angeli nel cielo, e neppure il Figlio, ma solo il Padre. [33]State attenti, vegliate, perché non sapete quando sarà il momento preciso. [34]È come uno che è partito per un viaggio dopo aver lasciato la propria casa e dato il potere ai servi, a ciascuno il suo compito, e ha ordinato al portiere di vigilare. [35]Vigilate dunque, poiché non sapete quando il padrone di casa ritornerà, se alla sera o a mezzanotte o al canto del gallo o al mattino, [36]perché non giunga all'improvviso, trovandovi addormentati. [37]Quello che dico a voi, lo dico a tutti: Vegliate! ».

# PASSIONE E RISURREZIONE
## (14,1-16,8)

**14** **Il complotto del sinedrio.** [1]Mancavano intanto due giorni alla Pasqua e agli Azzimi e i sommi sacerdoti e gli scribi cercavano il modo di impadronirsi di lui con inganno, per ucciderlo. [2]Dicevano infatti: « Non durante la festa, perché non succeda un tumulto di popolo ».

---

[34] Cfr. Lc 12,35-48. Il bell'esempio richiama Mt 25,14-30; Lc 19,12-27.

**14.** [1] Mt 26,1-5; Lc 22,1-2. Per gli Azzimi v. Mt 26,27.

**L'unzione a Betània.** ³Gesù si trovava a Betània nella casa di Simone il lebbroso. Mentre stava a mensa, giunse una donna con un vasetto di alabastro, pieno di olio profumato di nardo genuino di gran valore; ruppe il vasetto di alabastro e versò l'unguento sul suo capo. ⁴Ci furono alcuni che si sdegnarono fra di loro: « Perché tutto questo spreco di olio profumato? ⁵Si poteva benissimo vendere quest'olio a più di trecento denari e darli ai poveri! ». Ed erano infuriati contro di lei. ⁶Allora Gesù disse: « Lasciatela stare; perché le date fastidio? Ella ha compiuto verso di me un'opera buona; ⁷i poveri infatti li avete sempre con voi e potete beneficarli quando volete, me invece non mi avete sempre. ⁸Essa ha fatto ciò ch'era in suo potere, ungendo in anticipo il mio corpo per la sepoltura. ⁹In verità vi dico che dovunque, in tutto il mondo, sarà annunziato il vangelo, si racconterà pure in suo ricordo ciò che ella ha fatto ».

**Il patto di Giuda.** ¹⁰Allora Giuda Iscariota, uno dei Dodici, si recò dai sommi sacerdoti, per consegnare loro Gesù. ¹¹Quelli all'udirlo si rallegrarono e promisero di dargli denaro. Ed egli cercava l'occasione opportuna per consegnarlo.

**La Pasqua con i discepoli.** ¹²Il primo giorno degli Azzimi, quando si immolava la Pasqua, i suoi discepoli gli dissero: « Dove vuoi che andiamo a preparare perché tu possa mangiare la Pasqua? ». ¹³Allora mandò due dei suoi discepoli dicendo loro: « Andate in città e vi verrà incontro un uomo con una brocca d'acqua; seguitelo ¹⁴e là dove entrerà dite al padrone di casa: Il Maestro dice: Dov'è la mia stanza, perché io vi

---

³ Mt 26,6-13; Gv 12,1-8. L'estratto di nardo genuino veniva dall'India.
¹⁰ Mt 20,14-16; Lc 22,3-6.

¹² Mt 26,17-25; Lc 22,7-14 e 21-23; cfr. Gv 13,21-30.
¹³ Di solito erano le donne che andavano a far provviste d'acqua.

possa mangiare la Pasqua con i miei discepoli? [15]Egli vi mostrerà al piano superiore una grande sala con i tappeti, già pronta; là preparate per noi ». [16]I discepoli andarono e, entrati in città, trovarono come aveva detto loro e prepararono per la Pasqua.

[17]Venuta la sera, egli giunse con i Dodici. [18]Ora, mentre erano a mensa e mangiavano, Gesù disse: « In verità vi dico, uno di voi, *colui che mangia con me,* mi tradirà ». [19]Allora cominciarono a rattristarsi e a dirgli uno dopo l'altro: « Sono forse io? ». [20]Ed egli disse loro: « Uno dei Dodici, colui che intinge con me nel piatto. [21]Il Figlio dell'uomo se ne va, come sta scritto di lui, ma guai a quell'uomo dal quale il Figlio dell'uomo è tradito! Bene per quell'uomo se non fosse mai nato! ».

**Il convito del Signore.** [22]Mentre mangiavano prese il pane e, pronunziata la benedizione, lo spezzò e lo diede loro, dicendo: « Prendete, questo è il mio corpo ». [23]Poi prese il calice e rese grazie, lo diede loro e ne bevvero tutti. [24]E disse: « Questo è il mio sangue, il sangue dell'alleanza, versato per molti. [25]In verità vi dico che io non berrò più del frutto della vite fino al giorno in cui lo berrò nuovo nel regno di Dio ». [26]E dopo aver cantato l'inno, uscirono verso il monte degli Ulivi.

**Predizione del rinnegamento di Pietro.** [27]Gesù disse loro: « Tutti rimarrete scandalizzati, poiché sta scritto:

*Percuoterò il pastore*
*e le pecore saranno disperse.*

[28]Ma, dopo la mia risurrezione, vi precederò in Galilea ». [29]Allora Pietro gli disse: « Anche se tutti saranno scandalizzati, io non lo sarò ». [30]Gesù gli disse:

---

[27] Mt 26,31-35; confronta Lc 22, 31-34; Gv 13,36-38. Citazione di Zc 13,7.

[30] Questa notte, perché il giorno per gli Ebrei cominciava al tramonto.

« In verità ti dico: proprio tu oggi, in questa stessa notte, prima che il gallo canti due volte, mi rinnegherai tre volte ». [31]Ma egli, con grande insistenza, diceva: « Se anche dovessi morire con te, non ti rinnegherò ». Lo stesso dicevano anche tutti gli altri.

## Al Getsèmani.

[32]Giunsero intanto a un podere chiamato Getsèmani, ed egli disse ai suoi discepoli: « Sedetevi qui, mentre io prego ». [33]Prese con sé Pietro, Giacomo e Giovanni e cominciò a sentire paura e angoscia. [34]Gesù disse loro: « La mia anima è triste fino alla morte. Restate qui e vegliate ». [35]Poi, andato un po' innanzi, si gettò a terra e pregava che, se fosse possibile, passasse da lui quell'ora. [36]E diceva: « Abbà, Padre! Tutto è possibile a te, allontana da me questo calice! Però non ciò che io voglio, ma ciò che vuoi tu ». [37]Tornato indietro, li trovò addormentati e disse a Pietro: « Simone, dormi? Non sei riuscito a vegliare un'ora sola? [38]Vegliate e pregate per non entrare in tentazione; lo spirito è pronto, ma la carne è debole ». [39]Allontanatosi di nuovo, pregava dicendo le medesime parole. [40]Ritornato lo trovò addormentati, perché i loro occhi si erano appesantiti, e non sapevano che cosa rispondergli. [41]Venne la terza volta e disse loro: « Dormite ormai e riposatevi! Basta, è venuta l'ora: ecco, il Figlio dell'uomo viene consegnato nelle mani dei peccatori. [42]Alzatevi, andiamo! Ecco, colui che mi tradisce è vicino ».

## Il tradimento e l'arresto.

[43]E subito, mentre ancora parlava, arrivò Giuda, uno dei Dodici, e con lui una folla con spade e bastoni mandata dai sommi sacerdoti, dagli scribi e dagli anziani. [44]Chi lo tradiva aveva

---

[32] Cfr. Mt 26,36-46; Lc 22,39-46.
[36] *Abbà* è aramaico. Nella storia religiosa ebraica, Gesù è il solo ad usare questa invocazione, in italiano corrispondente a babbo,

che esprime profonda intimità con Dio. Era l'epiteto con cui i bimbi ebrei chiamavano il loro padre.
[43] Mt 26,47-56; Lc 22,47-53; Gv 18,1-12.

dato loro questo segno: « Quello che bacerò, è lui;
arrestatelo e conducetelo via sotto buona scorta ». [45]Al-
lora gli si accostò dicendo: « Rabbì » e lo baciò. [46]Essi
gli misero addosso le mani e lo arrestarono. [47]Uno dei
presenti, estratta la spada, colpì il servo del sommo sacerdote e gli recise l'orecchio. [48]Allora Gesù disse loro:
« Come contro un brigante, con spade e bastoni siete
venuti a prendermi. [49]Ogni giorno ero in mezzo a voi
a insegnare nel tempio, e non mi avete arrestato. Si
adempiano dunque le Scritture! ». [50]Tutti allora, abban-
donandolo, fuggirono. [51]Un giovanetto però lo seguiva,
rivestito soltanto di un lenzuolo, e lo fermarono. [52]Ma
egli, lasciato il lenzuolo, fuggì via nudo.

**Davanti al sinedrio.** [53]Allora condussero Gesù dal sommo sacerdote, e là si riunirono tutti i capi dei sacerdoti, gli anziani e gli scribi. [54]Pietro lo aveva seguito
da lontano, fin dentro il cortile del sommo sacerdote;
e se ne stava seduto tra i servi, scaldandosi al fuoco.
[55]Intanto i capi dei sacerdoti e tutto il sinedrio cercavano una testimonianza contro Gesù per metterlo a
morte, ma non la trovavano. [56]Molti infatti attestavano
il falso contro di lui e così le loro testimonianze non
erano concordi. [57]Ma alcuni si alzarono per testimoniare il falso contro di lui, dicendo: [58]« Noi lo abbiamo
udito mentre diceva: Io distruggerò questo tempio fatto
da mani d'uomo e in tre giorni ne edificherò un altro
non fatto da mani d'uomo ». [59]Ma nemmeno su questo
punto la loro testimonianza era concorde. [60]Allora il
sommo sacerdote, levatosi in mezzo all'assemblea, interrogò Gesù dicendo: « Non rispondi nulla? Che
cosa testimoniano costoro contro di te? ». [61]Ma egli
taceva e non rispondeva nulla. Di nuovo il sommo
sacerdote lo interrogò dicendogli: « Sei tu il Cristo,

---

[51] Probabilmente questo giovanetto è l'evangelista.

[53] Mt 26,57-68; confronta Lc 22,
54-55.63-71; Gv 18,13-15.19-24.

il Figlio di Dio benedetto? ». ⁶²Gesù rispose: « Io lo sono!

> E vedrete *il Figlio dell'uomo*
> *seduto alla destra della Potenza*
> *e venire con le nubi del cielo*».

⁶³Allora il sommo sacerdote, stracciandosi le vesti, disse: « Che bisogno abbiamo ancora di testimoni? ⁶⁴Avete udito la bestemmia; che ve ne pare? ». Tutti sentenziarono che era reo di morte. ⁶⁵Allora alcuni cominciarono a sputargli addosso, a coprirgli il volto, a schiaffeggiarlo e a dirgli: « Indovina ». I servi intanto lo percuotevano.

**Il rinnegamento di Pietro.** ⁶⁶Mentre Pietro era giù nel cortile, venne una serva del sommo sacerdote ⁶⁷e, vedendo Pietro che stava a scaldarsi, lo fissò e gli disse: « Anche tu eri con il Nazareno, con Gesù ». ⁶⁸Ma egli negò: « Non so e non capisco quello che vuoi dire ». Uscì quindi fuori del cortile e il gallo cantò. ⁶⁹E la serva, vedendolo, ricominciò a dire ai presenti: « Costui è di quelli ». ⁷⁰Ma egli negò di nuovo. Dopo un poco i presenti dissero di nuovo a Pietro: « Tu sei certo di quelli, perché sei Galileo ». ⁷¹Ma egli cominciò a imprecare e a giurare: « Non conosco quell'uomo che voi dite ». ⁷²Per la seconda volta un gallo cantò. Allora Pietro si ricordò di quella parola che Gesù gli aveva detto: « Prima che il gallo canti due volte, mi rinnegherai per tre volte ». E scoppiò in pianto.

**15** **Gesù davanti a Pilato.** ¹Al mattino i sommi sacerdoti, con gli anziani, gli scribi e tutto il sinedrio, dopo aver tenuto consiglio, misero in catene Gesù,

---

⁶² Citazione del Sal 109,1 e di Dn 7,13. « Potenza » è un modo rispettoso di indicare Doi, senza pronunziarne il nome.

⁶⁶ Mt 26,69-75; Lc 22,56-62; Gv 18,17.25-27.
**15.** ¹Mt 27,1-2.11-26; Lc 23,1-25; Gv 18,28-19,16.

lo condussero e lo consegnarono a Pilato. ²Allora Pilato prese a interrogarlo: « Sei tu il re dei Giudei? ». Ed egli rispose: « Tu lo dici ». ³I sommi sacerdoti frattanto gli movevano molte accuse. ⁴Pilato lo interrogò di nuovo: « Non rispondi nulla? Vedi di quante cose ti accusano! ». ⁵Ma Gesù non rispose più nulla, sicché Pilato ne restò meravigliato.

**La condanna a morte.** ⁶Per la festa egli era solito rilasciare un carcerato a loro richiesta. ⁷Un tale chiamato Barabba si trovava in carcere insieme ai ribelli che nel tumulto avevano commesso un omicidio. ⁸La folla, accorsa, cominciò a chiedere ciò che sempre egli le concedeva. ⁹Allora Pilato rispose loro: « Volete che vi rilasci il re dei Giudei? ». ¹⁰Sapeva infatti che i sommi sacerdoti glielo avevano consegnato per invidia. ¹¹Ma i sommi sacerdoti sobillarono la folla perché egli rilasciasse loro piuttosto Barabba. ¹²Pilato replicò: « Che farò dunque di quello che voi chiamate il re dei Giudei? ». ¹³Ed essi di nuovo gridarono: « Crocifiggilo! ». ¹⁴Ma Pilato diceva loro: « Che male ha fatto? ». Allora essi gridarono più forte: « Crocifiggilo! ». ¹⁵E Pilato, volendo dar soddisfazione alla moltitudine, rilasciò loro Barabba e, dopo aver fatto flagellare Gesù, lo consegnò perché fosse crocifisso.

**Gli scherni dei soldati.** ¹⁶Allora i soldati lo condussero dentro il cortile, cioè nel pretorio, e convocarono tutta la coorte. ¹⁷Lo rivestirono di porpora e, dopo aver intrecciato una corona di spine, gliela misero sul capo. ¹⁸Cominciarono poi a salutarlo: « Salve, re dei Giudei! ». ¹⁹E gli percuotevano il capo con una canna, gli sputavano addosso e, piegando le ginocchia, si prostravano a lui. ²⁰Dopo averlo schernito, lo spogliarono della porpora e gli rimisero le sue vesti, poi lo condussero fuori per crocifiggerlo.

¹⁶ Mt 27,27-31; cfr. Gv 19,2-3.

**La crocifissione.** ²¹Allora costrinsero un tale che passava, un certo Simone di Cirene che veniva dalla campagna, padre di Alessandro e Rufo, a portare la croce. ²²Condussero dunque Gesù al luogo del Gòlgota, che significa luogo del cranio, ²³e gli offrirono vino mescolato con mirra, ma egli non ne prese.
²⁴Poi lo crocifissero *e si divisero le* sue *vesti, tirando a sorte su di esse* quello che ciascuno dovesse prendere. ²⁵Erano le nove del mattino quando lo crocifissero: ²⁶e l'iscrizione con il motivo della condanna diceva: *Il re dei Giudei.* ²⁷Con lui crocifissero anche due ladroni, uno alla sua destra e uno alla sinistra. [²⁸].
²⁹I passanti lo insultavano e, *scuotendo il capo,* esclamavano: «Ehi, tu che distruggi il tempio e lo riedifichi in tre giorni, ³⁰salva te stesso scendendo dalla croce!». ³¹Ugualmente anche i sommi sacerdoti con gli scribi, facendosi beffe di lui, dicevano: «Ha salvato altri, non può salvare se stesso! ³²Il Cristo, il re d'Israele, scenda ora dalla croce, perché vediamo e crediamo». E anche quelli che erano stati crocifissi con lui lo insultavano.

**La morte sulla croce.** ³³Venuto mezzogiorno, si fece buio su tutta la terra, fino alle tre del pomeriggio. ³⁴Alle tre Gesù gridò con voce forte: *Eloì, Eloì, lema sabactàni?,* che significa: *Dio mio, Dio mio, perché mi hai abbandonato?* ³⁵Alcuni dei presenti, udito ciò, dicevano: «Ecco, chiama Elia!». ³⁶Uno corse a inzuppare di *aceto* una spugna e, postala su una canna, gli *dava da bere,* dicendo: «Aspettate, vediamo se viene Elia a toglierlo dalla croce». ³⁷Ma Gesù, dando un forte grido, spirò.

---

²¹ Mt 27,32-44; Lc 23,26-43; Gv 19,17-27; cfr. Rm 16,13.
²⁸ Il v., con una citaz. di Is 53,12, è omesso dai migliori manoscritti.
³³ Mt 27,45-56; Lc 28,44-49; Gv 19,28-30.
³⁴ *Eloì Eloì* è più chiaramente aramaico dell'*Elì* di Mt.

[38]Il velo del tempio si squarciò in due, dall'alto in basso.
[39]Allora il centurione che gli stava di fronte, vistolo
spirare in quel modo, disse: «Veramente quest'uomo
era Figlio di Dio!».
[40]C'erano anche alcune donne, che stavano ad osservare
da lontano, tra le quali Maria di Màgdala, Maria madre di Giacomo il minore e di Joses, e Salome, [41]che
lo seguivano e servivano quando era ancora in Galilea, e molte altre che erano salite con lui a Gerusalemme.

**La sepoltura.** [42]Sopraggiunta ormai la sera, poiché era
la Parascève, cioè la vigilia del sabato, [43]Giuseppe d'Arimatèa, membro autorevole del sinedrio, che aspettava
anche lui il regno di Dio, andò coraggiosamente da Pilato per chiedere il corpo di Gesù. [44]Pilato si meravigliò
che fosse già morto e, chiamato il centurione, lo interrogò se fosse morto da tempo. [45]Informato dal centurione, concesse la salma a Giuseppe. [46]Egli allora,
comprato un lenzuolo, lo calò giù dalla croce e, avvoltolo nel lenzuolo, lo depose in un sepolcro scavato
nella roccia. Poi fece rotolare un masso contro l'entrata del sepolcro. [47]Intanto Maria di Màgdala e Maria
madre di Joses stavano ad osservare dove veniva deposto.

**16** **La risurrezione.** [1]Passato il sabato, Maria di
Màgdala, Maria di Giacomo e Salome compraro-
no oli aromatici per andare a imbalsamare Gesù. [2]Di
buon mattino, il primo giorno dopo il sabato, **vennero**
al sepolcro al levar del sole. [3]Esse dicevano tra loro:
«Chi ci rotolerà via il masso dall'ingresso del sepol-

[40] Giacomo è detto il minore
per distinguerlo dall'omonimo
apostolo, figlio di Zebedeo e fratello dell'evangelista Giovanni.
Da Mt 27,56 Salome è la moglie
di Zebedeo.

[42] Mt 27,57-71; Lc 23,50-56; Gv
19,38-42.
**16.** [1] Mt 28,1-8; Lc 24,1-10; Gv
20,1-10. Passato il sabato, cioè
dopo il tramonto del sole, secondo l'uso liturgico del tempo.

cro?». ⁴Ma, guardando, videro che il masso era già
stato rotolato via, benché fosse molto grande. ⁵Entran-
do nel sepolcro, videro un giovane, seduto sulla destra,
vestito d'una veste bianca, ed ebbero paura. ⁶Ma egli
disse loro: « Non abbiate paura! Voi cercate Gesù
Nazareno, il crocifisso. È risorto, non è qui. Ecco il
luogo dove l'avevano deposto. ⁷Ora andate, dite ai suoi
discepoli e a Pietro che egli vi precede in Galilea. Là
lo vedrete, come vi ha detto ». ⁸Ed esse, uscite, fuggirono via dal sepolcro perché erano piene di timore e
di spavento. E non dissero niente a nessuno, perché
avevano paura.

## EPILOGO
### (16,9-20)

**L'apparizione a Maria di Màgdala.** ⁹Risuscitato al mattino nel primo giorno dopo il sabato, apparve prima a
Maria di Màgdala, dalla quale aveva cacciato sette demòni. ¹⁰Questa andò ad annunziarlo ai suoi seguaci che
erano in lutto e in pianto. ¹¹Ma essi, udito che era vivo
ed era stato visto da lei, non vollero credere.

**L'apparizione a due discepoli.** ¹²Dopo ciò, apparve
a due di loro sotto altro aspetto, mentre erano in cammino verso la campagna. ¹³Anch'essi ritornarono ad annunziarlo agli altri; ma neanche a loro vollero credere.

**L'apparizione agli undici.** ¹⁴Alla fine apparve agli
undici, mentre stavano a mensa, e li rimproverò per la
loro incredulità e durezza di cuore, perché non avevano creduto a quelli che lo avevano visto risuscitato.

---

⁸ Le donne poi si ripresero: cfr.
Mt e Lc.
⁹ Lc 24,13-43; Gv 20,11-23. Breve
riassunto di quanto già narrato nei
vv. 1-8. I vv. 9-20 sono un sup-
plemento aggiunto in seguito per
riassumere rapidamente le appari-
zioni. Per i sette demòni v. Lc 8,2.

[15]Gesù disse loro: « Andate in tutto il mondo e predicate il vangelo ad ogni creatura. [16]Chi crederà e sarà battezzato sarà salvo, ma chi non crederà sarà condannato. [17]E questi saranno i segni che accompagneranno quelli che credono: nel mio nome scacceranno i demòni, parleranno lingue nuove, [18]prenderanno in mano i serpenti e, se berranno qualche veleno, non recherà loro danno, imporranno le mani ai malati e questi guariranno ».

**L'ascensione.** [19]Il Signore Gesù, dopo aver parlato con loro, fu assunto in cielo e sedette alla destra di Dio. [20]Allora essi partirono e predicarono dappertutto, mentre il Signore operava insieme con loro e confermava la parola con i prodigi che l'accompagnavano.

---

[15] Mt 28,18-20; Lc 24,44-53.
[17-18] Il dono dei miracoli (cfr. Gv 14,12) doveva convincere gli incerti; il dono delle lingue sconosciute manifestava la presenza dello Spirito di Dio negli apostoli: cfr. At 2,2-4; 10,46; 19,6; 1Cor 12,28 e c. 14.

# VANGELO
# SECONDO LUCA

*Luca, autore anche degli Atti, fu un colto medico siriano, convertitosi in Antiochia verso il 43. Conobbe Cristo dai primi testimoni della sua vita e si preparò alla stesura del suo vangelo con una accurata indagine (1,2-3). All'intelligenza più profonda del mistero evangelico contribuì il fatto che Luca fu discepolo e collaboratore di Paolo (Col 4,14; Fm v. 23; 2Tm 4,11).*

*Il vangelo è preceduto da una esemplare prefazione, contenente la dedica ad un ignoto quanto illustre Teofilo – ed equivalentemente alle comunità cristiane di origine pagana – e la dichiarazione dello scopo dell'autore, che è quello di offrire i documenti che fondano la fede cristiana.*

*Luca è un narratore di sicure risorse letterarie e inizia il suo racconto con un caratteristico « vangelo dell'infanzia » di Cristo (cc. 1-2), che con ogni probabilità proviene da ambiente palestinese, non escluso il contributo della stessa Madre di Gesù (cfr. 2,19.51).*

*Lo schema ulteriore del terzo vangelo è assai vicino a quello di Marco, largamente utilizzato: preludio all'attività pubblica di Gesù (3,1-4,13), predicazione e miracoli in Galilea (4,14-9,50), viaggio verso Gerusalemme (9,51-19,28), mistero pasquale di Cristo (19,29-24,53).*

*Il complesso di 9,51-18,24 è senza paralleli negli altri vangeli e contiene preziosi apporti di Luca.*

*Il vangelo, che precedette gli Atti (cfr. introd.) dello stesso autore, fu scritto fra il 65 e il 70 e presenta Cristo come Salvatore dell'intero genere umano, dando rilievo particolare alla sua bontà per i peccatori. Ciò suggerì a Dante Alighieri la definizione di Luca come « scriba della mansuetudine di Cristo ». Altri temi significativamente sottolineati sono: la preghiera, la povertà, la gioia del vangelo, la parte delle donne nel messaggio e nella vita di Cristo.*

# PREFAZIONE
## (1,1-4)

**1** ¹Poiché molti han posto mano a stendere un racconto degli avvenimenti successi tra di noi, ²come ce li hanno trasmessi coloro che ne furono testimoni fin da principio e divennero ministri della parola, ³così ho deciso anch'io di fare ricerche accurate su ogni circostanza fin dagli inizi e di scriverne per te un resoconto ordinato, illustre Teòfilo, ⁴perché ti possa rendere conto della solidità degli insegnamenti che hai ricevuto.

## L'INFANZIA DI GESÙ
### (1,5-2,52)

**Annunzio della nascita del Precursore** ⁵Al tempo di Erode, re della Giudea, c'era un sacerdote chiamato Zaccaria, della classe di Abìa, e aveva in moglie una discendente di Aronne chiamata Elisabetta. ⁶Erano giusti davanti a Dio, osservavano irreprensibili tutte le leggi e le prescrizioni del Signore. ⁷Ma non avevano figli, perché Elisabetta era sterile e tutti e due erano avanti negli anni.
⁸Mentre Zaccaria officiava davanti al Signore nel turno della sua classe, ⁹secondo l'usanza del servizio sacerdotale, gli toccò in sorte di entrare nel tempio per fare

---

1. ¹ Per le note storiche, geografiche ed esegetiche riferirsi ai passi paralleli di Mt. Lc è il solo a premettere al suo vangelo una vera e propria prefazione (e, forse, a tutta l'opera lucana: vangelo ed Atti). Teofilo, al quale Lc dedica anche gli Atti, è sconosciuto; doveva essere un uomo di alto rango.

² La parola è la predicazione cristiana.
⁸ Nel servizio del tempio si alternavano ogni settimana ventiquattro turni di sacerdoti: cfr. 1 Cr c. 24.
⁹ L'incenso veniva offerto nel Santo, l'ambiente che precedeva il Santo dei Santi, la parte più segreta del tempio.

l'offerta dell'incenso. [10]Tutta l'assemblea del popolo pregava fuori nell'ora dell'incenso. [11]Allora gli apparve un angelo del Signore, ritto alla destra dell'altare dell'incenso. [12]Quando lo vide, Zaccaria si turbò e fu preso da timore. [13]Ma l'angelo gli disse: « Non temere, Zaccaria, la tua preghiera è stata esaudita e tua moglie Elisabetta ti darà un figlio, che chiamerai Giovanni. [14]Avrai gioia ed esultanza e molti si rallegreranno della sua nascita, [15]poiché egli sarà grande davanti al Signore; non berrà vino né bevande inebrianti, sarà pieno di Spirito Santo fin dal seno di sua madre [16]e ricondurrà molti figli d'Israele al Signore loro Dio. [17]Gli camminerà innanzi con lo spirito e la forza di Elia, *per ricondurre i cuori dei padri verso i figli* e i ribelli alla saggezza dei giusti e preparare al Signore un popolo ben disposto ». [18]Zaccaria disse all'angelo: « Come posso conoscere questo? Io sono vecchio e mia moglie è avanzata negli anni ». [19]L'angelo gli rispose: « Io sono Gabriele che sto al cospetto di Dio e sono stato mandato a parlarti e a portarti questo lieto annunzio. [20]Ed ecco, sarai muto e non potrai parlare fino al giorno in cui queste cose avverranno, perché non hai creduto alle mie parole, le quali si adempiranno a loro tempo ».

[21]Intanto il popolo stava in attesa di Zaccaria, e si meravigliava per il suo indugiare nel tempio. [22]Quando poi uscì e non poteva parlare loro, capirono che nel tempio aveva avuto una visione. Faceva loro dei cenni e restava muto.

[23]Compiuti i giorni del suo servizio, tornò a casa. [24]Dopo quei giorni Elisabetta, sua moglie, concepì e si tenne nascosta per cinque mesi e diceva: [25]« Ecco che cosa ha fatto per me il Signore, nei giorni in cui si è degnato di togliere la mia vergogna tra gli uomini ».

---

[17] Citazione di Ml 3,23; cfr. Mt 17,10.
[19] Su Gabriele v. Dn 9,20-27.
[25] Cfr. Gn 30,23. La sterilità era una vergogna: Dio aveva benedetto la prima coppia umana perché fosse feconda; cfr. Gn 1,28.

**Annunzio della nascita di Gesù.** [26]Nel sesto mese, l'angelo Gabriele fu mandato da Dio in una città della Galilea, chiamata Nàzaret, [27]a una vergine, sposa di un uomo della casa di Davide, chiamato Giuseppe. La vergine si chiamava Maria. [28]Entrando da lei, disse: « Ti saluto, o piena di grazia, il Signore è con te ». [29]A queste parole ella rimase turbata e si domandava che senso avesse un tale saluto. [30]L'angelo le disse: « Non temere, Maria, perché hai trovato grazia presso Dio. [31]Ecco concepirai un figlio, lo darai alla luce e lo chiamerai Gesù. [32]Sarà grande e chiamato Figlio dell'Altissimo; il Signore Dio gli darà il trono di Davide suo padre [33]e regnerà per sempre sulla casa di Giacobbe e il suo regno non avrà fine ».
[34]Allora Maria disse all'angelo: « Come è possibile? Non conosco uomo ». [35]Le rispose l'angelo: « Lo Spirito Santo scenderà su di te, su te stenderà la sua ombra la potenza dell'Altissimo. Colui che nascerà sarà dunque santo e chiamato Figlio di Dio. [36]Vedi: anche Elisabetta, tua parente, nella sua vecchiaia, ha concepito un figlio e questo è il sesto mese per lei, che tutti dicevano sterile: [37]*nulla è impossibile a Dio* ». [38]Allora Maria disse: « Eccomi, sono la serva del Signore, avvenga di me quello che hai detto ». E l'angelo partì da lei.

**Maria in visita da Elisabetta.** [39]In quei giorni Maria si mise in viaggio verso la montagna e raggiunse in fretta una città di Giuda. [40]Entrata nella casa di Zac-

---

[26] Per Nazaret v. Mt 2,23.
[28] Piena di grazia, già prima che le fosse annunciata la divina maternità.
[32] V. la promessa divina di un trono eterno a Davide in 2Sam 7,12-16.
[34] La conoscenza è il rapporto coniugale (Mt 1,25). Il tempo presente indica l'intenzione —

voto o proposito — di conservare la verginità.
[35] Al tempo di Mosè una nube adombrava l'arca dell'alleanza per indicare la presenza di Dio.
[37] Cfr. Gn 18,14.
[39] La città di Giuda sarebbe, secondo la tradizione, Ain-Karim, distante 150 chilometri da Nazaret.

caria, salutò Elisabetta. [41]Appena Elisabetta ebbe udito
il saluto di Maria, il bambino le sussultò nel grembo.
Elisabetta fu piena di Spirito Santo [42]ed esclamò a gran
voce: « Benedetta tu fra le donne, e benedetto il frutto
del tuo grembo! [43]A che debbo che la madre del mio
Signore venga a me? [44]Ecco, appena la voce del tuo
saluto è giunta ai miei orecchi, il bambino ha esultato
di gioia nel mio grembo. [45]E beata colei che ha creduto
nell'adempimento delle parole del Signore ».

## Il « Magnificat ». [46]Allora Maria disse:

« *L'anima mia* magnifica *il Signore*
[47]e il mio spirito *esulta in Dio, mio salvatore,*
[48]perché *ha guardato l'umiltà della* sua *serva.*
D'ora in poi tutte le generazioni mi chiameranno
                                                         [beata.
[49]Grandi cose ha fatto in me l'Onnipotente
e *Santo è il suo nome:*
[50]*di generazione in generazione la sua misericordia*
*stende su quelli che lo temono.*
[51]Ha spiegato la potenza del suo *braccio,*
*ha disperso i superbi nei pensieri* del loro cuore;
[52]*ha rovesciato i potenti* dai troni,
*ha innalzato gli umili;*
[53]*ha ricolmato di beni gli affamati,*
*ha rimandato a mani vuote i ricchi.*
[54]*Ha soccorso Israele, suo servo,*
*ricordandosi della sua misericordia,*
[55]come aveva promesso *ai nostri padri,*
*ad Abramo* e *alla* sua *discendenza,*
per sempre ».

[56]Maria rimase con lei circa tre mesi, poi tornò a casa
sua.

[46] Il cantico è fitto di reminiscenze bibliche, indicate in corsivo; cfr. nell'ordine: Sal 110,9;
102,17; 88,11; 106,9; Is 41,8-9.
Soprattutto si ispira al cantico di
Anna in 1Sam 2,1-10.

**Nascita del Precursore.** ⁵⁷Per Elisabetta intanto si compì il tempo del parto e diede alla luce un figlio. ⁵⁸I vicini e i parenti udirono che il Signore aveva esaltato in lei la sua misericordia, e si rallegravano con lei. ⁵⁹All'ottavo giorno vennero per circoncidere il bambino e volevano chiamarlo col nome di suo padre, Zaccaria. ⁶⁰Ma sua madre intervenne: « No, si chiamerà Giovanni ». ⁶¹Le dissero: « Non c'è nessuno della tua parentela che si chiami con questo nome ». ⁶²Allora domandavano con cenni a suo padre come voleva che si chiamasse. ⁶³Egli chiese una tavoletta, e scrisse: « Giovanni è il suo nome ». Tutti furono meravigliati. ⁶⁴In quel medesimo istante gli si aprì la bocca e gli si sciolse la lingua, e parlava benedicendo Dio. ⁶⁵Tutti i loro vicini furono presi da timore, e per tutta la regione montuosa della Giudea si discorreva di tutte queste cose. ⁶⁶Coloro che le udivano, le serbavano in cuor loro: « Che sarà mai questo bambino? » si dicevano. Davvero la mano del Signore stava con lui.

**Il « Benedictus ».** ⁶⁷Zaccaria, suo padre, fu pieno di Spirito Santo, e profetò dicendo:

⁶⁸« *Benedetto il Signore Dio d'Israele,*
    *perché ha visitato e redento il suo popolo,*
⁶⁹*e ha suscitato per noi una salvezza potente*
    *nella casa di Davide, suo servo,*
⁷⁰*come aveva promesso*
    *per bocca dei suoi santi profeti d'un tempo:*
⁷¹*salvezza* dai *nostri* nemici,
    *e dalle mani di quanti ci odiano.*
⁷²*Così egli ha concesso misericordia ai nostri padri*
    *e si è ricordato della sua* santa alleanza,

---

⁵⁹ L'ottavo giorno, secondo la prescrizione della legge: cfr. Gn 17,12; 21,4; Lv 12,3.
⁶⁷ Anche il cantico (cui si accenna al v. 64 e che costituisce la risposta, ispirata da Dio, alla domanda del v. 66) di Zaccaria è tessuto di reminiscenze bibliche ed esalta l'adempimento delle divine promesse (vv. 68-75) prima di parlare della missione di Giovanni (vv. 76-79).

⁷³*del giuramento fatto ad Abramo,* nostro padre,
⁷⁴di concederci, liberati dalle mani dei nemici,
   di servirlo senza timore, ⁷⁵in santità "e giustizia
   al suo cospetto, per tutti i nostri giorni.
⁷⁶E tu, bambino, sarai chiamato profeta dell'Altissimo
   perché andrai *innanzi al Signore a preparargli le*
                                                         [*strade,*
⁷⁷per dare al suo popolo la conoscenza della salvezza
   nella remissione dei suoi peccati,
⁷⁸grazie alla bontà misericordiosa del nostro Dio,
   per cui verrà a visitarci dall'alto un sole che sorge
⁷⁹*per rischiarare quelli che stanno nelle tenebre*
   *e nell'ombra della morte*
   e dirigere i nostri passi sulla via della pace ».

⁸⁰Il fanciullo cresceva e si fortificava nello spirito. Visse
in regioni deserte fino al giorno della sua manifestazione
a Israele.

**2** **Nascita di Gesù.** ¹In quei giorni un decreto di
Cesare Augusto ordinò che si facesse il censimento
di tutta la terra. ²Questo primo censimento fu fatto
quando era governatore della Siria Quirinio. ³Andavano
tutti a farsi registrare, ciascuno nella sua città. ⁴Anche
Giuseppe, che era della casa e della famiglia di Davide,
dalla città di Nàzaret e dalla Galilea salì in Giudea e
alla città di Davide, chiamata Betlemme, ⁵per farsi registrare insieme con Maria sua sposa, che era incinta.
⁶Ora, mentre si trovavano in quel luogo, si compirono
per lei i giorni del parto. ⁷Diede alla luce il suo figlio

---

⁷⁶ Cfr. Is 40,3; Ml 3,1.
⁷⁸ Cfr. Is 60,1-3; Ml 3,20. Il
sole è il Messia e la luce è simbolo dei beni messianici.
**2.** ² Per la data della nascita
di Gesù v. Mt 2,1. Publio Sul-
picio Quirinio fu capo militare in
Siria prima del 6 a.C.

⁴ Per Betlemme cfr. Mt 2,1.
⁷ Primogenito non vuol dire che
Maria abbia avuto altri figli, ma
indica soprattutto la dignità e gli
obblighi legali del primo nato
(Es 13,1; Dt 21,17), indipen-
dentemente dagli altri che potevano
seguire.

primogenito, lo avvolse in fasce e lo depose in una mangiatoia, perché non c'era posto per loro nell'albergo.

**I pastori in visita da Gesù.** [8]C'erano in quella regione alcuni pastori che vegliavano di notte facendo la guardia al loro gregge. [9]Un angelo del Signore si presentò davanti a loro e la gloria del Signore li avvolse di luce. Essi furono presi da grande spavento, [10]ma l'angelo disse loro: « Non temete, ecco vi annunzio una grande gioia, che sarà di tutto il popolo: [11]oggi vi è nato nella città di Davide un salvatore, che è il Cristo Signore. [12]Questo per voi il segno: troverete un bambino avvolto in fasce, che giace in una mangiatoia ». [13]E subito apparve con l'angelo una moltitudine dell'esercito celeste che lodava Dio e diceva:

[14]« Gloria a Dio nel più alto dei cieli
   e pace in terra agli uomini che egli ama ».

[15]Appena gli angeli si furono allontanati per tornare al cielo, i pastori dicevano fra loro: « Andiamo fino a Betlemme, vediamo questo avvenimento che il Signore ci ha fatto conoscere ». [16]Andarono dunque senz'indugio e trovarono Maria e Giuseppe e il bambino, che giaceva nella mangiatoia. [17]E dopo averlo visto, riferirono ciò che del bambino era stato detto loro. [18]Tutti quelli, che udirono, si stupirono delle cose che i pastori dicevano. [19]Maria, da parte sua, serbava tutte queste cose meditandole nel suo cuore.
[20]I pastori poi se ne tornarono, glorificando e lodando Dio per tutto quello che avevano udito e visto, com'era stato detto loro.
[21]Quando furon passati gli otto giorni prescritti per la circoncisione, gli fu messo nome Gesù, come era stato

---

[14] La pace è la pienezza dei doni messianici. « Gli uomini che egli ama », cioè che sono oggetto della volontà di salvezza di Dio, che viene a compiersi nell'incarnazione.

chiamato dall'angelo prima di essere concepito nel grembo della madre.

**Gesù è presentato al tempio.** [22]Quando venne il tempo della loro purificazione secondo la Legge di Mosè, portarono il bambino a Gerusalemme per offrirlo al Signore, [23]come è scritto nella Legge del Signore: *ogni maschio primogenito sarà sacro al Signore;* [24]e per offrire in sacrificio *una coppia di tortore o di giovani colombi,* come prescrive la Legge del Signore.

[25]Ora a Gerusalemme c'era un uomo di nome Simeone, uomo giusto e timorato di Dio, che aspettava il conforto d'Israele; [26]lo Spirito Santo che era sopra di lui, gli aveva preannunziato che non avrebbe visto la morte senza prima aver veduto il Messia del Signore. [27]Mosso dunque dallo Spirito, si recò al tempio; e mentre i genitori vi portavano il bambino Gesù per adempiere la Legge, [28]lo prese tra le braccia e benedisse Dio:

**Il « Nunc dimittis ».**

   [29]« Ora lascia, o Signore, che il tuo servo
   vada in pace secondo la tua parola;
[30]perché i miei occhi han visto la tua salvezza,
[31]preparata da te davanti a tutti i popoli,
[32]luce per illuminare le genti
   e. gloria del tuo popolo Israele ».

**Le profezie di Simeone e di Anna.** [33]Il padre e la madre di Gesù si stupivano delle cose che si dicevano di lui. [34]Simeone li benedisse e parlò a Maria, sua madre: « Egli è qui per la rovina e la risurrezione di molti

---

[23-24] Citazione combinata di Es 13,2.12. Cfr. Lv 12,1-8.
[29-32] Come i cantici di Maria e Zaccaria, anche questo evoca famosi testi profetici: Is 42,6; 49, 6; 46,13; 52,10. La salvezza è, in concreto, il Salvatore.

[34-35] L'essere il Messia rovina o salvezza (« risurrezione ») dipenderà dalla disposizione di chi lo incontrerà. La spada indica la partecipazione di Maria alla dolorosa vicenda del Figlio. Cfr. Ez 14,17; Ap 19,15.

in Israele, segno di contraddizione ³⁵perché siano sve-
lati i pensieri di molti cuori. E anche a te una spada
trafiggerà l'anima ».
³⁶C'era anche una profetessa, Anna, figlia di Fanuèle,
della tribù di Aser. Era molto avanzata in età, aveva
vissuto col marito sette anni dal tempo in cui era ragazza, ³⁷era poi rimasta vedova e ora aveva ottanta-
quattro anni. Non si allontanava mai dal tempio, servendo Dio notte e giorno con digiuni e preghiere. ³⁸So-
praggiunta in quel momento, si mise anche lei a lodare Dio e parlava del bambino a quanti aspettavano
la redenzione di Gerusalemme.

**La vita nascosta di Gesù a Nàzaret.** ³⁹Quando ebbero
tutto compiuto secondo la Legge del Signore, fecero ritorno in Galilea, alla loro città di Nàzaret. ⁴⁰Il bambino
cresceva e si fortificava, pieno di sapienza, e la grazia
di Dio era sopra di lui.

**Gesù dodicenne al tempio.** ⁴¹I suoi genitori si reca-
vano tutti gli anni a Gerusalemme per la festa di
Pasqua. ⁴²Quando egli ebbe dodici anni, vi salirono di
nuovo secondo l'usanza; ⁴³ma trascorsi i giorni della
festa, mentre riprendevano la via del ritorno, il fanciullo Gesù rimase a Gerusalemme, senza che i genitori
se ne accorgessero. ⁴⁴Credendolo nella carovana, fecero
una giornata di viaggio, e poi si misero a cercarlo tra
i parenti e i conoscenti; ⁴⁵non avendolo trovato, tornarono in cerca di lui a Gerusalemme. ⁴⁶Dopo tre giorni
lo trovarono nel tempio, seduto in mezzo ai dottori,
mentre li ascoltava e li interrogava. ⁴⁷E tutti quelli che
l'udivano erano pieni di stupore per la sua intelligenza
e le sue risposte. ⁴⁸Al vederlo restarono stupiti e sua
madre gli disse: « Figlio, perché ci hai fatto così?

---

³⁶ Profetessa, cioè ricca di divini carismi.
⁴² La legge (cfr. Es 23,14-17) non

obbligava quelli che si trovavano
a più di una giornata di cammino
da Gerusalemme.

Ecco, tuo padre e io, angosciati, ti cercavamo ». [49]Ed egli rispose: « Perché mi cercavate? Non sapevate che io devo occuparmi delle cose del Padre mio? ». [50]Ma essi non compresero le sue parole.
[51]Partì dunque con loro e tornò a Nàzaret e stava loro sottomesso. Sua madre serbava tutte queste cose nel suo cuore. [52]E Gesù *cresceva* in sapienza, età *e grazia davanti a Dio e agli uomini.*

## PRELUDIO ALL'ATTIVITA PUBBLICA
### (3,1-4,13)

**3** Il « movimento » di Giovanni Battista. [1]Nell'anno decimoquinto dell'impero di Tiberio Cesare, mentre Ponzio Pilato era governatore della Giudea, Erode tetrarca della Galilea, e Filippo, suo fratello, tetrarca dell'Iturèa e della Traconìtide, e Lisània tetrarca dell'Abilène, [2]sotto i sommi sacerdoti Anna e Caifa, la parola di Dio scese su Giovanni, figlio di Zaccaria, nel deserto. [3]Ed egli percorse tutta la regione del Giordano, predicando un battesimo di conversione per il perdono dei peccati, [4]com'è scritto nel libro degli oracoli del profeta Isaia:

*Voce di uno che grida nel deserto:*
*Preparate la via del Signore,*
*raddrizzate i suoi sentieri!*
[5]*Ogni burrone sia riempito,*
*ogni monte e ogni colle sia abbassato;*
*i passi tortuosi siano diritti;*

[49] I rapporti di Gesù col Padre superano ogni altro legame.
[52] Cfr. 1Sam 2,26.
**3.** [1] Mt 3,1-12; Mc 1,2-8. L'anno indicato può essere il 27/28 o 28/29. Per Pilato v. Mt 27,13; Erode Antipa regnò dal 4 a.C. al 39 d.C.; Erode Filippo dal 4 al 34 d.C. L'Abilène era a nord-est di Damasco.
[2] Caifa era il sommo sacerdote in carica (18-36 d.C.); Anna (Anania), che lo aveva preceduto dal 5-6 a.C. al 15 d.C., godeva grande autorità su Caifa di cui era suocero.
[4] Citazione di Is 40,3-5.

*i luoghi impervi spianati.*
⁶*Ogni uomo vedrà la salvezza di Dio!*

⁷Diceva dunque alle folle che andavano a farsi battezzare da lui: « Razza di vipere, chi vi ha insegnato a
sfuggire all'ira imminente? ⁸Fate dunque opere degne
della conversione e non cominciate a dire in voi stessi:
Abbiamo Abramo per padre! Perché io vi dico che Dio
può far nascere figli ad Abramo anche da queste pietre.
⁹Anzi, la scure è già posta alla radice degli alberi; ogni
albero che non porta buon frutto, sarà tagliato e buttato nel fuoco ».

¹⁰Le folle lo interrogavano: « Che cosa dobbiamo fare? ». ¹¹Rispondeva: « Chi ha due tuniche, ne dia una
a chi non ne ha; e chi ha da mangiare, faccia altrettanto ». ¹²Vennero anche dei pubblicani a farsi battezzare, e gli chiesero: « Maestro, che dobbiamo fare? ».
¹³Ed egli disse loro: « Non esigete nulla di più di quanto
vi è stato fissato ». ¹⁴Lo interrogavano anche alcuni
soldati: « E noi che dobbiamo fare? ». Rispose: « Non
maltrattate e non estorcete niente a nessuno, contenta-
tevi delle vostre paghe ». ¹⁵Poiché il popolo era in attesa
e tutti si domandavano in cuor loro, riguardo a Giovanni, se non fosse lui il Cristo, ¹⁶Giovanni rispose a
tutti dicendo: « Io vi battezzo con acqua; ma viene
uno che è più forte di me, al quale io non son degno
di sciogliere neppure il legaccio dei sandali: costui vi
battezzerà in Spirito Santo e fuoco. ¹⁷Egli ha in mano
il ventilabro per ripulire la sua aia e per raccogliere il
frumento nel granaio; ma la pula, la brucerà con fuoco
inestinguibile ».
¹⁸Con molte altre esortazioni annunziava al popolo la
buona novella.

**L'arresto di Giovanni Battista.** ¹⁹Ma il tetrarca Erode, biasimato da lui a causa di Erodìade, moglie di

---

12 Per i pubblicani, o riscuotitori
delle imposte, v. Mt 5,46.

19 Cfr. Mt 14,2-12 e specialmente Mc 6,19-29.

suo fratello, e per tutte le scelleratezze che aveva commesso, [20]aggiunse alle altre anche questa: fece rinchiudere Giovanni in prigione.

**Il battesimo di Gesù.** [21]Quando tutto il popolo fu battezzato e mentre Gesù, ricevuto anche lui il battesimo, stava in preghiera, il cielo si aprì [22]e scese su di lui lo Spirito Santo in apparenza corporea, come di colomba, e vi fu una voce dal cielo: « Tu sei il mio figlio prediletto, in te mi sono compiaciuto ».

**Genealogia di Gesù.** [23]Gesù quando incominciò il suo ministero aveva circa trent'anni ed era figlio, come si credeva, di Giuseppe, figlio di Eli, [24]figlio di Mattàt, figlio di Levi, figlio di Melchi, figlio di Innài, figlio di Giuseppe, [25]figlio di Mattatìa, figlio di Amos, figlio di Naum, figlio di Esli, figlio di Naggài, [26]figlio di Maat, figlio di Mattatìa, figlio di Semèin, figlio di Iosek, figlio di Ioda, [27]figlio di Ioanan, figlio di Resa, figlio di Zorobabèle, figlio di Salatiel, figlio di Neri, [28]figlio di Melchi, figlio di Addi, figlio di Cosam, figlio di Elmadàm, figlio di Er, [29]figlio di Gesù, figlio di Elièzer, figlio di Iorim, figlio di Mattàt, figlio di Levi, [30]figlio di Simeone, figlio di Giuda, figlio di Giuseppe, figlio di Ionam, figlio di Eliacim, [31]figlio di Melèa, figlio di Menna, figlio di Mattatà, figlio di Natàm, figlio di Davide, [32]figlio di Iesse, figlio di Obed, figlio di Booz, figlio di Sala, figlio di Naàsson, [33]figlio di Aminadàb, figlio di Admin, figlio di Arni, figlio di Esrom, figlio di Fares, figlio di Giuda, [34]figlio di Giacobbe, figlio di Isacco, figlio di Abramo, fi-

[21] Mt 3,13-17; Mc 1,9-11; Gv 1,31-34.
[23] Mt 1,1-17. Le genealogie sono parzialmente diverse a motivo della diversa prospettiva teologica di Lc, che risale fino ad Adamo per sottolineare non solo l'appartenenza di Cristo all'umanità, ma l'universalità della salvezza da lui portata nel mondo. In Lc, il padre di Giuseppe è Eli, in Mt invece è Giacobbe, probabilmente per la legge del levirato (Dt 25,5-10; cfr. Mt 22,24), per cui Giacobbe sarebbe il padre naturale ed Eli quello legale. Le due genealogie sono comunque indipendenti.

glio di Tare, figlio di Nacor, ³⁵figlio di Seruk, figlio di
Ragau, figlio di Falek, figlio di Eber, figlio di Sala,
³⁶figlio di Cainam, figlio di Arfàcsad, figlio di Sem, figlio
di Noè, figlio di Lamech, ³⁷figlio di Matusalemme, figlio
di Enoch, figlio di Iaret, figlio di Malleèl, figlio di Cainam, ³⁸figlio di Enos, figlio di Set, figlio di Adamo,
figlio di Dio.

**4** **Nel deserto Gesù trionfa sul tentatore.** ¹Gesù,
pieno di Spirito Santo, si allontanò dal Giordano e
fu condotto dallo Spirito nel deserto ²dove, per quaranta giorni, fu tentato dal diavolo. Non mangiò nulla
in quei giorni; ma quando furono terminati ebbe fame.
³Allora il diavolo gli disse: « Se tu sei Figlio di Dio,
di' a questa pietra che diventi pane ». ⁴Gesù gli rispose:
« Sta scritto: *Non di solo pane vivrà l'uomo* ». ⁵Il diavolo lo condusse in alto, e mostrandogli in un istante
tutti i regni della terra, gli disse: ⁶« Ti darò tutta questa potenza e la gloria di questi regni, perché è stata
messa nelle mie mani e io la do a chi voglio. ⁷Se ti
prostri dinanzi a me, tutto sarà tuo ». ⁸Gesù gli rispose:
« Sta scritto: *Solo al Signore Dio tuo ti prostrerai, lui
solo adorerai* ». ⁹Lo condusse a Gerusalemme, lo pose
sul pinnacolo del tempio e gli disse: « Se tu sei Figlio
di Dio, buttati giù; ¹⁰sta scritto infatti:

*Ai suoi angeli darà ordine per te,*
*perché essi ti custodiscano;*

¹¹e anche:

*essi ti sosterranno con le mani,*
*perché il tuo piede non inciampi in una pietra* ».

¹²Gesù gli rispose: « È stato detto: *Non tenterai il
Signore Dio tuo* ». ¹³Dopo aver esaurito ogni specie di

**4.** ¹ Mt 4,1-11; Mc 1,12-13. Citazioni successive di Dt 8,3; 6,13;
Sal 90,11-12; Dt 6,16. Luca nota
la presenza e l'azione dello Spirito S. nell'economia evangelica: vv.
14.18; 10,21; 11,13. Lc e Mt de-
scrivono le tentazioni nei dettagli,
Mc vi fa solo un breve accenno.

tentazione, il diavolo si allontanò da lui per ritornare al tempo fissato.

# PREDICAZIONE E MIRACOLI IN GALILEA
(4,14-9,50)

**L'inaugurazione. A Nàzaret.** [14]Gesù ritornò in Galilea con la potenza dello Spirito Santo e la sua fama si diffuse in tutta la regione. [15]Insegnava nelle loro sinagoghe e tutti ne facevano grandi lodi.
[16]Si recò a Nàzaret, dove era stato allevato; ed entrò, secondo il suo solito, di sabato nella sinagoga e si alzò a leggere. [17]Gli fu dato il rotolo del profeta Isaia; apertolo, trovò il passo dove era scritto:

[18]*Lo Spirito del Signore è sopra di me;*
*per questo mi ha consacrato con l'unzione,*
*e mi ha mandato per annunziare ai poveri un lieto*
[*messaggio,*
*per proclamare ai prigionieri la liberazione*
*e ai ciechi la vista;*
*per rimettere in libertà gli oppressi,*
[19]*e predicare un anno di grazia del Signore.*

[20]Poi arrotolò il volume, lo consegnò all'inserviente e sedette. Gli occhi di tutti nella sinagoga stavano fissi sopra di lui. [21]Allora cominciò a dire: « Oggi si è adempiuta questa scrittura che voi avete udita con i vostri orecchi ». [22]Tutti gli rendevano testimonianza ed erano meravigliati delle parole di grazia che uscivano dalla sua bocca e dicevano: « Non è il figlio di Giuseppe? ». [23]Ma egli rispose: « Di certo voi mi citerete il proverbio: Medico, cura te stesso. Quanto abbiamo udito che accadde a Cafàrnao, fallo anche qui, nella tua patria! ».

---

[14] Cfr. Mt 4,12-17; 13,53-58; Mc 1,14-15; 6,1-6.
[15] Per la sinagoga v. Mt 4,23.

[18-19] Citazione di Is 61,1-2.
[23] Cfr. Mt 4,13; 13,54-58; Mc 1,21-45; 6,1-6.

²⁴Poi aggiunse: « Nessun profeta è bene accetto in patria. ²⁵Vi dico anche: c'erano molte vedove in Israele al tempo di Elia, quando il cielo fu chiuso per tre anni e sei mesi e ci fu una grande carestia in tutto il paese; ²⁶ma a nessuna di esse fu mandato Elia, se non a una vedova in Sarepta di Sidone. ²⁷C'erano molti lebbrosi in Israele al tempo del profeta Eliseo, ma nessuno di loro fu risanato se non Naaman, il Siro ».

²⁸All'udire queste cose, tutti nella sinagoga furono pieni di sdegno; ²⁹si levarono, lo cacciarono fuori della città e lo condussero fin sul ciglio del monte sul quale la loro città era situata, per gettarlo giù dal precipizio. ³⁰Ma egli, passando in mezzo a loro, se ne andò.

« Poi discese a Cafàrnao ». ³¹Poi discese a Cafàrnao, una città della Galilea, e al sabato ammaestrava la gente. ³²Rimanevano colpiti dal suo insegnamento, perché parlava con autorità. ³³Nella sinagoga c'era un uomo con un demonio immondo e cominciò a gridare forte: ³⁴« Basta! Che abbiamo a che fare con te, Gesù Nazareno? Sei venuto a rovinarci? So bene chi sei: il Santo di Dio! ». ³⁵Gesù gli intimò: « Taci, esci da costui! ». E il demonio, gettatolo a terra in mezzo alla gente, uscì da lui, senza fargli alcun male. ³⁶Tutti furono presi da paura e si dicevano l'un l'altro: « Che parola è mai questa, che comanda con autorità e potenza agli spiriti immondi ed essi se ne vanno? ». ³⁷E si diffondeva la fama di lui in tutta la regione.

**Guarigione della suocera di Simone e di molti altri infermi.** ³⁸Uscito dalla sinagoga entrò nella casa di Simone. La suocera di Simone era in preda a una grande febbre e lo pregarono per lei. ³⁹Chinatosi su di lei, intimò alla febbre, e la febbre la lasciò. Levatasi all'istante, la donna cominciò a servirli.

---

²⁵⁻²⁷ Cfr. 1Re 17,8-16; 2Re 5,1-14.          ³⁸ Mt 8,14-17; Mc 1,29-39. Della
³¹ Mc 1,21-28; cfr. Mt 7,28-29.              guarigione Lc nota l'istantaneità.

⁴⁰Al calar del sole, tutti quelli che avevano infermi colpiti da mali di ogni genere li condussero a lui. Ed egli, imponendo su ciascuno le mani, li guariva. ⁴¹Da molti uscivano demòni gridando: « Tu sei il Figlio di Dio! ». Ma egli li minacciava e non li lasciava parlare, perché sapevano che era il Cristo.

**Nelle sinagoghe della Giudea.** ⁴²Sul far del giorno uscì e si recò in un luogo deserto. Ma le folle lo cercavano, lo raggiunsero e volevano trattenerlo perché non se ne andasse via da loro. ⁴³Egli però disse: « Bisogna che io annunzi il regno di Dio anche alle altre città; per questo sono stato mandato ». ⁴⁴E andava predicando nelle sinagoghe della Giudea.

**5** **Gesù predica sul lago.** ¹Un giorno, mentre, levato in piedi, stava presso il lago di Genèsaret ²e la folla gli faceva ressa intorno per ascoltare la parola di Dio, vide due barche ormeggiate alla sponda. I pescatori erano scesi e lavavano le reti. ³Salì in una barca, che era di Simone, e lo pregò di scostarsi un poco da terra. Sedutosi, si mise ad ammaestrare le folle dalla barca.

**La pesca miracolosa.** ⁴Quando ebbe finito di parlare, disse a Simone: « Prendi il largo e calate le reti per la pesca ». ⁵Simone rispose: « Maestro, abbiamo faticato tutta la notte e non abbiamo preso nulla; ma sulla tua parola getterò le reti ». ⁶E avendolo fatto, presero una quantità enorme di pesci e le reti si rompevano. ⁷Allora fecero cenno ai compagni dell'altra barca, che venissero ad aiutarli. Essi vennero e riempirono tutte e due le barche al punto che quasi affondavano.

---

⁴¹ Cfr. Mc 1,34.
⁴⁴ La Giudea indica tutta la Palestina.
**5.** ¹ Cfr. Mt 4,18-22; Mc 1,16-20.

⁴ Lc è il solo a riferire questo fatto, del quale Pietro, capo degli Apostoli, è significativamente protagonista.

[8]Al veder questo, Simon Pietro si gettò alle ginocchia di Gesù, dicendo: « Signore, allontanati da me che sono un peccatore ».

**I primi discepoli.** [9]Grande stupore infatti aveva preso lui e tutti quelli che erano insieme con lui per la pesca che avevano fatto; [10]così pure Giacomo e Giovanni, figli di Zebedèo, che erano soci di Simone. Gesù disse a Simone: « Non temere; d'ora in poi sarai pescatore di uomini ». [11]Tirate le barche a terra, lasciarono tutto e lo seguirono.

**La guarigione di un lebbroso.** [12]Un giorno Gesù si trovava in una città e un uomo coperto di lebbra lo vide e gli si gettò ai piedi pregandolo: « Signore, se vuoi, puoi sanarmi ». [13]Gesù stese la mano e lo toccò dicendo: « Lo voglio, sii risanato! ». E subito la lebbra scomparve da lui. [14]Gli ingiunse di non dirlo a nessuno: « Va', mostrati al sacerdote e fa' l'offerta per la tua purificazione, come ha ordinato Mosè, perché serva di testimonianza per essi ». [15]La sua fama si diffondeva ancor più; folle numerose venivano per ascoltarlo e farsi guarire dalle loro infermità. [16]Ma Gesù si ritirava in luoghi solitari a pregare.

**La guarigione di un paralitico.** [17]Un giorno sedeva insegnando. Sedevano là anche farisei e dottori della legge, venuti da ogni villaggio della Galilea, della Giudea e da Gerusalemme. E la potenza del Signore gli faceva operare guarigioni. [18]Ed ecco alcuni uomini, portando sopra un letto un paralitico, cercavano di farlo passare e metterlo davanti a lui. [19]Non trovando da qual parte introdurlo a causa della folla, salirono sul tetto e lo calarono attraverso le tegole con il lettuccio davanti a Gesù, nel mezzo della stanza. [20]Veduta la loro fede,

[10] Cfr. Mt 4,19.      [17] Mt 9,2-8; Mc 2,2-12.
[12] Mt 8,2-4; Mc 1,40-45.      [20] Cfr. Mt 8,10.

disse: « Uomo, i tuoi peccati ti sono rimessi ». [21]Gli scribi e i farisei cominciarono a discutere dicendo: « Chi è costui che pronuncia bestemmie? Chi può rimettere i peccati, se non Dio soltanto? ». [22]Ma Gesù, conosciuti i loro ragionamenti, rispose: « Che cosa andate ragionando nei vostri cuori? [23]Che cosa è più facile, dire: Ti sono rimessi i tuoi peccati, o dire: Alzati e cammina? [24]Ora, perché sappiate che il Figlio dell'uomo ha il potere sulla terra di rimettere i peccati: io ti dico – esclamò rivolto al paralitico – alzati, prendi il tuo lettuccio e va' a casa tua ». [25]Subito egli si alzò davanti a loro, prese il lettuccio su cui era disteso e si avviò verso casa glorificando Dio. [26]Tutti rimasero stupiti e levavano lode a Dio; pieni di timore dicevano: « Oggi abbiamo visto cose prodigiose ».

**La chiamata di Levi.** [27]Dopo ciò egli uscì e vide un pubblicano di nome Levi seduto al banco delle imposte, e gli disse: « Seguimi! ». [28]Egli, lasciando tutto, si alzò e lo seguì.

**Il banchetto con i pubblicani.** [29]Poi Levi gli preparò un grande banchetto nella sua casa. C'era una folla di pubblicani e d'altra gente seduta con loro a tavola. [30]I farisei e i loro scribi mormoravano e dicevano ai suoi discepoli: « Perché mangiate e bevete con i pubblicani e i peccatori? ». [31]Gesù rispose: « Non sono i sani che hanno bisogno del medico, ma i malati; [32]io non sono venuto a chiamare i giusti, ma i peccatori a convertirsi ».

**Perché i discepoli di Gesù non digiunano.** [33]Allora gli dissero: « I discepoli di Giovanni digiunano spesso e fanno orazioni; così pure i discepoli dei farisei; in-

---

[27] Mt 9,9-13; Mc 2,13-17. Levi è un altro nome di Matteo.

[33] Mt 9,14-17; Mc 2,18-22; cfr. Gv 3,29.

vece i tuoi mangiano e bevono! ». ³⁴Gesù rispose: « Potete far digiunare gli invitati a nozze, mentre lo sposo è con loro? ³⁵Verranno però i giorni in cui lo sposo sarà strappato da loro; allora, in quei giorni, digiuneranno ». ³⁶Diceva loro anche una parabola: « Nessuno strappa un pezzo da un vestito nuovo per attaccarlo a un vestito vecchio; altrimenti egli strappa il nuovo, e la toppa presa dal nuovo non si adatta al vecchio. ³⁷E nessuno mette vino nuovo in otri vecchi; altrimenti il vino nuovo spacca gli otri, si versa fuori e gli otri vanno perduti. ³⁸Il vino nuovo bisogna metterlo in otri nuovi. ³⁹Nessuno poi che beve il vino vecchio desidera il nuovo, perché dice: Il vecchio è buono! ».

**6** **Cogliere spighe nel giorno del Signore.** ¹Un giorno di sabato passava attraverso campi di grano e i suoi discepoli coglievano e mangiavano le spighe, sfregandole con le mani. ²Alcuni farisei dissero: « Perché fate ciò che non è permesso di sabato? ». ³Gesù rispose: « Allora non avete mai letto ciò che fece Davide, quando ebbe fame lui e i suoi compagni? ⁴Come entrò nella casa di Dio, prese i pani dell'offerta, ne mangiò e ne diede ai suoi compagni, sebbene non fosse lecito mangiarli se non ai soli sacerdoti? ». ⁵E diceva loro: « Il Figlio dell'uomo è signore del sabato ».

**Guarigione dell'uomo dalla mano arida.** ⁶Un altro sabato egli entrò nella sinagoga e si mise a insegnare. Ora c'era là un uomo, che aveva la mano destra inaridita. ⁷Gli scribi e i farisei lo osservavano per vedere se lo guariva di sabato, allo scopo di trovare un capo di accusa contro di lui. ⁸Ma Gesù era a conoscenza dei loro pensieri e disse all'uomo che aveva la mano inaridita: « Alzati e mettiti nel mezzo! ». L'uomo, alzatosi,

---

³⁹ Gli Ebrei non rinunziano alla vecchia mentalità per accettare la novità di Cristo.

**6.** ¹ Cfr. Mt 12,1-8; Mc 2,23-28. ⁶ Mt 12,9-14; Mc 3,1-6; cfr. anche Mc 2,27.

si mise nel punto indicato. [9]Poi Gesù disse loro: « Domando a voi: È lecito in giorno di sabato fare del bene o fare del male, salvare una vita o perderla? ». [10]E volgendo tutt'intorno lo sguardo su di loro, disse all'uomo: « Stendi la mano! ». Egli lo fece e la mano guarì. [11]Ma essi furono pieni di rabbia e discutevano fra di loro su quello che avrebbero potuto fare a Gesù.

**La scelta dei dodici « apostoli ».** [12]In quei giorni Gesù se ne andò sulla montagna a pregare e passò la notte in orazione. [13]Quando fu giorno, chiamò a sé i suoi discepoli e ne scelse dodici, ai quali diede il nome di apostoli: [14]Simone, che chiamò anche Pietro, Andrea suo fratello, Giacomo, Giovanni, Filippo, Bartolomeo, [15]Matteo, Tommaso, Giacomo d'Alfeo, Simone soprannominato Zelota, [16]Giuda di Giacomo e Giuda Iscariota, che fu il traditore.

**La folla si stringe attorno a Gesù.** [17]Disceso con loro, si fermò in un luogo pianeggiante. C'era gran folla di suoi discepoli e gran moltitudine di gente da tutta la Giudea, da Gerusalemme e dal litorale di Tiro e di Sidone, [18]che erano venuti per ascoltarlo ed esser guariti dalle loro malattie; anche quelli che erano tormentati da spiriti immondi, venivano guariti. [19]Tutta la folla cercava di toccarlo, perché da lui usciva una forza che sanava tutti.

**Le « beatitudini ».** [20]Alzati gli occhi verso i suoi discepoli, Gesù diceva:

« Beati voi poveri,
perché vostro è il regno di Dio.

[12] Mt 10,1-4; Mc 3,13-19. Lc si compiace di rilevare la preghiera di Cristo: cfr. 3,21; 5,16; 6,12; 9,18; 10,21; 11,1; 22,23.

[20] Mt 5,2-12. Lc elimina ciò che è specificamente ebraico, ma anche le sue beatitudini si inseriscono nel clima spirituale di Mt.

²¹Beati voi che ora avete fame,
   perché sarete saziati.
   Beati voi che ora piangete,
   perché riderete.

²²Beati voi quando gli uomini vi odieranno e quando
vi metteranno al bando e v'insulteranno e respingeranno
il vostro nome come scellerato, a causa del Figlio del-
l'uomo. ²³Rallegratevi in quel giorno ed esultate, perché, ecco, la vostra ricompensa è grande nei cieli. Allo
stesso modo infatti facevano i loro padri con i profeti.

### Le « maledizioni ».

²⁴Ma guai a voi, ricchi,
   perché avete già la vostra consolazione.
²⁵Guai a voi che ora siete sazi,
   perché avrete fame.
   Guai a voi che ora ridete,
   perché sarete afflitti e piangerete.

²⁶Guai quando tutti gli uomini diranno bene di voi. Allo
stesso modo infatti facevano i loro padri con i falsi
profeti.

### « Amate i vostri nemici! ».
²⁷Ma a voi che ascoltate,
io dico: Amate i vostri nemici, fate del bene a coloro
che vi odiano, ²⁸benedite coloro che vi maledicono, pregate per coloro che vi maltrattano. ²⁹A chi ti percuote
sulla guancia, porgi anche l'altra; a chi ti leva il mantello, non rifiutare la tunica. ³⁰Da' a chiunque ti chiede; e a chi prende del tuo, non richiederlo. ³¹Ciò che
volete gli uomini facciano a voi, anche voi fatelo a
loro. ³²Se amate quelli che vi amano, che merito ne
avrete? Anche i peccatori fanno lo stesso. ³³E se fate del
bene a coloro che vi fanno del bene, che merito ne
avrete? Anche i peccatori fanno lo stesso. ³⁴E se prestate a coloro da cui sperate ricevere, che merito ne

21-22 Mt 5,3.6.11-12.          27 Mt 5,38-48; 7,12.

avrete? Anche i peccatori concedono prestiti ai peccatori per riceverne altrettanto. [35]Amate invece i vostri nemici, fate del bene e prestate senza sperarne nulla, e il vostro premio sarà grande e sarete figli dell'Altissimo; perché egli è benevolo verso gl'ingrati e i malvagi. [36]Siate misericordiosi, come è misericordioso il Padre vostro.

**« Non giudicate! ».** [37]Non giudicate e non sarete giudicati; non condannate e non sarete condannati; perdonate e vi sarà perdonato; [38]date e vi sarà dato; una buona misura, pigiata, scossa e traboccante vi sarà versata nel grembo, perché con la misura con cui misurate, sarà misurato a voi in cambio ».

**La pagliuzza e la trave.** [39]Disse loro anche una parabola: « Può forse un cieco guidare un altro cieco? Non cadranno tutt'e due in una buca? [40]Il discepolo non è da più del maestro; ma ognuno ben preparato sarà come il suo maestro. [41]Perché guardi la pagliuzza che è nell'occhio del tuo fratello, e non t'accorgi della trave che è nel tuo? [42]Come puoi dire al tuo fratello: Permetti che tolga la pagliuzza che è nel tuo occhio e tu non vedi la trave che è nel tuo? Ipocrita, togli prima la trave dal tuo occhio e allora potrai vederci bene nel togliere la pagliuzza dall'occhio del tuo fratello.

**L'albero e i frutti.** [43]Non c'è albero buono che faccia frutti cattivi, né albero cattivo che faccia frutti buoni. [44]Ogni albero infatti si riconosce dal suo frutto: non si raccolgono fichi dalle spine, né si vendemmia uva da un rovo. [45]L'uomo buono trae fuori il bene dal buon tesoro del suo cuore; l'uomo cattivo dal suo cattivo tesoro trae fuori il male, perché la bocca parla dalla pienezza del cuore.

---

[37-38] Mt 7,1-5.16-18.21.24-27; cfr. 12,33-35. L'immagine della misura è propria di Lc. Non giudicare-condannare, ma perdonare-donare!

**Teoria e pratica.** [46]Perché mi chiamate: Signore, Signore, e poi non fate ciò che dico? [47]Chi viene a me e ascolta le mie parole e le mette in pratica, vi mostrerò a chi è simile: [48]è simile a un uomo che, costruendo una casa, ha scavato molto profondo e ha posto le fondamenta sopra la roccia. Venuta la piena, il fiume irruppe contro quella casa, ma non riuscì a smuoverla perché era costruita bene. [49]Chi invece ascolta e non mette in pratica, è simile a un uomo che ha costruito una casa sulla terra, senza fondamenta. Il fiume la investì e subito crollò; e la rovina di quella casa fu grande ».

**7** **Gesù guarisce il servo del centurione.** [1]Quando ebbe terminato di rivolgere tutte queste parole al popolo che stava in ascolto, entrò in Cafàrnao. [2]Il servo di un centurione era ammalato e stava per morire. Il centurione l'aveva molto caro. [3]Perciò, avendo udito parlare di Gesù, gli mandò alcuni anziani dei Giudei a pregarlo di venire e di salvare il suo servo. [4]Costoro giunti da Gesù lo pregavano con insistenza: « Egli merita che tu gli faccia questa grazia, dicevano, [5]perché ama il nostro popolo, ed è stato lui a costruirci la sinagoga ». [6]Gesù si incamminò con loro. Non era ormai molto distante dalla casa quando il centurione mandò alcuni amici a dirgli: « Signore, non stare a disturbarti, io non son degno che tu entri sotto il mio tetto; [7]per questo non mi sono neanche ritenuto degno di venire da te, ma comanda con una parola e il mio servo sarà guarito. [8]Anch'io infatti sono uomo sottoposto a un'autorità, e ho sotto di me dei soldati; e dico all'uno: Va' ed egli va, e a un altro: Vieni, ed egli viene, e al mio servo: Fa' questo, ed egli lo fa ». [9]All'udire questo Gesù restò ammirato e rivolgendosi alla folla che lo seguiva disse: « Io vi dico che neanche in Israele ho tro-

7. [1] Mt 8,5-13. Lc ci mostra co-     me Gesù fu accolto da un pagano.

vato una fede così grande! ». [10]E gli inviati, quando tornarono a casa, trovarono il servo guarito.

**Gesù risuscita il figlio della vedova di Nain.** [11]In seguito si recò in una città chiamata Nain e facevano la strada con lui i discepoli e grande folla. [12]Quando fu vicino alla porta della città, ecco che veniva portato al sepolcro un morto, figlio unico di madre vedova; e molta gente della città era con lei. [13]Vedendola, il Signore ne ebbe compassione e le disse: « Non piangere! ». [14]E accostatosi toccò la bara, mentre i portatori si fermarono. Poi disse: « Giovinetto, dico a te, alzati! ». [15]Il morto si levò a sedere e incominciò a parlare. Ed egli lo diede alla madre. [16]Tutti furono presi da timore e glorificavano Dio dicendo: « Un grande profeta è sorto tra noi e Dio ha visitato il suo popolo ». [17]La fama di questi fatti si diffuse in tutta la Giudea e per tutta la regione.

**« Andate e riferite a Giovanni ».** [18]Anche Giovanni fu informato dai suoi discepoli di tutti questi avvenimenti. Giovanni chiamò due di essi [19]e li mandò a dire al Signore: « Sei tu colui che viene, o dobbiamo aspettare un altro? ». [20]Venuti da lui, quegli uomini dissero: « Giovanni il Battista ci ha mandati da te per domandarti: Sei tu colui che viene o dobbiamo aspettare un altro? ». [21]In quello stesso momento Gesù guarì molti da malattie, da infermità, da spiriti cattivi e donò la vista a molti ciechi. [22]Poi diede loro questa risposta: « Andate e riferite a Giovanni ciò che avete visto e udito: *i ciechi riacquistano la vista,* gli zoppi cammi-

---

[11] Nain era un villaggio a sud-est di Nazaret, a 7-8 ore di cammino da Cafarnao.
[13] Per la prima volta Gesù è chiamato Signore, che era titolo divino.

[15] Mt 15,11.
[16] Mt 16,14; Lc 1,68.
[18] Mt 11,2-6; Giovanni era allora in carcere, gettatovi da Erode Antipa (cfr. L. 3,20).
[22] Cfr. Is 35,5; 61,1.

nano, i lebbrosi vengono sanati, i sordi odono, i morti risuscitano, *ai poveri è annunziata la buona novella.* <sup>23</sup>E beato è chiunque non sarà scandalizzato di me!».

## Gesù rende testimonianza a Giovanni Battista.

<sup>24</sup>Quando gli inviati di Giovanni furono partiti, Gesù cominciò a dire alla folla riguardo a Giovanni: «Che cosa siete andati a vedere nel deserto? Una canna agitata dal vento? <sup>25</sup>E allora, che cosa siete andati a vedere? Un uomo avvolto in morbide vesti? Coloro che portano vesti sontuose e vivono nella lussuria stanno nei palazzi dei re. <sup>26</sup>Allora, che cosa siete andati a vedere? Un profeta? Sì, vi dico, e più che un profeta. <sup>27</sup>Egli è colui del quale sta scritto:

> *Ecco io mando davanti a te il mio messaggero,*
> *egli preparerà la via davanti* a te.

<sup>28</sup>Io vi dico, tra i nati di donna non c'è nessuno più grande di Giovanni; però il più piccolo nel regno di Dio è più grande di lui. <sup>29</sup>Tutto il popolo che lo ha ascoltato, e anche i pubblicani, hanno riconosciuto la giustizia di Dio ricevendo il battesimo di Giovanni. <sup>30</sup>Ma i farisei e i dottori della legge non facendosi battezzare da lui hanno reso vano per loro il disegno di Dio.

## « Gli uomini di questa generazione ».

<sup>31</sup>A chi dunque paragonerò gli uomini di questa generazione, a chi sono simili? <sup>32</sup>Sono simili a quei bambini che stando in piazza gridano gli uni agli altri:

> Vi abbiamo suonato il flauto e non avete ballato:
> vi abbiamo cantato un lamento e non avete pianto!

<sup>33</sup>È venuto infatti Giovanni il Battista che non mangia pane e non beve vino, e voi dite: Ha un demonio. <sup>34</sup>È venuto il Figlio dell'uomo che mangia e beve, e

---

<sup>24</sup> Mt 11,7-11.16-19.                    <sup>27</sup> Citazione di Ml 3,1.

voi dite: Ecco un mangione e un beone, amico dei pubblicani e dei peccatori. [35]Ma alla sapienza è stata resa giustizia da tutti i suoi figli ».

**La peccatrice perdonata.** [36]Uno dei farisei lo invitò a mangiare da lui. Egli entrò nella casa del fariseo e si mise a tavola. [37]Ed ecco una donna, una peccatrice di quella città, saputo che si trovava nella casa del fariseo, venne con un vasetto di olio profumato; [38]e fermatasi indietro si rannicchiò piangendo ai piedi di lui e cominciò a bagnarli di lacrime, poi li asciugava con i suoi capelli, li baciava e li cospargeva di olio profumato. [39]A quella vista il fariseo che l'aveva invitato pensò tra sé: « Se costui fosse un profeta, saprebbe chi e che specie di donna è colei che lo tocca: è una peccatrice ». [40]Gesù allora gli disse: « Simone, ho una cosa da dirti ». Ed egli: « Maestro, di' pure ». [41]« Un creditore aveva due debitori: l'uno gli doveva cinquecento denari, l'altro cinquanta. [42]Non avendo essi da restituire, condonò il debito a tutti e due. Chi dunque di loro lo amerà di più? ». [43]Simone rispose: « Suppongo quello a cui ha condonato di più ». Gli disse Gesù: « Hai giudicato bene ». [44]E volgendosi verso la donna, disse a Simone: « Vedi questa donna? Sono entrato nella tua casa e tu non m'hai dato l'acqua per i piedi; lei invece mi ha bagnato i piedi con le lacrime e li ha asciugati con i suoi capelli. [45]Tu non mi hai dato un bacio, lei invece da quando sono entrato non ha cessato di baciarmi i piedi. [46]Tu non mi hai cosparso il capo di olio profumato, ma lei mi ha cosparso di profumo i piedi. [47]Per questo ti dico: le sono perdonati i suoi molti peccati, poiché ha molto amato. Invece quello a cui si perdona poco, ama poco ». [48]Poi disse a lei: « Ti sono per-

---

[35] I figli di Dio sanno riconoscere la sua presenza e azione in Cristo.
[37] La donna è distinta dalla Maddalena (8,2) e da Maria sorella di Lazzaro (10,39; Gv 11,5).
[47] Ha molto amato, nel senso che ha dimostrato molto amore, segno e conseguenza del perdono di Cristo.

donati i tuoi peccati ». ⁴⁹Allora i commensali cominciarono a dire tra sé: « Chi è quest'uomo che perdona anche i peccati? ». ⁵⁰Ma egli disse alla donna: « La tua fede ti ha salvata; va' in pace! ».

# 8 « C'erano con lui i Dodici e alcune donne ».

¹In seguito egli se ne andava per le città e i villaggi, predicando e annunziando la buona novella del regno di Dio. ²C'erano con lui i Dodici e alcune donne che erano state guarite da spiriti cattivi e da infermità: Maria di Màgdala, dalla quale erano usciti sette demòni, ³Giovanna, moglie di Cusa, amministratore di Erode, Susanna e molte altre, che li assistevano con i loro beni.

## La parabola del seminatore e il suo significato.

⁴Poiché una gran folla si radunava e accorreva a lui gente da ogni città, disse con una parabola: ⁵« Il seminatore uscì a seminare la sua semente. Mentre seminava, parte cadde lungo la strada e fu calpestata, e gli uccelli del cielo la divorarono. ⁶Un'altra parte cadde sulla pietra e appena germogliata inaridì per mancanza di umidità. ⁷Un'altra cadde in mezzo alle spine e le spine, cresciute insieme con essa, la soffocarono. ⁸Un'altra cadde sulla terra buona, germogliò e fruttò cento volte tanto ». Detto questo, esclamò: « Chi ha orecchi per intendere, intenda! ».
⁹I suoi discepoli lo interrogarono sul significato della parabola. ¹⁰Ed egli disse: « A voi è dato conoscere i misteri del regno di Dio, ma agli altri solo in parabole, perché

*vedendo non vedano*
*e udendo non intendano.*

---

**8.** ² Màgdala era un villaggio sulla riva occidentale del lago di Tiberiade. I sette demoni lasciano intendere che si trattava di una violenta ossessione con manifestazioni sconcertanti per una donna: cfr. Mc 5,9.
³ Lc è il solo a ricordare queste donne.
⁴ Mt 13,1-23; Mc 4,1-20.

[11]Il significato della parabola è questo: Il seme è la parola di Dio. [12]I semi caduti lungo la strada sono coloro che l'hanno ascoltata, ma poi viene il diavolo e porta via la parola dai loro cuori, perché non credano e così siano salvati. [13]Quelli sulla pietra sono coloro che, quando ascoltano, accolgono con gioia la parola, ma non hanno radice: credono per un certo tempo, ma nell'ora della tentazione vengono meno. [14]Il seme caduto in mezzo alle spine sono coloro che dopo aver ascoltato, strada facendo si lasciano sopraffare dalle preoccupazioni, dalla ricchezza e dai piaceri della vita e non giungono a maturazione. [15]Il seme caduto sulla terra buona sono coloro che dopo aver ascoltato la parola con cuore buono e perfetto, la custodiscono e producono frutto con la loro perseveranza.

## Il mistero del Regno dovrà essere divulgato.

[16]Nessuno accende una lampada e la copre con un vaso o la pone sotto un letto; la pone invece su un lampadario, perché chi entra veda la luce. [17]Non c'è nulla di nascosto che non sarà manifestato, nulla di segreto che non sarà conosciuto e non verrà in piena luce. [18]Fate attenzione dunque a come ascoltate; perché a chi ha sarà dato, ma a chi non ha sarà tolto anche ciò che crede di avere ».

**La vera famiglia di Gesù.** [19]Un giorno andarono a trovarlo la madre e i fratelli, ma non potevano avvicinarlo a causa della folla. [20]Gli fu annunziato: « Tua madre e i tuoi fratelli sono qui fuori e desiderano vederti ». [21]Ma egli rispose: « Mia madre e miei fratelli sono coloro che ascoltano la parola di Dio e la mettono in pratica ».

---

[16] Mc 4,21-25; cfr. Mt 5,15; 10,26.

[19] Mt 12,46-50; Mc 3,31-35. "Fratelli", cioè cugini o congiunti.

**Gesù domina la tempesta.** ²²Un giorno salì su una barca con i suoi discepoli e disse: « Passiamo all'altra riva del lago ». Presero il largo. ²³Ora, mentre navigavano, egli si addormentò. Un turbine di vento si abbatté sul lago, imbarcavano acqua ed erano in pericolo. ²⁴Accostatisi a lui, lo svegliarono dicendo: « Maestro, maestro, siamo perduti! ». E lui, destatosi, sgridò il vento e i flutti minacciosi; essi cessarono e si fece bonaccia. ²⁵Allora disse loro: « Dov'è la vostra fede? ». Essi intimoriti e meravigliati si dicevano l'un l'altro: « Chi è dunque costui che dà ordini ai venti e all'acqua e gli obbediscono? ».

**L'indemoniato di Gerasa.** ²⁶Approdarono nella regione dei Geraseni, che sta di fronte alla Galilea. ²⁷Era appena sceso a terra, quando gli venne incontro un uomo della città posseduto dai demòni. Da molto tempo non portava vestiti, né abitava in casa, ma nei sepolcri. ²⁸Alla vista di Gesù gli si gettò ai piedi urlando e disse a gran voce: « Che vuoi da me, Gesù, Figlio del Dio Altissimo? Ti prego, non tormentarmi! ». ²⁹Gesù infatti stava ordinando allo spirito immondo di uscire da quell'uomo. Molte volte infatti s'era impossessato di lui; allora lo legavano con catene e lo custodivano in ceppi, ma egli spezzava i legami e veniva spinto dal demonio in luoghi deserti. ³⁰Gesù gli domandò: « Qual è il tuo nome? ». Rispose: « Legione », perché molti demòni erano entrati in lui. ³¹E lo supplicavano che non ordinasse loro di andarsene nell'abisso. ³²Vi era là un numeroso branco di porci che pascolavano sul monte. Lo pregarono che concedesse loro di entrare nei porci; ed egli lo permise. ³³I demòni uscirono dall'uomo ed entrarono nei porci e quel branco corse a gettarsi a precipizio dalla rupe nel lago e annegò. ³⁴Quando videro ciò che era accaduto, i man-

²² Mt 8,23-27; Mc 4,35-41.            ²⁶ Mt 8,28-34; Mc 5,1-20.

driani fuggirono e portarono la notizia nella città e nei villaggi. [35]La gente uscì per vedere l'accaduto, arrivarono da Gesù e trovarono l'uomo dal quale erano usciti i demòni vestito e sano di mente, che sedeva ai piedi di Gesù; e furono presi da spavento. [36]Quelli che erano stati spettatori, riferirono come l'indemoniato era stato guarito. [37]Allora tutta la popolazione del territorio dei Geraseni gli chiese che si allontanasse da loro, perché avevano molta paura. Gesù, salito su una barca, tornò indietro. [38]L'uomo dal quale erano usciti i demòni, gli chiese di restare con lui, ma egli lo congedò dicendo: [39]« Torna a casa tua e racconta quello che Dio ti ha fatto ». L'uomo se ne andò, proclamando per tutta la città quello che Gesù gli aveva fatto.

**L'emorroissa e la figlia di Giàiro.** [40]Al suo ritorno, Gesù fu accolto dalla folla, poiché tutti erano in attesa di lui. [41]Ed ecco venne un uomo di nome Giàiro, che era capo della sinagoga: gettatosi ai piedi di Gesù, lo pregava di recarsi a casa sua, [42]perché aveva un'unica figlia, di circa dodici anni, che stava per morire. Durante il cammino, le folle gli si accalcavano attorno. [43]Una donna che soffriva di emorragia da dodici anni, e che nessuno era riuscito a guarire, [44]gli si avvicinò alle spalle e gli toccò il lembo del mantello e subito il flusso di sangue si arrestò. [45]Gesù disse: « Chi mi ha toccato? ». Mentre tutti negavano, Pietro disse: « Maestro, la folla ti stringe da ogni parte e ti schiaccia ». [46]Ma Gesù disse: « Qualcuno mi ha toccato. Ho sentito che una forza è uscita da me ». [47]Allora la donna, vedendo che non poteva rimanere nascosta, si fece avanti tremando e, gettatasi ai suoi piedi, dichiarò davanti a tutto il popolo il motivo per cui l'aveva toccato, e come era stata subito guarita. [48]Egli le disse: « Figlia, la tua fede ti ha salvata, va' in pace! ». [49]Stava ancora parlando quando venne uno della casa

[49] Mt 9,18-26; Mc 5,21-43.

del capo della sinagoga a dirgli: « Tua figlia è morta, non disturbare più il maestro ». [50]Ma Gesù che aveva udito rispose: « Non temere, soltanto abbi fede e sarà salvata ». [51]Giunto alla casa, non lasciò entrare nessuno con sé, all'infuori di Pietro, Giovanni e Giacomo e il padre e la madre della fanciulla. [52]Tutti piangevano e facevano il lamento su di lei. Gesù disse: « Non piangete, perché non è morta, ma dorme ». [53]Essi lo deridevano, sapendo che era morta, [54]ma egli, prendendole la mano, disse ad alta voce: « Fanciulla, alzati! ». [55]Il suo spirito ritornò in lei ed ella si alzò all'istante. Egli ordinò di darle da mangiare. [56]I genitori ne furono sbalorditi, ma egli raccomandò loro di non raccontare a nessuno ciò che era accaduto

**9** **L'investitura dei Dodici.** [1]Egli allora chiamò a sé i Dodici e diede loro potere e autorità su tutti i demòni e di curare le malattie. [2]E li mandò ad annunziare il regno di Dio e a guarire gli infermi. [3]Disse loro: « Non prendete nulla per il viaggio, né bastone, né bisaccia, né pane, né denaro, né due tuniche per ciascuno. [4]In qualunque casa entriate, là rimanete e di là poi riprendete il cammino. [5]Quanto a coloro che non vi accolgono, nell'uscire dalla loro città, scuotete la polvere dai vostri piedi, a testimonianza contro di essi ». [6]Allora essi partirono e giravano di villaggio in villaggio, annunziando dovunque la buona novella e operando guarigioni.

**L'opinione pubblica su Gesù.** [7]Intanto il tetrarca Erode sentì parlare di tutti questi avvenimenti e non sapeva che cosa pensare, perché alcuni dicevano: « Giovanni è risuscitato dai morti », [8]altri: « È apparso Elia », e altri ancora: « È risorto uno degli antichi profeti ». [9]Ma Erode diceva: « Giovanni l'ho fatto de-

9. [1] Mt 10,1.7.9-11.14; Mc 6,7-13.          decapitazione del Battista v. Mt
[7] Mt 14,1-2; Mc 6,14-16: per la          14,3-12; Mc 6,17-29.

capitare io; chi è dunque costui, del quale sento dire tali cose? ». E cercava di vederlo.

**Il ritorno degli apostoli.** [10]Al loro ritorno, gli apostoli raccontarono a Gesù tutto quello che avevano fatto. Allora li prese con sé e si ritirò verso una città chiamata Betsàida. [11]Ma le folle lo seppero e lo seguirono. Egli le accolse e prese a parlar loro del regno di Dio e a guarire quanti avevan bisogno di cure.

**La moltiplicazione dei pani.** [12]Il giorno cominciava a declinare e i Dodici gli si avvicinarono dicendo: « Congeda la folla, perché vada nei villaggi e nelle campagne dintorno per alloggiare e trovar cibo, poiché qui siamo in una zona deserta ». [13]Gesù disse loro: « Dategli voi stessi da mangiare ». Ma essi risposero: « Non abbiamo che cinque pani e due pesci, a meno che non andiamo noi a comprare viveri per tutta questa gente ». [14]C'erano infatti circa cinque mila uomini. Egli disse ai discepoli: « Fateli sedere per gruppi di cinquanta ». [15]Così fecero e li invitarono a sedersi tutti quanti. [16]Allora egli prese i cinque pani e i due pesci e, levati gli occhi al cielo, li benedisse, li spezzò e li diede ai discepoli perché li distribuissero alla folla. [17]Tutti mangiarono e si saziarono e delle parti loro avanzate furono portate via dodici ceste.

**La « confessione » di Pietro e il primo annunzio della Passione.** [18]Un giorno, mentre Gesù si trovava in un luogo appartato a pregare e i discepoli erano con lui, pose loro questa domanda: « Chi sono io secondo la gente? ». [19]Essi risposero: « Per alcuni Giovanni il Battista, per altri Elia, per altri uno degli antichi

[12] Mt 14,13-21; Mc 6,30-44; Gv 6,1-13: è il solo miracolo raccontato da tutti e quattro i vangeli.
[14] Cfr. Mt 14,21.

[18] Mt 16,13-23; Mc 8,27-33. « Un luogo » è la « regione di Cesarea di Filippo », città a circa 40 chilometri a nord del lago di Tiberiade.

profeti che è risorto ». [20]Allora domandò: « Ma voi chi
dite che io sia? ». Pietro, prendendo la parola, rispose:
« Il Cristo di Dio ». [21]Egli allora ordinò loro severamente di non riferirlo a nessuno. [22]« Il Figlio dell'uomo,
disse, deve soffrire molto, essere riprovato dagli anziani, dai sommi sacerdoti e dagli scribi, esser messo
a morte e risorgere il terzo giorno ».

**Come seguire Gesù.** [23]Poi, a tutti, diceva: « Se qualcuno vuol venire dietro a me, rinneghi se stesso, prenda la sua croce ogni giorno e mi segua. [24]Chi vorrà
salvare la propria vita, la perderà, ma chi perderà la
propria vita per me, la salverà. [25]Che giova all'uomo
guadagnare il mondo intero, se poi si perde o rovina
se stesso? [26]Chi si vergognerà di me e delle mie parole,
di lui si vergognerà il Figlio dell'uomo, quando verrà
nella gloria sua e del Padre e degli angeli santi. [27]In
verità vi dico: vi sono alcuni qui presenti, che non
morranno prima di aver visto il regno di Dio ».

**La trasfigurazione.** [28]Circa otto giorni dopo questi
discorsi, prese con sé Pietro, Giovanni e Giacomo e
salì sul monte a pregare. [29]E, mentre pregava, il suo
volto cambiò d'aspetto e la sua veste divenne candida
e sfolgorante. [30]Ed ecco due uomini parlavano con lui:
erano Mosè ed Elia, [31]apparsi nella loro gloria, e parlavano della sua dipartita che avrebbe portato a compimento a Gerusalemme. [32]Pietro e i suoi compagni erano
oppressi dal sonno; tuttavia restarono svegli e videro
la sua gloria e i due uomini che stavano con lui.
[33]Mentre questi si separavano da lui, Pietro disse a

[23] Mt 16,24-28; Mc 8,34-9,1.
[28] Mt 17,1-9; Mc 9,2-10.
[31] La dipartita è la morte. Lc
mette in evidenza che la fine tra-
gica di Cristo non è il risultato
delle circostanze, ma risponde a
un preciso piano di Dio, espresso dalle profezie: cfr. 24,26ss. È
ciò che equivalentemente dice la
trasfigurazione: Cristo Dio potrebbe sottrarsi a ogni potenza
umana.

Gesù: « Maestro, è bello per noi stare qui. Facciamo tre tende, una per te, una per Mosè e una per Elia ». Egli non sapeva quel che diceva. [34]Mentre parlava così, venne una nube e li avvolse; all'entrare in quella nube, ebbero paura. [35]E dalla nube uscì una voce, che diceva: « Questi è il Figlio mio, l'eletto; ascoltatelo ». [36]Appena la voce cessò, Gesù restò solo. Essi tacquero e in quei giorni non riferirono a nessuno nulla di ciò che avevano visto.

**Il fanciullo posseduto dal demonio.** [37]Il giorno seguente, quando furon discesi dal monte, una gran folla gli venne incontro. [38]A un tratto dalla folla un uomo si mise a gridare: « Maestro, ti prego di volgere lo sguardo a mio figlio, perché è l'unico che ho. [39]Ecco, uno spirito lo afferra e subito egli grida, lo scuote ed egli dà schiuma e solo a fatica se ne allontana lasciandolo sfinito. [40]Ho pregato i tuoi discepoli di scacciarlo, ma non ci sono riusciti ». [41]Gesù rispose: « O generazione incredula e perversa, fino a quando sarò con voi e vi sopporterò? Conducimi qui tuo figlio ». [42]Mentre questi si avvicinava, il demonio lo gettò per terra agitandolo con convulsioni. Gesù minacciò lo spirito immondo, risanò il fanciullo e lo consegnò a suo padre. [43]E tutti furono stupiti per la grandezza di Dio.

**Secondo annunzio della Passione.** Mentre tutti erano sbalorditi per tutte le cose che faceva, disse ai suoi discepoli: [44]« Mettetevi bene in mente queste parole: Il Figlio dell'uomo sta per esser consegnato in mano degli uomini ». [45]Ma essi non comprendevano questa frase; per loro restava così misteriosa che non ne comprendevano il senso e avevano paura a rivolgergli domande su tale argomento.

---

[37] Mt 17,14-18; Mc 9,14-27. Lc semplifica di molto il racconto di Mc.
[43] Mt 17,22-23; Mc 9,30-32.

[45] Dovranno aspettare la risurrezione di Cristo per capire: cfr. 24,25-27.44-46.

**Chi è il più grande.** [46]Frattanto sorse una discussione tra loro, chi di essi fosse il più grande. [47]Allora
Gesù, conoscendo il pensiero del loro cuore, prese
un fanciullo, se lo mise vicino e disse: [48]« Chi accoglie
questo fanciullo nel mio nome, accoglie me; e chi
accoglie me, accoglie colui che mi ha mandato. Poiché
chi è il più piccolo tra tutti voi, questi è grande ».

**« Chi non è contro di voi è per voi ».** [49]Giovanni
prese la parola dicendo: « Maestro, abbiamo visto un
tale che scacciava demòni nel tuo nome e glielo abbiamo impedito, perché non è con noi tra i tuoi seguaci ». [50]Ma Gesù gli rispose: « Non glielo impedite,
perché chi non è contro di voi, è per voi ».

# VIAGGIO VERSO GERUSALEMME
## (9,51-19,27)

**Un villaggio di Samaritani.** [51]Mentre stavano com-
piendosi i giorni in cui sarebbe stato tolto dal mondo,
si diresse decisamente verso Gerusalemme [52]e mandò
avanti dei messaggeri. Questi si incamminarono ed entrarono in un villaggio di Samaritani per fare i preparativi per lui. [53]Ma essi non vollero riceverlo, perché era diretto verso Gerusalemme. [54]Quando videro ciò,
i discepoli Giacomo e Giovanni dissero: « Signore,
vuoi che diciamo che *scenda un fuoco dal cielo e li
consumi?* ». [55]Ma Gesù si voltò e li rimproverò. [56]E si
avviarono verso un altro villaggio.

**Le condizioni del « discepolato ».** [57]Mentre andavano

---

[46] Mt 18,1-5; Mc 9,33-40. Siamo
qui di fronte ad un atteggiamento
assai poco evangelico degli apostoli.
[51] Di qui a 19,18 Lc inserisce
nell'itinerario di Gesù verso Gerusalemme, durato più di due

mesi, vari insegnamenti disincagliati
gliati dalla loro cronologia.
[53] Cfr. Gv 4,4.9.20. I Samaritani rifiutavano il tempio di Gerusalemme.
[54] Cfr. 2Re 1,10.12.
[57] Mt 8,19-22.

per la strada, un tale gli disse: « Ti seguirò dovunque
tu vada ». [58]Gesù gli rispose: « Le volpi hanno le loro
tane e gli uccelli del cielo i loro nidi, ma il Figlio del-
l'uomo non ha dove posare il capo ». [59]A un altro disse:
« Seguimi ». E costui rispose: « Signore, concedimi di
andare a seppellire prima mio padre ». [60]Gesù replicò:
« Lascia che i morti seppelliscano i loro morti; tu va'
e annunzia il regno di Dio ». [61]Un altro disse: « Ti
seguirò, Signore, ma prima lascia che io mi congedi
da quelli di casa ». [62]Ma Gesù gli rispose: « Nessuno
che ha messo mano all'aratro e poi si volge indietro, è
adatto per il regno di Dio ».

**10** **La missione di settantadue discepoli.** [1]Dopo
questi fatti il Signore designò altri settantadue
discepoli e li inviò a due a due avanti a sé in ogni
città e luogo dove stava per recarsi. [2]Diceva loro: « La
messe è molta, ma gli operai sono pochi. Pregate dunque il padrone della messe perché mandi operai per la
sua messe. [3]Andate: ecco io vi mando come agnelli in
mezzo a lupi; [4]non portate borsa, né bisaccia, né sandali e non salutate nessuno lungo la strada. [5]In qualunque casa entriate, prima dite: Pace a questa casa.
[6]Se vi sarà un figlio della pace, la vostra pace scenderà su di lui, altrimenti ritornerà su di voi. [7]Restate
in quella casa, mangiando e bevendo di quello che
hanno, perché l'operaio è degno della sua mercede. Non
passate di casa in casa. [8]Quando entrerete in una città
e vi accoglieranno, mangiate quello che vi sarà messo
dinanzi, [9]curate i malati che vi si trovano, e dite loro:
Si è avvicinato a voi il regno di Dio. [10]Ma quando entrerete in una città e non vi accoglieranno, uscite sulle

**10.** [1] Mt 11,20-24; cfr. 9,37-38;
10,7-16. La notizia sui 72 discepoli si trova soltanto in Lc. Uno
di essi sostituì Giuda il traditore: cfr. At 1,21ss. Secondo una
concezione giudaica, i pagani era-

no sparsi in 72 nazioni — cioè
il mondo intero —: di qui il valore simbolico di 72.
[6] « Figlio della pace » è un modo
di dire ebraico per « uomo pa-
cifico ».

piazze e dite: [11]Anche la polvere della vostra città che si è attaccata ai nostri piedi, noi la scuotiamo contro di voi; sappiate però che il regno di Dio è vicino. [12]Io vi dico che in quel giorno Sòdoma sarà trattata meno duramente di quella città.

[13]Guai a te, Corazin, guai a te, Betsàida! Perché se in Tiro e Sidone fossero stati compiuti i miracoli compiuti tra voi, già da tempo si sarebbero convertiti vestendo il sacco e coprendosi di cenere. [14]Perciò nel giudizio Tiro e Sidone saranno trattate meno duramente di voi.

[15]E tu, Cafàrnao,
   *sarai innalzata fino al cielo?*
   *Fino agli inferi sarai precipitata!*

[16]Chi ascolta voi ascolta me, chi disprezza voi disprezza me. E chi disprezza me disprezza colui che mi ha mandato ».

**Il ritorno dei settantadue.** [17]I settantadue tornarono pieni di gioia dicendo: « Signore, anche i demòni si sottomettono a noi nel tuo nome ». [18]Egli disse: « Io vedevo satana cadere dal cielo come la folgore. [19]Ecco, io vi ho dato il potere di camminare sopra i serpenti e gli scorpioni e sopra ogni potenza del nemico; nulla vi potrà danneggiare. [20]Non rallegratevi però perché i demòni si sottomettono a voi; rallegratevi piuttosto che i vostri nomi sono scritti nei cieli ».

**Il vangelo è rivelato ai semplici.** [21]In quello stesso istante Gesù esultò nello Spirito Santo e disse: « Io ti rendo lode, Padre, Signore del cielo e della terra, che hai nascosto queste cose ai dotti e ai sapienti e le hai rivelate ai piccoli. Sì, Padre, perché così a te è piaciuto. [22]Ogni cosa mi è stata affidata dal Padre mio e

---

[15] Citazione di Is 14,13.15. È un lamento profetico di Gesù.
[18-19] L'avvento di Cristo segna la

sconfitta del diavolo, il « nemico » del regno di Dio.
[21] Mt 11,25-27; cfr. 13,16-17.

nessuno sa chi è il Figlio se non il Padre, né chi è il
Padre se non il Figlio e colui al quale il Figlio lo voglia rivelare ».
[23]E volgendosi ai discepoli, in disparte, disse: « Beati
gli occhi che vedono ciò che voi vedete. [24]Vi dico che
molti profeti e re hanno desiderato vedere ciò che voi
vedete, ma non lo videro, e udire ciò che voi udite,
ma non l'udirono ».

**Il precetto dell'amore.** [25]Un dottore della legge si
alzò per metterlo alla prova: « Maestro, che devo fare
per ereditare la vita eterna? ». [26]Gesù gli disse: « Che
cosa sta scritto nella Legge? Che cosa vi leggi? ». [27]Co-
stui rispose: « *Amerai il Signore Dio tuo con tutto il
tuo cuore, con tutta la tua anima, con tutta la tua forza
e con tutta la tua mente e il prossimo tuo come te
stesso* ». [28]E Gesù: « Hai risposto bene; fa' questo e
vivrai ». [29]Ma quegli, volendo giustificarsi, disse a Gesù:
« E chi è il mio prossimo? ». [30]Gesù riprese:

**Parabola del buon Samaritano.** « Un uomo scendeva da Gerusalemme a Gèrico e incappò nei briganti
che lo spogliarono, lo percossero e poi se ne andarono,
lasciandolo mezzo morto. [31]Per caso, un sacerdote scendeva per quella medesima strada e quando lo vide
passò oltre dall'altra parte. [32]Anche un levita, giunto in
quel luogo, lo vide e passò oltre. [33]Invece un Samaritano, che era in viaggio, passandogli accanto lo vide
e n'ebbe compassione. [34]Gli si fece vicino, gli fasciò
le ferite, versandovi olio e vino; poi caricatolo sopra
il suo giumento, lo portò a una locanda e si prese cura
di lui. [35]Il giorno seguente, estrasse due denari e li

---

[27] Citazione del Dt 6,5 e del
Lv 19,18.
[30] Questa celebre parabola è raccontata soltanto da Lc. Gerico
(v. Mt 20,29) è nella più profonda depressione terrestre, a 250

m. sotto il livello del mare.
[32] I leviti erano i ministri in-
feriori del tempio.
[33] I Samaritani erano ritenuti dagli Ebrei incapaci di atti di religione.

diede all'albergatore, dicendo: Abbi cura di lui e ciò
che spenderai in più, te lo rifonderò al mio ritorno.
[36]Chi di questi tre ti sembra sia stato il prossimo di
colui che è incappato nei briganti? ». [37]Quelli rispose:
« Chi ha avuto compassione di lui ». Gesù gli disse:
« Va' e anche tu fa' lo stesso ».

**« Maria si è scelta la parte migliore ».** [38]Mentre erano in cammino, entrò in un villaggio e una donna,
di nome Marta, lo accolse nella sua casa. [39]Essa aveva
una sorella, di nome Maria, la quale, sedutasi ai piedi
di Gesù, ascoltava la sua parola; [40]Marta invece era
tutta presa dai molti servizi. Pertanto, fattasi avanti,
disse: « Signore, non ti curi che mia sorella mi ha
lasciata sola a servire? Dille dunque che mi aiuti ». [41]Ma
Gesù le rispose: « Marta, Marta, tu ti preoccupi e ti
agiti per molte cose, [42]ma una sola è la cosa di cui c'è
bisogno. Maria si è scelta la parte migliore, che non le
sarà tolta ».

**11** Il « **Padre nostro** ». [1]Un giorno Gesù si trovava
in un luogo a pregare e quando ebbe finito uno
dei discepoli gli disse: « Signore, insegnaci a pregare,
come anche Giovanni ha insegnato ai suoi discepoli ».
[2]Ed egli disse loro: « Quando pregate, dite:

> Padre, sia santificato il tuo nome,
> venga il tuo regno;
> [3]dacci ogni giorno il nostro pane quotidiano,
> [4]e perdonaci i nostri peccati,
> perché anche noi perdoniamo ad ogni nostro debitore,
> e non ci indurre in tentazione ».

[38] Il villaggio è Betania: v. Gv
11,1. Anche questo delicato episodio è nel solo Lc.
[41-42] Marta si preoccupa troppo
di cose materiali; Maria ha scelto
quella più necessaria: ascoltare
Gesù.

**11.** [1]Mt 6,9-13; cfr. 7,7-11. Lc
inquadra cronologicamente il Padre nostro e ne dà una formula
più breve, ma sostanzialmente
identica, nella quale sono omesse
o attenuate espressioni tipicamen-
te ebraiche.

« **Chiedete e vi sarà dato** ». [5]Poi aggiunse: « Se uno di voi ha un amico e va da lui a mezzanotte a dirgli: Amico, prestami tre pani, [6]perché è giunto da me un amico da un viaggio e non ho nulla da mettergli davanti; [7]e se quegli dall'interno gli risponde: Non m'importunare, la porta è già chiusa e i miei bambini sono a letto con me, non posso alzarmi per darteli; [8]vi dico che, se anche non si alzerà a darglieli per amicizia, si alzerà a dargliene quanti gliene occorrono almeno per la sua insistenza.

[9]Ebbene io vi dico: Chiedete e vi sarà dato, cercate e troverete, bussate e vi sarà aperto. [10]Perché chi chiede ottiene, chi cerca trova, e a chi bussa sarà aperto. [11]Quale padre tra voi, se il figlio gli chiede un pesce, gli darà al posto del pesce una serpe? [12]O se gli chiede un uovo, gli darà uno scorpione? [13]Se dunque voi, che siete cattivi, sapete dare cose buone ai vostri figli, quanto più il Padre vostro celeste darà lo Spirito Santo a coloro che glielo chiedono! ».

**Gesù non è un agente di Beelzebùl!** [14]Gesù stava scacciando un demonio che era muto. Uscito il demonio, il muto cominciò a parlare e le folle rimasero meravigliate. [15]Ma alcuni dissero: « È in nome di Beelzebùl, capo dei demòni, che egli scaccia i demòni ». [16]Altri poi, per metterlo alla prova, gli domandavano un segno dal cielo. [17]Egli, conoscendo i loro pensieri, disse: « Ogni regno diviso in se stesso va in rovina e una casa cade sull'altra. [18]Ora, se anche satana è diviso in se stesso, come potrà stare in piedi il suo regno? Voi dite che io scaccio i demòni in nome di Beelzebùl. [19]Ma se io scaccio i demòni in nome di Beelzebùl, i vostri discepoli in nome di chi li scacciano? Perciò essi stessi saranno i vostri giudici. [20]Se invece

---

[5] La pittoresca parabola è solo in Lc. Il richiedente "importuno" è l'immagine del discepolo di Gesù.

[14] Cfr. Mt 12,22-30.43-45; Mc 3, 22-27.

[20] Il dito di Dio: cfr. Mt 12,28.

io scaccio i demòni con il dito di Dio, è dunque giunto a voi il regno di Dio. [21]Quando un uomo forte, bene armato, fa la guardia al suo palazzo, tutti i suoi beni stanno al sicuro. [22]Ma se arriva uno più forte di lui e lo vince, gli strappa via l'armatura nella quale confidava e ne distribuisce il bottino. [23]Chi non è con me, è contro di me; e chi non raccoglie con me, disperde. [24]Quando lo spirito immondo esce dall'uomo, si aggira per luoghi aridi in cerca di riposo e, non trovandone, dice: Ritornerò nella mia casa da cui sono uscito. [25]Venuto, la trova spazzata e adorna. [26]Allora va, prende con sé altri sette spiriti peggiori di lui ed essi entrano e vi alloggiano e la condizione finale di quell'uomo diventa peggiore della prima ».

**La vera « beatitudine ».** [27]Mentre diceva questo, una donna alzò la voce di mezzo alla folla e disse: « Beato il ventre che ti ha portato e il seno da cui hai preso il latte! ». [28]Ma egli disse: « Beati piuttosto coloro che ascoltano la parola di Dio e la osservano! ».

**Il segno di Giona.** [29]Mentre le folle si accalcavano, Gesù cominciò a dire: « Questa generazione è una generazione malvagia; essa cerca un segno, ma non le sarà dato nessun segno fuorché il segno di Giona. [30]Poiché come Giona fu un segno per quelli di Nìnive, così anche il Figlio dell'uomo lo sarà per questa generazione. [31]La regina del sud sorgerà nel giudizio insieme con gli uomini di questa generazione e li condannerà; perché essa venne dalle estremità della terra per ascoltare la sapienza di Salomone. Ed ecco, ben più di Salomone c'è

---

[27] L'evangelista sembra voler indicare l'avveramento della profezia di Elisabetta (1,42-45) e di Maria (1,48).

[28] Maria fu la perfetta discepola di Gesù nell'osservare la parola di Dio: v. 1,38.
[29] Mt 12,38-42.

qui. ³²Quelli di Nìnive sorgeranno nel giudizio insieme con questa generazione e la condanneranno; perché essi alla predicazione di Giona si convertirono. Ed ecco, ben più di Giona c'è qui.

**La parabola della lucerna.** ³³Nessuno accende una lucerna e la mette in luogo nascosto o sotto il moggio, ma sopra il lucerniere, perché quanti entrano vedano la luce. ³⁴La lucerna del tuo corpo è l'occhio. Se il tuo occhio è sano, anche il tuo corpo è tutto nella luce; ma se è malato, anche il tuo corpo è nelle tenebre. ³⁵Bada dunque che la luce che è in te non sia tenebra. ³⁶Se il tuo corpo è tutto luminoso, senza avere alcuna parte nelle tenebre, tutto sarà luminoso, come quando la lucerna ti illumina con il suo bagliore ».

**« Guai a voi, farisei! ».** ³⁷Dopo che ebbe finito di parlare, un fariseo lo invitò a pranzo. Egli entrò e si mise a tavola. ³⁸Il fariseo si meravigliò che non avesse fatto le abluzioni prima del pranzo. ³⁹Allora il Signore gli disse: « Voi farisei purificate l'esterno della coppa e del piatto, ma il vostro interno è pieno di rapina e di iniquità. ⁴⁰Stolti! Colui che ha fatto l'esterno non ha forse fatto anche l'interno? ⁴¹Piuttosto date in elemosina quel che c'è dentro, ed ecco, tutto per voi sarà mondo. ⁴²Ma guai a voi, farisei, che pagate la decima della menta, della ruta e di ogni erbaggio, e poi trasgredite la giustizia e l'amore di Dio. Queste cose bisognava curare senza trascurare le altre. ⁴³Guai a voi, farisei, che avete cari i primi posti nelle sinagoghe e i saluti sulle piazze. ⁴⁴Guai a voi perché siete come quei sepolcri che non si vedono e la gente vi passa sopra senza saperlo ».

---

³⁴⁻³⁶ Cfr. Mt 6,22-23. I ben disposti accolgono la parola di Cristo.

³⁷ Cfr. Mt 15,1-2; 23,1-36; Mc 7,1. Gesù accettava volentieri inviti a pranzo.

« Guai anche a voi, dottori della legge! ». [45]Uno dei dottori della legge intervenne: « Maestro, dicendo questo, offendi anche noi ». [46]Egli rispose: « Guai anche a voi, dottori della legge, che caricate gli uomini di pesi insopportabili, e quei pesi voi non li toccate nemmeno con un dito! [47]Guai a voi, che costruite i sepolcri dei profeti, e i vostri padri li hanno uccisi. [48]Così voi date la testimonianza e approvazione alle opere dei vostri padri: essi li uccisero e voi costruite loro i sepolcri. [49]Per questo la sapienza di Dio ha detto: Manderò a loro profeti e apostoli ed essi li uccideranno e perseguiteranno; [50]perché sia chiesto conto a questa generazione del sangue di tutti i profeti, versato fin dall'inizio del mondo, [51]dal sangue di Abele fino al sangue di Zaccaria, che fu ucciso tra l'altare e il santuario. Sì, vi dico, ne sarà chiesto conto a questa generazione. [52]Guai a voi, dottori della legge, che avete tolto la chiave della scienza. Voi non siete entrati, e a quelli che volevano entrare l'avete impedito ».
[53]Quando fu uscito di là, gli scribi e i farisei cominciarono a trattarlo ostilmente e a farlo parlare su molti argomenti, [54]tendendogli insidie, per sorprenderlo in qualche parola uscita dalla sua stessa bocca.

**12** Parlare apertamente e senza timore. [1]Nel frattempo, radunatesi migliaia di persone che si calpestavano a vicenda, Gesù cominciò a dire anzitutto ai discepoli: « Guardatevi dal lievito dei farisei, che è l'ipocrisia. [2]Non c'è nulla di nascosto che non sarà svelato, né di segreto che non sarà conosciuto. [3]Pertanto ciò che avrete detto nelle tenebre, sarà udito in piena luce; e ciò che avrete detto all'orecchio nelle stanze più interne, sarà annunziato sui tetti.

**Chi bisogna temere.** [4]A voi miei amici, dico: Non

12. [1] Mt 10,26-33. Gesù parla ai     suoi discepoli che chiama "amici".

temete coloro che uccidono il corpo e dopo non possono far più nulla. [5]Vi mostrerò invece chi dovete temere: temete Colui che, dopo aver ucciso, ha il potere di gettare nella Geenna. Sì, ve lo dico, temete Costui. [6]Cinque passeri non si vendono forse per due soldi? Eppure nemmeno uno di essi è dimenticato davanti a Dio. [7]Anche i capelli del vostro capo sono tutti contati. Non temete, voi valete più di molti passeri.

**Avvertimenti diversi.** [8]Inoltre vi dico: Chiunque mi riconoscerà davanti agli uomini, anche il Figlio dell'uomo lo riconoscerà davanti agli angeli di Dio; [9]ma chi mi rinnegherà davanti agli uomini sarà rinnegato davanti agli angeli di Dio.
[10]Chiunque parlerà contro il Figlio dell'uomo gli sarà perdonato, ma chi bestemmierà lo Spirito Santo non gli sarà perdonato.
[11]Quando vi condurranno davanti alle sinagoghe, ai magistrati e alle autorità, non preoccupatevi come discolparvi o che cosa dire; [12]perché lo Spirito Santo vi insegnerà in quel momento ciò che bisogna dire ».

**Guardarsi dall'avarizia.** [13]Uno della folla gli disse: « Maestro, di' a mio fratello che divida con me l'eredità ». [14]Ma egli rispose: « O uomo, chi mi ha costituito giudice o mediatore sopra di voi? ». [15]E disse loro: « Guardatevi e tenetevi lontano da ogni cupidigia, perché anche se uno è nell'abbondanza, la sua vita non dipende dai suoi beni ». [16]Disse poi una parabola: « La campagna di un uomo ricco aveva dato un buon raccolto. [17]Egli ragionava tra sé: Che farò, poiché non ho dove riporre i miei raccolti? [18]E disse: Farò così: demolirò i miei magazzini e ne costruirò di più grandi e vi raccoglierò tutto il grano e i miei beni. [19]Poi dirò a me stesso: Anima mia, hai a disposizione molti beni,

13-21 Il racconto e la provocante     parabola sono propri di Luca.

per molti anni; riposati, mangia, bevi e datti alla gioia. [20]Ma Dio gli disse: Stolto, questa notte stessa ti sarà richiesta la tua vita. E quello che hai preparato di chi sarà? [21]Così è di chi accumula tesori per sé, e non arricchisce davanti a Dio ».

**Abbandonarsi alla Provvidenza.** [22]Poi disse ai discepoli: « Per questo io vi dico: Non datevi pensiero per la vostra vita, di quello che mangerete; né per il vostro corpo, come lo vestirete. [23]La vita vale più del cibo e il corpo più del vestito. [24]Guardate i corvi: non seminano e non mietono, non hanno ripostiglio né granaio, e Dio li nutre. Quanto più degli uccelli voi valete! [25]Chi di voi, per quanto si affanni, può aggiungere un'ora sola alla sua vita? [26]Se dunque non avete potere neanche per la più piccola cosa, perché vi affannate del resto? [27]Guardate i gigli, come crescono: non filano, non tessono; eppure io vi dico che neanche Salomone, con tutta la sua gloria, vestiva come uno di loro. [28]Se dunque Dio veste così l'erba del campo, che oggi c'è e domani si getta nel forno, quanto più voi, gente di poca fede? [29]Non cercate perciò che cosa mangerete e berrete, e non state con l'animo in ansia; [30]di tutte queste cose si preoccupa la gente del mondo; ma il Padre vostro sa che ne avete bisogno. [31]Cercate piuttosto il regno di Dio, e queste cose vi saranno date in aggiunta.

[32]Non temere, piccolo gregge, perché al Padre vostro è piaciuto di darvi il suo regno.

**« Vendete ciò che avete... ».** [33]Vendete ciò che avete e datelo in elemosina; fatevi borse che non invecchiano, un tesoro inesauribile nei cieli, dove i ladri non arrivano e la tignola non consuma. [34]Perché dove è il vostro tesoro, là sarà anche il vostro cuore.

[22] Mt 6,25-33.

**Essere sempre vigilanti.** [35]Siate pronti, con la cintura ai fianchi e le lucerne accese; [36]siate simili a coloro che aspettano il padrone quando torna dalle nozze, per aprirgli subito, appena arriva e bussa. [37]Beati quei servi che il padrone al suo ritorno troverà ancora svegli; in verità vi dico, si cingerà le sue vesti, li farà mettere a tavola e passerà a servirli. [38]E se, giungendo nel mezzo della notte o prima dell'alba, li troverà così, beati loro! [39]Sappiate bene questo: se il padrone di casa sapesse a che ora viene il ladro, non si lascerebbe scassinare la casa. [40]Anche voi tenetevi pronti, perché il Figlio dell'uomo verrà nell'ora che non pensate ».

[41]Allora Pietro disse: « Signore, questa parabola la dici per noi o anche per tutti? ». [42]Il Signore rispose: « Qual è dunque l'amministratore fedele e saggio, che il Signore porrà a capo della sua servitù, per distribuire a tempo debito la razione di cibo? [43]Beato quel servo che il padrone, arrivando, troverà al suo lavoro. [44]In verità vi dico, lo metterà a capo di tutti i suoi averi. [45]Ma se quel servo dicesse in cuor suo: Il padrone tarda a venire, e cominciasse a percuotere i servi e le serve, a mangiare, a bere e a ubriacarsi, [46]il padrone di quel servo arriverà nel giorno in cui meno se l'aspetta e in un'ora che non sa e lo punirà con rigore assegnandogli il posto fra gli infedeli. [47]Il servo che, conoscendo la volontà del padrone, non avrà disposto o agito secondo la sua volontà, riceverà molte percosse; [48]quello invece che, non conoscendola, avrà fatto cose meritevoli di percosse, ne riceverà poche. A chiunque fu dato molto, molto sarà chiesto; a chi fu affidato molto, sarà richiesto molto di più.

**O per Gesù o contro Gesù.** [49]Sono venuto a portare il fuoco sulla terra; e come vorrei che fosse già acceso!

---

[35] Mt 24,42-50. Esortazione alla vigilanza in attesa del ritorno glorioso di Cristo.

[49-50] Il fuoco può essere lo Spirito Santo purificatore o la carità. Il battesimo è il battesimo di

[50]C'è un battesimo che devo ricevere; e come sono angosciato, finché non sia compiuto! [51]Pensate che io sia venuto a portare la pace sulla terra? No, vi dico, ma la divisione. [52]D'ora innanzi in una casa di cinque persone [53]si divideranno tre contro due e due contro tre;

padre contro figlio e *figlio contro padre*,

madre contro figlia e *figlia contro madre*,

suocera contro nuora e *nuora contro suocera* ».

**I segni dei tempi.** [54]Diceva ancora alle folle: « Quando vedete una nuvola salire da ponente, subito dite: Viene la pioggia, e così accade. [55]E quando soffia lo scirocco, dite: Ci sarà caldo, e così accade. [56]Ipocriti! Sapete giudicare l'aspetto della terra e del cielo, come mai questo tempo non sapete giudicarlo? [57]E perché non giudicate dai voi stessi ciò che è giusto? [58]Quando vai con il tuo avversario davanti al magistrato, lungo la strada procura di accordarti con lui, perché non ti trascini davanti al giudice e il giudice ti consegni all'esecutore e questi ti getti in prigione. [59]Ti assicuro, non ne uscirai finché non avrai pagato fino all'ultimo spicciolo ».

**13** **La necessità della penitenza.** [1]In quello stesso tempo si presentarono alcuni a riferirgli circa quei Galilei, il cui sangue Pilato aveva mescolato con quello dei loro sacrifici. [2]Prendendo la parola, Gesù rispose: « Credete che quei Galilei fossero più peccatori di tutti i Galilei, per aver subìto tale sorte? [3]No, vi dico, ma se non vi convertite, perirete tutti allo stesso modo. [4]O quei diciotto, sopra i quali rovinò la torre di Sìloe e li

---

[50] sangue della Passione: cfr. Mc 10,39.
[51] Mt 10,34-35.
[53] Per le parole in corsivo cfr. Mic 7,6.
[54] Mt 16,2-3.
[56] I farisei non sanno riconoscere il tempo della salvezza.

[58-59] Mt 5,25-26; Mc 12,42.
**13.** [1] Si ignorano le circostanze precise del fatto. I tumulti popolari, a sfondo messianico, esplodevano specialmente in occasione delle grandi feste religiose.
[4] Altro fatto noto solo da questa notizia; per Siloe cfr. Gv 9,7.

uccise, credete che fossero più colpevoli di tutti gli abitanti di Gerusalemme? [5]No, vi dico, ma se non vi convertite, perirete tutti allo stesso modo ».

**Parabola del fico infruttuoso.** [6]Disse anche questa parabola: « Un tale aveva un fico piantato nella vigna e venne a cercarvi frutti, ma non ne trovò. [7]Allora disse al vignaiolo: Ecco, son tre anni che vengo a cercare frutti su questo fico, ma non ne trovo. Taglialo. Perché deve sfruttare il terreno? [8]Ma quegli rispose: Padrone, lascialo ancora quest'anno, finché io gli zappi attorno e vi metta il concime [9]e vedremo se porterà frutto per l'avvenire; se no, lo taglierai ».

**Guarigione della donna inferma, in giorno di sabato.** [10]Una volta stava insegnando in una sinagoga il giorno di sabato. [11]C'era là una donna che aveva da diciotto anni uno spirito che la teneva inferma; era curva e non poteva drizzarsi in nessun modo. [12]Gesù la vide, la chiamò a sé e le disse: « Donna, sei libera dalla tua infermità », [13]e le impose le mani. Subito quella si raddrizzò e glorificava Dio.

[14]Ma il capo della sinagoga, sdegnato perché Gesù aveva operato quella guarigione di sabato, rivolgendosi alla folla disse: « Ci sono sei giorni in cui si deve lavorare; in quelli dunque venite a farvi curare e non in giorno di sabato ». [15]Il Signore replicò: « Ipocriti, non scioglie forse, di sabato, ciascuno di voi il bue o l'asino dalla mangiatoia, per condurlo ad abbeverarlo? [16]Questa figlia di Abramo, che satana ha tenuto legata diciott'anni, non doveva essere sciolta da questo legame in giorno di sabato? ». [17]Quando egli diceva queste cose, tutti i suoi avversari si vergognavano, mentre la folla intera esultava per tutte le meraviglie da lui compiute.

---

[6] La parabola è riferita soltanto da Lc. Se Israele non si convertirà sarà escluso dal regno di Dio.

**Due parabole del Regno.** [18]Diceva dunque: « A che cosa è simile il regno di Dio, e a che cosa lo rassomiglierò? [19]È simile a un granellino di senapa, che un uomo ha preso e gettato nell'orto; poi è cresciuto e diventato un arbusto, e gli uccelli del cielo si sono posati tra i suoi rami ».
[20]E ancora: « A che cosa rassomiglierò il regno di Dio? [21]È simile al lievito che una donna ha preso e nascosto in tre staia di farina, finché sia tutta fermentata ».
[22]Passava per città e villaggi, insegnando, mentre camminava verso Gerusalemme. [23]Un tale gli chiese: « Signore, sono pochi quelli che si salvano? ». Rispose: [24]« Sforzatevi di entrare per la porta stretta, perché molti, vi dico, cercheranno di entrarvi, ma non ci riusciranno. [25]Quando il padrone di casa si alzerà e chiuderà la porta, rimasti fuori, comincerete a bussare alla porta, dicendo: Signore, aprici. Ma egli vi risponderà: Non vi conosco, non so di dove siete. [26]Allora comincerete a dire: Abbiamo mangiato e bevuto in tua presenza e tu hai insegnato nelle nostre piazze. [27]Ma egli dichiarerà: Vi dico che non so di dove siete. Allontanatevi da me voi tutti operatori d'iniquità! [28]Là ci sarà pianto e stridore di denti quando vedrete Abramo, Isacco e Giacobbe e tutti i profeti nel regno di Dio e voi cacciati fuori. [29]Verranno da oriente e da occidente, da settentrione e da mezzogiorno e siederanno a mensa nel regno di Dio. [30]Ed ecco, ci sono alcuni tra gli ultimi che saranno primi e alcuni tra i primi che saranno ultimi ».

**« Gerusalemme, Gerusalemme, che uccidi i profeti!... ».** [31]In quel momento si avvicinarono alcuni farisei a dirgli: « Parti e vattene via di qui, perché

---

[18] Mt 13,31-33; Mc 4,30-32.
[21] Mt 13,33.
[24] Confronta Mt 7,13-14.21-22; 8, 11-12.

[30] Cfr. Mt 19,30; Mc 10,31.
[31] Cfr. Mt 23,37-39. Erode Antipa, che aveva assassinato il Battista, forse aveva messo in giro

Erode ti vuole uccidere ». <sup>32</sup>Egli rispose: « Andate a dire a quella volpe: Ecco, io scaccio i demòni e compio guarigioni oggi e domani; e il terzo giorno avrò finito. <sup>33</sup>Però è necessario che oggi, domani e il giorno seguente io vada per la mia strada, perché non è possibile che un profeta muoia fuori di Gerusalemme.
<sup>34</sup>Gerusalemme, Gerusalemme, che uccidi i profeti e lapidi coloro che sono mandati a te, quante volte ho voluto raccogliere i tuoi figli come una gallina la sua covata sotto le ali e voi non avete voluto! <sup>35</sup>Ecco, *la vostra casa vi viene lasciata deserta!* Vi dico infatti che non mi vedrete più fino al tempo in cui direte: *Benedetto colui che viene nel nome del Signore!* ».

# 14 Guarigione di un idropico, in giorno di sabato.

<sup>1</sup>Un sabato era entrato in casa di uno dei capi dei farisei per pranzare e la gente stava ad osservarlo. <sup>2</sup>Davanti a lui stava un idropico. <sup>3</sup>Rivolgendosi ai dottori della legge e ai farisei, Gesù disse: « È lecito o no curare di sabato? ». <sup>4</sup>Ma essi tacquero. Egli lo prese per mano, lo guarì e lo congedò. <sup>5</sup>Poi disse: « Chi di voi, se un asino o un bue gli cade nel pozzo, non lo tirerà subito fuori in giorno di sabato? ». <sup>6</sup>E non potevano rispondere nulla a queste parole.

## Occupare l'ultimo posto.

<sup>7</sup>Osservando poi come gli invitati sceglievano i primi posti, disse loro una parabola: <sup>8</sup>« Quando sei invitato a nozze da qualcuno, non metterti al primo posto, perché non ci sia un altro invitato più ragguardevole di te <sup>9</sup>e colui che ha invitato te e lui venga a dirti: Cedigli il posto! Allora dovrai con vergogna occupare l'ultimo posto. <sup>10</sup>Invece

---

la voce che intendeva sbarazzarsi anche di Gesù, il quale perciò lo chiamerebbe: volpe.
<sup>32</sup> Oggi, domani e il giorno seguente è forse un modo di dire

per indicare un tempo piuttosto breve.
<sup>34</sup> Cfr. Mt 23,37ss.
<sup>35</sup> Cfr. Ger 22,5; 12,7 e Sal 117,26.

quando sei invitato, va' a metterti all'ultimo posto, perché venendo colui che ti ha invitato ti dica: Amico, passa più avanti. Allora ne avrai onore davanti a tutti i commensali. ¹¹Perché chiunque si esalta sarà umiliato, e chi si umilia sarà esaltato ».

**Invitare i poveri.** ¹²Disse poi a colui che l'aveva invitato: « Quando offri un pranzo o una cena, non invitare i tuoi amici, né i tuoi fratelli, né i tuoi parenti, né i ricchi vicini, perché anch'essi non ti invitino a loro volta e tu abbia il contraccambio. ¹³Al contrario, quando dai un banchetto, invita poveri, storpi, zoppi, ciechi; ¹⁴e sarai beato perché non hanno da ricambiarti. Riceverai infatti la tua ricompensa alla risurrezione dei giusti ».

**Parabola degli invitati sostituiti dai poveri.** ¹⁵Uno dei commensali, avendo udito ciò, gli disse: « Beato chi mangerà il pane nel regno di Dio! ». ¹⁶Gesù rispose: « Un uomo diede una grande cena e fece molti inviti. ¹⁷All'ora della cena, mandò il suo servo a dire agli invitati: Venite, è pronto. ¹⁸Ma tutti, all'unanimità, cominciarono a scusarsi. Il primo disse: Ho comprato un campo e devo andare a vederlo; ti prego, considerami giustificato. ¹⁹Un altro disse: Ho comprato cinque paia di buoi e vado a provarli; ti prego, considerami giustificato. ²⁰Un altro disse: Ho preso moglie e perciò non posso venire. ²¹Al suo ritorno il servo riferì tutto questo al padrone. Allora il padrone di casa, irritato, disse al servo: Esci subito per le piazze e per le vie della città e conduci qui poveri, storpi, ciechi e zoppi. ²²Il servo disse: Signore, è stato fatto come hai ordinato, ma c'è ancora posto. ²³Il padrone allora disse al servo: Esci per le strade e lungo le siepi, spingili a entrare, perché la mia casa si riempia. ²⁴Perché vi dico:

**14.** ¹⁵ Cfr. Mt 22,2-10: al banchetto messianico prenderanno parte gli « esclusi » e saranno invece esclusi gli « aventi diritto ».

Nessuno di quegli uomini che erano stati invitati assaggerà la mia cena ».

**Per seguire Gesù, occorre rinunciare a quanto si ha di caro.** [25]Siccome molta gente andava con lui, egli si voltò e disse: [26]« Se uno viene a me e non odia suo padre, sua madre, la moglie, i figli, i fratelli, le sorelle e perfino la propria vita, non può essere mio discepolo. [27]Chi non porta la propria croce e non viene dietro di me, non può essere mio discepolo. [28]Chi di voi, volendo costruire una torre, non si siede prima a calcolarne la spesa, se ha i mezzi per portarla a compimento? [29]Per evitare che, se getta le fondamenta e non può finire il lavoro, tutti coloro che vedono comincino a deriderlo, dicendo: [30]Costui ha iniziato a costruire, ma non è stato capace di finire il lavoro. [31]Oppure quale re, partendo in guerra contro un altro re, non siede prima a esaminare se può affrontare con diecimila uomini chi gli viene incontro con ventimila? [32]Se no, mentre l'altro è ancora lontano, gli manda un'ambasceria per la pace. [33]Così chiunque di voi non rinunzia a tutti i suoi averi, non può essere mio discepolo.

**Non diventare insipidi!** [34]Il sale è buono, ma se anche il sale perdesse il sapore, con che cosa lo si salerà? [35]Non serve né per la terra né per il concime e così lo buttano via. Chi ha orecchi per intendere, intenda ».

**15** **Parabola della pecora smarrita.** [1]Si avvicinavano a lui tutti i pubblicani e i peccatori per ascoltarlo. [2]I farisei e gli scribi mormoravano: « Costui

---

[25] Mt 10,37-38.
[26] Odiare, nel senso biblico di amar meno; il senso è: chi non mi preferisce a suo padre, ecc.
**15.** [1] Cfr. Mt 18,12-14. Nelle tre parabole di questo c., due delle quali raccolte dal solo Lc,

Gesù non giustifica il suo atteggiamento verso i peccatori, ma, innalzandosi sui suoi accusatori, propone il mistero del peccato e dell'amore misericordioso e imprevedibile di Dio.
[2] Cfr. Mt 9,11.

riceve i peccatori e mangia con loro ». [3]Allora egli disse loro questa parabola: [4]« Chi di voi se ha cento pecore e ne perde una, non lascia le novantanove nel deserto e va dietro a quella perduta, finché non la ritrova? [5]Ritrovatala, se la mette in spalla tutto contento, [6]va a casa, chiama gli amici e i vicini dicendo: Rallegratevi con me, perché ho trovato la mia pecora che era perduta. [7]Così, vi dico, vi sarà più gioia in cielo per un peccatore convertito, che per novantanove giusti che non hanno bisogno di conversione.

**Parabola della dramma smarrita.** [8]O quale donna, se ha dieci dramme e ne perde una, non accende la lucerna e spazza la casa e cerca attentamente finché non la ritrova? [9]E dopo averla trovata, chiama le amiche e le vicine, dicendo: Rallegratevi con me, perché ho ritrovato la dramma che avevo perduta. [10]Così, vi dico, c'è gioia davanti agli angeli di Dio per un solo peccatore che si converte ».

**Parabola dei due figli (o del « figlio prodigo »).** [11]Disse ancora: « Un uomo aveva due figli. [12]Il più giovane disse al padre: Padre, dammi la parte del patrimonio che mi spetta. E il padre divise tra loro le sostanze. [13]Dopo non molti giorni, il figlio più giovane, raccolte le sue cose, partì per un paese lontano e là sperperò le sue sostanze vivendo da dissoluto. [14]Quando ebbe speso tutto, in quel paese venne una grande carestia ed egli cominciò a trovarsi nel bisogno. [15]Allora andò e si mise a servizio di uno degli abitanti di quella regione, che lo mandò nei campi a pascolare i

---

[7] Più gioia, nel senso che il peccatore era in pericolo mortale.
[8] La dramma era una moneta greca, corrispondente al denaro.
[11] In questa stupenda parabola — una delle più famose del vangelo — la scena è dominata dal Padre,

il cui amore è incompreso sia dal figlio perduto, che non pensa di poter essere riabilitato del tutto, sia dal figlio buono, che rappresenta la grettezza farisaica.
[15] I porci erano per gli Ebrei animali impuri.

porci. [16]Avrebbe voluto saziarsi con le carrube che mangiavano i porci; ma nessuno gliene dava. [17]Allora rientrò in se stesso e disse: Quanti salariati in casa di mio padre hanno pane in abbondanza e io qui muoio di fame! [18]Mi leverò e andrò da mio padre e gli dirò: Padre, ho peccato contro il Cielo e contro di te; [19]non sono più degno di esser chiamato tuo figlio. Trattami come uno dei tuoi garzoni. [20]Partì e si incamminò verso suo padre.

Quando era ancora lontano il padre lo vide e commosso gli corse incontro, gli si gettò al collo e lo baciò. [21]Il figlio gli disse: Padre, ho peccato contro il Cielo e contro di te; non sono più degno di esser chiamato tuo figlio. [22]Ma il padre disse ai servi: Presto, portate qui il vestito più bello e rivestitelo, mettetegli l'anello al dito e i calzari ai piedi. [23]Portate il vitello grasso, ammazzatelo, mangiamo e facciamo festa, [24]perché questo mio figlio era morto ed è tornato in vita, era perduto ed è stato ritrovato. E cominciarono a far festa.

[25]Il figlio maggiore si trovava nei campi. Al ritorno, quando fu vicino a casa, udì la musica e le danze; [26]chiamò un servo e gli domandò che cosa fosse tutto ciò. [27]Il servo gli rispose: È tornato tuo fratello e il padre ha fatto ammazzare il vitello grasso, perché lo ha riavuto sano e salvo. [28]Egli si arrabbiò, e non voleva entrare. Il padre allora uscì a pregarlo. [29]Ma lui rispose a suo padre: Ecco, io ti servo da tanti anni e non ho mai trasgredito un tuo comando, e tu non mi hai dato mai un capretto per far festa con i miei amici. [30]Ma ora che questo tuo figlio che ha divorato i tuoi averi con le prostitute è tornato, per lui hai ammazzato il vitello grasso. [31]Gli rispose il padre: Figlio, tu sei sempre con me e tutto ciò che è mio è tuo; [32]ma bisognava far festa e rallegrarsi, perché questo tuo fratello era morto ed è tornato in vita, era perduto ed è stato ritrovato ».

# 16 Parabola dell'amministratore disonesto.

[1]Diceva anche ai discepoli: «C'era un uomo ricco che aveva un amministratore, e questi fu accusato dinanzi a lui di sperperare i suoi averi. [2]Lo chiamò e gli disse: Che è questo che sento dire di te? Rendi conto della tua amministrazione, perché non puoi più essere amministratore. [3]L'amministratore disse tra sé: Che farò ora che il mio padrone mi toglie l'amministrazione? Zappare, non ho forza, mendicare, mi vergogno. [4]So io che cosa fare perché, quando ‘sarò stato allontanato dall'amministrazione, ci sia qualcuno che mi accolga in casa sua. [5]Chiamò uno per uno i debitori del padrone e disse al primo: [6]Tu quanto devi al mio padrone? Quello rispose: Cento barili d'olio. Gli disse: Prendi la tua ricevuta, siediti e scrivi subito cinquanta. [7]Poi disse a un altro: Tu quanto devi? Rispose: Cento misure di grano. Gli disse: Prendi la tua ricevuta e scrivi ottanta. [8]Il padrone lodò quell'amministratore disonesto, perché aveva agito con scaltrezza. I figli di questo mondo, infatti, verso i loro pari sono più scaltri dei figli della luce.

[9]Ebbene, io vi dico: Procuratevi amici con la disonesta ricchezza, perché quand'essa verrà a mancare, vi accolgano nelle dimore eterne.

[10]Chi è fedele nel poco, è fedele anche nel molto; e chi è disonesto nel poco, è disonesto anche nel molto. [11]Se dunque non siete stati fedeli nella disonesta ricchezza, chi vi affiderà quella vera? [12]E se non siete stati fedeli nella ricchezza altrui, chi vi darà la vostra? [13]Nessun servo può servire a due padroni: o odierà l'uno e amerà l'altro oppure si affezionerà all'uno e' disprezzerà l'altro. Non potete servire a Dio e a mammona ».

---

**16.** [1]Nell'esortare a un prudente uso dei beni terreni Gesù non giustifica le frodi dell'amministratore, ma ne loda soltanto l'abilità, la sola proposta ad esempio. [13] Mt 6,24. Mammona è un termine aramaico che vuol dire ricchezze.

**Contro i farisei attaccati al denaro.** [14]I farisei, che erano attaccati al denaro, ascoltavano tutte queste cose e si beffavano di lui. [15]Egli disse: « Voi vi ritenete giusti davanti agli uomini, ma Dio conosce i vostri cuori: ciò che è esaltato fra gli uomini è cosa detestabile davanti a Dio.
[16]La Legge e i Profeti fino a Giovanni; da allora in poi viene annunziato il regno di Dio e ognuno si sforza per entrarvi.
[17]È più facile che abbiano fine il cielo e la terra, anziché cada un solo trattino della Legge.

**Indissolubilità del matrimonio.** [18]Chiunque ripudia la propria moglie e ne sposa un'altra, commette adulterio; chi sposa una donna ripudiata dal marito, commette adulterio.

**Parabola del ricco cattivo e di Lazzaro il povero.**
[19]C'era un uomo ricco, che vestiva di porpora e di bisso e tutti i giorni banchettava lautamente. [20]Un mendicante, di nome Lazzaro, giaceva alla sua porta, coperto di piaghe, [21]bramoso di sfamarsi di quello che cadeva dalla mensa del ricco. Perfino i cani venivano a leccare le sue piaghe. [22]Un giorno il povero morì e fu portato dagli angeli nel seno di Abramo. Morì anche il ricco e fu sepolto. [23]Stando nell'inferno tra i tormenti, levò gli occhi e vide di lontano Abramo e Lazzaro accanto a lui. [24]Allora gridando disse: Padre Abramo, abbi pietà di me e manda Lazzaro a intingere nell'acqua la punta del dito e bagnarmi la lingua, perché questa fiamma mi tortura. [25]Ma Abramo rispose: Figlio, ricordati che hai ricevuto i tuoi beni durante la vita e Lazzaro pari-

---

16-18 Mt   11,12-13;   5,18;   5,32;
19,9.
[19] Anche questa parabola è propria di Lc, ed è l'unica in cui un personaggio di fantasia abbia

un nome: Lazzaro, cioè Eleazaro.
[22] Nel seno di Abramo, cioè al posto d'onore nel convito celeste, che è immagine della beatitudine eterna.

menti i suoi mali; ora invece lui è consolato e tu sei in mezzo ai tormenti. [26]Per di più, tra noi e voi è stabilito un grande abisso: coloro che di qui vogliono passare da voi non possono, né di costì si può attraversare fino a noi. [27]E quegli replicò: Allora, padre, ti prego di mandarlo a casa di mio padre, [28]perché ho cinque fratelli. Li ammonisca, perché non vengano anch'essi in questo luogo di tormento. [29]Ma Abramo rispose: Hanno Mosè e i Profeti; ascoltino loro. [30]E lui: No, padre Abramo, ma se qualcuno dai morti andrà da loro, si ravvederanno. [31]Abramo rispose: Se non ascoltano Mosè e i Profeti, neanche se uno risuscitasse dai morti saranno persuasi ».

# 17 Lo scandalo. [1]Disse ancora ai suoi discepoli: « È inevitabile che avvengano scandali, ma guai a colui per cui avvengono. [2]È meglio per lui che gli sia messa al collo una pietra da mulino e venga gettato nel mare, piuttosto che scandalizzare uno di questi piccoli. [3]State attenti a voi stessi!

**Il perdono fraterno.** Se un tuo fratello pecca, rimproveralo; ma se si pente, perdonagli. [4]E se pecca sette volte al giorno contro di te e sette volte ti dice: Mi pento, tu gli perdonerai ».

**La fede può fare miracoli.** [5]Gli apostoli dissero al Signore: [6]« Aumenta la nostra fede! ». Il Signore rispose: « Se aveste fede quanto un granellino di senapa, potreste dire a questo gelso: Sii sradicato e trapiantato nel mare, ed esso vi ascolterebbe.

**Servire Dio senza attendere ricompensa.** [7]Chi di voi, se ha un servo ad arare o a pascolare il gregge, gli dirà quando rientra dal campo: Vieni subito e met-

---

17. [1] Cfr. Mt 18,6-7.15-22.   [7] La parabola è di Lc. Non si
[6] Mt 17,19; 21,21; Mc 11,22-23.   hanno diritti di fronte a Dio.

titi a tavola? [8]Non gli dirà piuttosto: Preparami da mangiare, rimboccati la veste e servimi, finché io abbia mangiato e bevuto, e dopo mangerai e berrai anche tu? [9]Si riterrà obbligato verso il suo servo, perché ha eseguito gli ordini ricevuti? [10]Così anche voi, quando avrete fatto tutto quello che vi è stato ordinato, dite: Siamo poveri servi. Abbiamo fatto quanto dovevamo fare ».

**Il lebbroso riconoscente.** [11]Durante il viaggio verso Gerusalemme, Gesù attraversò la Samarìa e la Galilea. [12]Entrando in un villaggio, gli vennero incontro dieci lebbrosi i quali, fermatisi a distanza, [13]alzarono la voce, dicendo: « Gesù maestro, abbi pietà di noi! ». [14]Appena li vide, Gesù disse: « Andate a presentarvi ai sacerdoti ». E mentre essi andavano, furono sanati. [15]Uno di loro, vedendosi guarito, tornò indietro lodando Dio a gran voce; [16]e si gettò ai piedi di Gesù per ringraziarlo. Era un Samaritano. [17]Ma Gesù osservò: « Non sono stati guariti tutti e dieci? E gli altri nove dove sono? [18]Non si è trovato chi tornasse a render gloria a Dio, all'infuori di questo straniero? ». E gli disse: [19]« Alzati e va'; la tua fede ti ha salvato! ».

**« Quando verrà il Regno di Dio? ».** [20]Interrogato dai farisei: « Quando verrà il regno di Dio? », rispose: [21]« Il regno di Dio non viene in modo da attirare l'attenzione, e nessuno dirà: Eccolo qui, o eccolo là. Perché il regno di Dio è in mezzo a voi! ».

**Il giorno del Figlio dell'uomo.** [22]Disse ancora ai discepoli: « Verrà un tempo in cui desidererete vedere anche uno solo dei giorni del Figlio dell'uomo, ma non

---

[10] Poveri servi, che devono gratitudine al loro padrone.
[16] I Samaritani erano ritenuti dagli Ebrei scismatici e impuri.

[20] Cfr. Mt 24,23. I farisei credevano che il regno di Dio si manifestasse trionfalmente, con miracoli strepitosi: cfr. Mt 4,1.

lo vedrete. ²³Vi diranno: Eccolo là, o eccolo qua; non
andateci, non seguiteli. ²⁴Perché come il lampo, guiz-
zando, brilla da un capo all'altro del cielo, così sarà il
Figlio dell'uomo nel suo giorno. ²⁵Ma prima è necessario che egli soffra molto e venga ripudiato da questa
generazione. ²⁶Come avvenne al tempo di Noè, così
sarà nei giorni del Figlio dell'uomo: ²⁷mangiavano, bevevano, si ammogliavano e si maritavano, fino al giorno in cui Noè entrò nell'arca e venne il diluvio e li
fece perire tutti. ²⁸Come avvenne anche al tempo di Lot:
mangiavano, bevevano, compravano, vendevano, pian-
tavano, costruivano; ²⁹ma nel giorno in cui Lot uscì
da Sòdoma piovve fuoco e zolfo dal cielo e li fece perire tutti. ³⁰Così sarà nel giorno in cui il Figlio dell'uomo
si rivelerà. ³¹In quel giorno, chi si troverà sulla terrazza,
se le sue cose sono in casa, non scenda a prenderle;
così chi si troverà nel campo, non torni indietro. ³²Ri-
cordatevi della moglie di Lot. ³³Chi cercherà di salvare
la propria vita la perderà, chi invece la perderà la
salverà. ³⁴Vi dico: in quella notte due si troveranno
in un letto; l'uno verrà preso e l'altro lasciato; ³⁵due
donne staranno a macinare nello stesso luogo, l'una
verrà presa e l'altra lasciata ». [³⁶] ³⁷Allora i discepoli
gli chiesero: « Dove, Signore? ». Ed egli disse loro:
« Dove sarà il cadavere, là si raduneranno anche gli
avvoltoi ».

**18** **Parabola del giudice che non temeva Dio e della vedova importuna.** ¹Disse loro una parabola sulla necessità di pregare sempre, senza stancarsi:
²« C'era in una città un giudice, che non temeva Dio
e non aveva riguardo per nessuno. ³In quella città

---

²⁸ Cfr. Gn 19,23-28.
³² Gn 19,26. La moglie di Lot, violando un ordine di Dio, si voltò indietro a guardare le rovine di Sodoma e Gomorra e fu punita.
³⁶ Mancante nei migliori mano-

scritti: « Due uomini si troveran-
no nei campi, uno sarà preso, l'altro lasciato ».
³⁷ Cfr. Mt 24,28.
**18.** ¹ Altra parabola riferita soltanto da Lc.

c'era anche una vedova, che andava da lui e gli diceva: Fammi giustizia contro il mio avversario. [4]Per un certo tempo egli non volle; ma poi disse tra sé: Anche se non temo Dio e non ho rispetto di nessuno, [5]poiché questa vedova è così molesta le farò giustizia, perché non venga continuamente a importunarmi ». [6]E il Signore soggiunse: « Avete udito ciò che dice il giudice disonesto. [7]E Dio non farà giustizia ai suoi eletti che gridano giorno e notte verso di lui, e li farà a lungo aspettare? [8]Vi dico che farà loro giustizia prontamente. Ma il Figlio dell'uomo, quando verrà, troverà la fede sulla terra? ».

**Parabola del fariseo e del pubblicano.** [9]Disse ancora questa parabola per alcuni che presumevano di esser giusti e disprezzavano gli altri: [10]« Due uomini salirono al tempio a pregare: uno era fariseo e l'altro pubblicano. [11]Il fariseo, stando in piedi, pregava così tra sé: O Dio, ti ringrazio che non sono come gli altri uomini, ladri, ingiusti, adùlteri, e neppure come questo pubblicano. [12]Digiuno due volte la settimana è pago le decime di quanto possiedo. [13]Il pubblicano invece, fermatosi a distanza, non osava nemmeno alzare gli occhi al cielo, ma si batteva il petto dicendo: O Dio, abbi pietà di me peccatore. [14]Io vi dico: questi tornò a casa sua giustificato, a differenza dell'altro, perché chi si esalta sarà umiliato e chi si umilia sarà esaltato ».

**Accogliere il Regno come i bambini.** [15]Gli presentavano anche i bambini perché li accarezzasse; ma i discepoli, vedendo ciò, li rimproveravano. [16]Allora Gesù li fece venire avanti e disse: « Lasciate che i bambini

---

[9] Anche questa celebre parabola è del solo Lc. Quegli « alcuni » sono i farisei, che si ritenevano puri per eccellenza, i santi. I pubblicani (cioè riscuotitori delle imposte), invece, erano additati al disprezzo come pubblici peccatori: cfr. Mt 5,46.

[14] Cfr. 14,11; Mt 23,12.

[15] Da questo punto in poi Lc si reinserisce nell'ordine di Mc: cfr. 9,51.

vengano a me, non glielo impedite perché a chi è come loro appartiene il regno di Dio. [17]In verità vi dico: Chi non accoglie il regno di Dio come un bambino, non vi entrerà ».

**Il notabile ricco.** [18]Un notabile lo interrogò: « Maestro buono, che devo fare per ottenere la vita eterna? ». [19]Gesù gli rispose: « Perché mi dici buono? Nessuno è buono, se non uno solo, Dio. [20]Tu conosci i comandamenti: *Non commettere adulterio, non uccidere, non rubare, non testimoniare il falso, onora tuo padre e tua madre* ». [21]Costui disse: « Tutto questo l'ho osservato fin dalla mia giovinezza ». [22]Udito ciò, Gesù gli disse: « Una cosa ancora ti manca: vendi tutto quello che hai, distribuiscilo ai poveri e avrai un tesoro nei cieli; poi vieni e seguimi ». [23]Ma quegli, udite queste parole divenne assai triste, perché era molto ricco. [24]Quando Gesù lo vide, disse: « Quant'è difficile, per coloro che possiedono ricchezze entrare nel regno di Dio! [25]È più facile per un cammello passare per la cruna di un ago che per un ricco entrare nel regno di Dio ». [26]Quelli che ascoltavano dissero: « Allora chi potrà essere salvato? ». [27]Rispose: « Ciò che è impossibile agli uomini, è possibile a Dio ».

**La ricompensa a chi rinuncia.** [28]Pietro allora disse: « Noi abbiamo lasciato tutte le nostre cose e ti abbiamo seguito ». [29]Ed egli rispose: « In verità vi dico, non c'è nessuno che abbia lasciato casa o moglie o fratelli o genitori o figli per il regno di Dio, [30]che non riceva molto di più nel tempo presente e la vita eterna nel tempo che verrà ».

**Terzo annunzio della Passione.** [31]Poi prese con sé i Dodici e disse loro: « Ecco, noi andiamo a Gerusa-

[20] Citazione di Es 20,12-16; Dt 5,16-20.

[31] Mt 20,17-19; Mc 10,32-34. Per le profezie sulla Passione del

lemme, e tutto ciò che fu scritto dai profeti riguardo al Figlio dell'uomo si compirà. [32]Sarà consegnato ai pagani, schernito, oltraggiato, coperto di sputi [33]e, dopo averlo flagellato, lo uccideranno e il terzo giorno risorgerà ». [34]Ma non compresero nulla di tutto questo; quel parlare restava oscuro per loro e non capivano ciò che egli aveva detto.

**Il cieco che vede in Gesù il Salvatore.** [35]Mentre si avvicinava a Gèrico, un cieco era seduto a mendicare lungo la strada. [36]Sentendo passare la gente, domandò che cosa accadesse. [37]Gli risposero: « Passa Gesù il Nazareno! ». [38]Allora incominciò a gridare: « Gesù, figlio di Davide, abbi pietà di me! ». [39]Quelli che camminavano avanti lo sgridavano, perché tacesse; ma lui continuava ancora più forte: « Figlio di Davide, abbi pietà di me! ». [40]Gesù allora si fermò e ordinò che glielo conducessero. Quando gli fu vicino, gli domandò: [41]« Che vuoi che io faccia per te? ». Egli rispose: « Signore, che io riabbia la vista ». [42]E Gesù gli disse: « Abbi di nuovo la vista! La tua fede ti ha salvato ». [43]Subito ci vide di nuovo e cominciò a seguirlo lodando Dio. E tutto il popolo, alla vista di ciò, diede lode a Dio.

**19** **Gesù in casa di Zaccheo.** [1]Entrato in Gèrico, attraversava la città. [2]Ed ecco un uomo di nome Zaccheo, capo dei pubblicani e ricco, [3]cercava di vedere quale fosse Gesù, ma non gli riusciva a causa della folla, poiché era piccolo di statura. [4]Allora corse avanti e, per poterlo vedere, salì su un sicomoro, poiché doveva passare di là. [5]Quando giunse sul luogo, Gesù alzò lo

Messia cfr. 24,25; At 2,23; 3,18. 24; 8,32-35; 13,27; 26,22-23.
[35] Mt 20,29.34; Mc 10,46-52. Sulla base di un'altra tradizione orale, Mt parla di due ciechi. Per Mc il cieco si chiama Bartimèo.

**19.** [1] La parabola di 16,1-15 viene qui applicata a un caso concreto. La Gèrico dei tempi di Cristo non è la stessa di quella moderna né di quella vetero testamentaria.

sguardo e gli disse: « Zaccheo, scendi subito, perché oggi devo fermarmi a casa tua ». [6]In fretta scese e lo accolse pieno di gioia. [7]Vedendo ciò, tutti mormoravano: « È andato ad alloggiare da un peccatore! ». [8]Ma Zaccheo, alzatosi, disse al Signore: « Ecco, Signore, io do la metà dei miei beni ai poveri; e se ho frodato qualcuno, restituisco quattro volte tanto ». [9]Gesù gli rispose: « Oggi la salvezza è entrata in questa casa, perché anch'egli è figlio di Abramo; [10]il Figlio dell'uomo infatti è venuto a cercare e a salvare ciò che era perduto ».

**Parabola delle dieci mine.** [11]Mentre essi stavano ad ascoltare queste cose, Gesù disse ancora una parabola perché era vicino a Gerusalemme ed essi credevano che il regno di Dio dovesse manifestarsi da un momento all'altro. [12]Disse dunque: « Un uomo di nobile stirpe partì per un paese lontano per ricevere un titolo regale e poi ritornare. [13]Chiamati dieci servi, consegnò loro dieci mine, dicendo: Impiegatele fino al mio ritorno. [14]Ma i suoi cittadini lo odiavano e gli mandarono dietro un'ambasceria a dire: Non vogliamo che costui venga a regnare su di noi. [15]Quando fu di ritorno, dopo aver ottenuto il titolo di re, fece chiamare i servi ai quali aveva consegnato il denaro, per vedere quanto ciascuno avesse guadagnato. [16]Si presentò il primo e disse: Signore, la tua mina ha fruttato altre dieci mine. [17]Gli disse: Bene, bravo servitore; poiché ti sei mostrato fedele nel poco, ricevi il potere sopra dieci città. [18]Poi si presentò il secondo e disse: La tua mina, signore, ha fruttato altre cinque mine. [19]Anche a questo disse: Anche tu sarai a capo di cinque città.

[9] Figlio di Abramo, quindi erede delle promesse divine di salvezza fatte al patriarca: Gal 3,29. [11] Cfr. Mt 25,14-30. Lc distingue la parusia e l'entrata di Gesù a Gerusalemme.

[13] La mina era una moneta greca, corrispondente a cento dramme o denari, cioè cento paghe giornaliere di un operaio. L'avvento in gloria del regno di Dio è ancora lontano.

²⁰Venne poi anche l'altro e disse: Signore, ecco la tua mina, che ho tenuto riposta in un fazzoletto; ²¹avevo paura di te che sei un uomo severo e prendi quello che non hai messo in deposito, mieti quello che non hai seminato. ²²Gli rispose: Dalle tue stesse parole ti giudico, servo malvagio! Sapevi che sono un uomo severo, che prendo quello che non ho messo in deposito e mieto quello che non ho seminato: ²³perché allora non hai consegnato il mio denaro a una banca? Al mio ritorno l'avrei riscosso con gli interessi. ²⁴Disse poi ai presenti: Toglietegli la mina e datela a colui che ne ha dieci. ²⁵Gli risposero: Signore, ha già dieci mine! ²⁶Vi dico: A chiunque ha sarà dato; ma a chi non ha sarà tolto anche quello che ha. ²⁷E quei miei nemici che non volevano che diventassi loro re, conduceteli qui e uccideteli davanti a me ».

## MINISTERO DI GESÙ A GERUSALEMME
### (19,28-21,38)

**L'ingresso regale in città.** ²⁸Dette queste cose, Gesù proseguì avanti agli altri salendo verso Gerusalemme. ²⁹Quando fu vicino a Bètfage e a Betània, presso il monte detto degli Ulivi, inviò due discepoli dicendo: ³⁰« Andate nel villaggio di fronte; entrando, troverete un puledro legato, sul quale nessuno è mai salito; scioglietelo e portatelo qui. ³¹E se qualcuno vi chiederà: Perché lo sciogliete?, direte così: Il Signore ne ha bisogno ». ³²Gli inviati andarono e trovarono tutto come aveva detto. ³³Mentre scioglievano il puledro, i proprietari dissero loro: « Perché sciogliete il puledro? ». ³⁴Essi risposero: « Il Signore ne ha bisogno ». ³⁵Lo condussero allora da Gesù; e gettati i loro mantelli sul puledro, vi fecero salire Gesù. ³⁶Via via che

²⁶ V. 8,18. Il cristiano passa di grazia in grazia, di dono in dono...

²⁸ Mt 21,1-10; Mc 11,1-18; Gv 12,12-16.

egli avanzava, stendevano i loro mantelli sulla strada.
[37]Era ormai vicino alla discesa del monte degli Ulivi,
quando tutta la folla dei discepoli, esultando, cominciò
a lodare Dio a gran voce, per tutti i prodigi che avevano
veduto, dicendo:

[38]« *Benedetto colui che viene,*
il re, *nel nome del Signore.*
Pace in cielo
e gloria nel più alto dei cieli! ».

[39]Alcuni farisei tra la folla gli dissero: « Maestro, rim-
provera i tuoi discepoli ». [40]Ma egli rispose: « Vi dico
che, se questi taceranno, grideranno le pietre ».

**Gesù piange su Gerusalemme.** [41]Quando fu vicino,
alla vista della città, pianse su di essa, dicendo: [42]« Se
avessi compreso anche tu, in questo giorno, la via della
pace. Ma ormai è stata nascosta ai tuoi occhi. [43]Giorni
verranno per te in cui i tuoi nemici ti cingeranno di
trincee, ti circonderanno e ti stringeranno da ogni parte; [44]abbatteranno te e i tuoi figli dentro di te e non
lasceranno in te pietra su pietra, perché non hai riconosciuto il tempo in cui sei stata visitata ».

**Gesù insegna nel tempio.** [45]Entrato poi nel tempio,
cominciò a cacciare i venditori, [46]dicendo: « Sta scritto:

*La mia casa sarà casa di preghiera.*
Ma voi ne avete fatto *una spelonca di ladri!* ».

[47]Ogni giorno insegnava nel tempio. I sommi sacerdoti
e gli scribi cercavano di farlo perire e così anche i notabili del popolo; [48]ma non sapevano come fare, perché
tutto il popolo pendeva dalle sue parole.

---

[38] Citazione del Sal 117,26.
[41] Profezia sulla catastrofe di Gerusalemme che avverrà nel 70 d.C.
[42] La via della pace era l'accogli-
mento di Gesù come Messia.

[44] Dio ha visitato il suo popolo
— e quindi Gerusalemme — (1,
68) inviandogli il Figlio.
[45] Mt 21,12-16; Mc 11,15-18. Citazione di Is 56,7; Ger 7,11.

**20** «Chi ti ha dato quest'autorità?». ¹Un giorno, mentre istruiva il popolo nel tempio e annunziava la parola di Dio, si avvicinarono i sommi sacerdoti e gli scribi con gli anziani e si rivolsero a lui dicendo: ²«Dicci con quale autorità fai queste cose o chi è che t'ha dato quest'autorità». ³E Gesù disse loro: «Vi farò anch'io una domanda e voi rispondetemi: ⁴Il battesimo di Giovanni veniva dal Cielo o dagli uomini?». ⁵Allora essi discutevano fra loro: «Se diciamo "dal Cielo", risponderà: "Perché non gli avete creduto?". ⁶E se diciamo "dagli uomini", tutto il popolo ci lapiderà, perché è convinto che Giovanni è un profeta». ⁷Risposero quindi di non saperlo. ⁸E Gesù disse loro: «Nemmeno io vi dico con quale autorità faccio queste cose».

**Parabola dei vignaioli omicidi.** ⁹Poi cominciò a dire al popolo questa parabola: «Un uomo *piantò una vigna*, l'affidò a dei coltivatori e se ne andò lontano per molto tempo. ¹⁰A suo tempo, mandò un servo da quei coltivatori perché gli dessero una parte del raccolto della vigna. Ma i coltivatori lo percossero e lo rimandarono a mani vuote. ¹¹Mandò un altro servo, ma essi percossero anche questo, lo insultarono e lo rimandarono a mani vuote. ¹²Ne mandò ancora un terzo, ma anche questo lo ferirono e lo cacciarono. ¹³Disse allora il padrone della vigna: Che devo fare? Manderò il mio unico figlio; forse di lui avranno rispetto. ¹⁴Quando lo videro, i coltivatori discutevano fra loro dicendo: Costui è l'erede. Uccidiamolo e così l'eredità sarà nostra. ¹⁵E lo cacciarono fuori della vigna e l'uccisero. Che cosa farà dunque a costoro il padrone della vigna? ¹⁶Verrà e manderà a morte quei coltivatori, e affiderà ad altri la vigna». Ma essi, udito ciò, escla-

**20.** ¹ Mt 21,23-27; Mc 11,27-33. ⁹ Mt 21,33-46; Mc 12,1-12. Citazione di Is 5,1.

¹³ L'unico figlio: quanto aveva di più caro. Chiara l'allusione alla dignità divina di Gesù.

marono: « Non sia mai! ». [17]Allora egli si volse verso di loro e disse: « Che cos'è dunque ciò che è scritto:

*La pietra che i costruttori hanno scartata,*
*è diventata testata d'angolo?*

[18]Chiunque cadrà su quella pietra si sfracellerà e a chi cadrà addosso, lo stritolerà ». [19]Gli scribi e i sommi sacerdoti cercarono allora di mettergli addosso le mani, ma ebbero paura del popolo. Avevano capito che quella parabola l'aveva detta per loro.

**Il tributo a Cesare.** [20]Postisi in osservazione, mandarono informatori, che si fingessero persone oneste, per coglierlo in fallo nelle sue parole e poi consegnarlo all'autorità e al potere del governatore. [21]Costoro lo interrogarono: « Maestro, sappiamo che parli e insegni con rettitudine e non guardi in faccia a nessuno, ma insegni secondo verità la via di Dio. [22]È lecito che noi paghiamo il tributo a Cesare? ». [23]Conoscendo la loro malizia, disse: [24]« Mostratemi un denaro: di chi è l'immagine e l'iscrizione? ». Risposero: « Di Cesare ». [25]Ed egli disse: « Rendete dunque a Cesare ciò che è di Cesare e a Dio ciò che è di Dio ». [26]Così non poterono coglierlo in fallo davanti al popolo e, meravigliati della sua risposta, tacquero.

**La risurrezione dei morti.** [27]Gli si avvicinarono poi alcuni sadducei, i quali negano che vi sia la risurrezione, e gli posero questa domanda: [28]« Maestro, Mosè ci ha prescritto: Se a qualcuno muore un fratello che ha moglie, ma senza figli, suo fratello si prenda la vedova e dia una discendenza al proprio fratello. [29]C'erano dunque sette fratelli: il primo, dopo aver preso moglie, morì senza figli. [30]Allora la prese il secondo [31]e poi il terzo e così tutti e sette; e morirono

---

[17] Citazione del Sal 117,22.
[20] Mt 22,15-22; Mc 12,12-17.

[27] Mt 22,23-33; Mc 12,18-27. Si noti il caso-tranello.

tutti senza lasciare figli. [32]Da ultimo anche la donna morì. [33]Questa donna dunque, nella risurrezione, di chi sarà moglie? Poiché tutti e sette l'hanno avuta in moglie ». [34]Gesù rispose: « I figli di questo mondo prendono moglie e prendono marito; [35]ma quelli che sono giudicati degni dell'altro mondo e della risurrezione dai morti, non prendono moglie né marito; [36]e nemmeno possono più morire, perché sono uguali agli angeli e, essendo figli della risurrezione, sono figli di Dio. [37]Che poi i morti risorgono, lo ha indicato anche Mosè a proposito del roveto, quando chiama il *Signore Dio di Abramo, Dio di Isacco e Dio di Giacobbe*. [38]Dio non è Dio dei morti, ma dei vivi; perché tutti vivono per lui ». [39]Dissero allora alcuni scribi: « Maestro, hai parlato bene ». [40]E non osavano più fargli alcuna domanda.

## Il Cristo di chi è figlio? [41]Egli poi disse loro: « Come mai dicono che il Cristo è figlio di Davide, [42]se Davide stesso nel libro dei Salmi dice:

*Ha detto il Signore al mio Signore:*
*siedi alla mia destra,*
[43]*finché io ponga i tuoi nemici*
*come sgabello ai tuoi piedi?*

[44]Davide dunque lo chiama Signore; perciò come può essere suo figlio? ».

## « Guardatevi dagli scribi!... ». [45]E mentre tutto il popolo ascoltava, disse ai discepoli: [46]« Guardatevi dagli scribi che amano passeggiare in lunghe vesti e hanno piacere di esser salutati nelle piazze, avere i primi seggi nelle sinagoghe e i primi posti nei conviti; [47]divorano le case delle vedove, e in apparenza fanno lun-

---

[34] Figli di questo mondo, come figli della risurrezione nel v. 36, sono modi di dire ebraici per esprimere l'appartenenza al mondo terrestre e al mondo celeste.

[37] Citazione tratta da Es 3,2-6.
[41] Mt 22,41-45; 23,5-7; Mc 12, 35-40.
[42] Citazione del Sal 109,1. Anche se Gesù è discendente di Davide (33,31), gli è ben superiore.

ghe preghiere. Essi riceveranno una condanna più severa ».

## 21 L'offerta della vedova povera.

[1]Alzati gli occhi, vide alcuni ricchi che gettavano le loro offerte nel tesoro. [2]Vide anche una vedova povera che vi gettava due spiccioli [3]e disse: « In verità vi dico: questa vedova, povera, ha messo più di tutti. [4]Tutti costoro, infatti, han deposto come offerta del loro superfluo, questa invece nella sua miseria ha dato tutto quanto aveva per vivere ».

## La distruzione del tempio.

[5]Mentre alcuni parlavano del tempio e delle belle pietre e dei doni votivi che lo adornavano, disse: [6]« Verranno giorni in cui, di tutto quello che ammirate, non resterà pietra su pietra che non venga distrutta ». [7]Gli domandarono: « Maestro, quando accadrà questo e quale sarà il segno che ciò sta per compiersi? ».

## I segni premonitori.

[8]Rispose: « Guardate di non lasciarvi ingannare. Molti verranno sotto il mio nome dicendo: "Sono io" e: "Il tempo è prossimo"; non seguiteli. [9]Quando sentirete parlare di guerre e di rivoluzioni, non vi terrorizzate. Devono infatti accadere prima queste cose, ma non sarà subito la fine ».
[10]Poi disse loro: « Si solleverà popolo contro popolo e regno contro regno, [11]e vi saranno di luogo in luogo terremoti, carestie e pestilenze; vi saranno anche fatti terrificanti e segni grandi dal cielo. [12]Ma prima di tutto questo metteranno le mani su di voi e vi perseguiteranno, consegnandovi alle sinagoghe e alle prigioni, trascinandovi davanti a re e a governatori, a causa del

---

**21.** [1] Mc 12,41-44.
[5] Mt 24,1-25.29-44; Mc 13,1-37.
Anche in Lc, ma con più chiarezza, il discorso escatologico di

Gesù mescola la prospettiva della caduta di Gerusalemme nel 70 (v. 19,41-44) e la fine dei tempi (17,22-37). V. nota a Mt 24,1.

mio nome. [13]Questo vi darà un'occasione di render testimonianza. [14]Mettetevi bene in mente di non preparare prima la vostra difesa; [15]io vi darò lingua e sapienza, a cui tutti i vostri avversari non potranno resistere, né controbattere. [16]Sarete traditi dai genitori, dai fratelli, dai parenti e dagli amici, e metteranno a morte alcuni di voi; [17]sarete odiati da tutti per causa del mio nome. [18]Ma nemmeno un capello del vostro capo perirà. [19]Con la vostra perseveranza salverete le vostre anime.

**Le disgrazie di Gerusalemme.** [20]Ma quando vedrete Gerusalemme circondata da eserciti, sappiate allora che la sua devastazione è vicina. [21]Allora coloro che si trovano nella Giudea fuggano ai monti, coloro che sono dentro la città se ne allontanino, e quelli in campagna non tornino in città; [22]saranno infatti giorni di vendetta, perché tutto ciò che è stato scritto si compia. [23]Guai alle donne che sono incinte e allattano in quei giorni, perché vi sarà grande calamità nel paese e ira contro questo popolo. [24]Cadranno a fil di spada e saranno condotti prigionieri tra tutti i popoli; Gerusalemme sarà calpestata dai pagani finché i tempi dei pagani siano compiuti.

**La venuta del Figlio dell'uomo.** [25]Vi saranno segni nel sole, nella luna e nelle stelle, e sulla terra angoscia di popoli in ansia per il fragore del mare e dei flutti, [26]mentre gli uomini moriranno per la paura e per l'attesa di ciò che dovrà accadere sulla terra. *Le potenze dei cieli* infatti saranno sconvolte.
[27]Allora vedranno *il Figlio dell'uomo venire su una nube con potenza e gloria grande.*

---

[22] Su ciò che è stato scritto v. Dn 9,26.
[24] La città santa sarà profanata dai pagani, i cui tempi sono quelli della loro conversione a Cristo e della loro testimonianza: cfr. Rm 11,11-32.
[26-27] Citazione di Dn 7,13-14.

[28]Quando cominceranno ad accadere queste cose, alzatevi e levate il capo, perché la vostra liberazione è vicina ». [29]E disse loro una parabola: « Guardate il fico e tutte le piante; [30]quando già germogliano, guardandoli capite da voi stessi che ormai l'estate è vicina. [31]Così pure, quando voi vedrete accadere queste cose, sappiate che il regno di Dio è vicino. [32]In verità vi dico: non passerà questa generazione finché tutto ciò sia avvenuto. [33]Il cielo e la terra passeranno, ma le mie parole non passeranno.

**Occorre vegliare sempre!** [34]State bene attenti che i vostri cuori non si appesantiscano in dissipazioni, ubriachezze e affanni della vita e che quel giorno non vi piombi addosso improvviso; [35]come un laccio esso si abbatterà sopra tutti coloro che abitano sulla faccia di tutta la terra. [36]Vegliate e pregate in ogni momento, perché abbiate la forza di sfuggire a tutto ciò che deve accadere, e di comparire davanti al Figlio dell'uomo ».
[37]Durante il giorno insegnava nel tempio, la notte usciva e pernottava all'aperto sul monte detto degli Ulivi. [38]E tutto il popolo veniva a lui di buon mattino nel tempio per ascoltarlo.

## LA PASSIONE
### (22,1-23,56)

**22** **La decisione delle autorità.** [1]Si avvicinava la festa degli Azzimi, chiamata Pasqua, [2]e i sommi sacerdoti e gli scribi cercavano come toglierlo di mezzo, poiché temevano il popolo. [3]Allora satana entrò in Giu-

---

[28] Con la fine di Gerusalemme e del mondo cesseranno le persecuzioni dei capi d'Israele contro la Chiesa.

[35] Cfr. Is 24,17. Il laccio indica un pericolo improvviso.
**22.** [1] Mt 26,2-5.14-16; Mc 14, 1-2.10-11.

da, detto Iscariota, che era nel numero dei Dodici. [4]Ed egli andò a discutere con i sommi sacerdoti e i capi delle guardie sul modo di consegnarlo nelle loro mani. [5]Essi si rallegrarono e si accordarono di dargli del denaro. [6]Egli fu d'accordo e cercava l'occasione propizia per consegnarlo loro di nascosto dalla folla.

**L'ultima cena.** [7]Venne il giorno degli Azzimi, nel quale si doveva immolare la vittima di Pasqua. [8]Gesù mandò Pietro e Giovanni dicendo: « Andate a preparare per noi la Pasqua, perché possiamo mangiare ». [9]Gli chiesero: « Dove vuoi che la prepariamo? ». [10]Ed egli rispose: « Appena entrati in città, vi verrà incontro un uomo che porta una brocca d'acqua. Seguitelo nella casa dove entrerà [11]e direte al padrone di casa: Il Maestro ti dice: Dov'è la stanza in cui posso mangiare la Pasqua con i miei discepoli? [12]Egli vi mostrerà una sala al piano superiore, grande e addobbata; là preparate ». [13]Essi andarono e trovarono tutto come aveva loro detto e prepararono la Pasqua.

[14]Quando fu l'ora, prese posto a tavola e gli apostoli con lui, [15]e disse: « Ho desiderato ardentemente di mangiare questa Pasqua con voi, prima della mia passione, [16]poiché vi dico: non la mangerò più, finché essa non si compia nel regno di Dio ». [17]E preso un calice, rese grazie e disse: « Prendetelo e distribuitelo tra voi, [18]poiché vi dico: da questo momento non berrò più del frutto della vite, finché non venga il regno di Dio ».

**Istituzione dell'Eucaristia.** [19]Poi preso un pane, rese grazie, lo spezzò e lo diede loro dicendo: « Questo è il

---

[7] Mt 26,17-20; Mc 14,12-17.
[14] La cena si faceva al tramonto.
[16] Gesù celebra per l'ultima volta la Pasqua ebraica che la sua morte porterà a compimento nella Chiesa: cfr. 1Cor 5,7.

[17] Questo calice appartiene ancora al rito ebraico; durante la cena si beveva quattro volte dal calice.
[19-20] Mt 26,26-28; Mc 14,22-24. Il racconto di Lc coincide con

mio corpo che è dato per voi; fate questo in ricordo di me ». ²⁰Allo stesso modo, dopo aver cenato, prese il calice dicendo: « Questo calice è la nuova alleanza nel mio sangue, che viene versato per voi ».

## Annunzio del tradimento di Giuda.
²¹« Ma ecco, la mano di chi mi tradisce è con me, sulla tavola. ²²Il Figlio dell'uomo se ne va, secondo quanto è stabilito; ma guai a quell'uomo dal quale è tradito! ». ²³Allora essi cominciarono a domandarsi a vicenda chi di essi avrebbe fatto ciò.

## Chi è il più grande.
²⁴Sorse anche una discussione, chi di loro poteva esser considerato il più grande. ²⁵Egli disse: « I re delle nazioni le governano, e coloro che hanno il potere so di esse si fanno chiamare benefattori. ²⁶Per voi però non sia così; ma chi è il più grande tra voi diventi come il più piccolo e chi governa come colui che serve. ²⁷Infatti chi è più grande, chi sta a tavola o chi serve? Non è forse colui che sta a tavola? Eppure io sto in mezzo a voi come colui che serve.

## La ricompensa promessa agli apostoli.
²⁸Voi siete quelli che avete perseverato con me nelle mie prove; ²⁹e io preparo per voi un regno, come il Padre l'ha preparato per me, ³⁰perché possiate mangiare e bere alla mia mensa nel mio regno e siederete in trono a giudicare le dodici tribù di Israele.

## Annunzio del rinnegamento di Pietro.
³¹Simone, Simone, ecco satana vi ha cercato per vagliarvi come

quello di Paolo nella 1Cor 11, 24-25. Fin dall'inizio della Chiesa, gli apostoli celebreranno l'Eucaristia in memoria di Gesù: cfr. At 2,42.46. L'antica alleanza (cui al v. 20 è contrapposta la nuova) era quella di Es 24,8.

²¹ Mt 26,21-25; Mc 14,18-21.
²⁵ Confronta Mt 20,25-28; Mc 10, 42-45. « Benefattore » era il titolo dei re di Alessandria e di Antiochia.
³¹ Mt 26,31-35; Mc 14,27-31; Gv 13,36-38.

il grano; [32]ma io ho pregato per te, che non venga meno la tua fede; e tu, una volta ravveduto, conferma i tuoi fratelli ». [33]E Pietro gli disse: « Signore, con te sono pronto ad andare in prigione e alla morte ». [34]Gli rispose: « Pietro, io ti dico: non canterà oggi il gallo prima che tu per tre volte avrai negato di conoscermi ».

## L'ora del combattimento.

[35]Poi disse: « Quando vi ho mandato senza borsa, né bisaccia, né sandali, vi è forse mancato qualcosa? ». Risposero: « Nulla ». [36]Ed egli soggiunse: « Ma ora, chi ha una borsa la prenda, e così una bisaccia; chi non ha spada, venda il mantello e ne compri una. [37]Perché vi dico: deve compiersi in me questa parola della Scrittura: *E fu annoverato tra i malfattori*. Infatti tutto quello che mi riguarda volge al suo termine ». [38]Ed essi dissero: « Signore, ecco qui due spade ». Ma egli rispose: « Basta! ».

## Al monte degli Ulivi.

[39]Uscito se ne andò, come al solito, al monte degli Ulivi; anche i discepoli lo seguirono. [40]Giunto sul luogo, disse loro: « Pregate, per non entrare in tentazione ». [41]Poi si allontanò da loro quasi un tiro di sasso e inginocchiatosi, pregava: [42]« Padre, se vuoi, allontana da me questo calice! Tuttavia non sia fatta la mia, ma la tua volontà ». [43]Gli apparve allora un angelo dal cielo a confortarlo. [44]In preda all'angoscia, pregava più intensamente; e il suo sudore diventò come gocce di sangue che cadevano a terra. [45]Poi, rialzatosi dalla preghiera, andò dai discepoli e li trovò

---

[32] Pietro è il capo della Chiesa, perciò è importante che egli non venga meno nella fede.

[36] La situazione è cambiata; in un clima di lotta è necessario provvedere al proprio sostentamento e alla propria difesa.

[37] Citazione di Is 53,12.

[38] Gesù tronca un discorso che gli apostoli dimostrano di non capire.

[39] Mt 26,36-46; Mc 14,32-42.

[44] Questo v., intenso e drammatico, è proprio di Lc. Il sudore di sangue, che può essere provocato da eccezionali traumi psicologici, ha in Gesù proporzioni non naturali.

che dormivano per la tristezza. ⁴⁶E disse loro: « Perché dormite? Alzatevi e pregate, per non entrare in tentazione ».

**Gesù viene arrestato.** ⁴⁷Mentre egli ancora parlava, ecco una turba di gente; li precedeva colui che si chiamava Giuda, uno dei Dodici, e si accostò a Gesù per baciarlo. ⁴⁸Gesù gli disse: « Giuda, con un bacio tradisci il Figlio dell'uomo? ». ⁴⁹Allora quelli che eran con lui, vedendo ciò che stava per accadere, dissero: « Signore, dobbiamo colpire con la spada? ». ⁵⁰E uno di loro colpì il servo del sommo sacerdote e gli staccò l'orecchio destro. ⁵¹Ma Gesù intervenne dicendo: « Lasciate, basta così! ». E toccandogli l'orecchio, lo guarì. ⁵²Poi Gesù disse a coloro che gli eran venuti contro, sommi sacerdoti, capi delle guardie del tempio e anziani: « Siete usciti con spade e bastoni come contro un brigante? ⁵³Ogni giorno ero con voi nel tempio e non avete steso le mani contro di me; ma questa è la vostra ora, è l'impero delle tenebre ».

**Il rinnegamento di Pietro.** ⁵⁴Dopo averlo preso, lo condussero via e lo fecero entrare nella casa del sommo sacerdote. Pietro lo seguiva da lontano. ⁵⁵Siccome avevano acceso un fuoco in mezzo al cortile e si erano seduti attorno, anche Pietro si sedette in mezzo a loro. ⁵⁶Vedutolo seduto presso la fiamma, una serva fissandolo disse: « Anche questi era con lui ». ⁵⁷Ma egli negò dicendo: « Donna, non lo conosco! ». ⁵⁸Poco dopo un altro lo vide e disse: « Anche tu sei di loro! ». Ma Pietro rispose: « No, non lo sono! ». ⁵⁹Passata circa un'ora, un altro insisteva: « In verità, anche questo era con lui; è anche lui un Galileo ». ⁶⁰Ma Pietro disse: « O uomo, non so quello che dici ». E in quell'istante, mentre ancora parlava, un gallo cantò. ⁶¹Allora il Si-

⁴⁷ Mt 26,47-56; Mc 14,43-52; Gv 18,2-12.          ⁵⁴ Mt 26,57.69-75; Mc 14,53 e 66-72; Gv 18,12-18.25-27.

gnore, voltatosi, guardò Pietro, e Pietro si ricordò delle
parole che il Signore gli aveva detto: «Prima che il
gallo canti, oggi mi rinnegherai tre volte». [62]E uscito,
pianse amaramente.

**Gesù viene schernito.** [63]Frattanto gli uomini che avevano in custodia Gesù lo schernivano e lo percuotevano, [64]lo bendavano e gli dicevano: «Indovina: chi
ti ha colpito?». [65]E molti altri insulti dicevano contro di lui.

**Davanti al consiglio degli anziani.** [66]Appena fu
giorno, si riunì il consiglio degli anziani del popolo,
con i sommi sacerdoti e gli scribi; lo condussero davanti al sinedrio e gli dissero: [67]«Se tu sei il Cristo,
diccelo». Gesù rispose: «Anche se ve lo dico, non
mi crederete; [68]se vi interrogo, non mi risponderete.
[69]Ma da questo momento starà *il Figlio dell'uomo seduto alla destra della potenza di Dio*». [70]Allora tutti
esclamarono: «Tu dunque sei il Figlio di Dio?». Ed
egli disse loro: «Lo dite voi stessi: io lo sono». [71]Ri-
sposero: «Che bisogno abbiamo ancora di testimonianza? L'abbiamo udito noi stessi dalla sua bocca».

**23** **Davanti a Pilato.** [1]Tutta l'assemblea si alzò, lo
condussero da Pilato [2]e cominciarono ad accusarlo: «Abbiamo trovato costui che sobillava il nostro
popolo, impediva di dare tributi a Cesare e affermava
di essere il Cristo re». [3]Pilato lo interrogò: «Sei tu il
re dei Giudei?». Ed egli rispose: «Tu lo dici».
[4]Pilato disse ai sommi sacerdoti e alla folla: «Non
trovo nessuna colpa in quest'uomo». [5]Ma essi insistevano: «Costui solleva il popolo, insegnando per tutta

---

[66] Lc riferisce soltanto il vero
processo tenutosi nella mattinata.
[69] Citazione di Dn 7,13; Sal
109,1.

**23.** [1] Mt 27,11-14; Mc 15,1-5;
Gv 18,28-38. Ultimo episodio (v.
1) del processo giudaico: ora Gesù è condotto da Pilato.

la Giudea, dopo aver cominciato dalla Galilea fino
a qui ».

**Davanti a Erode.** [6]Udito ciò, Pilato domandò se era
Galileo [7]e, saputo che apparteneva alla giurisdizione di
Erode, lo mandò da Erode che in quei giorni si trovava anch'egli a Gerusalemme. [8]Vedendo Gesù, Erode
si rallegrò molto, perché da molto tempo desiderava
vederlo per averne sentito parlare e sperava di vedere
qualche miracolo fatto da lui. [9]Lo interrogò con molte
domande, ma Gesù non gli rispose nulla. [10]C'erano là
anche i sommi sacerdoti e gli scribi, e lo accusavano con
insistenza. [11]Allora Erode, con i suoi soldati, lo insultò
e lo schernì, poi lo rivestì di una splendida veste e
lo rimandò a Pilato. [12]In quel giorno Erode e Pilato
diventarono amici; prima infatti c'era stata inimicizia
tra loro.

**Di nuovo davanti a Pilato.** [13]Pilato, riuniti i sommi
sacerdoti, le autorità e il popolo, [14]disse: « Mi avete
portato quest'uomo come sobillatore del popolo; ecco,
l'ho esaminato davanti a voi, ma non ho trovato in lui
nessuna colpa di quelle di cui lo accusate; [15]e neanche
Erode, infatti ce l'ha rimandato. Ecco, egli non ha
fatto nulla che meriti la morte. [16]Perciò dopo averlo
severamente castigato, lo rilascerò ». [[17]] [18]Ma essi si
misero a gridare tutti insieme: « A morte costui! Dacci
libero Barabba! ». [19]Questi era stato messo in carcere
per una sommossa scoppiata in città e per omicidio.
[20]Pilato parlò loro di nuovo, volendo rilasciare Gesù.
[21]Ma essi urlavano: « Crocifiggilo, crocifiggilo! ». [22]Ed
egli, per la terza volta, disse loro: « Ma che male ha

---

[6] Questo episodio è raccontato soltanto da Lc. Pilato manda Gesù
da Erode Antipa — tetrarca della
Galilea (3,1), in quei giorni a
Gerusalemme — forse nella speranza che il re ebreo possa difen-
dere Cristo sul piano della legge
giudaica (Gv 19,7).
[13] Mt 27,15-26; Mc 15,6-14; Gv
19,1-16.

fatto costui? Non ho trovato nulla in lui che meriti la morte. Lo castigherò severamente e poi lo rilascerò ». [23]Essi però insistevano a gran voce, chiedendo che venisse crocifisso; e le loro grida crescevano.

**Condannato a morte.** [24]Pilato allora decise che la loro richiesta fosse eseguita. [25]Rilasciò colui che era stato messo in carcere per sommossa e omicidio e che essi richiedevano, e abbandonò Gesù alla loro volontà.

**Sulla via del Calvario.** [26]Mentre lo conducevano via, presero un certo Simone di Cirène che veniva dalla campagna e gli misero addosso la croce da portare dietro a Gesù. [27]Lo seguiva una gran folla di popolo e di donne che si battevano il petto e facevano lamenti su di lui. [28]Ma Gesù, voltandosi verso le donne, disse: « Figlie di Gerusalemme, non piangete su di me, ma piangete su voi stesse e sui vostri figli. [29]Ecco, verranno giorni nei quali si dirà: Beate le sterili e i grembi che non hanno generato e le mammelle che non hanno allattato. [30]Allora cominceranno a *dire ai monti:*

> *Cadete su di noi!*
> e ai colli:
> *Copriteci!*

[31]Perché se trattano così il legno verde, che avverrà del legno secco? ». [32]Venivano condotti insieme con lui anche due malfattori per essere giustiziati.

---

[27] Mt 27,32; Mc 15,21. L'episodio dell'incontro di Gesù con le donne è nel solo Lc; secondo la tradizione ebraica, un comitato di signore di Gerusalemme assisteva i condannati a morte, provvedendo anche il vino aromatizzato che doveva alleviare le sofferenze del condannato.
[30] Os 10,8; cfr. Ap 6,16.
[31] Il legno verde è Gesù innocente, il legno secco sono quanti, avendo condannato il loro Messia, sono pronti per la punizione.

**Crocifisso fra due malfattori.** [33]Quando giunsero al luogo detto Cranio, là crocifissero lui e i due malfattori, uno a destra e l'altro a sinistra. [34]Gesù diceva: « Padre, perdonali, perché non sanno quello che fanno ». *Dopo essersi poi divise le sue vesti, le tirarono a sorte.* [35]Il popolo stava *a vedere*, i capi invece lo *schernivano* dicendo: « Ha salvato gli altri, salvi se stesso, se è il Cristo di Dio, il suo eletto ». [36]Anche i soldati lo schernivano, e gli si accostavano per porgergli *dell'aceto*, e dicevano: [37]« Se tu sei il re dei Giudei, salva te stesso ». [38]C'era anche una scritta, sopra il suo capo: Questi è il re dei Giudei.

[39]Uno dei malfattori appesi alla croce lo insultava: « Non sei tu il Cristo? Salva te stesso e anche noi! ». [40]Ma l'altro lo rimproverava: « Neanche tu hai timore di Dio e sei dannato alla stessa pena? [41]Noi giustamente, perché riceviamo il giusto per le nostre azioni, egli invece non ha fatto nulla di male ». [42]E aggiunse: « Gesù, ricordati di me quando entrerai nel tuo regno ». [43]Gli rispose: « In verità ti dico, oggi sarai con me nel paradiso ».

**La morte di Gesù.** [44]Era verso mezzogiorno, quando il sole si eclissò e si fece buio su tutta la terra fino alle tre del pomeriggio. [45]Il velo del tempio si squarciò nel mezzo. [46]Gesù, gridando a gran voce, disse: « Padre, *nelle tue mani consegno il mio spirito* ». Detto questo spirò.

[47]Visto ciò che era accaduto, il centurione glorificava Dio: « Veramente quest'uomo era giusto ». [48]Anche

---

[33] Mt 27,33-44; Mc 15,22-32; Gv 19,18-25. Cranio, in aramaico Golgota, in latino Calvaria donde il nostro Calvario.

[34-36] Il peccato è innanzitutto eclissi dell'intelligenza. Le due sublimi, indimenticabili parole di misericordia di Cristo (qui e v. 43) sono conservate nel solo Lc.

Per i testi in corsivo si possono confrontare Sal 21,19; 21,8; 68,22.

[44] Mt 27,45-56; Mc 15,33-41; Gv 19,28-30. Poiché la Pasqua era celebrata durante il plenilunio, l'eclissi è da intendersi come un misterioso mancamento di luce.

[46] Citazione del Sal 30,6.

tutte le folle che erano accorse a questo spettacolo,
ripensando a quanto era accaduto, se ne tornavano
percuotendosi il petto. ⁴⁹Tutti i suoi conoscenti assistevano da lontano e così le donne che lo avevano seguito fin dalla Galilea, osservando questi avvenimenti.

**La sepoltura.** ⁵⁰C'era un uomo di nome Giuseppe,
membro del sinedrio, persona buona e giusta. ⁵¹Non
aveva aderito alla decisione e all'operato degli altri.
Egli era di Arimatèa, una città dei Giudei, e aspettava
il regno di Dio. ⁵²Si presentò a Pilato e chiese il corpo
di Gesù. ⁵³Lo calò dalla croce, lo avvolse in un lenzuolo e lo depose in una tomba scavata nella roccia,
nella quale nessuno era stato ancora deposto. ⁵⁴Era
la vigilia di Pasqua e già splendevano le luci del sabato. ⁵⁵Le donne che erano venute con Gesù dalla Galilea seguivano Giuseppe; esse osservarono la tomba e
come era stato deposto il corpo di Gesù, ⁵⁶poi tornarono indietro e prepararono aromi e oli profumati. Il
giorno di sabato osservarono il riposo, secondo il comandamento.

# LA RISURREZIONE
## (24,1-53)

**24** **...Le donne si recarono al sepolcro...** ¹Il primo
giorno dopo il sabato, di buon mattino, si recarono alla tomba, portando con sé gli aromi che avevano preparato. ²Trovarono la pietra rotolata via dal
sepolcro; ³ma, entrate, non trovarono il corpo del Signore Gesù. ⁴Mentre erano ancora incerte, ecco due
uomini apparire vicino a loro in vesti sfolgoranti. ⁵Es-
sendosi le donne impaurite e avendo chinato il volto a

---

⁵⁰ Mt 27,57-61; Mc 15,42-47; Gv      **24.** ¹ Mt 28,1-10; Mc 16,1-8;
19,38-42.                             Gv 20,1-18.

terra, essi dissero loro: « Perché cercate tra i morti colui che è vivo? [6]Non è qui, è risuscitato. Ricordatevi come vi parlò quando era ancora in Galilea, [7]dicendo che bisognava che il Figlio dell'uomo fosse consegnato in mano ai peccatori, che fosse crocifisso e risuscitasse il terzo giorno ». [8]Ed esse si ricordarono delle sue parole, [9]e, tornate dal sepolcro, annunziarono tutto questo agli Undici e a tutti gli altri. [10]Erano Maria di Màgdala, Giovanna e Maria di Giacomo. Anche le altre che erano insieme lo raccontarono agli apostoli. [11]Quelle parole parvero loro come un vaneggiamento e non credettero ad esse. [12]Pietro tuttavia corse al sepolcro e chinatosi vide solo le bende. E tornò a casa pieno di stupore per l'accaduto.

**Gesù appare a due discepoli sulla via di Èmmaus.** [13]Ed ecco in quello stesso giorno due di loro erano in cammino per un villaggio distante circa sette miglia da Gerusalemme, di nome Èmmaus, [14]e conversavano di tutto quello che era accaduto. [15]Mentre discorrevano e discutevano insieme, Gesù in persona si accostò e camminava con loro. [16]Ma i loro occhi erano incapaci di riconoscerlo. [17]Ed egli disse loro: « Che sono questi discorsi che state facendo fra voi durante il cammino? ». Si fermarono, col volto triste; [18]uno di loro, di nome Clèopa, gli disse: « Tu solo sei così forestiero in Gerusalemme da non sapere ciò che vi è accaduto in questi giorni? ». [19]Domandò: « Che cosa? ». Gli risposero: « Tutto ciò che riguarda Gesù Nazareno, che fu profeta potente in opere e in parole, davanti a Dio e a tutto il popolo; [20]come i sommi sacerdoti e i nostri capi lo hanno consegnato per farlo condannare a morte e poi l'hanno crocifisso. [21]Noi speravamo che fosse lui a liberare Israele; con tutto ciò son passati tre giorni da

---

[13] L'episodio è raccontato dal solo Lc.
[16] Il corpo di Gesù è in una condizione nuova (Gv 20,19.26; cfr. 1Cor 15,44) pur conservando la propria identità (vv. 39-40).

quando queste cose sono accadute. [22]Ma alcune donne, delle nostre, ci hanno sconvolti; recatesi al mattino al sepolcro [23]e non avendo trovato il suo corpo, son venute a dirci di aver avuto anche una visione di angeli, i quali affermano che egli è vivo. [24]Alcuni dei nostri sono andati al sepolcro e hanno trovato come avevan detto le donne, ma lui non l'hanno visto ».

[25]Ed egli disse loro: « Sciocchi e tardi di cuore nel credere alla parola dei profeti! [26]Non bisognava che il Cristo sopportasse queste sofferenze per entrare nella sua gloria? ». [27]E cominciando da Mosè e da tutti i profeti spiegò loro in tutte le Scritture ciò che si riferiva a lui. [28]Quando furon vicini al villaggio dove erano diretti, egli fece come se dovesse andare più lontano. [29]Ma essi insistettero: « Resta con noi perché si fa sera e il giorno già volge al declino ». Egli entrò per rimanere con loro. [30]Quando fu a tavola con loro, prese il pane, disse la benedizione, lo spezzò e lo diede loro. [31]Allora si aprirono loro gli occhi e lo riconobbero. Ma lui sparì dalla loro vista. [32]Ed essi si dissero l'un l'altro: « Non ci ardeva forse il cuore nel petto mentre conversava con noi lungo il cammino, quando ci spiegava le Scritture? ». [33]E partirono senz'indugio e fecero ritorno a Gerusalemme, dove trovarono riuniti gli Undici e gli altri che erano con loro, [34]i quali dicevano: « Davvero il Signore è risorto ed è apparso a Simone ». [35]Essi poi riferirono ciò che era accaduto lungo la via e come l'avevano riconosciuto nello spezzare il pane.

**Gesù appare agli apostoli.** [36]Mentre essi parlavano di queste cose, Gesù in persona apparve in mezzo a

---

[26] Cfr. 9,22; 13,33; 17,25; 24,7; At 17,3.

[30-31] La benedizione, cioè la preghiera pronunciata da Gesù con riferimenti caratteristici (cfr. 10, 21-22) poteva farlo riconoscere.

[34] Cfr. 1Cor 15,5 sull'apparizione di Cristo a Pietro.

[35] Spezzare il pane diventerà espressione caratteristica per indicare l'eucaristia: cfr. At 2,46.

[36] Gv 20,19-23; cfr. Mc 16,14.

loro e disse: « Pace a voi! ». [37]Stupiti e spaventati credevano di vedere un fantasma. [38]Ma egli disse: « Perché siete turbati, e perché sorgono dubbi nel vostro cuore? [39]Guardate le mie mani e i miei piedi: sono proprio io! Toccatemi e guardate; un fantasma non ha carne e ossa come vedete che io ho ». [40]Dicendo questo, mostrò loro le mani e i piedi. [41]Ma poiché per la grande gioia ancora non credevano ed erano stupefatti, disse: « Avete qui qualche cosa da mangiare? ». [42]Gli offrirono una porzione di pesce arrostito; [43]egli lo prese e lo mangiò davanti a loro.

## Ultime istruzioni di Gesù agli apostoli.
[44]Poi disse: « Sono queste le parole che vi dicevo quando ero ancora con voi: bisogna che si compiano tutte le cose scritte su di me nella Legge di Mosè, nei Profeti e nei Salmi ». [45]Allora aprì loro la mente all'intelligenza delle Scritture e disse: [46]« Così sta scritto: il Cristo dovrà patire e risuscitare dai morti il terzo giorno [47]e nel suo nome saranno predicati a tutte le genti la conversione e il perdono dei peccati, cominciando da Gerusalemme. [48]Di questo voi siete testimoni. [49]E io manderò su di voi quello che il Padre mio ha promesso; ma voi restate in città, finché non siate rivestiti di potenza dall'alto ».

## L'ascensione.
[50]Poi li condusse fuori verso Betània e, alzate le mani, li benedisse. [51]Mentre li benediceva, si staccò da loro e fu portato verso il cielo. [52]Ed essi, dopo averlo adorato, tornarono a Gerusalemme con grande gioia; [53]e stavano sempre nel tempio lodando Dio.

---

[44] Mosè, i Profeti e i Salmi, erano le tre grandi parti della Bibbia ebraica.
[49] Il promesso è lo Spirito Santo.
[50] Cfr. Mc 16,19; At 1,1-11.

[53] Il vangelo che ha avuto inizio nel tempio (1,5ss) si conclude nel tempio di Gerusalemme, prima di prendere lo slancio verso il mondo.

# VANGELO
# SECONDO GIOVANNI

*L'antica, prevalente tradizione ecclesiastica afferma che il quarto vangelo fu scritto dall'apostolo Giovanni, il prediletto di Cristo, quando aveva raggiunto l'estrema vecchiezza (cfr. 21,23) nella comunità cristiana di Efeso, metropoli dell'Asia Minore.*

*Il vangelo fu scritto verso l'anno 100 e il più antico manoscritto che ce lo tramanda è del 150, al massimo del 200.*

*Nonostante le caratteristiche che evidentemente distanziano questo vangelo dai primi tre, Giovanni intende scrivere, come i suoi predecessori, un vangelo: lo provano l'identità del quadro generale e dei fatti fondamentali, le non rare indicazioni cronologiche – a volta essenziali (cfr. nota a 5,1) – geografiche e di vario altro tipo.*

*Soltanto Giovanni racconta di un prolungato ministero di Gesù a Gerusalemme. Le radici palestinesi del vangelo vengono allo scoperto nel linguaggio in più punti chiaramente aramaico.*

*Giovanni scrive a distanza di circa settanta anni dopo la morte di Gesù (a. 30) e preferisce scegliere alcuni fatti della vita di Cristo, che, a ragione del loro non avventizio contenuto simbolico, permettono una profonda intelligenza del mistero di Cristo, sotto la guida dello Spirito Santo (cfr. 14,26; 15,26; 16,13) e alla luce dell'esperienza soprannaturale della Chiesa. Giovanni conserva fedelmente la sostanza degli insegnamenti di Gesù, anche se li versa in una propria forma letteraria.*

*Si può parlare di una tradizione giovannea – affiorante anche in Luca – in parte parallela e in parte complementare della tradizione riflessa nei tre primi vangeli.*
*Il sublime prologo (1,1-18) enunzia i temi sviluppati nel vangelo. I cc. 1,19-4,54 avviano la manifestazione della natura e dei poteri divini di Cristo; nei cc. 5-12, la polemica con i Giudei approfondisce temi essenziali del mistero della persona e della missione del Figlio di Dio; i cc. 13-21 contengono il racconto della passione, della morte e della risurrezione di Cristo, con l'inserzione delle sue ultime confidenze ai discepoli (cc. 13-17).*

# PROLOGO
## (1,1-18)

**1** ¹In principio era il Verbo,
  e il Verbo era presso Dio
  e il Verbo era Dio.
²Egli era in principio presso Dio:
³tutto è stato fatto per mezzo di lui,
  e senza di lui niente è stato fatto di tutto ciò che
⁴In lui era la vita                                    [esiste.
  e la vita era la luce degli uomini;
⁵la luce splende nelle tenebre,
  ma le tenebre non l'hanno accolta.
⁶Venne un uomo mandato da Dio
  e il suo nome era Giovanni.
⁷Egli venne come testimone
  per rendere testimonianza alla luce,
  perché tutti credessero per mezzo di lui.
⁸Egli non era la luce,
  ma doveva render testimonianza alla luce.
⁹Veniva nel mondo
  la luce vera,
  quella che illumina ogni uomo.

---

**1.** ¹ Questo prologo è in realtà un grandioso inno, che accenna i temi principali del vangelo e si comprende pienamente alla fine della lettura di tutto il libro. « Verbo » corrisponde al greco *Logos*-Parola, un termine polivalente d'uso comune nella filosofia greca di quel tempo, ma che Gv intende alla luce dell'A.T. (cfr. Pro 8,22-36; Sir 24,1-31) e della tradizione cristiana. « Verbo » è Gesù (v. 14) in quanto « Parola » del Padre, di lui rivelatore e manifestazione perfetta (14,9), della

stessa natura di Dio, ma da lui distinto come persona (cfr. Sap 7,22-27).
³ Nell'A.T. è sottolineata la potenza creatrice della Parola di Dio (Gn 1,3.6.9; Sal 32,6), che è anche rivelazione (Am 3,1; Ger 1,4; Ez 1,3).
⁴ Cfr. 3,15; 5,26; 6,57; 11,25; 14,6; 17,1; 1Gv 1,1.
⁵ Le tenebre sono le potenze del male che si oppongono a Dio e, più in concreto, i malvagi: cfr. 3,19-21.
⁶ È Giovanni Battista.
⁹ La luce vera nel senso di pie-

[10]Egli era nel mondo,
e il mondo fu fatto per mezzo di lui,
eppure il mondo non lo riconobbe.
[11]Venne fra la sua gente,
ma i suoi non l'hanno accolto.
[12]A quanti però l'hanno accolto,
ha dato potere di diventare figli di Dio:
a quelli che credono nel suo nome,
[13]i quali non da sangue,
né da volere di carne,
né da volere di uomo,
ma da Dio sono stati generati.
[14]E il Verbo si fece carne
e venne ad abitare in mezzo a noi;
e noi vedemmo la sua gloria,
gloria come di unigenito dal Padre,
pieno di grazia e di verità.
[15]Giovanni gli rende testimonianza
e grida: « Ecco l'uomo di cui io dissi:
Colui che viene dopo di me
mi è passato avanti,
perché era prima di me ».
[16]Dalla sua pienezza
noi tutti abbiamo ricevuto
e grazia su grazia.
[17]Perché la legge fu data per mezzo di Mosè,
la grazia e la verità vennero per mezzo di Gesù
[18]Dio nessuno l'ha mai visto:                              [Cristo.

na; Giovanni non era la luce perfetta e salvifica: cfr. 5,35.
[12] Credere nel nome di Cristo è accettare il mistero della sua persona.
[13] La filiazione divina del credente esclude qualsiasi analogia con la generazione carnale: cfr. 3,5-6; Rm 8,14; Gal 3,26; 4,5; 1Gv 3,1.

[14] La gloria di Cristo è la manifestazione della sua divinità.
[17] La legge non dava la grazia (Rm 7,7-10) e non era la verità, cioè la pienezza della rivelazione, come lo è Gesù: cfr. 14,6.
[18] Confronta 3,11; 6,46; 7,16; 14, 6-11. L'unico modo per arrivare a vedere Dio è la mediazione del Figlio unigenito.

proprio il Figlio unigenito,
che è nel seno del Padre,
lui lo ha rivelato.

## RIVELAZIONE DI GESÙ AL POPOLO
### (1,19-10,42)

**Testimonianza di Giovanni Battista.** ¹⁹E questa è la
testimonianza di Giovanni, quando i Giudei gli inviarono da Gerusalemme sacerdoti e leviti a interrogarlo:
« Chi sei tu? ». ²⁰Egli confessò e non negò, e confessò:
« Io non sono il Cristo ». ²¹Allora gli chiesero: « Che
cosa dunque? Sei Elia? ». Rispose: « Non lo sono ».
« Sei tu il profeta? ». Rispose: « No ». ²²Gli dissero
dunque: « Chi sei? Perché possiamo dare una risposta
a coloro che ci hanno mandato. Che cosa dici di te
stesso? ». ²³Rispose:

« Io sono *voce di uno che grida nel deserto:*
*Preparate la via del Signore,*

come disse il profeta Isaia ». ²⁴Essi erano stati mandati
da parte dei farisei. ²⁵Lo interrogarono e gli dissero:
« Perché dunque battezzi se tu non sei il Cristo, né
Elia, né il profeta? ». ²⁶Giovanni rispose loro: « Io battezzo con acqua, ma in mezzo a voi sta uno che voi
non conoscete, ²⁷uno che viene dopo di me, al quale io
non son degno di sciogliere il legaccio del sandalo ».
²⁸Questo avvenne in Betània, al di là del Giordano,
dove Giovanni stava battezzando.
²⁹Il giorno dopo, Giovanni vedendo Gesù venire verso

---

[19] Gv non distingue le varie
correnti dell'ebraismo contempo-
raneo — farisei, sadducei, ecc. —
ma indica in blocco la classe diri-
gente d'Israele.
[21] Sul creduto ritorno di Elia
cfr. Mt 11,13-14.

[23] Citazione di Is 40,3; cfr. Mt
3,3.
[25] Il profeta era quello atteso
secondo la profezia di Dt 18,15.
[29] L'agnello di Dio è la vittima
che cancella il peccato: cfr. Is
53,4-7; Es 2,1. Sui vari possibili

di lui disse: « Ecco l'agnello di Dio, ecco colui che toglie il peccato del mondo! [30]Ecco colui del quale io dissi: Dopo di me viene un uomo che mi è passato avanti, perché era prima di me. [31]Io non lo conoscevo, ma sono venuto a battezzare con acqua perché egli fosse fatto conoscere a Israele ». [32]Giovanni rese testimonianza dicendo: « Ho visto lo Spirito scendere come una colomba dal cielo e posarsi su di lui. [33]Io non lo conoscevo, ma chi mi ha inviato a battezzare con acqua, mi aveva detto: L'uomo sul quale vedrai scendere e rimanere lo Spirito è colui che battezza in Spirito Santo. [34]E io ho visto e ho reso testimonianza che questi è il Figlio di Dio ».

## I primi discepoli vanno a Gesù. [35]Il giorno dopo Giovanni stava ancora là con due dei suoi discepoli [36]e, fissando lo sguardo su Gesù che passava, disse: « Ecco l'agnello di Dio! ». [37]E i due discepoli, sentendolo parlare così, seguirono Gesù. [38]Gesù allora si voltò e, vedendo che lo seguivano, disse: « Che cercate? ». Gli risposero: « Rabbì (che significa maestro), dove abiti? ». [39]Disse loro: « Venite e vedrete ». Andarono dunque e videro dove abitava e quel giorno si fermarono presso di lui; erano circa le quattro del pomeriggio.
[40]Uno dei due che avevano udito le parole di Giovanni e lo avevano seguito, era Andrea, fratello di Simon Pietro. [41]Egli incontrò per primo suo fratello Simone, e gli disse: « Abbiamo trovato il Messia (che significa il Cristo) » [42]e lo condusse da Gesù. Gesù,

---

significati dell'agnello cfr. 19,36; Ap 5,6.12; 1Cor 5,7; At 8,31-35; 1Pt 1,18-20.
31-33 Giovanni non conosceva Gesù nel senso che, per dargli pubblica e autorevole testimonianza, aveva bisogno di una indicazione divina.

40 L'altro discepolo era l'evangelista stesso.
41 *Cristo,* in greco, significa l'unto, il consacrato: cfr. Mt 1,17.
42 *Cefa,* in aramaico, significa pietra, roccia: cfr. Mt 16,18. Il nome era allora sconosciuto. Nella Bibbia, mutare il nome signifi-

fissando lo sguardo su di lui, disse: « Tu sei Simone, il figlio di Giovanni; ti chiamerai Cefa (che vuol dire Pietro) ».

[43]Il giorno dopo Gesù aveva stabilito di partire per la Galilea; incontrò Filippo e gli disse: « Seguimi ». [44]Filippo era di Betsàida, la città di Andrea e di Pietro. [45]Filippo incontrò Natanaèle e gli disse: « Abbiamo trovato colui del quale hanno scritto Mosè nella Legge e i Profeti, Gesù, figlio di Giuseppe di Nàzaret ». [46]Natanaèle esclamò: « Da Nàzaret può mai venire qualcosa di buono? ». Filippo gli rispose: « Vieni e vedi ». [47]Gesù intanto, visto Natanaèle che gli veniva incontro, disse di lui: « Ecco davvero un Israelita in cui non c'è falsità ». [48]Natanaèle gli domandò: « Come mi conosci? ». Gli rispose Gesù: « Prima che Filippo ti chiamasse, io ti ho visto quando eri sotto il fico ». [49]Gli replicò Natanaèle: « Rabbì, tu sei il Figlio di Dio, tu sei il re d'Israele! ». [50]Gli rispose Gesù: « Perché ti ho detto che ti avevo visto sotto il fico, credi? Vedrai cose maggiori di queste! ». [51]Poi gli disse: « In verità, in verità vi dico: vedrete il cielo aperto e gli angeli di Dio salire e scendere sul Figlio dell'uomo ».

**2** **Inizio dei segni a Cana.** [1]Tre giorni dopo, ci fu uno sposalizio a Cana di Galilea e c'era la madre di Gesù. [2]Fu invitato alle nozze anche Gesù con i suoi discepoli. [3]Nel frattempo, venuto a mancare il vino, la madre di Gesù gli disse: « Non hanno più vino ». [4]E Gesù rispose: « Che ho da fare con te, o donna?

ca prendere possesso di qualcuno, dare una direzione nuova alla sua vita.
[44] Betsàida era sulla riva nord-orientale del lago di Tiberiade.
[45] Natanaèle è l'apostolo Bartolomeo: cfr. Mt 10,3.
[49] Re d'Israele equivale a Messia.
[51] Allusione alla visione di Gia-

cobbe in Gn 28,10-17. Sul Figlio dell'uomo v. Mt 8,20. I discepoli avranno altre prove della divinità di Cristo.
**2.** [1] Cana era a nord di Nazaret.
[4] Donna è appellativo solenne (cfr. 19,26). Le parole di Gesù, nella Bibbia (cfr. 2Sam 16,10; 19,23; 1Re 17,18; Mt 8,9) indi-

Non è ancora giunta la mia ora ». ⁵La madre dice ai
servi: « Fate quello che vi dirà ».
⁶Vi erano là sei giare di pietra per la purificazione
dei Giudei, contenenti ciascuna due o tre barili. ⁷E
Gesù disse loro: « Riempite d'acqua le giare »; e le riempirono fino all'orlo. ⁸Disse loro di nuovo: « Ora attingete
e portatene al maestro di tavola ». Ed essi gliene portarono. ⁹E come ebbe assaggiato l'acqua diventata vino, il
maestro di tavola, che non sapeva di dove venisse (ma lo
sapevano i servi che avevano attinto l'acqua), chiamò lo
sposo ¹⁰e gli disse: « Tutti servono da principio il vino
buono e, quando sono un po' brilli, quello meno buono;
tu invece hai conservato fino ad ora il vino buono ».
¹¹Così Gesù diede inizio ai suoi miracoli in Cana di
Galilea, manifestò la sua gloria e i suoi discepoli credettero in lui.
¹²Dopo questo fatto, discese a Cafàrnao insieme con
sua madre, i fratelli e i suoi discepoli e si fermarono
colà solo pochi giorni.

## Il tempio e il corpo di Gesù. ¹³Si avvicinava intanto
la Pasqua dei Giudei e Gesù salì a Gerusalemme. ¹⁴Trovò
nel tempio gente che vendeva buoi, pecore e colombe,
e i cambiavalute seduti al banco. ¹⁵Fatta allora una sferza
di cordicelle, scacciò tutti fuori del tempio con le pecore e i buoi; gettò a terra il denaro dei cambiavalute
e ne rovesciò i banchi, ¹⁶e ai venditori di colombe
disse: « Portate via queste cose e non fate della casa
del Padre mio un luogo di mercato ». ¹⁷I discepoli si ri-

cano che vorrebbe declinare l'invito sottinteso dall'intervento di
Maria.
⁶ Per il rito delle abluzioni cfr.
Mc 7,3-4.
¹¹ Miracoli: in greco « segni »
(3,2), in quanto indicativi della
potenza divina di Cristo e della
sua opera di salvezza.

¹² Cafarnao: v. Mt 4,13. Per i
fratelli di Gesù v. Mt 12,46.
¹³ Mt e Mc danno una colloca-
zione diversa a questo episodio
(cfr. Mt 21,12ss), probabilmente
perché essi parlano del ministero
di Gesù a Gerusalemme soltanto
alla fine della sua vita.
¹⁷ Citazione del Sal 68,10.

cordarono che sta scritto: *Lo zelo per la tua casa mi divora.* [18]Allora i Giudei presero la parola e gli dissero: « Quale segno ci mostri per fare queste cose? ». [19]Rispose loro Gesù: « Distruggete questo tempio e in tre giorni lo farò risorgere ». [20]Gli dissero allora i Giudei: « Questo tempio è stato costruito in quarantasei anni e tu in tre giorni lo farai risorgere? ». [21]Ma egli parlava del tempio del suo corpo. [22]Quando poi fu risuscitato dai morti, i suoi discepoli si ricordarono che aveva detto questo, e credettero alla Scrittura e alla parola detta da Gesù.

[23]Mentre era a Gerusalemme per la Pasqua, durante la festa molti, vedendo i segni che faceva, credettero nel suo nome. [24]Gesù però non si confidava con loro, perché conosceva tutti [25]e non aveva bisogno che qualcuno gli desse testimonianza su un altro, egli infatti sapeva quello che c'è in ogni uomo.

**3 Il dialogo con Nicodèmo.** [1]C'era tra i farisei un uomo chiamato Nicodèmo, un capo dei Giudei. [2]Egli andò da Gesù, di notte, e gli disse: « Rabbì, sappiamo che sei un maestro venuto da Dio; nessuno infatti può fare i segni che tu fai, se Dio non è con lui ». [3]Gli rispose Gesù: « In verità, in verità ti dico, se uno non rinasce dall'alto, non può vedere il regno di Dio ». [4]Gli disse Nicodèmo: « Come può un uomo nascere quando è vecchio? Può forse entrare una seconda volta nel grembo di sua madre e rinascere? ». [5]Gli rispose Gesù: « In verità, in verità ti dico, se uno non nasce da acqua e da Spirito, non può entrare nel regno di Dio. [6]Quel che è nato dalla carne è carne e quel che è nato dallo Spirito, è Spirito. [7]Non ti meravigliare se

**3.** [1] Nicodemo apparteneva al sinedrio in qualità di dottore: cfr. v. 10; 7,50; 19,39.
[3] L'espressione « dall'alto » poteva significare anche « di nuovo », come intende Nicodemo.

[5] L'acqua e lo Spirito indicano il battesimo cristiano; invece di « regno di Dio » Gv parla generalmente di vita eterna, che con la grazia, comincia già su questa terra.

t'ho detto: dovete rinascere dall'alto. [8]Il vento soffia dove vuole e ne senti la voce, ma non sai di dove viene e dove va: così è di chiunque è nato dallo Spirito ». [9]Replicò Nicodèmo: « Come può accadere questo? ». [10]Gli rispose Gesù: « Tu sei maestro in Israele e non sai queste cose? [11]In verità, in verità ti dico, noi parliamo di quel che sappiamo e testimoniamo quel che abbiamo veduto; ma voi non accogliete la nostra testimonianza. [12]Se vi ho parlato di cose della terra e non credete, come crederete se vi parlerò di cose del cielo? [13]Eppure nessuno è mai salito al cielo, fuorché il Figlio dell'uomo che è disceso dal cielo. [14]E come Mosè innalzò il serpente nel deserto, così bisogna che sia innalzato il Figlio dell'uomo, [15]perché chiunque crede in lui abbia la vita eterna ».

[16]Dio infatti ha tanto amato il mondo da dare il suo Figlio unigenito, perché chiunque crede in lui non muoia, ma abbia la vita eterna. [17]Dio non ha mandato il Figlio nel mondo per giudicare il mondo, ma perché il mondo si salvi per mezzo di lui. [18]Chi crede in lui non è condannato; ma chi non crede è già stato condannato, perché non ha creduto nel nome dell'unigenito Figlio di Dio. [19]E il giudizio è questo: la luce è venuta nel mondo, ma gli uomini hanno preferito le tenebre alla luce, perché le loro opere erano malvage. [20]Chiunque infatti fa il male, odia la luce e non viene alla luce perché non siano svelate le sue opere. [21]Ma chi opera la verità viene alla luce, perché appaia chiaramente che le sue opere sono state fatte in Dio.

## L'ultima testimonianza di Giovanni Battista. [22]Dopo queste cose, Gesù andò con i suoi discepoli nella regione della Giudea; e là si trattenne con loro, e battez-

---

[12] Le cose della terra sono le realtà soprannaturali nella vita dell'uomo. Le cose del cielo sono la rivelazione del piano di Dio.

[14] Cfr. Nm 21,8-9; il serpente era simbolo di salvezza: cfr. Sap 16,5-6.
[22] Cfr. 4,1-2.

zava. [23]Anche Giovanni battezzava a Ennòn, vicino a Salìm, perché c'era là molta acqua; e la gente andava a farsi battezzare. [24]Giovanni, infatti, non era stato ancora imprigionato.

[25]Nacque allora una discussione tra i discepoli di Giovanni e un Giudeo riguardo la purificazione. [26]Andarono perciò da Giovanni e gli dissero: « Rabbì, colui che era con te dall'altra parte del Giordano, e al quale hai reso testimonianza, ecco sta battezzando e tutti accorrono a lui ». [27]Giovanni rispose: « Nessuno può prendersi qualcosa se non gli è stato dato dal cielo. [28]Voi stessi mi siete testimoni che ho detto: Non sono io il Cristo, ma io sono stato mandato innanzi a lui. [29]Chi possiede la sposa è lo sposo; ma l'amico dello sposo, che è presente e l'ascolta, esulta di gioia alla voce dello sposo. Ora questa mia gioia è compiuta. [30]Egli deve crescere e io invece diminuire.

**La testimonianza di colui che viene dal cielo.** [31]Chi viene dall'alto è al di sopra di tutti; ma chi viene dalla terra, appartiene alla terra e parla della terra. Chi viene dal cielo è al di sopra di tutti. [32]Egli attesta ciò che ha visto e udito, eppure nessuno accetta la sua testimonianza; [33]chi però ne accetta la testimonianza, certifica che Dio è veritiero. [34]Infatti colui che Dio ha mandato proferisce le parole di Dio e dà lo Spirito senza misura. [35]Il Padre ama il Figlio e gli ha dato in mano ogni cosa. [36]Chi crede nel Figlio ha la vita eterna; chi non obbedisce al Figlio non vedrà la vita, ma l'ira di Dio incombe su di lui ».

**4** **Il colloquio con la Samaritana.** [1]Quando il Signore venne a sapere che i farisei avevan sentito dire: Gesù fa più discepoli e battezza più di Giovanni [2]– sebbene non fosse Gesù in persona che battezzava,

---

[23] La località non è identificata con certezza.

[29] Cfr. Mt 9,15.

**4.** [2] Non si trattava ancora del

ma i suoi discepoli –, [3]lasciò la Giudea e si diresse di nuovo verso la Galilea. [4]Doveva perciò attraversare la Samarìa. [5]Giunse pertanto ad una città della Samarìa chiamata Sicàr, vicina al terreno che Giacobbe aveva dato a Giuseppe suo figlio: [6]qui c'era il pozzo di Giacobbe. Gesù dunque, stanco del viaggio, sedeva presso il pozzo. Era verso mezzogiorno. [7]Arrivò intanto una donna di Samarìa ad attingere acqua. Le disse Gesù: « Dammi da bere ». [8]I suoi discepoli infatti erano andati in città a far provvista di cibi. [9]Ma la Samaritana gli disse: « Come mai tu, che sei Giudeo, chiedi da bere a me, che sono una donna samaritana? ». I Giudei infatti non mantengono buone relazioni con i Samaritani. [10]Gesù le rispose: « Se tu conoscessi il dono di Dio e chi è colui che ti dice: "Dammi da bere!", tu stessa gliene avresti chiesto ed egli ti avrebbe dato acqua viva ». [11]Gli disse la donna: « Signore, tu non hai un mezzo per attingere e il pozzo è profondo; da dove hai dunque quest'acqua viva? [12]Sei tu forse più grande del nostro padre Giacobbe, che ci diede questo pozzo e ne bevve lui con i suoi figli e il suo gregge? ». [13]Rispose Gesù: « Chiunque beve di quest'acqua avrà di nuovo sete; [14]ma chi beve dell'acqua che io gli darò, non avrà mai più sete, anzi, l'acqua che io gli darò diventerà in lui sorgente di acqua che zampilla per la vita eterna ». [15]« Signore, gli disse la donna, dammi di quest'acqua, perché non abbia più sete e non continui a venire qui ad attingere acqua ». [16]Le disse: « Va' a chiamare tuo marito e poi ritorna qui ». [17]Rispose la donna: « Non ho marito ». Le disse Gesù: « Hai detto bene "non ho marito"; [18]infatti hai avuto cinque mariti e quello che hai ora non è tuo marito; in que-

battesimo cristiano, ma di un rito analogo a quello del Battista.
[5] Sicàr è forse l'antica Sichem.
[9] I Giudei disprezzavano e odiavano i Samaritani a motivo della loro origine e religione confusa:

cfr. 2Re 17,24-41; Esd 4,1-5, ecc.
[10] Il dono di Dio è l'acqua viva (v. 14), lo Spirito Santo (7, 37-39).
[11] Il pozzo, che è ancora là, è profondo una quarantina di metri.

sto hai detto il vero ». [19]Gli replicò la donna: « Signore, vedo che tu sei un profeta. [20]I nostri padri hanno adorato Dio sopra questo monte e voi dite che è Gerusalemme il luogo in cui bisogna adorare ». [21]Gesù le dice: « Credimi, donna, è giunto il momento in cui né su questo monte, né in Gerusalemme adorerete il Padre. [22]Voi adorate quel che non conoscete, noi adoriamo quello che conosciamo, perché la salvezza viene dai Giudei. [23]Ma è giunto il momento, ed è questo, in cui i veri adoratori adoreranno il Padre in spirito e verità; perché il Padre cerca tali adoratori. [24]Dio è spirito, e quelli che lo adorano devono adorarlo in spirito e verità ». [25]Gli rispose la donna: « So che deve venire il Messia (cioè il Cristo): quando egli verrà, ci annunzierà ogni cosa ». [26]Le disse Gesù: « Sono io, che ti parlo ».

[27]In quel momento giunsero i suoi discepoli e si meravigliarono che stesse a discorrere con una donna. Nessuno tuttavia gli disse: « Che desideri? », o: « Perché parli con lei? ». [28]La donna intanto lasciò la brocca, andò in città e disse alla gente: [29]« Venite a vedere un uomo che mi ha detto tutto quello che ho fatto. Che sia forse il Messia? ». [30]Uscirono allora dalla città e andavano da lui.

[31]Intanto i discepoli lo pregavano: « Rabbì, mangia ». [32]Ma egli rispose: « Ho da mangiare un cibo che voi non conoscete ». [33]E i discepoli si domandavano l'un l'altro: « Qualcuno forse gli ha portato da mangiare? ». [34]Gesù disse loro: « Mio cibo è fare la volontà di colui che mi ha mandato e di compiere la sua opera. [35]Non dite voi: Ci sono ancora quattro mesi e poi viene la mietitura? Ecco, io vi dico: Levate i vostri occhi e

[20] Il monte era il Garizim, sul quale i Samaritani avevano costruito un tempio (cfr. 2Mac 6,2), distrutto nel 128 a.C. da Giovanni Ircano.

[23] Lo Spirito Santo donato agli uomini e la verità, cioè la rivelazione piena di Cristo, ispirano il nuovo culto, che non esclude manifestazioni esterne.

guardate i campi che già biondeggiano per la mietitura. ³⁶E chi miete riceve salario e raccoglie frutto per la vita eterna, perché ne goda insieme chi semina e chi miete. ³⁷Qui infatti si realizza il detto: uno semina e uno miete. ³⁸Io vi ho mandati a mietere ciò che voi non avete lavorato; altri hanno lavorato e voi siete subentrati nel loro lavoro ».

³⁹Molti Samaritani di quella città credettero in lui per le parole della donna che dichiarava: « Mi ha detto tutto quello che ho fatto ». ⁴⁰E quando i Samaritani giunsero da lui, lo pregarono di fermarsi con loro ed egli vi rimase due giorni. ⁴¹Molti di più credettero per la sua parola ⁴²e dicevano alla donna: « Non è più per la tua parola che noi crediamo; ma perché noi stessi abbiamo udito e sappiamo che questi è veramente il salvatore del mondo ».

⁴³Trascorsi due giorni, partì di là per andare in Galilea. ⁴⁴Ma Gesù stesso aveva dichiarato che un profeta non riceve onore nella sua patria. ⁴⁵Quando però giunse in Galilea, i Galilei lo accolsero con gioia, poiché avevano visto tutto quello che aveva fatto a Gerusalemme durante la festa; anch'essi infatti erano andati alla festa.

**Gesù guarisce il figlio di un funzionario del re, a Cana.** ⁴⁶Andò dunque di nuovo a Cana di Galilea, dove aveva cambiato l'acqua in vino. Vi era un funzionario del re, che aveva un figlio malato a Cafàrnao. ⁴⁷Costui, udito che Gesù era venuto dalla Giudea in Galilea, si recò da lui e lo pregò di scendere a guarire suo figlio poiché stava per morire. ⁴⁸Gesù gli disse: « Se non vedete segni e prodigi, voi non credete ». ⁴⁹Ma il funzionario del re insistette: « Signore, scendi prima che

---

³⁸ « Gli altri » fa riferimento all'A.T., che si ricapitola in Cristo, seminatore per eccellenza.
⁴² « Salvatore del mondo » ricorre solo qui e in 1Gv 4,14.
⁴⁴ Cfr. Mt 13,57.

⁴⁶ Il re è il tetrarca di Galilea, Erode Antipa, figlio di Erode il Grande, aveva ripudiato la moglie per convivere con Erodiade, moglie del suo fratellastro Erode Filippo.

l mio bambino muoia ». ⁵⁰Gesù gli risponde: « Va', tuo figlio vive ». Quell'uomo credette alla parola che gli aveva detto Gesù e si mise in cammino. ⁵¹Proprio mentre scendeva, gli vennero incontro i servi a dirgli: « Tuo figlio vive! ». ⁵²S'informò poi a che ora avesse cominciato a star meglio. Gli dissero: « Ieri, un'ora dopo mezzogiorno la febbre lo ha lasciato ». ⁵³Il padre riconobbe che proprio in quell'ora Gesù gli aveva detto: « Tuo figlio vive » e credette lui con tutta la sua famiglia. ⁵⁴Questo fu il secondo miracolo che Gesù fece tornando dalla Giudea in Galilea.

# 5 L'infermo della piscina di Betzaetà a Gerusalemme.

¹Vi fu poi una festa dei Giudei e Gesù salì a Gerusalemme. ²V'è a Gerusalemme, presso la porta delle Pecore, una piscina, chiamata in ebraico Betzaetà, con cinque portici, ³sotto i quali giaceva un gran numero di infermi, ciechi, zoppi e paralitici. [⁴Un angelo infatti in certi momenti discendeva nella piscina e agitava l'acqua; il primo ad entrarvi dopo l'agitazione dell'acqua guariva da qualsiasi malattia fosse affetto]. ⁵Si trovava là un uomo che da trentotto anni era malato. ⁶Gesù vedendolo disteso e, sapendo che da molto tempo stava così, gli disse: « Vuoi guarire? ». ⁷Gli rispose il malato: « Signore, io non ho nessuno che mi immerga nella piscina quando l'acqua si agita. Mentre infatti sto per andarvi, qualche altro scende prima di me ». ⁸Gesù gli disse: « Alzati, prendi il tuo lettuccio e cammina ». ⁹E sull'istante quell'uomo guarì e, preso il suo lettuccio, cominciò a camminare.

**5.** ¹ Se questa festa era una Pasqua, poiché Gv nomina altre tre Pasque (2,13; 6,4; 12,1), il ministero pubblico di Gesù durò tre anni e alcuni mesi; in caso contrario, la durata si riduce di un anno.
² La porta delle Pecore era all'angolo nord-est del tempio. La piscina, circondata da quattro portici, ne aveva un quinto che la divideva per metà.
⁴ Questo v. manca nei manoscritti migliori e più antichi; probabilmente è una glossa che spiega in maniera popolare le

**Disputa sul sabato.** Quel giorno però era un sabato. [10]Dissero dunque i Giudei all'uomo guarito: « È sabato e non ti è lecito prender su il tuo lettuccio ». [11]Ma egli rispose loro: « Colui che mi ha guarito mi ha detto: Prendi il tuo lettuccio e cammina ». [12]Gli chiesero allora: « Chi è stato a dirti: Prendi il tuo lettuccio e cammina? ». [13]Ma colui che era stato guarito non sapeva chi fosse; Gesù infatti si era allontanato, essendoci folla in quel luogo. [14]Poco dopo Gesù lo trovò nel tempio e gli disse: « Ecco che sei guarito; non peccare più, perché non ti abbia ad accadere qualcosa di peggio ». [15]Quell'uomo se ne andò e disse ai Giudei che era stato Gesù a guarirlo. [16]Per questo i Giudei cominciarono a perseguitare Gesù, perché faceva tali cose di sabato. [17]Ma Gesù rispose loro: « Il Padre mio opera sempre e anch'io opero ». [18]Proprio per questo i Giudei cercavano ancor più di ucciderlo: perché non soltanto violava il sabato, ma chiamava Dio suo Padre, facendosi uguale a Dio.

**Le opere e il potere del Figlio.** [19]Gesù riprese a parlare e disse: « In verità, in verità vi dico, il Figlio da sé non può fare nulla se non ciò che vede fare dal Padre; quello che egli fa, anche il Figlio lo fa. [20]Il Padre infatti ama il Figlio, gli manifesta tutto quello che fa e gli manifesterà opere ancora più grandi di queste, e voi ne resterete meravigliati. [21]Come il Padre risuscita i morti e dà la vita, così anche il Figlio dà la vita a chi vuole; [22]il Padre infatti non giudica nessuno ma ha rimesso ogni giudizio al Figlio, [23]perché tutti onorino il Figlio come onorano il Padre. Chi non onora il Figlio, non onora il Padre che lo ha mandato. [24]In

---

virtù terapeutiche dell'acqua. L'angelo indica che quella virtù era ritenuta soprannaturale.
[10] Il sabato era di riposo, esasperato dalla casistica farisaica.

[19-23] Il Figlio è in tutto perfettamente uguale al Padre e, come lui, ha poteri supremi di giudizio e dominio sulla vita e sulla morte.

verità, in verità vi dico: chi ascolta la mia parola e
crede a colui che mi ha mandato, ha la vita eterna e
non va incontro al giudizio, ma è passato dalla morte
alla vita. [25]In verità, in verità vi dico: è venuto il momento, ed è questo, in cui i morti udranno la voce del
Figlio di Dio, e quelli che l'avranno ascoltata, vivranno.
[26]Come infatti il Padre ha la vita in se stesso, così ha
concesso al Figlio di avere la vita in se stesso; [27]e gli
ha dato il potere di giudicare, perché è Figlio dell'uomo. [28]Non vi meravigliate di questo, poiché verrà l'ora
in cui tutti coloro che sono nei sepolcri udranno la
sua voce e ne usciranno: [29]quanti fecero il bene per
una risurrezione di vita e quanti fecero il male per una
risurrezione di condanna. [30]Io non posso far nulla da
me stesso; giudico secondo quello che ascolto e il mio
giudizio è giusto, perché non cerco la mia volontà,
ma la volontà di colui che mi ha mandato.

**La testimonianza a favore del Figlio.** [31]Se fossi io
a render testimonianza a me stesso, la mia testimonianza
non sarebbe vera; [32]ma c'è un altro che mi rende testimonianza, e so che la testimonianza che egli mi rende
è verace. [33]Voi avete inviato messaggeri da Giovanni ed
egli ha reso testimonianza alla verità. [34]Io non ricevo
testimonianza da un uomo; ma vi dico queste cose
perché possiate salvarvi. [35]Egli era una lampada che
arde e risplende, e voi avete voluto solo per un momento rallegrarvi alla sua luce.
[36]Io però ho una testimonianza superiore a quella di
Giovanni: le opere che il Padre mi ha dato da compiere, quelle stesse opere che io sto facendo, testimoniano di me che il Padre mi ha mandato. [37]E anche il
Padre, che mi ha mandato, ha reso testimonianza di

[25] Si tratta di morti spirituali
richiamati alla vita dalla predicazione evangelica.
[32] « Un altro » è il Padre.

[37] Alla testimonianza del Padre
e del Battista si aggiunge quella
delle Sacre Scritture, cioè dell'Antico Testamento.

me. Ma voi non avete mai udito la sua voce, né avete visto il suo volto, [38]e non avete la sua parola che dimora in voi, perché non credete a colui che egli ha mandato. [39]Voi scrutate le Scritture credendo di avere in esse la vita eterna; ebbene, sono proprio esse che mi rendono testimonianza. [40]Ma voi non volete venire a me per avere la vita. [41]Io non ricevo gloria dagli uomini. [42]Ma io vi conosco e so che non avete in voi l'amore di Dio. [43]Io sono venuto nel nome del Padre mio e voi non mi ricevete; se un altro venisse nel proprio nome, lo ricevereste. [44]E come potete credere, voi che prendete gloria gli uni dagli altri, e non cercate la gloria che viene da Dio solo? [45]Non crediate che sia io ad accusarvi davanti al Padre; c'è già chi vi accusa, Mosè, nel quale avete riposto la vostra speranza. [46]Se credeste infatti a Mosè, credereste anche a me; perché di me egli ha scritto. [47]Ma se non credete ai suoi scritti, come potrete credere alle mie parole? ».

**6** **La moltiplicazione dei pani.** [1]Dopo questi fatti, Gesù andò all'altra riva del mare di Galilea, cioè di Tiberìade, [2]e una grande folla lo seguiva, vedendo i segni che faceva sugli infermi. [3]Gesù salì sulla montagna e là si pose a sedere con i suoi discepoli. [4]Era vicina la Pasqua, la festa dei Giudei. [5]Alzati quindi gli occhi, Gesù vide che una grande folla veniva da lui e disse a Filippo: « Dove possiamo comprare il pane perché costoro abbiano da mangiare? ». [6]Diceva così per metterlo alla prova; egli infatti sapeva bene quello che stava per fare. [7]Gli rispose Filippo: « Duecento denari di pane non sono sufficienti neppure perché ognuno possa riceverne un pezzo ». [8]Gli disse allora uno dei discepoli, Andrea, fratello di Simon Pietro: [9]« C'è qui un ragazzo che ha cinque pani d'orzo e due pesci; ma che cos'è questo per tanta gente? ». [10]Rispose Gesù:

6.  [1] Mt 14,13-21; Mc 6,32-44; Lc     9,10-17, cioè in tutti i 4 vangeli.

« Fateli sedere ». C'era molta erba in quel luogo. Si sedettero dunque ed erano circa cinquemila uomini. [11]Al-
lora Gesù prese i pani e, dopo aver reso grazie, li di-
stribuì a quelli che si erano seduti, e lo stesso fece dei
pesci, finché ne vollero. [12]E quando furono saziati, disse
ai discepoli: « Raccogliete i pezzi avanzati, perché
nulla vada perduto ». [13]Li raccolsero e riempirono dodici canestri con i pezzi dei cinque pani d'orzo, avanzati a coloro che avevano mangiato.
[14]Allora la gente, visto il segno che egli aveva compiuto, cominciò a dire: « Questi è davvero il profeta
che deve venire nel mondo! ». [15]Ma Gesù, sapendo che
stavano per venire a prenderlo per farlo re, si ritirò di
nuovo sulla montagna, tutto solo.

**Gesù cammina sul mare.** [16]Venuta intanto la sera,
i suoi discepoli scesero al mare [17]e, saliti in una barca,
si avviarono verso l'altra riva in direzione di Cafàrnao.
Era ormai buio, e Gesù non era ancora venuto da loro.
[18]Il mare era agitato, perché soffiava un forte vento.
[19]Dopo aver remato circa tre o quattro miglia, videro
Gesù che camminava sul mare e si avvicinava alla
barca, ed ebbero paura. [20]Ma egli disse loro: « Sono io,
non temete ». [21]Allora vollero prenderlo sulla barca e
rapidamente la barca toccò la riva alla quale erano
diretti.

**Discorso nella sinagoga di Cafàrnao.** [22]Il giorno
dopo, la folla, rimasta dall'altra parte del mare, notò
che c'era una barca sola e che Gesù non era salito
con i suoi discepoli sulla barca, ma soltanto i suoi
discepoli erano partiti. [23]Altre barche erano giunte nel
frattempo da Tiberìade, presso il luogo dove avevano
mangiato il pane dopo che il Signore aveva reso grazie.
[24]Quando dunque la folla vide che Gesù non era più
là e nemmeno i suoi discepoli, salì sulle barche e si

[14] Cfr. 1,25: coro finale della folla,   che riconosce in Gesù il profeta.

diresse alla volta di Cafàrnao alla ricerca di Gesù.
[25]Trovatolo di là dal mare, gli dissero: « Rabbì, quando sei venuto qua? ».
[26]Gesù rispose: « In verità, in verità vi dico, voi mi cercate non perché avete visto dei segni, ma perché avete mangiato di quei pani e vi siete saziati. [27]Procuratevi non il cibo che perisce, ma quello che dura per la vita eterna, e che il Figlio dell'uomo vi darà. Perché su di lui il Padre, Dio, ha messo il suo sigillo ». [28]Gli dissero allora: « Che cosa dobbiamo fare per compiere le opere di Dio? ». [29]Gesù rispose: « Questa è l'opera di Dio: credere in colui che egli ha mandato ».
[30]Allora gli dissero: « Quale segno dunque tu fai perché vediamo e possiamo crederti? Quale opera compi? [31]I nostri padri hanno mangiato la manna nel deserto, come sta scritto: *Diede loro da mangiare un pane dal cielo* ».
[32]Rispose loro Gesù: « In verità, in verità vi dico: non Mosè vi ha dato il pane dal cielo, ma il Padre mio vi dà il pane dal cielo, quello vero; [33]il pane di Dio è colui che discende dal cielo e dà la vita al mondo ».
[34]Allora gli dissero: « Signore, dacci sempre questo pane ». [35]Gesù rispose: « Io sono il pane della vita; chi viene a me non avrà più fame e chi crede in me non avrà più sete. [36]Vi ho detto però che voi mi avete visto e non credete. [37]Tutto ciò che il Padre mi dà, verrà a me; colui che viene a me, non lo respingerò, [38]perché sono disceso dal cielo non per fare la mia volontà, ma la volontà di colui che mi ha mandato. [39]E questa è la volontà di colui che mi ha mandato, che io non perda nulla di quanto egli mi ha dato, ma lo risusciti nell'ultimo giorno. [40]Questa infatti è la volontà del Padre mio, che chiunque vede il Figlio e crede in

[26] Non avevano capito il significato del miracolo.
[27] Senza questo discorso di Gesù i suoi discepoli non avrebbero potuto capire ciò che egli fece nell'ultima cena, istituendo l'Eu-

caristia. I miracoli-segni sono il sigillo che autentica la missione di Cristo.
[31] Confronta Sal 77,24-25; Es 16, 13-14; Sap 16,20.
[35] Cfr. 4,14; Is 49,10.

lui abbia la vita eterna; io lo risusciterò nell'ultimo giorno ».

⁴¹Intanto i Giudei mormoravano di lui perché aveva detto: « Io sono il pane disceso dal cielo ». ⁴²E dicevano: « Costui non è forse Gesù, il figlio di Giuseppe? Di lui conosciamo il padre e la madre. Come può dunque dire: Sono disceso dal cielo? ».

⁴³Gesù rispose: « Non mormorate tra di voi. ⁴⁴Nessuno può venire a me, se non lo attira il Padre che mi ha mandato; e io lo risusciterò nell'ultimo giorno. ⁴⁵Sta scritto nei profeti: *E tutti saranno ammaestrati da Dio.* Chiunque ha udito il Padre e ha imparato da lui, viene a me. ⁴⁶Non che alcuno abbia visto il Padre, ma solo colui che viene da Dio ha visto il Padre. ⁴⁷In verità, in verità vi dico: chi crede ha la vita eterna.

⁴⁸Io sono il pane della vita. ⁴⁹I vostri padri hanno mangiato la manna nel deserto e sono morti; ⁵⁰questo è il pane che discende dal cielo, perché chi ne mangia non muoia. ⁵¹Io sono il pane vivo, disceso dal cielo. Se uno mangia di questo pane vivrà in eterno e il pane che io darò è la mia carne per la vita del mondo ».

⁵²Allora i Giudei si misero a discutere tra di loro: « Come può costui darci la sua carne da mangiare? ».

⁵³Gesù disse: « In verità, in verità vi dico: se non mangiate la carne del Figlio dell'uomo e non bevete il suo sangue, non avrete in voi la vita. ⁵⁴Chi mangia la mia carne e beve il mio sangue ha la vita eterna e io lo risusciterò nell'ultimo giorno. ⁵⁵Perché la mia carne è vero cibo e il mio sangue vera bevanda. ⁵⁶Chi mangia la mia carne e beve il mio sangue dimora in me e io in lui. ⁵⁷Come il Padre, che ha la vita, ha mandato me e io vivo per il Padre, così anche colui che mangia di me vivrà per me. ⁵⁸Questo è il pane disceso dal cielo, non come quello che mangiarono i padri vostri e morirono. Chi mangia questo pane vivrà in eterno ».

---

⁴⁵ È una citazione libera di Is 54,   13 secondo la versione dei LXX.

**Reazioni dei discepoli al discorso.** [59]Queste cose disse
Gesù, insegnando nella sinagoga a Cafàrnao. [60]Molti dei
suoi discepoli, dopo aver ascoltato, dissero: « Questo
linguaggio è duro; chi può intenderlo? ». [61]Gesù, conoscendo dentro di sé che i suoi discepoli proprio di questo mormoravano, disse loro: « Questo vi scandalizza? [62]E se vedeste il Figlio dell'uomo salire là dov'era
prima? [63]È lo Spirito che dà la vita, la carne non giova
a nulla; le parole che vi ho dette sono spirito e vita.
[64]Ma vi sono alcuni tra voi che non credono ». Gesù
infatti sapeva fin da principio chi erano quelli che non
credevano e chi era colui che lo avrebbe tradito. [65]E
continuò: « Per questo vi ho detto che nessuno può
venire a me, se non gli è concesso dal Padre mio ».
[66]Da allora molti dei suoi discepoli si tirarono indietro
e non andavano più con lui.

**La « confessione » di Pietro.** [67]Disse allora Gesù ai
Dodici: « Forse anche voi volete andarvene? ». [68]Gli
rispose Simon Pietro: « Signore, da chi andremo? Tu
hai parole di vita eterna; [69]noi abbiamo creduto e conosciuto che tu sei il Santo di Dio ». [70]Rispose Gesù:
« Non ho forse scelto io voi, i Dodici? Eppure uno di
voi è un diavolo! ». Egli parlava di Giuda, figlio di
Simone Iscariota: questi infatti stava per tradirlo, uno
dei Dodici.

**7 Gesù e i parenti.** [1]Dopo questi fatti Gesù se ne
andava per la Galilea; infatti non voleva più girare
per la Giudea, perché i Giudei cercavano di ucciderlo.
[2]Si avvicinava intanto la festa dei Giudei, detta delle

---

[61] Gv rileva spesso la facoltà
profetica e divina di Cristo che
legge nei cuori: v. 64; 1,42.47;
2,24-25; 4,18 ecc.
[62] Quando Cristo risorgerà e ritornerà al Padre si capirà come
il suo corpo è vero e spiritualizza-

to allo stesso tempo, sia pure in
una maniera per noi misteriosa.
[63] Ciò che Gesù ha detto appartiene all'ordine delle realtà soprannaturali.
**7.** [2] Per la festa delle Capanne
cfr. Lv 23,33-43; Dt 16,13-15.

Capanne; [3]i suoi fratelli gli dissero: « Parti di qui e va' nella Giudea perché anche i tuoi discepoli vedano le opere che tu fai. [4]Nessuno infatti agisce di nascosto, se vuole venire riconosciuto pubblicamente. Se fai tali cose, manifèstati al mondo! ». [5]Neppure i suoi fratelli infatti credevano in lui. [6]Gesù allora disse loro: « Il mio tempo non è ancora venuto, il vostro invece è sempre pronto. [7]Il mondo non può odiare voi, ma odia me, perché di lui io attesto che le sue opere sono cattive. [8]Andate voi a questa festa; io non ci vado, perché il mio tempo non è ancora compiuto ». [9]Dette loro queste cose, restò nella Galilea.

**A Gerusalemme per la festa.** [10]Ma andati i suoi fratelli alla festa, allora vi andò anche lui; non apertamente però: di nascosto. [11]I Giudei intanto lo cercavano durante la festa e dicevano: « Dov'è quel tale? ». [12]E si faceva sommessamente un gran parlare di lui tra la folla; gli uni infatti dicevano: « È buono! ». Altri invece: « No, inganna la gente! ». [13]Nessuno però ne parlava in pubblico, per paura dei Giudei.

**Il discorso nel mezzo della festa.** [14]Quando ormai si era a metà della festa, Gesù salì al tempio e vi insegnava. [15]I Giudei ne erano stupiti e dicevano: « Come mai costui conosce le Scritture, senza avere studiato? ». [16]Gesù rispose: « La mia dottrina non è mia, ma di colui che mi ha mandato. [17]Chi vuol fare la sua volontà, conoscerà se questa dottrina viene da Dio, o se io parlo da me stesso. [18]Chi parla da se stesso, cerca la propria gloria; ma chi cerca la gloria di colui che l'ha mandato è veritiero, e in lui non c'è ingiustizia. [19]Non è stato forse Mosè a darvi la Legge? Eppure nessuno di voi osserva la Legge! Perché cercate di uccidermi? ». [20]Ri-

---

[3] Sui fratelli-parenti di Gesù v. Mt 12,46.
[15] Gesù non era stato allievo dei maestri ebrei. Il maestro di Gesù, colui che l'ha istruito e lo istruisce, è il Padre che lo ha mandato.
[20] « Hai un demonio », cioè sei pazzo.

spose la folla: « Tu hai un demonio! Chi cerca di
ucciderti? ». [21]Rispose Gesù: « Un'opera sola ho compiuto, e tutti ne siete stupiti. [22]Mosè vi ha dato la circoncisione – non che essa venga da Mosè, ma dai patriarchi – e voi circoncidete un uomo anche di sabato. [23]Ora se un uomo riceve la circoncisione di sabato
perché non sia trasgredita la Legge di Mosè, voi vi sde-
gnate contro di me perché ho guarito interamente un
uomo di sabato? [24]Non giudicate secondo le apparenze,
ma giudicate con giusto giudizio! ».

[25]Intanto alcuni di Gerusalemme dicevano: « Non è
costui quello che cercate di uccidere? [26]Ecco, egli parla
liberamente, e non gli dicono niente. Che forse i capi
abbiano riconosciuto davvero che egli è il Cristo? [27]Ma
costui sappiamo di dov'è; il Cristo invece, quando verrà,
nessuno saprà di dove sia ». [28]Gesù allora, mentre insegnava nel tempio, esclamò: « Certo, voi mi conoscete
e sapete di dove sono. Eppure io non sono venuto da
me e chi mi ha mandato è veritiero, e voi non lo conoscete. [29]Io però lo conosco, perché vengo da lui ed
egli mi ha mandato ». [30]Allora cercarono di arrestarlo,
ma nessuno riuscì a mettergli le mani addosso, perché
non era ancora giunta la sua ora. [31]Molti della folla invece credettero in lui, e dicevano: « Il Cristo, quando
verrà, potrà fare segni più grandi di quelli che ha fatto
costui? ».

[32]I farisei intanto udirono che la gente sussurrava queste cose di lui e perciò i sommi sacerdoti e i farisei mandarono delle guardie per arrestarlo. [33]Gesù disse: « Per
poco tempo ancora rimango con voi, poi vado da colui

---

[21] Allusione alla guarigione miracolosa del paralitico: c. 5.
[22] La circoncisione fu imposta da
Dio ad Abramo: cfr. Gn 17,9-14;
At 7,8; Rm 4,11.
[27] Si sapeva che il Messia doveva essere discendente di Davide e nascere a Betlemme (v.

42; Mt 2,5), ma allora si riteneva che egli sarebbe apparso
all'improvviso da un luogo segreto.
[30] L'ora è quella stabilita da Dio
per glorificare, nel mistero pasquale, il suo Figlio: cfr. 8,20;
12,25.27; 13,1; 16,25; 17,1.

che mi ha mandato. [34]Voi mi cercherete, e non mi troverete; e dove sono io, voi non potrete venire ». [35]Dissero dunque tra loro i Giudei: « Dove mai sta per andare costui, che noi non potremo trovarlo? Andrà forse da quelli che sono dispersi fra i Greci e ammaestrerà i Greci? [36]Che discorso è questo che ha fatto: Mi cercherete e non mi troverete e dove sono io voi non potrete venire? ».

## Il discorso dell'ultimo giorno della festa. [37]Nell'ultimo giorno, il grande giorno della festa, Gesù levatosi in piedi esclamò ad alta voce: « Chi ha sete venga a me e beva. [38]Chi crede in me, come dice la Scrittura, fiumi di acqua viva sgorgheranno dal suo seno ». [39]Questo egli disse riferendosi allo Spirito che avrebbero ricevuto i credenti in lui: infatti non c'era ancora lo Spirito, perché Gesù non era stato ancora glorificato. [40]All'udire queste parole, alcuni fra la gente dicevano: « Questi è davvero il profeta! ». [41]Altri dicevano: « Questi è il Cristo! ». Altri invece dicevano: « Il Cristo viene forse dalla Galilea? [42]Non dice forse la Scrittura che il Cristo *verrà dalla stirpe di Davide* e *da Betlemme*, il villaggio di Davide? ». [43]E nacque dissenso tra la gente riguardo a lui.

[44]Alcuni di loro volevano arrestarlo, ma nessuno gli mise le mani addosso. [45]Le guardie tornarono quindi dai sommi sacerdoti e dai farisei e questi dissero loro: « Perché non lo avete condotto? ». [46]Risposero le guardie: « Mai un uomo ha parlato come parla quest'uomo! ». [47]Ma i farisei replicarono loro: « Forse vi siete lasciati ingannare anche voi? [48]Forse gli ha creduto qualcuno fra i capi, o fra i farisei? [49]Ma questa gente, che non conosce la Legge, è maledetta! ». [50]Disse allora Ni-

[38] Cfr. Sal 104,41 e l'interpretazione di 1Cor 10,4.
[39] Cfr. At c. 2.
[41] Cfr. Lc 1,32. Gesù aveva tra-

scorso praticamente quasi tutta la vita nel villaggio di Nazaret, che è appunto in Galilea.
[42] Cfr. Mic 5,1.

codèmo, uno di loro, che era venuto precedentemente da Gesù: [51]« La nostra Legge giudica forse un uomo prima di averlo ascoltato e di sapere ciò che fa? ». [52]Gli risposero: « Sei forse anche tu della Galilea? Studia e vedrai che non sorge profeta dalla Galilea ». [53]E tornarono ciascuno a casa sua.

# 8 La donna adultera.

[1]Gesù si avviò allora verso il monte degli Ulivi. [2]Ma all'alba si recò di nuovo nel tempio e tutto il popolo andava da lui ed egli, sedutosi, li ammaestrava. [3]Allora gli scribi e i farisei gli conducono una donna sorpresa in adulterio e, postala nel mezzo, [4]gli dicono: « Maestro, questa donna è stata sorpresa in flagrante adulterio. [5]Ora Mosè, nella Legge, ci ha comandato di lapidare donne come questa. Tu che ne dici? ». [6]Questo dicevano per metterlo alla prova e per avere di che accusarlo. Ma Gesù, chinatosi, si mise a scrivere col dito per terra. [7]E siccome insistevano nell'interrogarlo, alzò il capo e disse loro: « Chi di voi è senza peccato, scagli per primo la pietra contro di lei ». [8]E chinatosi di nuovo, scriveva per terra. [9]Ma quelli, udito ciò, se ne andarono uno per uno, cominciando dai più anziani fino agli ultimi. Rimase solo Gesù con la donna là in mezzo. [10]Alzatosi allora Gesù le disse: « Donna, dove sono? Nessuno ti ha condannata? ». [11]Ed essa rispose: « Nessuno, Signore ». E Gesù le disse: « Neanch'io ti condanno; va' e d'ora in poi non peccare più ».

# Gesù, luce del mondo.

[12]Di nuovo Gesù parlò loro: « Io sono la luce del mondo; chi segue me, non cammi-

---

**8.** [1] Il brano dei vv. 1-8 manca nella maggior parte dei manoscritti greci e delle versioni antiche; nella Chiesa è conosciuto fin dal II sec. Il testo è ispirato, ma probabilmente non è di Gv; lo stile lo accosta a Lc, nel

cui vangelo (a 21,38) lo inseriscono un gruppo di manoscritti. [5] Cfr. Lv 20,10; Dt 22,22. [12] Cfr. 1,4.5.9. La festa delle Capanne era famosa per le sue luminarie, in ricordo della nube luminosa, la quale in modo sor-

nerà nelle tenebre, ma avrà la luce della vita ». [13]Gli dissero allora i farisei: « Tu dai testimonianza di te stesso; la tua testimonianza non è vera ». [14]Gesù rispose: « Anche se io rendo testimonianza di me stesso, la mia testimonianza è vera, perché so da dove vengo e dove vado. Voi invece non sapete da dove vengo o dove vado. [15]Voi giudicate secondo la carne; io non giudico nessuno. [16]E anche se giudico, il mio giudizio è vero, perché non sono solo, ma io e il Padre che mi ha mandato. [17]Nella vostra Legge sta scritto che la testimonianza di due persone è vera: [18]orbene, sono io che do testimonianza di me stesso, ma anche il Padre, che mi ha mandato, mi dà testimonianza ». [19]Gli dissero allora: « Dov'è tuo padre? ». Rispose Gesù: « Voi non conoscete né me né il Padre; se conosceste me, conoscereste anche il Padre mio ». [20]Queste parole Gesù le pronunziò nel luogo del tesoro mentre insegnava nel tempio. E nessuno lo arrestò, perché non era ancora giunta la sua ora.

## La morte di Gesù e la morte dei Giudei. [21]Di nuovo Gesù disse loro: « Io vado e voi mi cercherete, ma morirete nel vostro peccato. Dove vado io, voi non potete venire ». [22]Dicevano allora i Giudei: « Forse si ucciderà, dal momento che dice: Dove vado io, voi non potete venire? ». [23]E diceva loro: « Voi siete di quaggiù, io sono di lassù; voi siete di questo mondo, io non sono di questo mondo. [24]Vi ho detto che morirete nei vostri peccati; se infatti non credete che io sono, morirete nei vostri peccati ». [25]Gli dissero allora: « Tu chi sei? ». Gesù disse loro: « Proprio ciò che vi dico. [26]Avrei

prendente aveva guidato gli Ebrei nell'esodo: cfr. Es 13,21.
[15] Secondo la carne, cioè secondo le apparenze.
[20] Per il tesoro del tempio cfr. Mc 12,41.
[21] Cfr. 7,34-36.

[23] « Io sono » (vv. 28.58; 13,19) può sottintendere: il Messia, oppure, meglio; allude al nome divino rivelato a Mosè (« Io sono »: cfr. Es 3,14). In tal modo, Gesù si dichiara appartenente alla sfera divina.

molte cose da dire e da giudicare sul vostro conto; ma colui che mi ha mandato è veritiero, ed io dico al mondo le cose che ho udito da lui ». [27]Non capirono che egli parlava loro del Padre. [28]Disse allora Gesù: « Quando avrete innalzato il Figlio dell'uomo, allora saprete che Io Sono e non faccio nulla da me stesso, ma come mi ha insegnato il Padre, così io parlo. [29]Colui che mi ha mandato è con me e non mi ha lasciato solo, perché io faccio sempre le cose che gli sono gradite ». [30]A queste sue parole, molti credettero in lui.

**Gesù e Abramo.** [31]Gesù allora disse a quei Giudei che avevano creduto in lui: « Se rimanete fedeli alla mia parola, sarete davvero miei discepoli; [32]conoscerete la verità e la verità vi farà liberi ». [33]Gli risposero: « Noi siamo discendenza di Abramo e non siamo mai stati schiavi di nessuno. Come puoi tu dire: Diventerete liberi? ». [34]Gesù rispose: « In verità, in verità vi dico: chiunque commette il peccato è schiavo del peccato. [35]Ora lo schiavo non resta per sempre nella casa, ma il figlio vi resta sempre; [36]se dunque il Figlio vi farà liberi, sarete liberi davvero. [37]So che siete discendenza di Abramo. Ma intanto cercate di uccidermi perché la mia parola non trova posto in voi. [38]Io dico quello che ho visto presso il Padre; anche voi dunque fate quello che avete ascoltato dal padre vostro ». [39]Gli risposero: « Il nostro padre è Abramo ». Rispose Gesù: « Se siete figli di Abramo, fate le opere di Abramo! [40]Ora invece cercate di uccidere me, che vi ho detto la verità udita da Dio; questo, Abramo non l'ha fatto. [41]Voi fate le opere del padre vostro ». Gli risposero: « Noi non siamo nati da prostituzione, noi abbiamo un solo Padre, Dio! ». [42]Disse loro Gesù: « Se Dio fosse vostro Padre, certo mi amereste, perché da Dio sono uscito e vengo; non sono venuto da me stesso, ma lui mi ha mandato.

[28] Innalzato, cioè crocifisso; Gv presenta il Calvario come l'esalta-zione di Cristo: cfr. 3,14; nel contempo, è un innalzare alla gloria.

⁴³Perché non comprendete il mio linguaggio? Perché non potete dare ascolto alle mie parole, ⁴⁴voi che avete per padre il diavolo, e volete compiere i desideri del padre vostro. Egli è stato omicida fin da principio e non ha perseverato nella verità, perché non vi è verità in lui. Quando dice il falso, parla del suo, perché è menzognero e padre della menzogna. ⁴⁵A me, invece, voi non credete, perché dico la verità. ⁴⁶Chi di voi può convincermi di peccato? Se dico la verità, perché non mi credete? ⁴⁷Chi è da Dio ascolta le parole di Dio: per questo voi non le ascoltate, perché non siete da Dio ». ⁴⁸Gli risposero i Giudei: « Non diciamo con ragione noi che sei un Samaritano e hai un demonio? ». ⁴⁹Rispose Gesù: « Io non ho un demonio, ma onoro il Padre mio e voi mi disonorate. ⁵⁰Io non cerco la mia gloria; vi è chi la cerca e giudica. ⁵¹In verità, in verità vi dico: se uno osserva la mia parola, non vedrà mai la morte ». ⁵²Gli dissero i Giudei: « Ora sappiamo che hai un demonio. Abramo è morto, come anche i profeti, e tu dici: "Chi osserva la mia parola non conoscerà mai la morte". ⁵³Sei tu più grande del nostro padre Abramo, che è morto? Anche i profeti sono morti; chi pretendi di essere? ». ⁵⁴Rispose Gesù: « Se io glorificassi me stesso, la mia gloria non sarebbe nulla; chi mi glorifica è il Padre mio, del quale voi dite: "È nostro Dio!", ⁵⁵e non lo conoscete. Io invece lo conosco. E se dicessi che non lo conosco, sarei come voi, un mentitore; ma lo conosco e osservo la sua parola. ⁵⁶Abramo, vostro padre, esultò nella speranza di vedere il mio giorno; lo vide e se ne rallegrò ». ⁵⁷Gli dissero allora i Giudei: « Non hai ancora cinquant'anni e hai visto Abramo? ». ⁵⁸Rispose loro Gesù: « In verità,

---

⁴⁴ Col peccato, il demonio ha introdotto la morte nel mondo: cfr. Sap 1,13; 2,24; Rm 5,12.
⁴⁸ Un Samaritano, cioè un empio: cfr. 4,9.
⁵⁶ Per le promesse messianiche fatte da Dio ad Abramo cfr. Gn 12,13; 17,17.21; Gal 3,16.
⁵⁷ La cifra degli anni è volutamente esagerata; Abramo era vissuto quasi due millenni prima di Cristo.

in verità vi dico: prima che Abramo fosse, Io Sono».
[59]Allora raccolsero pietre per scagliarle contro di lui;
ma Gesù si nascose e uscì dal tempio.

# 9 Il cieco nato e Gesù luce. [1]Passando vide un uomo cieco dalla nascita [2]e i suoi discepoli lo interrogarono: «Rabbì, chi ha peccato, lui o i suoi genitori, perché egli nascesse cieco?». [3]Rispose Gesù: «Né lui ha peccato né i suoi genitori, ma è così perché si manifestassero in lui le opere di Dio. [4]Dobbiamo compiere le opere di colui che mi ha mandato finché è giorno; poi viene la notte, quando nessuno può più operare. [5]Finché sono nel mondo, sono la luce del mondo. [6]Detto questo sputò per terra, fece del fango con la saliva, spalmò il fango sugli occhi del cieco [7]e gli disse: «Va' a lavarti nella piscina di Sìloe (che significa Inviato)». Quegli andò, si lavò e tornò che ci vedeva. [8]Allora i vicini e quelli che lo avevano visto prima, poiché era un mendicante, dicevano: «Non è egli quello che stava seduto a chiedere l'elemosina?». [9]Alcuni dicevano: «È lui»; altri dicevano: «No, ma gli assomiglia». Ed egli diceva: «Sono io!». [10]Allora gli chiesero: «Come dunque ti furono aperti gli occhi?». [11]Egli rispose: «Quell'uomo che si chiama Gesù ha fatto del fango, mi ha spalmato gli occhi e mi ha detto: Va' a Sìloe e lavati. Io sono andato e, dopo essermi lavato, ho acquistato la vista». [12]Gli dissero: «Dov'è questo tale?». Rispose: «Non lo so».

[13]Intanto condussero dai farisei quello che era stato cieco: [14]era infatti sabato il giorno in cui Gesù aveva fatto del fango e gli aveva aperto gli occhi. [15]Anche i

---

**9.** [2] Era pregiudizio comune che le malattie fossero conseguenza di precisi peccati.
[4] Il tempo del ministero pubblico è paragonato da Gesù a una giornata lavorativa.
[6] Gesù fa capire all'infermo che lo guarirà; alla saliva si attribuivano virtù curative.
[7] *Sìloe* significava «(canale) inviante» o «(acqua) inviata». La piscina si trova ai piedi dello sperone meridionale della collina del tempio.

farisei dunque gli chiesero di nuovo come avesse acquistato la vista. Ed egli disse loro: « Mi ha posto del
fango sopra gli occhi, mi sono lavato e ci vedo ».
[16]Allora alcuni dei farisei dicevano: « Quest'uomo non
viene da Dio, perché non osserva il sabato ». Altri dicevano: « Come può un peccatore compiere tali prodigi? ». E c'era dissenso tra di loro. [17]Allora dissero di
nuovo al cieco: « Tu che dici di lui, dal momento che
ti ha aperto gli occhi? ». Egli rispose: « È un profeta! ». [18]Ma i Giudei non vollero credere di lui che
era stato cieco e aveva acquistato la vista, finché non
chiamarono i genitori di colui che aveva ricuperato la
vista. [19]E li interrogarono: « È questo il vostro figlio,
che voi dite esser nato cieco? Come mai ora ci vede? ».
[20]I genitori risposero: « Sappiamo che questo è il nostro figlio e che è nato cieco; [21]come poi ora ci veda,
non lo sappiamo, né sappiamo chi gli ha aperto gli
occhi; chiedetelo a lui, ha l'età, parlerà lui di se stesso ». [22]Questo dissero i suoi genitori, perché avevano
paura dei Giudei; infatti i Giudei avevano già stabilito
che se uno lo avesse riconosciuto come il Cristo, venisse espulso dalla sinagoga. [23]Per questo i suoi genitori
dissero: « Ha l'età, chiedetelo a lui! ».
[24]Allora chiamarono di nuovo l'uomo che era stato cieco
e gli dissero: « Da' gloria a Dio! Noi sappiamo che
quest'uomo è un peccatore ». [25]Questi rispose: « Se sia
un peccatore, non lo so; una cosa so: prima ero cieco
e ora ci vedo ». [26]Allora gli dissero di nuovo: « Che
cosa ti ha fatto? Come ti ha aperto gli occhi? ». [27]Ri-
spose loro: « Ve l'ho già detto e non mi avete ascoltato; perché volete udirlo di nuovo? Volete forse diventare anche voi suoi discepoli? ». [28]Allora lo insultarono e gli dissero: « Tu sei suo discepolo, noi siamo

---

[24] « Da' gloria a Dio »: l'uomo
è invitato a dire la verità in coscienza. È, insomma, una specie
di giuramento (cfr. Gs 7,19), cui
segue l'asserzione che i farisei
vorrebbero far sottoscrivere dal
cieco nato, ma questo non abboc-
ca all'amo.

discepoli di Mosè! [29]Noi sappiamo infatti che a Mosè ha parlato Dio; ma costui non sappiamo di dove sia ». [30]Rispose loro quell'uomo: « Proprio questo è strano, che voi non sapete di dove sia, eppure mi ha aperto gli occhi. [31]Ora, noi sappiamo che Dio non ascolta i peccatori, ma se uno è timorato di Dio e fa la sua volontà, egli lo ascolta. [32]Da che mondo è mondo, non s'è mai sentito dire che uno abbia aperto gli occhi a un cieco nato. [33]Se costui non fosse da Dio, non avrebbe potuto far nulla ». [34]Gli replicarono: « Sei nato tutto nei peccati e vuoi insegnare a noi? ». E lo cacciarono fuori.

[35]Gesù seppe che l'avevano cacciato fuori, e incontratolo gli disse: « Tu credi nel Figlio dell'uomo? ». [36]Egli rispose: « E chi è, Signore, perché io creda in lui? ». [37]Gli disse Gesù: « Tu l'hai visto: colui che parla con te è proprio lui ». [38]Ed egli disse: « Io credo, Signore! ». E gli si prostrò innanzi. [39]Gesù allora disse: « Io sono venuto in questo mondo per giudicare, perché coloro che non vedono vedano e quelli che vedono diventino ciechi ». [40]Alcuni dei farisei che erano con lui udirono queste parole e gli dissero: « Siamo forse ciechi anche noi? ». [41]Gesù rispose loro: « Se foste ciechi, non avreste alcun peccato; ma siccome dite: Noi vediamo, il vostro peccato rimane ».

**10** **Gesù pastore e porta del gregge.** [1]« In verità, in verità vi dico: chi non entra nel recinto delle pecore per la porta, ma vi sale da un'altra parte, è un ladro e un brigante. [2]Chi invece entra per la porta, è il pastore delle pecore. [3]Il guardiano gli apre e le pecore ascoltano la sua voce: egli chiama le sue pecore una

[39] Quelli che vedono sono i farisei, i quali pretendono di possedere la verità.
**10.** [1] Una parabola-allegoria con la quale Gesù, in contrasto coi farisei cattivi pastori del po-

polo di Dio, si presenta come l'unico Pastore predetto dai profeti (cfr. Ez 34,1-31; Zc 11,4-17), capace di condurre veramente a salvezza. Per l'immagine della porta cfr. Sal 118,20.

per una e le conduce fuori. ⁴E quando ha condotto fuori tutte le sue pecore, cammina innanzi a loro, e le pecore lo seguono, perché conoscono la sua voce. ⁵Un estraneo invece non lo seguiranno, ma fuggiranno via da lui, perché non conoscono la voce degli estranei ». ⁶Questa similitudine disse loro Gesù; ma essi non capirono che cosa significava ciò che diceva loro.

⁷Allora Gesù disse loro di nuovo: « In verità, in verità vi dico: io sono la porta delle pecore. ⁸Tutti coloro che sono venuti prima di me, sono ladri e briganti; ma le pecore non li hanno ascoltati. ⁹Io sono la porta: se uno entra attraverso di me, sarà salvo; entrerà e uscirà e troverà pascolo. ¹⁰Il ladro non viene se non per rubare, uccidere e distruggere; io sono venuto perché abbiano la vita e l'abbiano in abbondanza. ¹¹Io sono il buon pastore. Il buon pastore offre la vita per le pecore. ¹²Il mercenario invece, che non è pastore e al quale le pecore non appartengono, vede venire il lupo, abbandona le pecore e fugge e il lupo le rapisce e le disperde; ¹³egli è un mercenario e non gli importa delle pecore. ¹⁴Io sono il buon pastore, conosco le mie pecore e le mie pecore conoscono me, ¹⁵come il Padre conosce me e io conosco il Padre; e offro la vita per le pecore. ¹⁶E ho altre pecore che non sono di quest'ovile; anche queste io devo condurre; ascolteranno la mia voce e diventeranno un solo gregge e un solo pastore. ¹⁷Per questo il Padre mi ama: perché io offro la mia vita, per poi riprenderla di nuovo. ¹⁸Nessuno me la toglie, ma la offro da me stesso, poiché ho il potere di offrirla e il potere di riprenderla di nuovo. Questo comando ho ricevuto dal Padre mio ».

¹⁹Sorse di nuovo dissenso tra i Giudei per queste parole. ²⁰Molti di essi dicevano: « Ha un demonio ed è fuori di sé; perché lo state ad ascoltare? ». ²¹Altri invece dicevano: « Queste parole non sono di un indemoniato; può forse un demonio aprire gli occhi dei ciechi? ».

**Gesù Messia-pastore e le sue pecore.** [22]Ricorreva in quei giorni a Gerusalemme la festa della Dedicazione. Era d'inverno. [23]Gesù passeggiava nel tempio, sotto il portico di Salomone. [24]Allora i Giudei gli si fecero attorno e gli dicevano: « Fino a quando terrai l'animo nostro sospeso? Se tu sei il Cristo, dillo a noi apertamente ». [25]Gesù rispose loro: « Ve l'ho detto e non credete; le opere che io compio nel nome del Padre mio, queste mi danno testimonianza; [26]ma voi non credete, perché non siete mie pecore. [27]Le mie pecore ascoltano la mia voce e io le conosco ed esse mi seguono. [28]Io do loro la vita eterna e non andranno mai perdute e nessuno le rapirà dalla mia mano. [29]Il Padre mio che me le ha date è più grande di tutti e nessuno può rapirle dalla mano del Padre mio. [30]Io e il Padre siamo una cosa sola ».

**La controversia su Gesù, Figlio di Dio.** [31]I Giudei portarono di nuovo delle pietre per lapidarlo. [32]Gesù rispose loro: « Vi ho fatto vedere molte opere buone da parte del Padre mio; per quale di esse mi volete lapidare? ». [33]Gli risposero i Giudei: « Non ti lapidiamo per un'opera buona, ma per la bestemmia e perché tu, che sei uomo, ti fai Dio ». [34]Rispose loro Gesù: « Non è forse scritto nella vostra Legge: *Io ho detto: voi siete dèi*? [35]Ora, se essa ha chiamato dèi coloro ai quali fu rivolta la parola di Dio (e la Scrittura non può essere annullata), [36]a colui che il Padre ha consacrato e mandato nel mondo, voi dite: Tu bestemmi, perché ho detto: Sono Figlio di Dio? [37]Se non compio le opere del Padre mio, non credetemi; [38]ma se le compio, anche se non volete credere a me, credete almeno alle

[22] Per la festa della Dedicazione del tempio, che si celebrava alla fine di dicembre, cfr. 1Mac 4, 36-59; 2Mac 1,1-2.19; 10,1-8.
[23] Il portico difendeva a est il tempio dai venti del deserto.

[30] Una cosa sola quanto alla potenza e alla volontà, ma tra loro c'è anche unità di natura.
[34-36] Il Sal 81,6 parlava dei giudici che amministravano la giustizia in nome di Dio.

opere, perché sappiate e conosciate che il Padre è in me
e io nel Padre ». [39]Cercavano allora di prenderlo di
nuovo, ma egli sfuggì dalle loro mani.
[40]Ritornò quindi al di là del Giordano, nel luogo dove
prima Giovanni battezzava, e qui si fermò. [41]Molti andarono da lui e dicevano: « Giovanni non ha fatto
nessun segno, ma tutto quello che Giovanni ha detto
di costui era vero ». [42]E in quel luogo molti credettero
in lui.

## VERSO L'ORA DELLA MORTE
## E GLORIFICAZIONE
### (11,1-12,50)

**11** **Gesù, risurrezione e vita, dà la vita a Lazzaro.**
[1]Era allora malato un certo Lazzaro di Betània,
il villaggio di Maria e di Marta sua sorella. [2]Maria
era quella che aveva cosparso di olio profumato il Signore e gli aveva asciugato i piedi con i suoi capelli;
suo fratello Lazzaro era malato. [3]Le sorelle mandarono
dunque a dirgli: « Signore, ecco, il tuo amico è malato ».
[4]All'udire questo, Gesù disse: « Questa malattia non è
per la morte, ma per la gloria di Dio, perché per essa
il Figlio di Dio venga glorificato ». [5]Gesù voleva molto
bene a Marta, a sua sorella e a Lazzaro. [6]Quand'ebbe
dunque sentito che era malato, si trattenne due giorni
nel luogo dove si trovava. [7]Poi, disse ai discepoli:
« Andiamo di nuovo in Giudea! ». [8]I discepoli gli dissero: « Rabbì, poco fa i Giudei cercavano di lapidarti
e tu ci vai di nuovo? ». [9]Gesù rispose: « Non sono forse

**11.** [1]Cfr. Lc 10,38-42. Gv racconta con grande cura il più
grande miracolo di Gesù, preludio della Passione. Betania era
sul versante orientale del monte
degli ulivi, a circa 3 km. da
Gerusalemme (v. 18).

[2]L'episodio sarà raccontato in
12,1-8; la notizia è anticipata
perché la comunità cristiana conosceva il fatto.
[9]V. 9,4; finché non viene l'ora
delle tenebre, della passione di
Cristo, non c'è pericolo.

dodici le ore del giorno? Se uno cammina di giorno, non inciampa, perché vede la luce di questo mondo; [10]ma se invece uno cammina di notte, inciampa, perché gli manca la luce ». [11]Così parlò e poi soggiunse loro: « Il nostro amico Lazzaro s'è addormentato; ma io vado a svegliarlo ». [12]Gli dissero allora i discepoli: « Signore, se s'è addormentato, guarirà ». [13]Gesù parlava della morte di lui, essi invece pensarono che si riferisse al riposo del sonno. [14]Allora Gesù disse loro apertamente: « Lazzaro è morto [15]e io sono contento per voi di non essere stato là, perché voi crediate. Orsù, andiamo da lui! ». [16]Allora Tommaso, chiamato Dìdimo, disse ai condiscepoli: « Andiamo anche noi a morire con lui! ».
[17]Venne dunque Gesù e trovò Lazzaro che era già da quattro giorni nel sepolcro. [18]Betània distava da Gerusalemme meno di due miglia [19]e molti Giudei erano venuti da Marta e Maria per consolarle per il loro fratello. [20]Marta dunque, come seppe che veniva Gesù, gli andò incontro; Maria invece stava seduta in casa. [21]Marta disse a Gesù: « Signore, se tu fossi stato qui, mio fratello non sarebbe morto! [22]Ma anche ora so che qualunque cosa chiederai a Dio, egli te la concederà ». [23]Gesù le disse: « Tuo fratello risusciterà ». [24]Gli rispose Marta: « So che risusciterà nell'ultimo giorno ». [25]Gesù le disse: « Io sono la risurrezione e la vita; chi crede in me, anche se muore, vivrà; [26]chiunque vive e crede in me, non morrà in eterno. Credi tu questo? ». [27]Gli rispose: « Sì, o Signore, io credo che tu sei il Cristo, il Figlio di Dio che deve venire nel mondo ».
[28]Dopo queste parole se ne andò a chiamare di nascosto Maria, sua sorella, dicendo: « Il Maestro è qui e ti chiama ». [29]Quella, udito ciò, si alzò in fretta e andò da lui. [30]Gesù non era entrato nel villaggio, ma si tro-

---

[16] *Didimo,* è la traduzione greca del nome aramaico *Tomà,* cioè « il gemello ».
[25] Su Gesù-Vita confronta 1,4;

3,15-16.36; 4,14; 5,24.40; 6,40. 47; 10,28. Sul rapporto tra la vita data da Cristo e la risurrezione cfr. Rm 8,11.

vava ancora là dove Marta gli era andata incontro.
[31]Allora i Giudei che erano in casa con lei a consolarla,
quando videro Maria alzarsi in fretta e uscire, la seguirono pensando: « Va al sepolcro per piangere là ». [32]Ma-
ria, dunque, quando giunse dov'era Gesù, vistolo si
gettò ai suoi piedi dicendo: « Signore, se tu fossi stato
qui, mio fratello non sarebbe morto! ». [33]Gesù allora
quando la vide piangere e piangere anche i Giudei che
erano venuti con lei, si commosse profondamente, si
turbò e disse: [34]« Dove l'avete posto? ». Gli dissero:
« Signore, vieni a vedere! ». [35]Gesù scoppiò in pianto.
[36]Dissero allora i Giudei: « Vedi come lo amava! ».
[37]Ma alcuni di loro dissero: « Costui che ha aperto gli
occhi al cieco non poteva anche far sì che questi non
morisse? ».

[38]Intanto Gesù, ancora profondamente commosso, si recò
al sepolcro; era una grotta e sopra vi era posta una
pietra. [39]Disse Gesù: « Togliete la pietra! ». Gli rispose
Marta, la sorella del morto: « Signore, già manda cattivo
odore, poiché è di quattro giorni ». [40]Le disse Gesù:
« Non ti ho detto che, se credi, vedrai la gloria di
Dio? ». [41]Tolsero dunque la pietra. Gesù allora alzò gli
occhi e disse: « Padre, ti ringrazio che mi hai ascoltato. [42]Io sapevo che sempre mi dai ascolto, ma l'ho
detto per la gente che mi sta attorno, perché credano che
tu mi hai mandato ». [43]E detto questo, gridò a gran
voce: « Lazzaro, vieni fuori! ». [44]Il morto uscì, con i
piedi e le mani avvolti in bende, e il volto coperto da
un sudario. Gesù disse loro: « Scioglietelo e lascia-
telo andare ».

**I capi Giudei decidono la morte di Gesù.** [45]Molti
dei Giudei che eran venuti da Maria, alla vista di quel
che egli aveva compiuto, credettero in lui. [46]Ma alcuni
andarono dai farisei e riferirono loro quel che Gesù
aveva fatto. [47]Allora i sommi sacerdoti e i farisei riunirono il sinedrio e dicevano: « Che facciamo? Quest'uo-

mo compie molti segni. ⁴⁸Se lo lasciamo fare così, tutti crederanno in lui e verranno i Romani e distruggeranno il nostro luogo santo e la nostra nazione ». ⁴⁹Ma uno di loro, di nome Caifa, che era sommo sacerdote in quell'anno, disse loro: « Voi non capite nulla ⁵⁰e non considerate come sia meglio che muoia un solo uomo per il popolo e non perisca la nazione intera ». ⁵¹Questo però non lo disse di suo, ma essendo sommo sacerdote profetizzò che Gesù doveva morire per la nazione ⁵²e non per la nazione soltanto, ma anche per riunire insieme i figli di Dio che erano dispersi. ⁵³Da quel giorno dunque decisero di ucciderlo.
⁵⁴Gesù pertanto non si faceva più vedere in pubblico tra i Giudei; egli si ritirò di là nella regione vicina al deserto, in una città chiamata Èfraim, dove si trattenne con i suoi discepoli.

**L'avvicinarsi della Pasqua.** ⁵⁵Era vicina la Pasqua dei Giudei e molti dalla regione andarono a Gerusalemme prima della Pasqua per purificarsi. ⁵⁶Essi cercavano Gesù e stando nel tempio dicevano tra di loro: « Che ve ne pare? Non verrà egli alla festa? ». ⁵⁷Intanto i sommi sacerdoti e i farisei avevano dato ordine che chiunque sapesse dove si trovava lo denunziasse, perché essi potessero prenderlo.

**12** **L'unzione di Betània.** ¹Sei giorni prima della Pasqua, Gesù andò a Betània, dove si trovava Lazzaro, che egli aveva risuscitato dai morti. ²E qui gli fecero una cena: Marta serviva e Lazzaro era uno dei commensali. ³Maria allora, presa una libbra di olio

---

⁵¹ Caifa fu un inconscio profeta, perché in realtà egli voleva sacrificare Gesù agli interessi politici.
⁵⁴ Efraim era ai margini del deserto della Giudea, distante 25 km. da Gerusalemme.

⁵⁵ Le purificazioni erano prescritte dalla legge prima della celebrazione pasquale.
**12.** ¹ Si confrontino Mt 26,6-13 e Mc 14,3-9.
³ La libbra romana equivaleva a circa 300 gr.

profumato di vero nardo, assai prezioso, cosparse i
piedi di Gesù e li asciugò con i suoi capelli, e tutta
la casa si riempì del profumo dell'unguento. ⁴Allora
Giuda Iscariota, uno dei suoi discepoli, che doveva poi
tradirlo, disse: ⁵« Perché quest'olio profumato non si
è venduto per trecento danari per poi darli ai poveri? ».
⁶Questo egli disse non perché gl'importasse dei poveri,
ma perché era ladro e, siccome teneva la cassa, prendeva quello che vi mettevano dentro. ⁷Gesù allora disse:
« Lasciala fare, perché lo conservi per il giorno della mia
sepoltura. ⁸I poveri infatti li avete sempre con voi, ma
non sempre avete me ».

⁹Intanto la gran folla di Giudei venne a sapere che
Gesù si trovava là, e accorse non solo per Gesù, ma
anche per vedere Lazzaro che egli aveva risuscitato dai
morti. ¹⁰I sommi sacerdoti allora deliberarono di uccidere anche Lazzaro, ¹¹perché molti Giudei se ne andavano a causa di lui e credevano in Gesù.

**L'ingresso trionfale in Gerusalemme.** ¹²Il giorno seguente, la gran folla che era venuta per la festa, udito
che Gesù veniva a Gerusalemme, ¹³prese dei rami di
palme e uscì incontro a lui gridando:

> *Osanna!*
> *Benedetto colui che viene nel nome del Signore,*
> *il re d'Israele!*

¹⁴Gesù, trovato un asinello, vi montò sopra, come sta
scritto:

> ¹⁵*Non temere, figlia di Sion!*
> *Ecco, il tuo re viene,*
> *seduto sopra un puledro d'asina.*

¹⁶Sul momento i suoi discepoli non compresero queste
cose; ma quando Gesù fu glorificato, si ricordarono

---

¹² Mt 21,1-11; Mc 11,1-11; Lc          ¹³ Citazione del Sal 117,26; cfr.
19,29-40. Il giorno seguente era      1Mac 13,51 e 2Mac 10,7.
la domenica.                          ¹⁵ Citazione di Zc 9,9.

che questo era stato scritto di lui e questo gli avevano fatto. [17]Intanto la gente che era stata con lui quando chiamò Lazzaro fuori dal sepolcro e lo risuscitò dai morti, gli rendeva testimonianza. [18]Anche per questo la folla gli andò incontro, perché aveva udito che aveva compiuto quel segno. [19]I farisei allora dissero tra di loro: « Vedete che non concludete nulla? Ecco che il mondo gli è andato dietro! ».

**Il discorso di Gesù alla venuta dei Greci.** [20]Tra quelli che erano saliti per il culto durante la festa, c'erano anche alcuni Greci. [21]Questi si avvicinarono a Filippo, che era di Betsàida di Galilea, e gli chiesero: « Signore, vogliamo vedere Gesù ». [22]Filippo andò a dirlo ad Andrea, e poi Andrea e Filippo andarono a dirlo a Gesù. [23]Gesù rispose: « È giunta l'ora che sia glorificato il Figlio dell'uomo. [24]In verità, in verità vi dico: se il chicco di grano caduto in terra non muore, rimane solo; se invece muore, produce molto frutto. [25]Chi ama la sua vita la perde e chi odia la sua vita in questo mondo, la conserverà per la vita eterna. [26]Se uno mi vuol servire mi segua, e dove sono io, là sarà anche il mio servo. Se uno mi serve, il Padre lo onorerà. [27]Ora l'anima mia è turbata; e che devo dire? Padre, salvami da quest'ora? Ma per questo sono giunto a quest'ora! [28]Padre, glorifica il tuo nome ». Venne allora una voce dal cielo: « L'ho glorificato e di nuovo lo glorificherò! ».
[29]La folla che era presente e aveva udito, diceva che era stato un tuono. Altri dicevano: « Un angelo gli ha parlato ». [30]Rispose Gesù: « Questa voce non è venuta per me, ma per voi. [31]Ora è il giudizio di questo mondo;

---

[20] Greci, cioè pagani aderenti all'ebraismo.
[25-26] Cfr. Mt 10,39; 16,25; Mc 8,35; Lc 9,24; 17,33.

[27] Evocazione dell'agonia di Cristo nel Getsemani.
[31] Il principe del mondo è satana: 14,30.

ora il principe di questo mondo sarà gettato fuori. ³²Io, quando sarò elevato da terra, attirerò tutti a me». ³³Questo diceva per indicare di qual morte doveva morire. ³⁴Allora la folla gli rispose: «Noi abbiamo appreso dalla Legge che il Cristo rimane in eterno; come dunque tu dici che il Figlio dell'uomo deve essere elevato? Chi è questo Figlio dell'uomo?». ³⁵Gesù allora disse loro: «Ancora per poco tempo la luce è con voi. Camminate mentre avete la luce, perché non vi sorprendano le tenebre; chi cammina nelle tenebre non sa dove va. ³⁶Mentre avete la luce credete nella luce, per diventare figli della luce».

Gesù disse queste cose, poi se ne andò e si nascose da loro.

**Valutazione del ministero di Gesù.** ³⁷Sebbene avesse compiuto tanti segni davanti a loro, non credevano in lui; ³⁸perché si adempisse la parola detta dal profeta Isaia:

*Signore, chi ha creduto alla nostra parola?*
*E il braccio del Signore a chi è stato rivelato?*

³⁹E non potevano credere, per il fatto che Isaia aveva detto ancora:

⁴⁰*Ha reso ciechi i loro occhi*
*e ha indurito il loro cuore,*
*perché non vedano con gli occhi*
*e non comprendano con il cuore, e si convertano*
*e io li guarisca!*

⁴¹Questo disse Isaia quando vide la sua gloria e parlò

---

³² Gesù in croce si rivelerà come Redentore universale: cfr. 8,28; 10,15-16.
³⁴ La Legge è la Bibbia, che annunciava il regno del Messia: cfr. 2Sam 7,12ss.; Is 9,7; Ez 37, 25; Dn 7,14; Sal 109,4.
³⁸ Citazione di Is 53,1: un testo messianico.

³⁹ Non potevano, perché opponevano a Cristo una ostinata cattiva volontà.
⁴⁰ Citazione di Is 6,9-10: un testo importante nei vangeli; cfr. Mt 13,13-15.
⁴¹ Allusione alla visione di Is 6,1-3, interpretata come visione della gloria di Cristo.

di lui. [42]Tuttavia, anche tra i capi, molti credettero in lui, ma non lo riconoscevano apertamente a causa dei farisei, per non essere espulsi dalla sinagoga; [43]amavano infatti la gloria degli uomini più della gloria di Dio.

**Valutazione-proclamazione di Gesù.** [44]Gesù allora gridò a gran voce: « Chi crede in me, non crede in me, ma in colui che mi ha mandato; [45]chi vede me, vede colui che mi ha mandato. [46]Io come luce sono venuto nel mondo, perché chiunque crede in me non rimanga nelle tenebre. [47]Se qualcuno ascolta le mie parole e non le osserva, io non lo condanno; perché non sono venuto per condannare il mondo, ma per salvare il mondo. [48]Chi mi respinge e non accoglie le mie parole, ha chi lo condanna: la parola che ho annunziato lo condannerà nell'ultimo giorno. [49]Perché io non ho parlato da me, ma il Padre che mi ha mandato, egli stesso mi ha ordinato che cosa devo dire e annunziare. [50]E io so che il suo comandamento è vita eterna. Le cose dunque che io dico, le dico come il Padre le ha dette a me ».

# LA RIVELAZIONE DI GESÙ AI SUOI
## (13,1-17,26)

**13** **L'ultima cena e la lavanda dei piedi.** [1]Prima della festa di Pasqua Gesù, sapendo che era giunta la sua ora di passare da questo mondo al Padre, dopo aver amato i suoi che erano nel mondo, li amò sino alla fine. [2]Mentre cenavano, quando già il diavolo aveva messo in cuore a Giuda Iscariota, figlio di Simone, di tradirlo, [3]Gesù sapendo che il Padre gli aveva

---

44-50 Sintesi del messaggio di Cristo.
**13.** [1] Solenne introduzione alla storia della Passione di Cristo nel segno della umiltà e del dolore, ma anche dell'amore e della glo-ria. Gesù domina i tumultuosi avvenimenti: cfr. v. 19; 16,28; 18,4; 19,28.
[2] È la cena pasquale di cui parlano gli altri vangeli: cfr. Mt 26,17ss.

dato tutto nelle mani e che era venuto da Dio e a Dio ritornava, [4]si alzò da tavola, depose le vesti e, preso un asciugatoio, se lo cinse attorno alla vita. [5]Poi versò dell'acqua nel catino e cominciò a lavare i piedi dei discepoli e ad asciugarli con l'asciugatoio di cui si era cinto. [6]Venne dunque da Simon Pietro e questi gli disse: « Signore, tu lavi i piedi a me? ». [7]Rispose Gesù: « Quello che io faccio, tu ora non lo capisci, ma lo capirai dopo ». [8]Gli disse Simon Pietro: « Non mi laverai mai i piedi! ». Gli rispose Gesù: « Se non ti laverò, non avrai parte con me ». [9]Gli disse Simon Pietro: « Signore, non solo i piedi, ma anche le mani e il capo! ». [10]Soggiunse Gesù: « Chi ha fatto il bagno, non ha bisogno di lavarsi se non i piedi ed è tutto mondo; e voi siete mondi, ma non tutti ». [11]Sapeva infatti chi lo tradiva; per questo disse: « Non tutti siete mondi ».

[12]Quando dunque ebbe lavato loro i piedi e riprese le vesti, sedette di nuovo e disse loro: « Sapete ciò che vi ho fatto? [13]Voi mi chiamate Maestro e Signore e dite bene, perché lo sono. [14]Se dunque io, il Signore e il Maestro, ho lavato i vostri piedi, anche voi dovete lavarvi i piedi gli uni gli altri. [15]Vi ho dato infatti l'esempio, perché come ho fatto io, facciate anche voi. [16]In verità, in verità vi dico: un servo non è più grande del suo padrone, né un apostolo è più grande di chi lo ha mandato. [17]Sapendo queste cose, sarete beati se le metterete in pratica. [18]Non parlo di tutti voi; io conosco quelli che ho scelto; ma si deve adempiere la Scrittura: *Colui che mangia il pane con me, ha levato contro di me il suo calcagno.* [19]Ve lo dico fin d'ora, prima che accada, perché, quando sarà avvenuto, crediate che Io Sono. [20]In verità, in verità vi dico: Chi accoglie colui che io manderò, accoglie me; chi accoglie me, accoglie colui che mi ha mandato ».

---

[18] Citazione del Sal 40,10. Gesù   qui allude al traditore, Giuda.

**Annunzio del tradimento di Giuda.** [21]Dette queste cose, Gesù si commosse profondamente e dichiarò: « In verità, in verità vi dico: uno di voi mi tradirà ». [22]I discepoli si guardarono gli uni gli altri, non sapendo di chi parlasse. [23]Ora uno dei discepoli, quello che Gesù amava, si trovava a tavola al fianco di Gesù. [24]Simon Pietro gli fece un cenno e gli disse: « Di', chi è colui a cui si riferisce? ». [25]Ed egli reclinandosi così sul petto di Gesù, gli disse: « Signore, chi è? ». [26]Rispose allora Gesù: « È colui per il quale intingerò un boccone e glielo darò ». E intinto il boccone, lo prese e lo diede a Giuda Iscariota, figlio di Simone. [27]E allora, dopo quel boccone, satana entrò in lui. Gesù quindi gli disse: « Quello che devi fare fallo al più presto ». [28]Nessuno dei commensali capì perché gli aveva detto questo; [29]alcuni infatti pensavano che, tenendo Giuda la cassa, Gesù gli avesse detto: « Compra quello che ci occorre per la festa », oppure che dovesse dare qualche cosa ai poveri. [30]Preso il boccone, egli subito uscì. Ed era notte.

**L'addio.** [31]Quand'egli fu uscito, Gesù disse: « Ora il Figlio dell'uomo è stato glorificato, e anche Dio è stato glorificato in lui. [32]Se Dio è stato glorificato in lui, anche Dio lo glorificherà da parte sua e lo glorificherà subito. [33]Figlioli, ancora per poco sono con voi; voi mi cercherete, ma come ho già detto ai Giudei, lo dico ora anche a voi: dove vado io voi non potete venire. [34]Vi do un comandamento nuovo: che vi amiate gli uni gli altri; come io vi ho amato, così amatevi anche

[21] Mt 26,21-25; Mc 14,18-21; Lc 22,21-23.
[27] Sulla presenza e l'azione di satana nella Passione di Cristo cfr. 6,70-71; 12,31; 13,2; 16,11.
[31] Profeticamente, la morte di Cristo è considerata come già avvenuta. Il sacrificio di Cristo

adempie la volontà d'amore del Padre, che glorifica il Figlio nella risurrezione e nell'ascensione al cielo: cfr. Fil 2,8-10.
[34] Comandamento nuovo perché l'amore è stato pienamente rivelato da Cristo e in Cristo, perché sta al centro della nuova alleanza.

voi gli uni gli altri. [35]Da questo tutti sapranno che siete miei discepoli, se avrete amore gli uni per gli altri ».

[36]Simon Pietro gli dice: « Signore, dove vai? ». Gli rispose Gesù: « Dove io vado per ora tu non puoi seguirmi; mi seguirai più tardi ». [37]Pietro disse: « Signore, perché non posso seguirti ora? Darò la mia vita per te! ». [38]Rispose Gesù: « Darai la tua vita per me? In verità, in verità ti dico: non canterà il gallo, prima che tu non m'abbia rinnegato tre volte ».

# 14 La fede e i suoi effetti.

[1]« Non sia turbato il vostro cuore. Abbiate fede in Dio e abbiate fede anche in me. [2]Nella casa del Padre mio vi sono molti posti. Se no, ve l'avrei detto. Io vado a prepararvi un posto; [3]quando sarò andato e vi avrò preparato un posto, ritornerò e vi prenderò con me, perché siate anche voi dove sono io. [4]E del luogo dove io vado, voi conoscete la via ».

[5]Gli disse Tommaso: « Signore, non sappiamo dove vai e come possiamo conoscere la via? ». [6]Gli disse Gesù: « Io sono la via, la verità e la vita. Nessuno viene al Padre se non per mezzo di me. [7]Se conoscete me, conoscerete anche il Padre; fin da ora lo conoscete e lo avete veduto ». [8]Gli disse Filippo: « Signore, mostraci il Padre e ci basta ». [9]Gli rispose Gesù: « Da tanto tempo sono con voi e tu non mi hai conosciuto, Filippo? Chi ha visto me ha visto il Padre. Come puoi dire: Mostraci il Padre? [10]Non credi che io sono nel Padre e il Padre è in me? Le parole che io vi dico, non le dico da me; ma il Padre che è in me compie le sue opere. [11]Credetemi: io sono nel Padre e il Padre è in me; se non altro, credetelo per le opere stesse.

[12]In verità, in verità vi dico: anche chi crede in me,

---

**14.** [6] Il Figlio che rivela il Padre e dà al mondo la vita è l'unica via che porta all'incontro con Dio.

[12] Gli apostoli prolungheranno la missione di Cristo nel mondo e predicheranno il vangelo a tutte le genti.

compirà le opere che io compio e ne farà di più grandi, perché io vado al Padre. [13]Qualunque cosa chiederete nel nome mio, la farò, perché il Padre sia glorificato nel Figlio. [14]Se mi chiederete qualche cosa nel mio nome, io la farò.

**L'amore a Gesù e i suoi effetti.** [15]Se mi amate, osserverete i miei comandamenti. [16]Io pregherò il Padre ed egli vi darà un altro Consolatore perché rimanga con voi per sempre, [17]lo Spirito di verità che il mondo non può ricevere, perché non lo vede e non lo conosce. Voi lo conoscete, perché egli dimora presso di voi e sarà in voi. [18]Non vi lascerò orfani, ritornerò da voi. [19]Ancora un poco e il mondo non mi vedrà più; voi invece mi vedrete, perché io vivo e voi vivrete. [20]In quel giorno voi saprete che io sono nel Padre e voi in me e io in voi. [21]Chi accoglie i miei comandamenti e li osserva, questi mi ama. Chi mi ama sarà amato dal Padre mio e anch'io lo amerò e mi manifesterò a lui ».

[22]Gli disse Giuda, non l'Iscariota: « Signore, come è accaduto che devi manifestarti a noi e non al mondo? ». [23]Gli rispose Gesù: « Se uno mi ama, osserverà la mia parola e il Padre mio lo amerà e noi verremo a lui e prenderemo dimora presso di lui. [24]Chi non mi ama, non osserva le mie parole; la parola che voi ascoltate non è mia, ma del Padre che mi ha mandato.

[25]Queste cose vi ho detto quando ero ancora tra voi. [26]Ma il Consolatore, lo Spirito Santo che il Padre manderà nel mio nome, egli v'insegnerà ogni cosa e vi ricorderà tutto ciò che io vi ho detto. [27]Vi lascio la pace, vi do la mia pace. Non come la dà il mondo, io la do a voi. Non sia turbato il vostro cuore e non abbia timore. [28]Avete udito che vi ho detto: Vado e tornerò

---

[16] Consolatore, in greco: *Paraclito*, che può significare anche: avvocato, difensore, protettore, intercessore.
[22] È Giuda l'apostolo, chiamato sia Giuda di Giacomo (Lc 6,16) che Taddeo (Mt 10,3; 13,55). Taddeo, secondo alcuni, significa "coraggioso" e sarebbe l'autore della lettera di Giuda.

a voi; se mi amaste, vi rallegrereste che io vado dal Padre, perché il Padre è più grande di me. [29]Ve l'ho detto adesso, prima che avvenga, perché quando avverrà, voi crediate. [30]Non parlerò più a lungo con voi, perché viene il principe del mondo; egli non ha nessun potere su di me, [31]ma bisogna che il mondo sappia che io amo il Padre e faccio quello che il Padre mi ha comandato. Alzatevi, andiamo via di qui ».

# 15 La vite e i tralci. [1]« Io sono la vera vite e il Padre mio è il vignaiolo. [2]Ogni tralcio che in me non porta frutto, lo toglie e ogni tralcio che porta frutto, lo pota perché porti più frutto. [3]Voi siete già mondi, per la parola che vi ho annunziato. [4]Rimanete in me e io in voi. Come il tralcio non può far frutto da se stesso se non rimane nella vite, così anche voi se non rimanete in me. [5]Io sono la vite, voi i tralci. Chi rimane in me e io in lui, fa molto frutto, perché senza di me non potete far nulla. [6]Chi non rimane in me viene gettato via come il tralcio e si secca, e poi lo raccolgono e li gettano nel fuoco e li bruciano. [7]Se rimanete in me e le mie parole rimangono in voi, chiedete quel che volete e vi sarà dato. [8]In questo è glorificato il Padre mio: che portiate molto frutto e diventiate miei discepoli.

## « Rimanete nel mio amore ». [9]Come il Padre ha amato me, così anch'io ho amato voi. Rimanete nel mio amore.

[30] Il principe di questo mondo è satana: cfr. 12,31.
[31] Dall'ordine dato da Gesù, che ha il suo logico seguito in 18,1, si pensa che i cc. 15-17 siano stati aggiunti in un secondo momento, ma potrebbe anche darsi che i discorsi dei due cc. siano stati tenuti lungo il percorso.
15. [1] L'immagine della vite e della vigna è classica nella Bib-

bia: cfr. Is 5,1; Ger 2,21; Ez 15,1-6; 19,10-14; Sal 79,9-13. Gesù illustra la sua profonda e vitale unità, espressa col verbo « rimanere », coi discepoli e con la Chiesa.
[3] L'insegnamento di Gesù ha rinnovato i discepoli.
[5] La vita intera è formata da Gesù-ceppo e dai fedeli-tralci. Il mondo sono i nemici di Cristo.

[10]Se osserverete i miei comandamenti, rimarrete nel mio amore, come io ho osservato i comandamenti del Padre mio e rimango nel suo amore. [11]Questo vi ho detto perché la mia gioia sia in voi e la vostra gioia sia piena.
[12]Questo è il mio comandamento: che vi amiate gli uni gli altri, come io vi ho amati. [13]Nessuno ha un amore più grande di questo: dare la vita per i propri amici. [14]Voi siete miei amici, se farete ciò che io vi comando. [15]Non vi chiamo più servi, perché il servo non sa quello che fa il suo padrone; ma vi ho chiamati amici, perché tutto ciò che ho udito dal Padre l'ho fatto conoscere a voi. [16]Non voi avete scelto me, ma io ho scelto voi e vi ho costituiti perché andiate e portiate frutto e il vostro frutto rimanga; perché tutto quello che chiederete al Padre nel mio nome, ve lo conceda. [17]Questo vi comando: amatevi gli uni gli altri.

**L'odio del mondo.** [18]Se il mondo vi odia, sappiate che prima di voi ha odiato me. [19]Se foste del mondo, il mondo amerebbe ciò che è suo; poiché invece non siete del mondo, ma io vi ho scelti dal mondo, per questo il mondo vi odia. [20]Ricordatevi della parola che vi ho detto: Un servo non è più grande del suo padrone. Se hanno perseguitato me, perseguiteranno anche voi; se hanno osservato la mia parola, osserveranno anche la vostra. [21]Ma tutto questo vi faranno a causa del mio nome, perché non conoscono colui che mi ha mandato. [22]Se non fossi venuto e non avessi parlato loro, non avrebbero alcun peccato; ma ora non hanno scusa per il loro peccato. [23]Chi odia me, odia anche il Padre mio. [24]Se non avessi fatto in mezzo a loro opere che nessun altro mai ha fatto, non avrebbero alcun peccato; ora invece hanno visto e hanno odiato me e il Padre mio. [25]Questo perché si adempisse

[20] Cfr. 13,16.
[25] Citazione da Sal 34,19 e 68,5.

La legge indica in generale la Bibbia.

la parola scritta nella loro Legge: *Mi hanno odiato senza ragione.*

**La testimonianza.** [26]Quando verrà il Consolatore che io vi manderò dal Padre, lo Spirito di verità che procede dal Padre, egli mi renderà testimonianza; [27]e anche voi mi renderete testimonianza, perché siete stati con me fin dal principio.

**16** [1]Vi ho detto queste cose perché non abbiate a scandalizzarvi. [2]Vi scacceranno dalle sinagoghe; anzi, verrà l'ora in cui chiunque vi ucciderà crederà di rendere culto a Dio. [3]E faranno ciò, perché non hanno conosciuto né il Padre né me. [4]Ma io vi ho detto queste cose perché, quando giungerà la loro ora, ricordiate che ve ne ho parlato.

**Venuta e missione del Consolatore.** Non ve le ho dette dal principio, perché ero con voi.
[5]Ora però vado da colui che mi ha mandato e nessuno di voi mi domanda: Dove vai? [6]Anzi, perché vi ho detto queste cose, la tristezza ha riempito il vostro cuore. [7]Ora io vi dico la verità: è bene per voi che io me ne vada, perché se non me ne vado, non verrà a voi il Consolatore; ma quando me ne sarò andato, ve lo manderò. [8]E quando sarà venuto, egli convincerà il mondo quanto al peccato, alla giustizia e al giudizio. [9]Quanto al peccato, perché non credono in me; [10]quanto alla giustizia, perché vado dal Padre e non mi vedrete più; [11]quanto al giudizio, perché il principe di questo mondo è stato giudicato.

[26] Sulla testimonianza dello Spirito Santo v. 16,8-11. Per l'idea di testimonianza, che è la base della predicazione degli apostoli, cfr. 1,7.8.15 e 32.34; 3,11.33; 5, 31-32.36; 8,13ss; 10,25; 18,37; 19,35; 21,24.

**16.** [8-11] Il dono e l'azione dello Spirito nella Chiesa dimostreranno che i Giudei sono colpevoli di non aver creduto a Cristo (cfr. 8,21; 15,22); ingiusti, perché non lo hanno riconosciuto come inviato di Dio, dal quale Gesù è venuto. Cristo ha giudicato satana riducendolo alla impotenza.

¹²Molte cose ho ancora da dirvi, ma per il momento non siete capaci di portarne il peso. ¹³Quando però verrà lo Spirito di verità, egli vi guiderà alla verità tutta intera, perché non parlerà da sé, ma dirà tutto ciò che avrà udito e vi annunzierà le cose future. ¹⁴Egli mi glorificherà, perché prenderà del mio e ve l'annunzierà. ¹⁵Tutto quello che il Padre possiede è mio; per questo ho detto che prenderà del mio e ve l'annunzierà.

## Il ritorno di Gesù.

¹⁶Ancora un poco e non mi vedrete; un po' ancora e mi vedrete ». ¹⁷Dissero allora alcuni dei suoi discepoli tra loro: « Che cos'è questo che ci dice: Ancora un poco e non mi vedrete, e un po' ancora e mi vedrete, e questo: Perché vado al Padre? ». ¹⁸Dicevano perciò: « Che cos'è mai questo "un poco" di cui parla? Non comprendiamo quello che vuol dire ». ¹⁹Gesù capì che volevano interrogarlo e disse loro: « Andate indagando tra voi perché ho detto: Ancora un poco e non mi vedrete e un po' ancora e mi vedrete? ²⁰In verità, in verità vi dico: voi piangerete e vi rattristerete, ma il mondo si rallegrerà. Voi sarete afflitti, ma la vostra afflizione si cambierà in gioia. ²¹La donna, quando partorisce, è afflitta, perché è giunta la sua ora; ma quando ha dato alla luce il bambino, non si ricorda più dell'afflizione per la gioia che è venuto al mondo un uomo. ²²Così anche voi, ora, siete nella tristezza; ma vi vedrò di nuovo e il vostro cuore si rallegrerà e ²³nessuno vi potrà togliere la vostra gioia. In quel giorno non mi domanderete più nulla. In verità, in verità vi dico: Se chiederete qualche cosa al Padre nel mio nome, egli ve la darà. ²⁴Finora non

---

¹³ Soltanto dopo la Pentecoste dello Spirito gli apostoli saranno in grado di capire pienamente ciò che hanno udito e veduto al seguito di Cristo.

¹⁴ Lo Spirito Santo condurrà gli apostoli all'approfondimento del messaggio di Cristo.

²³ Non domanderanno più spiegazioni a Cristo (cfr. 13,36; 14, 5.22) perché saranno illuminati dallo Spirito Santo.

avete chiesto nulla nel mio nome. Chiedete e otterrete, perché la vostra gioia sia piena.

**Ultimi ammonimenti.** [25]Queste cose vi ho dette in similitudini; ma verrà l'ora in cui non vi parlerò più in similitudini, ma apertamente vi parlerò del Padre. [26]In quel giorno chiederete nel mio nome e io non vi dico che pregherò il Padre per voi; [27]il Padre stesso vi ama, poiché voi mi avete amato, e avete creduto che io sono venuto da Dio. [28]Sono uscito dal Padre e sono venuto nel mondo; ora lascio di nuovo il mondo, e vado al Padre ». [29]Gli dicono i suoi discepoli: « Ecco, adesso parli chiaramente e non fai più uso di similitudini. [30]Ora conosciamo che sai tutto e non hai bisogno che alcuno t'interroghi. Per questo crediamo che sei uscito da Dio ». [31]Rispose loro Gesù: « Adesso credete? [32]Ecco, verrà l'ora, anzi è già venuta, in cui vi disperderete ciascuno per conto proprio e mi lascerete solo; ma io non sono solo, perché il Padre è con me. [33]Vi ho detto queste cose perché abbiate pace in me. Voi avrete tribolazione nel mondo, ma abbiate fiducia; io ho vinto il mondo! ».

# 17 La preghiera di Gesù per la sua glorificazione.

[1]Così parlò Gesù. Quindi, alzati gli occhi al cielo, disse: « Padre, è giunta l'ora, glorifica il Figlio tuo, perché il Figlio glorifichi te. [2]Poiché tu gli hai dato potere sopra ogni essere umano, perché egli dia la vita eterna a tutti coloro che gli hai dato. [3]Questa è la vita eterna: che conoscano te, l'unico vero Dio, e colui che hai mandato, Gesù Cristo. [4]Io ti ho glorificato sopra

[25] In similitudini, cioè in modo misterioso.
[27] I discepoli saranno una cosa sola col Maestro: cfr. 17,21.
17. [1] Questa lunga e ardente preghiera librata tra il tempo e l'eternità esprime i sentimenti con i quali Cristo affronta la Passione. Fin dall'antichità è giustamente definita « preghiera sacerdotale » e, più modernamente, « dell'unità ».

la terra, compiendo l'opera che mi hai dato da fare.
⁵E ora, Padre, glorificami davanti a te, con quella gloria
che avevo presso di te prima che il mondo fosse.
⁶Ho fatto conoscere il tuo nome agli uomini che mi
hai dato dal mondo. Erano tuoi e li hai dati a me ed
essi hanno osservato la tua parola. ⁷Ora essi sanno che
tutte le cose che mi hai dato vengono da te, ⁸perché
le parole che hai dato a me io le ho date a loro;
essi le hanno accolte e sanno veramente che sono
uscito da te e hanno creduto che tu mi hai mandato.

## La preghiera per i discepoli. ⁹Io prego per loro;
non prego per il mondo, ma per coloro che mi hai dato,
perché sono tuoi. ¹⁰Tutte le cose mie sono tue e tutte
le cose tue sono mie, e io sono glorificato in loro.
¹¹Io non sono più nel mondo; essi invece sono nel mondo, e io vengo a te. Padre santo, custodisci nel tuo nome coloro che mi hai dato, perché siano una cosa sola,
come noi.
¹²Quand'ero con loro, io conservavo nel tuo nome coloro che mi hai dato e li ho custoditi; nessuno di loro
è andato perduto, tranne il figlio della perdizione, perché si adempisse la Scrittura. ¹³Ma ora io vengo a te
e dico queste cose mentre sono ancora nel mondo,
perché abbiano in se stessi la pienezza della mia gioia.
¹⁴Io ho dato a loro la tua parola e il mondo li ha
odiati perché essi non sono del mondo, come io non
sono del mondo.
¹⁵Non chiedo che tu li tolga dal mondo, ma che li cu-
stodisca dal maligno. ¹⁶Essi non sono del mondo, come io non sono del mondo. ¹⁷Consacrali nella verità.
La tua parola è verità. ¹⁸Come tu mi hai mandato nel
mondo, anch'io li ho mandati nel mondo; ¹⁹per loro

---

⁶ Il nome di Dio è Dio stesso.
¹² Il figlio della perdizione è un
ebraismo per dire che Giuda si
è dato a satana. Per la Scrittura
cfr. 13,18.

¹⁵ Il maligno è satana.
¹⁹ Gesù si offre perché i suoi
discepoli siano degni della loro
missione: cfr. « per voi » in Lc
22,19-20.

o consacro me stesso, perché siano anch'essi consa- rati nella verità.

**La preghiera per la Chiesa.** [20]Non prego solo per questi, ma anche per quelli che per la loro parola cre- deranno in me; [21]perché tutti siano una sola cosa. Come tu, Padre, sei in me e io in te, siano anch'essi in noi una cosa sola, perché il mondo creda che tu mi hai mandato. [22]E la gloria che tu hai dato a me, io l'ho data a loro, perché siano come noi una cosa sola. [23]Io in loro e tu in me, perché siano perfetti nell'unità e il mondo sappia che tu mi hai mandato e li hai amati come hai amato me. [24]Padre, voglio che anche quelli che mi hai dato, siano con me dove sono io, perché contemplino la mia gloria, quella che mi hai dato; poiché tu mi hai amato prima della creazione del mondo.

[25]Padre giusto, il mondo non ti ha conosciuto, ma io ti ho conosciuto; questi sanno che tu mi hai mandato. [26]E io ho fatto conoscere loro il tuo nome e lo farò conoscere, perché l'amore con il quale mi hai amato sia in essi e io in loro ».

# LA RIVELAZIONE DI GESÙ AL MONDO
## (18,1-19,42)

**18**   **L'arresto di Gesù.**[1]Detto questo, Gesù uscì con i suoi discepoli e andò di là dal torrente Cèdron, dove c'era un giardino nel quale entrò con i suoi di- scepoli. [2]Anche Giuda, il traditore, conosceva quel po- sto, perché Gesù vi si ritirava spesso con i suoi disce- poli. [3]Giuda dunque, preso un distaccamento di sol-

---

[22] La gloria è la vita divina.
**18.** [1] Mt 26,36-56; Mc 14,32-50; Lc 22,39-53. Il Cèdron era un torrente, alimentato dalle piogge, che divideva la collina di Ge- rusalemme dal monte degli Ulivi.

dati e delle guardie fornite dai sommi sacerdoti e da·
farisei, si recò là con lanterne, torce e armi. ⁴Gesù allora
conoscendo tutto quello che gli doveva accadere, s·
fece innanzi e disse loro: « Chi cercate? ». ⁵Gli risposero: « Gesù, il Nazareno ». Disse loro Gesù: « Sono
io! ». Vi era là con loro anche Giuda, il traditore
⁶Appena disse « Sono io », indietreggiarono e cadderc
a terra. ⁷Domandò loro di nuovo: « Chi cercate? ». Risposero: « Gesù, il Nazareno ». ⁸Gesù replicò: « Vi ho
detto che sono io. Se dunque cercate me, lasciate che
questi se ne vadano ». ⁹Perché s'adempisse la parola·
che egli aveva detto: « *Non ho perduto nessuno di quelli
che mi hai dato* ». ¹⁰Allora Simon Pietro, che aveva
una spada, la trasse fuori e colpì il servo del sommo
sacerdote e gli tagliò l'orecchio destro. Quel servo si
chiamava Malco. ¹¹Gesù allora disse a Pietro: « Rimetti
la tua spada nel fodero; non devo forse bere il calice
che il Padre mi ha dato? ».

**Gesù di fronte ad Anna.** ¹²Allora il distaccamento
con il comandante e le guardie dei Giudei afferrarono
Gesù, lo legarono ¹³e lo condussero prima da Anna:
egli era infatti suocero di Caifa, che era sommo sacerdote in quell'anno. ¹⁴Caifa poi era quello che aveva
consigliato ai Giudei: « È meglio che un uomo solo
muoia per il popolo ».

**Rinnegamento di Pietro.** ¹⁵Intanto Simon Pietro seguiva Gesù insieme con un altro discepolo. Questo discepolo era conosciuto dal sommo sacerdote e perciò
entrò con Gesù nel cortile del sommo sacerdote; ¹⁶Pie-
tro invece si fermò fuori, vicino alla porta. Allora
quell'altro discepolo, noto al sommo sacerdote, tornò

⁹ Cfr. 17,12.
¹¹ Allusione alla preghiera di Gesù nel Getsemani: cfr. Mt 26,39.
¹² Mt 26,57-75; Mc 14,53-72; Lc
22,54-71; oltre alla seduta del si-

nedrio presso Caifa, Gv parla di
una seduta preliminare presso Anna, su cui cfr. Lc 3,1.
¹⁵ L'altro discepolo è l'evangelista stesso; cfr. 13,23; 20,3.

fuori, parlò alla portinaia e fece entrare anche Pietro. E la giovane portinaia disse a Pietro: «Forse anche tu sei dei discepoli di quest'uomo?». Egli rispose: «Non lo sono». [18]Intanto i servi e le guardie avevano acceso un fuoco, perché faceva freddo, e si scaldavano; anche Pietro stava con loro e si scaldava.

[19]Allora il sommo sacerdote interrogò Gesù riguardo ai suoi discepoli e alla sua dottrina. [20]Gesù gli rispose: «Io ho parlato al mondo apertamente; ho sempre insegnato nella sinagoga e nel tempio, dove tutti i Giudei si riuniscono, e non ho mai detto nulla di nascosto. [21]Perché interroghi me? Interroga quelli che hanno udito ciò che ho detto loro; ecco, essi sanno che cosa ho detto». [22]Aveva appena detto questo, che una delle guardie presenti diede uno schiaffo a Gesù, dicendo: «Così rispondi al sommo sacerdote?». [23]Gli rispose Gesù: «Se ho parlato male, dimostrami dov'è il male; ma se ho parlato bene, perché mi percuoti?». [24]Allora Anna lo mandò legato a Caifa, sommo sacerdote.

[25]Intanto Simon Pietro stava là a scaldarsi. Gli dissero: «Non sei anche tu dei suoi discepoli?». Egli lo negò e disse: «Non lo sono». [26]Ma uno dei servi del sommo sacerdote, parente di quello a cui Pietro aveva tagliato l'orecchio, disse: «Non ti ho forse visto con lui nel giardino?». [27]Pietro negò di nuovo, e subito un gallo cantò.

**Il processo davanti a Pilato.** [28]Allora condussero Gesù dalla casa di Caifa nel pretorio. Era l'alba ed essi non vollero entrare nel pretorio per non contaminarsi e poter mangiare la Pasqua. [29]Uscì dunque Pilato verso di

[24] Questo v. è trasferito da molti dopo il v. 13.
[28] Mt 27,11-26; Mc 15,1-15; Lc 23,1-25. Il pretorio era la residenza ufficiale del rappresentante di Roma (che, allora, era Ponzio Pilato). I Giudei non possono entrarvi per evitare l'impurità legale proveniente dal contatto con ambiente pagano. Gesù, a differenza dei sinedriti, aveva già celebrato la cena pasquale (Mt 26, 2.20): il calendario religioso non era allora uniforme per tutti.

loro e domandò: « Che accusa portate contro quest'uomo? ». [30]Gli risposero: « Se non fosse un malfattore
non te l'avremmo consegnato ». [31]Allora Pilato disse loro
« Prendetelo voi e giudicatelo secondo la vostra legge! ». Gli risposero i Giudei: « A noi non è consentito
mettere a morte nessuno ». [32]Così si adempivano le
parole che Gesù aveva detto indicando di quale morte
doveva morire.

[33]Pilato allora rientrò nel pretorio, fece chiamare Gesù
e gli disse: « Tu sei il re dei Giudei? ». [34]Gesù rispose:
« Dici questo da te oppure altri te l'hanno detto sul
mio conto? ». [35]Pilato rispose: « Sono io forse Giudeo?
La tua gente e i sommi sacerdoti ti hanno consegnato
a me; che cosa hai fatto? ». [36]Rispose Gesù: « Il mio
regno non è di questo mondo; se il mio regno fosse
di questo mondo, i miei servitori avrebbero combattuto
perché non fossi consegnato ai Giudei; ma il mio regno
non è di quaggiù ». [37]Allora Pilato gli disse: « Dunque tu sei re? ». Rispose Gesù: « Tu lo dici; io sono
re. Per questo io sono nato e per questo sono venuto nel
mondo: per rendere testimonianza alla verità. Chiunque
è dalla verità, ascolta la mia voce ». [38]Gli dice Pilato:
« Che cos'è la verità? ». E detto questo uscì di nuovo
verso i Giudei e disse loro: « Io non trovo in lui nessuna colpa. [39]Vi è tra voi l'usanza che io vi liberi uno
per la Pasqua: volete dunque che io vi liberi il re dei
Giudei? ». [40]Allora essi gridarono di nuovo: « Non costui, ma Barabba! ». Barabba era un brigante.

**19** [1]Allora Pilato fece prendere Gesù e lo fece flagellare. [2]E i soldati, intrecciata una corona di
spine, gliela posero sul capo e gli misero addosso un

---

[31] La pena di morte era riservata
al rappresentante dell'imperatore,
detentore dei massimi poteri.
[32] Cfr. 3,14; 8,18; 12,32-33; Mt
20,18.

[34] La regalità di Cristo era inte-
sa dai Giudei in senso messianico, che Pilato non poteva capire.
**19.** [1] Mt 27,26-30; Lc 23,16.22.
[2] Cfr. Mt 27,27-30.

mantello di porpora; quindi gli venivano davanti e gli dicevano: [3]« Salve, re dei Giudei! ». E gli davano schiaffi. [4]Pilato intanto uscì di nuovo e disse loro: « Ecco, io ve lo conduco fuori, perché sappiate che non trovo in lui nessuna colpa ». [5]Allora Gesù uscì, portando la corona di spine e il mantello di porpora. E Pilato disse loro: « Ecco l'uomo! ». [6]Al vederlo i sommi sacerdoti e le guardie, gridarono: « Crocifiggilo, crocifiggilo! ». Disse loro Pilato: « Prendetelo voi e crocifiggetelo; io non trovo in lui nessuna colpa ». [7]Gli risposero i Giudei: « Noi abbiamo una legge e secondo questa legge deve morire, perché si è fatto Figlio di Dio ».

[8]All'udire queste parole, Pilato ebbe ancor più paura [9]ed entrato di nuovo nel pretorio disse a Gesù: « Di dove sei? ». Ma Gesù non gli diede risposta. [10]Gli disse allora Pilato: « Non mi parli? Non sai che ho il potere di metterti in libertà e il potere di metterti in croce? ». [11]Rispose Gesù: « Tu non avresti nessun potere su di me, se non ti fosse stato dato dall'alto. Per questo chi mi ha consegnato nelle tue mani ha una colpa più grande ».

**La condanna a morte.** [12]Da quel momento Pilato cercava di liberarlo; ma i Giudei gridarono: « Se liberi costui, non sei amico di Cesare! Chiunque infatti si fa re si mette contro Cesare ». [13]Udite queste parole, Pilato fece condurre fuori Gesù e sedette nel tribunale, nel luogo chiamato Litòstroto, in ebraico Gabbàtà. [14]Era la Preparazione della Pasqua, verso mezzogiorno. Pilato disse ai Giudei: « Ecco il vostro re! ». [15]Ma quelli gridarono: « Via, via, crocifiggilo! ». Disse loro Pilato: « Metterò in croce il vostro re? ». Risposero i

---

[7] Questa è la sola vera ragione per la quale i capi ebrei condannano Gesù.
[13] *Litòstroto* significa Lastricato; viene identificato (almeno da va-

ri studiosi) col vasto cortile della fortezza Antonia, a nord-est del tempio, che sarebbe il pretorio di 18,28.
[14] Sulla Preparazione v. Lc 23,54.

sommi sacerdoti: « Non abbiamo altro re all'infuori di Cesare ». [16]Allora lo consegnò loro perché fosse crocifisso.

**La crocifissione.** [17]Essi allora presero Gesù ed egli, portando la croce, si avviò verso il luogo del Cranio, detto in ebraico Gòlgota, [18]dove lo crocifissero e con lui altri due, uno da una parte e uno dall'altra, e Gesù nel mezzo. [19]Pilato compose anche l'iscrizione e la fece porre sulla croce; vi era scritto: « Gesù il Nazareno, il re dei Giudei ». [20]Molti Giudei lessero questa iscrizione, perché il luogo dove fu crocifisso Gesù era vicino alla città; era scritta in ebraico, in latino e in greco. [21]I sommi sacerdoti dei Giudei dissero allora a Pilato: « Non scrivere: il re dei Giudei, ma che egli ha detto: Io sono il re dei Giudei ». [22]Rispose Pilato: « Ciò che ho scritto, ho scritto ».
[23]I soldati poi, quando ebbero crocifisso Gesù, presero le sue vesti e ne fecero quattro parti, una per ciascun soldato, e la tunica. Ora quella tunica era senza cuciture, tessuta tutta d'un pezzo da cima a fondo. [24]Perciò dissero tra loro: Non stracciamola, ma tiriamo a sorte a chi tocca. Così si adempiva la Scrittura:

*Si son divise tra loro le mie vesti*
*e sulla mia tunica han gettato la sorte.*

E i soldati fecero proprio così.

**Gesù e sua madre.** [25]Stavano presso la croce di Gesù sua madre, la sorella di sua madre, Maria di Clèofa e Maria di Màgdala. [26]Gesù allora, vedendo la madre e lì accanto a lei il discepolo che egli amava, disse alla

[17] Mt 27,32-44; Mc 15,21-32; Lc 23,26-43.
[24] Citazione del Sal 21,19. Quel tipo di tunica era un capo assai pregiato.
[25-26] La solennità dell'ora, spe- cialmente nel contesto giovanneo, fa pensare che Gesù va oltre il sentimento di pietà filiale. Maria è la nuova Eva (« donna »), madre spirituale di tutti i redenti.

madre: « Donna, ecco il tuo figlio! ». [27]Poi disse al discepolo: « Ecco la tua madre! ». E da quel momento il discepolo la prese nella sua casa.

**Gesù muore.** [28]Dopo questo, Gesù, sapendo che ogni cosa era stata ormai compiuta, disse per adempiere la Scrittura: *« Ho sete »*. [29]Vi era lì un vaso pieno d'aceto; posero perciò una spugna imbevuta di *aceto* in cima a una canna e gliela accostarono alla bocca. [30]E dopo aver ricevuto l'aceto, Gesù disse: « Tutto è compiuto! ». E, chinato il capo, spirò.

**Il colpo di lancia e la sepoltura.** [31]Era il giorno della Preparazione e i Giudei, perché i corpi non rimanessero in croce durante il sabato (era infatti un giorno solenne quel sabato), chiesero a Pilato che fossero loro spezzate le gambe e fossero portati via. [32]Vennero dunque i soldati e spezzarono le gambe al primo e poi all'altro che era stato crocifisso insieme con lui. [33]Venuti però da Gesù e vedendo che era già morto, non gli spezzarono le gambe, [34]ma uno dei soldati gli colpì il fianco con la lancia e subito ne uscì sangue e acqua. [35]Chi ha visto ne dà testimonianza e la sua testimonianza è vera e egli sa che dice il vero, perché anche voi crediate. [36]Questo infatti avvenne perché si adempisse la Scrittura: *Non gli sarà spezzato alcun osso.* [37]E un altro passo della Scrittura dice ancora: *Volgeranno lo sguardo a colui che hanno trafitto.*

[38]Dopo questi fatti, Giuseppe d'Arimatèa, che era discepolo di Gesù, ma di nascosto per timore dei Giudei,

---

28-29 Citazione del Sal 68,22; cfr. Sal 21,16.
[30] Gesù compie l'opera di salvezza affidatagli dal Padre, portando a termine il disegno divino espresso dalla Scrittura.
[34] Il sangue indica il sacrificio di Cristo; l'acqua, il dono dello Spirito (7,39); oppure Gv si riferisce all'eucaristia (6,55) e al battesimo.
[36] Citazione di Es 12,46, che parla dell'agnello pasquale.
[37] Citazione di Zc 12,10.
[38] Mt 27,57-66; Mc 15,42-47; Lc 23,50-56.

chiese a Pilato di prendere il corpo di Gesù. Pilato lo concesse. Allora egli andò e prese il corpo di Gesù. [39]Vi andò anche Nicodèmo, quello che in precedenza era andato da lui di notte, e portò una mistura di mirra e di aloe di circa cento libbre. [40]Essi presero allora il corpo di Gesù, e lo avvolsero in bende insieme con oli aromatici, com'è usanza seppellire per i Giudei. [41]Ora, nel luogo dove era stato crocifisso, vi era un giardino e nel giardino un sepolcro nuovo, nel quale nessuno era stato ancora deposto. [42]Là dunque deposero Gesù, a motivo della Preparazione dei Giudei, poiché quel sepolcro era vicino.

## LA RIVELAZIONE DEL SIGNORE RISORTO AI SUOI
### (20,1-29)

**20** I fatti avvenuti al sepolcro. [1]Nel giorno dopo il sabato, Maria di Màgdala si recò al sepolcro di buon mattino, quand'era ancora buio, e vide che la pietra era stata ribaltata dal sepolcro. [2]Corse allora e andò da Simon Pietro e dall'altro discepolo, quello che Gesù amava, e disse loro: « Hanno portato via il Signore dal sepolcro e non sappiamo dove l'hanno posto! ». [3]Uscì allora Simon Pietro insieme all'altro discepolo, e si recarono al sepolcro. [4]Correvano insieme tutti e due, ma l'altro discepolo corse più veloce di Pietro e giunse per primo al sepolcro. [5]Chinatosi, vide le bende per terra, ma non entrò. [6]Giunse intanto anche Simon Pietro che lo seguiva ed entrò nel sepolcro e vide le bende per terra, [7]e il sudario, che gli era stato posto sul capo, non per terra con le bende, ma pie-

---

[39] Cento libbre equivalgono a circa 33 kg.: cfr. 3,1.
**20.** [1] Cfr. Mt 28,1-10; Mc 16, 1-10; Lc 24,1-11. Il primo gior-

no della settimana, già in epoca apostolica, sarà chiamato « giorno del Signore »: cfr. Ap 1,10.
[2] L'altro discepolo è l'evangelista.

gato in un luogo a parte. [8]Allora entrò anche l'altro discepolo, che era giunto per primo al sepolcro, e vide e credette. [9]Non avevano infatti ancora compreso la Scrittura, che egli cioè doveva risuscitare dai morti. [10]I discepoli intanto se ne tornarono di nuovo a casa.

## L'apparizione a Maria di Màgdala. [11]Maria invece stava all'esterno vicino al sepolcro e piangeva. Mentre piangeva, si chinò verso il sepolcro [12]e vide due angeli in bianche vesti, seduti l'uno dalla parte del capo e l'altro dei piedi, dove era stato posto il corpo di Gesù. [13]Ed essi le dissero: «Donna, perché piangi?». Rispose loro: «Hanno portato via il mio Signore e non so dove lo hanno posto». [14]Detto questo, si voltò indietro e vide Gesù che stava lì in piedi; ma non sapeva che era Gesù. [15]Le disse Gesù: «Donna, perché piangi? Chi cerchi?». Essa, pensando che fosse il custode del giardino, gli disse: «Signore, se l'hai portato via tu, dimmi dove lo hai posto e io andrò a prenderlo». [16]Gesù le disse: «Maria!». Essa allora voltatasi verso di lui, gli disse in ebraico: «Rabbuní!», che significa: Maestro! [17]Gesù le disse: «Non mi trattenere, perché non sono ancora salito al Padre; ma va' dai miei fratelli e di' loro: Io salgo al Padre mio e Padre vostro, Dio mio e Dio vostro». [18]Maria di Màgdala andò subito ad annunziare ai discepoli: «Ho visto il Signore» e anche ciò che le aveva detto.

## Apparizioni ai discepoli. [19]La sera di quello stesso giorno, il primo dopo il sabato, mentre erano chiuse le porte del luogo dove si trovavano i discepoli per timore dei Giudei, venne Gesù, si fermò in mezzo a loro e disse: «Pace a voi!». [20]Detto questo, mostrò loro

---

[9] Cfr. Sal 15,8-11 e At 2,27; Sal 2,7 e At 13,33.
[16] *Rabbuní*, in aramaico, è più solenne di *rabbì* = Maestro mio!

[17] Maddalena non voleva staccarsi da Gesù: cfr. Mt 28,9.
[19] Lc 24,36-43. Siamo alla sera della domenica.

le mani e il costato. E i discepoli gioirono al vedere il Signore. ²¹Gesù disse loro di nuovo: « Pace a voi! Come il Padre ha mandato me, anch'io mando voi ». ²²Dopo aver detto questo, alitò su di loro e disse: « Ricevete lo Spirito Santo; ²³a chi rimetterete i peccati saranno rimessi e a chi non li rimetterete, resteranno non rimessi ».

²⁴Tommaso, uno dei Dodici, chiamato Dìdimo, non era con loro quando venne Gesù. ²⁵Gli dissero allora gli altri discepoli: « Abbiamo visto il Signore! ». Ma egli disse loro: « Se non vedo nelle sue mani il segno dei chiodi e non metto il dito nel posto dei chiodi e non metto la mia mano nel suo costato, non crederò ».

²⁶Otto giorni dopo i discepoli erano di nuovo in casa e c'era con loro anche Tommaso. Venne Gesù, a porte chiuse, si fermò in mezzo a loro e disse: « Pace a voi! ». ²⁷Poi disse a Tommaso: « Metti qua il tuo dito e guarda le mie mani; stendi la tua mano, e mettila nel mio costato; e non essere più incredulo ma credente! ». ²⁸Rispose Tommaso: « Mio Signore e mio Dio! ». ²⁹Gesù gli disse: « Perché mi hai veduto, hai creduto: beati quelli che pur non avendo visto crederanno! ».

## PRIMA CONCLUSIONE
### (20,30-31)

³⁰Molti altri segni fece Gesù in presenza dei suoi discepoli, ma non sono stati scritti in questo libro. ³¹Questi sono stati scritti, perché crediate che Gesù è il Cristo, il Figlio di Dio e perché, credendo, abbiate la vita nel suo nome.

²² L'alito simboleggia il dono dello Spirito nella nuova creazione: cfr. Gn 1,2; Ez 37,9.
²⁴ V. 11,16.

²⁹ Gesù dice beati coloro i quali, senza aver visto, crederanno alla testimonianza degli apostoli: cfr. 17,20; At 1,8.

# EPILOGO
## (21,1-23)

**21** **La terza apparizione di Gesù sul mare di Tiberìade.** [1]Dopo questi fatti, Gesù si manifestò di nuovo ai discepoli sul mare di Tiberìade. E si manifestò così: [2]si trovavano insieme Simon Pietro, Tommaso detto Dìdimo, Natanaèle di Cana di Galilea, i figli di Zebedèo e altri due discepoli. [3]Disse loro Simon Pietro: « Io vado a pescare ». Gli dissero: « Veniamo anche noi con te ». Allora uscirono e salirono sulla barca; ma in quella notte non presero nulla. [4]Quando già era l'alba Gesù si presentò sulla riva, ma i discepoli non si erano accorti che era Gesù. [5]Gesù disse loro: « Figlioli, non avete nulla da mangiare? ». Gli risposero: « No ». [6]Allora disse loro: « Gettate la rete dalla parte destra della barca e troverete ». La gettarono e non potevano più tirarla su per la gran quantità di pesci. [7]Allora quel discepolo che Gesù amava disse a Pietro: « È il Signore! ». Simon Pietro appena udì che era il Signore, si cinse ai fianchi il camiciotto, poiché era spogliato, e si gettò in mare. [8]Gli altri discepoli invece vennero con la barca, trascinando la rete piena di pesci: infatti non erano lontani da terra se non un centinaio di metri. [9]Appena scesi a terra, videro un fuoco di brace con del pesce sopra, e del pane. [10]Disse loro Gesù: « Portate un po' del pesce che avete preso or ora ». [11]Allora Simon Pietro salì nella barca e trasse a terra la rete piena di centocinquantatré grossi pesci. E benché fossero tanti, la rete non si spezzò. [12]Gesù disse loro: « Venite a mangiare ». E nessuno dei discepoli osava domandargli: « Chi sei? », poiché sapevano bene che era il Signore.

**21.** [1] Questo c. è un'appendice aggiunta posteriormente dallo stesso autore o da un suo fedele discepolo: cfr. v. 24.

GIOVANNI 21,13

<sup>13</sup>Allora Gesù si avvicinò, prese il pane e lo diede loro, e così pure il pesce. <sup>14</sup>Questa era la terza volt che Gesù si manifestava ai discepoli, dopo essere risu scitato dai morti.

**I due dialoghi con Pietro.** <sup>15</sup>Quand'ebbero mangiato Gesù disse a Simon Pietro: « Simone di Giovanni, m vuoi bene tu più di costoro? ». Gli rispose: « Certo Signore, tu lo sai che ti voglio bene ». Gli disse: « Pa sci i miei agnelli ». <sup>16</sup>Gli disse di nuovo: « Simone d Giovanni, mi vuoi bene? ». Gli rispose: « Certo, Si gnore, tu lo sai che ti voglio bene ». Gli disse: « Pasc le mie pecorelle ». <sup>17</sup>Gli disse per la terza volta: « Si mone di Giovanni, mi vuoi bene? ». Pietro rimase addo lorato che per la terza volta gli dicesse: Mi vuoi bene? e gli disse: « Signore, tu sai tutto; tu sai che ti voglic bene ». Gli rispose Gesù: « Pasci le mie pecorelle. <sup>18</sup>In verità, in verità ti dico: quando eri più giovane ti cin gevi la veste da solo, e andavi dove volevi; ma quando sarai vecchio tenderai le tue mani, e un altro ti cin gerà la veste e ti porterà dove tu non vuoi ». <sup>19</sup>Questo gli disse per indicare con quale morte egli avrebbe glo rificato Dio. E detto questo aggiunse: « Seguimi ». <sup>20</sup>Pietro allora, voltatosi, vide che li seguiva quel di scepolo che Gesù amava, quello che nella cena si era trovato al suo fianco e gli aveva domandato: « Signore, chi è che ti tradisce? ». <sup>21</sup>Pietro dunque, vedutolo, disse a Gesù: « Signore, e lui? ». <sup>22</sup>Gesù gli rispose: « Se voglio che egli rimanga finché io venga, che importa a te? Tu seguimi ». <sup>23</sup>Si diffuse perciò tra i fratelli la voce che quel discepolo non sarebbe morto. Gesù però

<sup>15</sup> Il quarto vangelo si conclude con uno sguardo alla Chiesa, che continua l'opera di Cristo nel mondo. Gesù conferisce a Pietro il primato promessogli in Mt 16, 17-19, dopo che il discepolo ha riparato al triplice rinnegamento durante la Passione con una triplice profferta d'amore. Pietro è il pastore vicario di Cristo Pastore: cfr. 10,1ss.
<sup>23</sup> « Finché io venga »: il riferimento al ritorno glorioso di Cristo vuole affermare la sua asso-

on gli aveva detto che non sarebbe morto, ma: « Se oglio che rimanga finché io venga, che importa a te? ».

## SECONDA CONCLUSIONE
### (21,24-25)

Questo è il discepolo che rende testimonianza su questi fatti e li ha scritti; e noi sappiamo che la sua estimonianza è vera. [25]Vi sono ancora molte altre cose ompiute da Gesù, che, se fossero scritte una per una, enso che il mondo stesso non basterebbe a contenere libri che si dovrebbero scrivere.

luta libertà. Giovanni evangelista morì in tardissima età (cfr. introd.).

[24] Il « noi » si riferisce forse alla comunità di Efeso (cfr. introd.), dove venne eretta a Giovanni una famosa basilica.

[25] Cfr. 20,30.

# ATTI DEGLI APOSTOLI

*Autore e destinatario di questo libro, che non ha paralleli nel N.T., sono gli stessi del terzo Vangelo (cfr. introd. a Lc). Negli Atti viene presentato, nelle sue grandi linee e nei suoi momenti essenziali, lo sviluppo, sotto l'azione dello Spirito Santo, della Chiesa istituita da Cristo. In concreto, l'arco di tempo considerato da Luca va dall'anno 30 al 63. Vi campeggiano le figure dei due prìncipi degli apostoli Pietro e Paolo con una scelta di fatti che danno una idea sufficiente e fedele della corsa del vangelo nel mondo e dei fermenti della Chiesa primitiva. L'itinerario di quella corsa muove da Gerusalemme (1,12-8,3), attraversa la Palestina, culla del vangelo (8,4-12,45), e dilaga nel mondo mediterraneo fino a Roma (13,1-28,31). Così si compie il mandato da Cristo ai suoi apostoli (1,8).*

*Nel libro si trovano inseriti alcuni brani di un diario di Luca, presente agli avvenimenti (16,10-17; 20,5-15; 21,1-18; 27,1-28,26). Per il resto, l'autore dimostra di usare varie fonti. Un terzo circa del libro contiene una trentina di discorsi – otto sono di Pietro e dieci di Paolo – elaborati da Luca su materiale sicuro.*

*Gli Atti si concludono con la venuta di Paolo a Roma, prigioniero per una prima volta (anni 60-63). L'improvvisa e quasi precipitosa conclusione farebbe pensare che il libro sia stato pubblicato prima della fine della detenzione di Paolo, ma non mancano testimonianze antiche che rimanderebbero gli Atti a una data posteriore alla morte di Paolo, avvenuta nell'anno 67.*

**1** **Da Gesù agli apostoli.** ¹Nel mio primo libro ho già trattato, o Teòfilo, di tutto quello che Gesù fece e insegnò dal principio ²fino al giorno in cui, dopo aver dato istruzioni agli apostoli che si era scelti nello Spirito Santo, egli fu assunto in cielo.

³Egli si mostrò ad essi vivo, dopo la sua passione, con molte prove, apparendo loro per quaranta giorni e parlando del regno di Dio. ⁴Mentre si trovava a tavola con essi, ordinò loro di non allontanarsi da Gerusalemme, ma di attendere che si adempisse la promessa del Padre « quella, disse, che voi avete udito da me: ⁵Giovanni ha battezzato con acqua, voi invece sarete battezzati in Spirito Santo, fra non molti giorni ».

**L'ascensione.** ⁶Così venutisi a trovare insieme gli domandarono: « Signore, è questo il tempo in cui ricostituirai il regno di Israele? ». ⁷Ma egli rispose: « Non spetta a voi conoscere i tempi e i momenti che il Padre ha riservato alla sua scelta, ⁸ma avrete forza dallo Spirito Santo che scenderà su di voi e mi sarete testimoni a Gerusalemme, in tutta la Giudea e la Samarìa e fino agli estremi confini della terra ».

⁹Detto questo, fu elevato in alto sotto i loro occhi e una nube lo sottrasse al loro sguardo. ¹⁰E poiché essi stavano fissando il cielo mentre egli se n'andava, ec-

---

**1.** ¹ Allusione al terzo vangelo: cfr. Lc 1,3.
² Luca è attento fin dal principio alla presenza dello Spirito Santo nella costituzione e nello sviluppo della Chiesa.
³ Sviluppo del racconto soltanto accennato in Lc 24,50-51.
⁴ Cfr. Lc 24,49.

⁶⁻⁷ Gli apostoli si aspettano una restaurazione del regno d'Israele e Gesù li orienta verso una predicazione universale del vangelo. La testimonianza è un tema fondamentale del libro: cfr. v. 22; 2,32; 3,15; 4,33; 5,32; 10,39.41; 13,31.
¹⁰ Cfr. Lc 24,4.

co due uomini in bianche vesti si presentarono a loro
e dissero: [11]« Uomini di Galilea, perché state a guardare il cielo? Questo Gesù, che è stato di tra voi
assunto fino al cielo, tornerà un giorno allo stesso modo
in cui l'avete visto andare in cielo ».
[12]Allora ritornarono a Gerusalemme dal monte detto
degli Ulivi, che è vicino a Gerusalemme quanto il
cammino permesso in un sabato. [13]Entrati in città salirono al piano superiore dove abitavano. C'erano Pietro e Giovanni, Giacomo e Andrea, Filippo e Tommaso, Bartolomeo e Matteo, Giacomo di Alfeo e Simone
lo Zelòta e Giuda di Giacomo. [14]Tutti questi erano as-
sidui e concordi nella preghiera, insieme con alcune
donne e con Maria, la madre di Gesù e con i fratelli
di lui.

# LA CHIESA DI GERUSALEMME
## (1,15-5,42)

**La sostituzione di Giuda.** [15]In quei giorni Pietro si
alzò in mezzo ai fratelli (il numero delle persone radu-
nate era circa centoventi) e disse: [16]« Fratelli, era necessario che si adempisse ciò che nella Scrittura fu predetto dallo Spirito Santo per bocca di Davide riguardo
a Giuda, che fece da guida a quelli che arrestarono
Gesù. [17]Egli era stato del nostro numero e aveva avuto
in sorte lo stesso nostro ministero. [18]Giuda comprò un

[11] La venuta gloriosa di Cristo alla fine dei tempi è indicata con termine greco come la *Parusìa*.
[12] Il cammino permesso era di un chilometro circa.
[14] Sui fratelli di Gesù cfr. Mt 12,46.
[15] Questi centoventi non sono tutti i cristiani: cfr. 1Cor 15,6. Pietro comincia ad esercitare il suo compito di capo della Chiesa.
[16] La necessità deriva dal fatto che la parola di Dio non può essere smentita.
[18] L'autore attinge a una tradizione di tipo popolare indipendente da Mt 27,5; cfr. la punizione divina dei persecutori in 12,20-23; 1Mac 6,1-16; 2Mac 9, 1.11-17.

pezzo di terra con i proventi del suo delitto e poi precipitando in avanti si squarciò in mezzo e si sparsero fuori tutte le sue viscere. [19]La cosa è divenuta così nota a tutti gli abitanti di Gerusalemme, che quel terreno è stato chiamato nella loro lingua Akeldamà, cioè Campo di sangue. [20]Infatti sta scritto nel libro dei Salmi:

*La sua dimora diventi deserta,*
*e nessuno vi abiti*

e

*il suo incarico lo prenda un altro.*

[21]Bisogna dunque che tra coloro che ci furono compagni per tutto il tempo in cui il Signore Gesù ha vissuto in mezzo a noi, [22]incominciando dal battesimo di Giovanni fino al giorno in cui è stato di tra noi assunto in cielo, uno divenga, insieme a noi, testimone della sua risurrezione ».

[23]Ne furono proposti due, Giuseppe detto Barsabba, che era soprannominato Giusto, e Mattia. [24]Allora essi pregarono dicendo: « Tu, Signore, che conosci il cuore di tutti, mostraci quale di questi due hai designato [25]a prendere il posto in questo ministero e apostolato che Giuda ha abbandonato per andarsene al posto da lui scelto ». [26]Gettarono quindi le sorti su di loro e la sorte cadde su Mattia, che fu associato agli undici apostoli.

## 2 I segni della pienezza dello Spirito (Pentecoste).

[1]Mentre il giorno di Pentecoste stava per finire, si trovavano tutti insieme nello stesso luogo. [2]Venne all'improvviso dal cielo un rombo, come di vento che si abbatte gagliardo, e riempì tutta la casa dove si tro-

---

[19] La "loro lingua" è l'aramaico.
[20] Citazione del Sal 68,26; 108,8; cfr. Mt 27,3-10.
[22] Il battesimo di Giovanni e il ministero pubblico di Cristo costituiscono l'inizio del vangelo: cfr. 10,37-38 e l'inizio di Mc.
[25] Le sorti, che dovevano manife-

stare la volontà di Dio, erano riconosciute dalla Bibbia: cfr. Lv 16,8; Nm 26,52-55; Gs 7,14.
**2.** [1] La Pentecoste (detta anche Festa delle settimane) veniva celebrata cinquanta giorni dopo la Pasqua: cfr. Es 23,16; Lv 23, 15-16; Dt 16,9-12.

vavano. ³Apparvero loro lingue come di fuoco che si
dividevano e si posarono su ciascuno di loro; ⁴ed essi
furono tutti pieni di Spirito Santo e cominciarono a
parlare in altre lingue come lo Spirito dava loro il potere d'esprimersi.
⁵Si trovavano allora in Gerusalemme Giudei osservanti
di ogni nazione che è sotto il cielo. ⁶Venuto quel fragore, la folla si radunò e rimase sbigottita perché ciascuno li sentiva parlare la propria lingua. ⁷Erano stupefatti e fuori di sé per lo stupore dicevano: « Costoro
che parlano non sono forse tutti Galilei? ⁸E com'è che
li sentiamo ciascuno parlare la nostra lingua nativa?
⁹Siamo Parti, Medi, Elamìti e abitanti della Mesopo-
tàmia, della Giudea, della Cappadòcia, del Ponto e del-
l'Asia, ¹⁰della Frigia e della Panfilia, dell'Egitto e delle
parti della Libia vicino a Cirène, stranieri di Roma,
¹¹Ebrei e prosèliti, Cretesi e Arabi e li udiamo annunziare nelle nostre lingue le grandi opere di Dio ». ¹²Tutti
erano stupiti e perplessi, chiedendosi l'un l'altro: « Che
significa questo? ». ¹³Altri invece lo deridevano e dicevano: « Si sono ubriacati di mosto ».

**Il discorso di Pietro.** ¹⁴Allora Pietro, levatosi in piedi
con gli altri Undici, parlò a voce alta così: « Uomini di
Giudea, e voi tutti che vi trovate a Gerusalemme, vi sia
ben noto questo e fate attenzione alle mie parole:
¹⁵Questi uomini non sono ubriachi come voi sospettate,
essendo appena le nove del mattino. ¹⁶Accade invece
quello che predisse il profeta Gioèle:

³ Il fuoco richiama lo Spirito
Santo: cfr. Mt 3,11.
⁴ « Altre lingue », diverse cioè
dalla lingua abituale. Potrebbe
anche trattarsi di un linguaggio
estatico: cfr. Mc 16,17; 1Cor 14,
2-23.
⁹ L'enumerazione dei popoli segue un ordine geografico da orien-

te a occidente. Il miracolo della
Pentecoste restaura l'unità del genere umano nella salvezza: cfr.
Gn 11,1-9.
¹¹ I proseliti erano pagani che
accettavano la circoncisione e la
legge ebraica.
¹⁴ Il primo annuncio del vangelo
spetta al capo della Chiesa.

<sup>17</sup>Negli ultimi giorni, dice il Signore,
   *Io effonderò il mio Spirito sopra ogni persona;*
   *i vostri figli e le vostre figlie profeteranno,*
   *i vostri giovani avranno visioni*
   *e i vostri anziani faranno dei sogni.*
<sup>18</sup>*E anche sui miei servi e sulle mie serve*
   *in quei giorni effonderò il mio Spirito*
   *ed essi profeteranno.*
<sup>19</sup>*Farò prodigi in alto nel cielo*
   *e segni in basso sulla terra,*
   *sangue, fuoco e nuvole di fumo.*
<sup>20</sup>*Il sole si muterà in tenebra*
   *e la luna in sangue,*
   *prima che giunga il giorno del Signore,*
   *giorno grande e splendido.*
<sup>21</sup>*Allora chiunque invocherà il nome del Signore, sarà*
   *[salvato.*

<sup>22</sup>Uomini d'Israele, ascoltate queste parole: Gesù di Nàzaret – uomo accreditato da Dio presso di voi per mezzo di miracoli, prodigi e segni, che Dio stesso operò fra di voi per opera sua, come voi ben sapete –, <sup>23</sup>dopo che, secondo il prestabilito disegno e la prescienza di Dio, fu consegnato a voi, voi l'avete inchiodato sulla croce per mano di empi e l'avete ucciso. <sup>24</sup>Ma Dio lo ha risuscitato, sciogliendolo dalle angosce della morte, perché non era possibile che questa lo tenesse in suo potere. <sup>25</sup>Dice infatti Davide a suo riguardo:
   *Contemplavo sempre il Signore innanzi a me;*
   *poiché egli sta alla mia destra, perché io non vacilli.*
<sup>26</sup>*Per questo si rallegrò il mio cuore ed esultò la mia*
   ,                                            *[lingua;*
   *ed anche la mia carne riposerà nella speranza,*
<sup>27</sup>*perché tu non abbandonerai l'anima mia negli inferi,*
   *né permetterai che il tuo Santo veda la corruzione.*

---

<sup>17</sup> Citazione di Gl 3,1-5. Gli ultimi giorni indicano l'èra messianica.

<sup>25</sup> Sal 15,8-11: il salmista, in pericolo mortale, proclama la sua speranza.

²⁸*Mi hai fatto conoscere le vie della vita,*
   *mi colmerai di gioia con la tua presenza.*

²⁹Fratelli, mi sia lecito dirvi francamente, riguardo al patriarca Davide, che egli morì e fu sepolto e la sua tomba è ancora oggi fra noi. ³⁰Poiché però era profeta e sapeva che Dio *gli aveva giurato solennemente di far sedere sul suo trono un suo discendente,* ³¹previde la risurrezione di Cristo e ne parlò:

   *questi non fu abbandonato negli inferi,*
   *né la sua carne vide corruzione.*

³²Questo Gesù Dio l'ha risuscitato e noi tutti ne siamo testimoni. ³³Innalzato pertanto alla destra di Dio e dopo aver ricevuto dal Padre lo Spirito Santo che egli aveva promesso, lo ha effuso, come voi stessi potete vedere e udire. ³⁴Davide infatti non salì al cielo; tuttavia egli dice:

   *Disse il Signore al mio Signore:*
   *siedi alla mia destra,*
   ³⁵*finché io ponga i tuoi nemici*
   *come sgabello ai tuoi piedi.*

³⁶Sappia dunque con certezza tutta la casa di Israele che Dio ha costituito Signore e Cristo quel Gesù che voi avete crocifisso! ».

³⁷All'udir tutto questo si sentirono trafiggere il cuore e dissero a Pietro e agli altri apostoli: « Che cosa dobbiamo fare, fratelli? ». ³⁸E Pietro disse: « Pentitevi e ciascuno di voi si faccia battezzare nel nome di Gesù Cristo, per la remissione dei vostri peccati; dopo riceverete il dono dello Spirito Santo. ³⁹Per voi infatti è la promessa è per i vostri figli e per tutti *quelli che sono lontani, quanti ne chiamerà il Signore Dio* no-

---

³⁰ Per il corsivo cfr. Sal 88,4-5; 2Sam 7,12-13.

³¹ Citazione del Sal 15,10.

³⁴ Citazione del Sal 109,1. Poiché il Salmo non si avvera nella persona di Davide, la profezia (v. 30) si compie nel Messia di cui lo stesso re parla.

³⁶ Signore, cioè Dio.

³⁹ Per i lontani, cioè i pagani (sempre presenti a Lc), cfr. Is 49,1; 57,19; Zc 6,15.

stro ». ⁴⁰Con molte altre parole li scongiurava e li esor
tava: «Salvatevi da questa generazione perversa ». ⁴¹Al
lora coloro che accolsero la sua parola furono battezzat
e quel giorno si unirono a loro circa tremila persone

## La vita della prima comunità. ⁴²Erano assidui nel-
l'ascoltare l'insegnamento degli apostoli e nell'unione
fraterna, nella frazione del pane e nelle preghiere. ⁴³Un
senso di timore era in tutti e prodigi e segni avvenivano
per opera degli apostoli. ⁴⁴Tutti coloro che erano diventati credenti stavano insieme e tenevano ogni cosa in
comune; ⁴⁵chi aveva proprietà e sostanze le vendeva e
ne faceva parte a tutti, secondo il bisogno di ciascuno.
⁴⁶Ogni giorno tutti insieme frequentavano il tempio e
spezzavano il pane a casa prendendo i pasti con letizia e semplicità di cuore, ⁴⁷lodando Dio e godendo la
simpatia di tutto il popolo. ⁴⁸Intanto il Signore ogni
giorno aggiungeva alla comunità quelli che erano salvati.

**3** **Pietro guarisce uno storpio nel nome di Gesù.**
¹Un giorno Pietro e Giovanni salivano al tempio per
la preghiera verso le tre del pomeriggio. ²Qui di solito
veniva portato un uomo, storpio fin dalla nascita e lo
ponevano ogni giorno presso la porta del tempio detta
«Bella» a chiedere l'elemosina a coloro che entravano
nel tempio. ³Questi, vedendo Pietro e Giovanni che stavano per entrare nel tempio, domandò loro l'elemosina.
⁴Allora Pietro fissò lo sguardo su di lui insieme a Giovanni e disse: «Guarda verso di noi». ⁵Ed egli si volse
verso di loro, aspettandosi di ricevere qualche cosa.

---

42-47 In tre compendi (qui e 4,
32-35; 5,12-16) l'autore caratteriz-
za la prima comunità cristiana.
«Spezzare il pane» nell'antico
linguaggio cristiano è la celebrazione eucaristica: cfr. 20,7; 1Cor
10,16; 11,24. Per la comunione
dei beni cfr. 4,34-37; 5,1-4.8.

Non si trattava di una rinuncia
totale, né obbligatoria cioè imposta come condizione per appar-
tenere alla comunità.
**3.** ² La porta Bella era di bron-
zo di Corinto e immetteva dal-
l'atrio dei pagani in quello delle
donne.

⁶Ma Pietro gli disse: « Non possiedo né argento né oro, ma quello che ho te lo do: nel nome di Gesù Cristo, il Nazarèno, cammina! ». ⁷E presolo per la mano destra, lo sollevò. Di colpo i suoi piedi e le caviglie si rinvigorirono ⁸e balzato in piedi camminava; ed entrò con loro nel tempio camminando, saltando e lodando Dio. ⁹Tutto il popolo lo vide camminare e lodare Dio ¹⁰e riconoscevano che era quello che sedeva a chiedere l'elemosina alla porta Bella del tempio ed erano meravigliati e stupiti per quello che gli era accaduto.

## La potenza del nome di Gesù (altro discorso di Pietro).

¹¹Mentr'egli teneva Pietro e Giovanni, tutto il popolo fuor di sé per lo stupore accorse verso di loro al portico detto di Salomone. ¹²Vedendo ciò, Pietro disse al popolo: « Uomini d'Israele, perché vi meravigliate di questo e continuate a fissarci come se per nostro potere e nostra pietà avessimo fatto camminare quest'uomo? ¹³*Il Dio di Abramo, di Isacco e di Giacobbe, il Dio dei nostri padri ha glorificato il suo servo* Gesù, che voi avete consegnato e rinnegato di fronte a Pilato, mentre egli aveva deciso di liberarlo; ¹⁴voi invece avete rinnegato il Santo e il Giusto, avete chiesto che vi fosse graziato un assassino ¹⁵e avete ucciso l'autore della vita. Ma Dio l'ha risuscitato dai morti e di questo noi siamo testimoni. ¹⁶Proprio per la fede riposta in lui il nome di Gesù ha dato vigore a quest'uomo che voi vedete e conoscete; la fede in lui ha dato a quest'uomo la perfetta guarigione alla presenza di tutti voi. ¹⁷Ora, fratelli, io so che voi avete agito per ignoranza, così come i vostri capi; ¹⁸Dio però ha adempiuto così ciò che aveva annunziato per bocca di tutti i profeti, che cioè il suo Cristo sarebbe morto. ¹⁹Pentitevi dunque

---

¹¹ Il portico era stato frequentato da Gesù: cfr. Gv 10,23.
¹³ « Servo » era un titolo messianico (cfr. Is 42,1). Per il corsivo cfr. Es 3,6.15; Is 53,11.

¹⁴ L'assassino è Barabba: cfr. Lc 23,16.18.22.
¹⁷ Cfr. 7,60; 13,27; Lc 23,34; 1Tm 1,13.
¹⁸ Cfr. Lc 24,25-27.44.46.

e cambiate vita, perché siano cancellati i vostri peccati [20]e così possano giungere i tempi della consolazione da parte del Signore ed egli mandi quello che vi aveva destinato come Messia, cioè Gesù. [21]Egli dev'esser accolto in cielo fino ai tempi della restaurazione di tutte le cose, come ha detto Dio fin dall'antichità, per bocca dei suoi santi profeti. [22]Mosè infatti disse: *Il Signore vostro Dio vi farà sorgere un profeta come me in mezzo ai vostri fratelli; voi lo ascolterete in tutto quello che egli vi dirà.* [23]*E chiunque non ascolterà quel profeta, sarà estirpato di mezzo al popolo.* [24]Tutti i profeti, a cominciare da Samuele e da quanti parlarono in seguito, annunziarono questi giorni.
[25]Voi siete i figli dei profeti e dell'alleanza che Dio stabilì con i vostri padri, quando disse ad Abramo: *Nella tua discendenza saranno benedette tutte le famiglie della terra.* [26]Dio, dopo aver risuscitato il suo servo, l'ha mandato prima di tutto a voi per portarvi la benedizione e perché ciascuno si converta dalle sue iniquità ».

**4** **L'arresto. Frutti del discorso di Pietro.** [1]Stavano ancora parlando al popolo, quando sopraggiunsero i sacerdoti, il capitano del tempio e i sadducei, [2]irritati per il fatto che essi insegnavano al popolo e annunziavano in Gesù la risurrezione dai morti. [3]Li arrestarono e li portarono in prigione fino al giorno dopo, dato che era ormai sera. [4]Molti però di quelli che avevano ascoltato il discorso credettero e il numero degli uomini raggiunse circa i cinquemila.

**Pietro e Giovanni di fronte al sinedrio.** [5]Il giorno dopo si radunarono in Gerusalemme i capi, gli anzia-

---

21-23 Dt 18,15.19; 7,37; Lv 23,29.
25 Gn 12,3.
**4.** [1] Il capitano del tempio era un sacerdote che provvedeva ai

servizi interni di polizia nel recinto del tempio. Per i sadducei v. Mt 3,7; 22,23; essi negavano la risurrezione.

ni e gli scribi, ⁶il sommo sacerdote Anna, Caifa, Giovanni, Alessandro e quanti appartenevano a famiglie di sommi sacerdoti. ⁷Fattili comparire davanti a loro, li interrogavano: « Con quale potere o in nome di chi avete fatto questo? ». ⁸Allora Pietro, pieno di Spirito Santo, disse loro: « Capi del popolo e anziani, ⁹visto che oggi veniamo interrogati sul beneficio recato ad un uomo infermo e in qual modo egli abbia ottenuto la salute, ¹⁰la cosa sia nota a tutti voi e a tutto il popolo d'Israele: nel nome di Gesù Cristo il Nazarèno, che voi avete crocifisso e che Dio ·ha risuscitato dai morti, costui vi sta innanzi sano e salvo. ¹¹Questo Gesù è

*la pietra che, scartata da voi, costruttori,*
*è diventata testata d'angolo.*

¹²In nessun altro c'è salvezza; non vi è infatti altro nome dato agli uomini sotto il cielo nel quale è stabilito che possiamo essere salvati ».
¹³Vedendo la franchezza di Pietro e di Giovanni e considerando che erano senza istruzione e popolani, rimanevano stupefatti riconoscendoli per coloro che erano stati con Gesù; ¹⁴quando poi videro in piedi vicino a loro l'uomo che era stato guarito, non sapevano che cosa rispondere. ¹⁵Li fecero uscire dal sinedrio e si misero a consultarsi fra loro dicendo: ¹⁶« Che dobbiamo fare a questi uomini? Un miracolo evidente è avvenuto per opera loro; esso è diventato talmente noto a tutti gli abitanti di Gerusalemme che non possiamo negarlo. ¹⁷Ma perché la cosa non si divulghi di più tra il popolo, diffidiamoli dal parlare più ad alcuno in nome di lui ». ¹⁸E richiamatili, ordinarono loro di non parlare assolutamente né di insegnare nel nome di Gesù. ¹⁹Ma Pietro e Giovanni replicarono: « Se sia giusto innanzi a Dio

⁶ Su Anna e Caifa v. Lc 2,1. Giovanni e Alessandro sono sconosciuti.
¹¹ Citazione del Sal 117,22; cfr. Mt 21,42; Mc 12,10; 1Pt 2,7.

¹³ Senza istruzione perché non erano stati allievi dei farisei. La franchezza è una qualità della predicazione apostolica: cfr. 2,29; 4,29; 2Cor 3,12; 7,4; Ef 3,12.

obbedire a voi più che a lui, giudicatelo voi stessi; <sup>20</sup>noi non possiamo tacere quello che abbiamo visto e ascoltato ». <sup>21</sup>Quelli allora, dopo averli ulteriormente minacciati, non trovando motivi per punirli, li rilasciarono a causa del popolo, perché tutti glorificavano Dio per l'accaduto. <sup>22</sup>L'uomo infatti sul quale era avvenuto il miracolo della guarigione aveva più di quarant'anni.

**Preghiera per ottenere il coraggio.** <sup>23</sup>Appena rimessi in libertà, andarono dai loro fratelli e riferirono quanto avevano detto i sommi sacerdoti e gli anziani. <sup>24</sup>All'udire ciò, tutti insieme levarono la loro voce a Dio dicendo: « Signore, tu che *hai creato il cielo, la terra, il mare e tutto ciò che è in essi,* <sup>25</sup>tu che per mezzo dello Spirito Santo dicesti per bocca del nostro padre, il tuo servo Davide:

*Perché si agitarono le genti*
*e i popoli tramarono cose vane?*
<sup>26</sup>*Si sollevarono i re della terra*
*e i principi si radunarono insieme,*
*contro il Signore e contro il suo Cristo;*

<sup>27</sup>davvero in questa città *si radunarono* insieme contro il tuo santo servo Gesù, che hai unto come Cristo, Erode e Ponzio Pilato con le genti e i popoli d'Israele, <sup>28</sup>per compiere ciò che la tua mano e la tua volontà avevano preordinato che avvenisse. <sup>29</sup>Ed ora, Signore, volgi lo sguardo alle loro minacce e concedi ai tuoi servi di annunziare con tutta franchezza la tua parola. <sup>30</sup>Stendi la mano perché si compiano guarigioni, miracoli e prodigi nel nome del tuo santo servo Gesù ». <sup>31</sup>Quand'ebbero terminato la preghiera, il luogo in cui erano radunati tremò e tutti furono pieni di Spirito Santo e annunziavano la parola di Dio con franchezza.

---

<sup>24</sup> È la prima preghiera della comunità cristiana; la frase in corsivo si trova spesso nella Bibbia.
<sup>25</sup> Citazione del Sal 2,1-2.

<sup>27</sup> Unto o Messia, cioè destinato all'opera messianica. Le genti sono i pagani; i popoli, gl'Israeliti; i re ecc., Erode e Pilato.

**Comunione di cuori e di beni e autorità apostolica.**
[32]La moltitudine di coloro che eran venuti alla fede
aveva un cuore solo e un'anima sola e nessuno diceva
sua proprietà quello che gli apparteneva, ma ogni cosa
era fra loro comune. [33]Con grande forza gli apostoli rendevano testimonianza della risurrezione del Signore Gesù
e tutti essi godevano di grande simpatia. [34]Nessuno infatti tra loro era bisognoso, perché quanti possedevano
campi o case li vendevano, portavano l'importo di ciò
che era stato venduto [35]e lo deponevano ai piedi degli
apostoli; e poi veniva distribuito a ciascuno secondo
il bisogno.

**Generosità di Bàrnaba.** [36]Così Giuseppe, soprannominato dagli apostoli Bàrnaba, che significa « figlio del-
l'esortazione », un levita originario di Cipro, [37]che era
padrone di un campo, lo vendette e ne consegnò l'importo deponendolo ai piedi degli apostoli.

**5** **Avarizia di Anania e Saffira.** [1]Un uomo di nome
Anania con la moglie Saffìra vendette un suo podere [2]e, tenuta per sé una parte dell'importo d'accordo
con la moglie, consegnò l'altra parte deponendola ai
piedi degli apostoli. [3]Ma Pietro gli disse: « Anania, perché mai satana si è così impossessato del tuo cuore che
tu hai mentito allo Spirito Santo e ti sei trattenuto
parte del prezzo del terreno? [4]Prima di venderlo, non
era forse tua proprietà e, anche venduto, il ricavato non
era sempre a tua disposizione? Perché hai pensato in
cuor tuo a quest'azione? Tu non hai mentito agli uomini, ma a Dio ». [5]All'udire queste parole, Anania

---

[36] Bàrnaba fu una personalità di
primo piano nei tempi apostolici: cfr. 9,27; 11,22-30; 12,25;
13,5-12; 15,39; 1Cor 9,6; Gal c.
2; Col 4,10. « Figlio dell'esortazione » indica la sua capacità di

esortare e confortare: cfr. 9,27 e
11,22-24, ove si parla delle sue
attitudini nel favorire l'unione.
**5.** [4] Sulla comunanza dei beni
v. nota a 2,42-47.
[5] Il castigo era ritenuto salutare

cadde a terra e spirò. E un timore grande prese tutti quelli che ascoltavano. [6]Si alzarono allora i più giovani e, avvoltolo in un lenzuolo, lo portarono fuori e lo seppellirono.
[7]Avvenne poi che, circa tre ore più tardi, entrò anche sua moglie, ignara dell'accaduto. [8]Pietro le chiese: « Dimmi: avete venduto il campo a tal prezzo? ». Ed essa: « Sì, a tanto ». [9]Allora Pietro le disse: « Perché vi siete accordati per tentare lo Spirito del Signore? Ecco qui alla porta i passi di coloro che hanno seppellito tuo marito e porteranno via anche te ». [10]D'improvviso cadde ai piedi di Pietro e spirò. Quando i giovani entrarono, la trovarono morta e, portatala fuori, la seppellirono accanto a suo marito. [11]E un grande timore si diffuse in tutta la Chiesa e in quanti venivano a sapere queste cose.

**Miracoli degli apostoli.** [12]Molti miracoli e prodigi avvenivano fra il popolo per opera degli apostoli. Tutti erano soliti stare insieme nel portico di Salomone; [13]degli altri, nessuno osava associarsi a loro, ma il popolo li esaltava. [14]Intanto andava aumentando il numero degli uomini e delle donne che credevano nel Signore [15]fino al punto che portavano gli ammalati nelle piazze, ponendoli su lettucci e giacigli, perché, quando Pietro passava, anche solo la sua ombra coprisse qualcuno di loro. [16]Anche la folla delle città vicine a Gerusalemme accorreva, portando malati e persone tormentate da spiriti immondi e tutti venivano guariti.

**Gli apostoli di fronte al sinedrio.** [17]Si alzò allora il sommo sacerdote e quelli della sua parte, cioè la setta dei sadducei, pieni di livore, [18]e fatti arrestare gli apo-

per l'eterna salvezza: cfr. 1Cor 5,5; 11,31-32; 1Tm 1,20.
[11] Per la prima volta la comunità cristiana è chiamata Chiesa.

[12] Cfr. 3,11: il portico di Salomone sorgeva ad oriente del primo cortile del tempio di Gerusalemme.

stoli li fecero gettare nella prigione pubblica. [19]Ma durante la notte un angelo del Signore aprì le porte della
prigione, li condusse fuori e disse: [20]« Andate, e mettetevi a predicare al popolo nel tempio tutte queste
parole di vita ». [21]Udito questo, entrarono nel tempio sul
far del giorno e si misero a insegnare.

Quando arrivò il sommo sacerdote con quelli della sua
parte, convocarono il sinedrio e tutti gli anziani dei
figli d'Israele; mandarono quindi a prelevare gli apostoli nella prigione. [22]Ma gli incaricati, giunti sul posto, non li trovarono nella prigione e tornarono a riferire: [23]« Abbiamo trovato il carcere scrupolosamente
sbarrato e le guardie ai loro posti davanti alla porta,
ma, dopo aver aperto, non abbiamo trovato dentro
nessuno ». [24]Udite queste parole, il capitano del tempio e i sommi sacerdoti si domandavano perplessi che
cosa mai significasse tutto questo, [25]quando arrivò un
tale ad annunziare: « Ecco, gli uomini che avete messo
in prigione si trovano nel tempio a insegnare al popolo ».
[26]Allora il capitano uscì con le sue guardie e li condusse via, ma senza violenza, per timore di esser presi
a sassate dal popolo. [27]Li condussero e li presentarono
nel sinedrio; il sommo sacerdote cominciò a interro-
garli dicendo: [28]« Vi avevamo espressamente ordinato
di non insegnare più nel nome di costui, ed ecco voi
avete riempito Gerusalemme della vostra dottrina e
volete far ricadere su di noi il sangue di quell'uomo ».
[29]Rispose allora Pietro insieme agli apostoli: « Bisogna
obbedire a Dio piuttosto che agli uomini. [30]Il Dio dei
nostri padri ha risuscitato Gesù, che voi avete ucciso
appendendolo alla croce. [31]Dio lo ha innalzato con la
sua destra facendolo capo e salvatore, per dare a Israele
la grazia della conversione e il perdono dei peccati.
[32]E di questi fatti siamo testimoni noi e lo Spirito
Santo, che Dio ha dato a coloro che si sottomettono
a lui ». [33]All'udire queste cose essi si irritarono e volevano metterli a morte.

**L'intervento di Gamalièle.** [34]Si alzò allora nel sinedrio un fariseo, di nome Gamalièle, dottore della legge, stimato presso tutto il popolo. Dato ordine di far uscire per un momento gli accusati, [35]disse: « Uomini di Israele, badate bene a ciò che state per fare contro questi uomini. [36]Qualche tempo fa venne Tèuda, dicendo di essere qualcuno, e a lui si aggregarono circa quattrocento uomini. Ma fu ucciso, e quanti s'erano lasciati persuadere da lui si dispersero e finirono nel nulla. [37]Dopo di lui sorse Giuda il Galileo, al tempo del censimento, e indusse molta gente a seguirlo, ma anch'egli perì e quanti s'eran lasciati persuadere da lui furono dispersi. [38]Per quanto riguarda il caso presente, ecco ciò che vi dico: Non occupatevi di questi uomini e lasciateli andare. Se infatti questa teoria o questa attività è di origine umana, verrà distrutta; [39]ma se essa viene da Dio, non riuscirete a sconfiggerli; non vi accada di trovarvi a combattere contro Dio! ».

[40]Seguirono il suo parere e, richiamati gli apostoli, li fecero fustigare e ordinarono loro di non continuare a parlare nel nome di Gesù; quindi li rimisero in libertà. [41]Ma essi se ne andarono dal sinedrio lieti di essere stati oltraggiati per amore del nome di Gesù. [42]E ogni giorno, nel tempio e a casa, non cessavano di insegnare e di portare il lieto annunzio che Gesù è il Cristo.

## LE PRIME MISSIONI
### (6,1-12,25)

**6** **I Dodici e i Sette.** [1]In quei giorni, mentre aumentava il numero dei discepoli, sorse un malcontento fra gli ellenisti verso gli Ebrei, perché venivano tra-

---

[34] Gamaliele era un rabbino moderato e stimatissimo; fu maestro di Paolo: cfr. 22,3.

[36] Tèuda e Giuda erano degli agitatori, che forse si ribellarono al-

la fine del regno di Erode il Grande (4 a.C.) o poco dopo la sua morte.

[41] Cfr. Mt 5,11-12.

**6.** [1] Gli ellenisti erano Ebrei

scurate le loro vedove nella distribuzione quotidiana.
[2]Allora i Dodici convocarono il gruppo dei discepoli e
dissero: « Non è giusto che noi trascuriamo la parola
di Dio per il servizio delle mense. [3]Cercate dunque,
fratelli, tra di voi sette uomini di buona reputazione,
pieni di Spirito e di saggezza, ai quali affideremo quest'incarico. [4]Noi, invece, ci dedicheremo alla preghiera
e al ministero della parola ». [5]Piacque questa proposta
a tutto il gruppo ed elessero Stefano, uomo pieno di
fede e di Spirito Santo, Filippo, Pròcoro, Nicànore, Ti-
mòne, Parmenàs e Nicola, un proselito di Antiòchia.
[6]Li presentarono quindi agli apostoli i quali, dopo aver
pregato, imposero loro le mani.
[7]Intanto la parola di Dio si diffondeva e si moltipli-
cava grandemente il numero dei discepoli a Gerusalemme; anche un gran numero di sacerdoti aderiva alla fede.

## Le accuse contro Stefano. [8]Stefano intanto, pieno di
grazia e di potere, faceva grandi prodigi e miracoli tra
il popolo. [9]Sorsero allora alcuni della sinagoga detta dei
« liberti » comprendente anche i Cirenei, gli Alessan-
drini e altri della Cilicia e dell'Asia, a disputare con
Stefano, [10]ma non riuscivano a resistere alla sapienza
ispirata con cui egli parlava. [11]Perciò sobillarono alcuni
che dissero: « Lo abbiamo udito pronunziare espressioni blasfeme contro Mosè e contro Dio ». [12]E così
sollevarono il popolo, gli anziani e gli scribi, gli piom-
barono addosso, lo catturarono e lo trascinarono davanti al sinedrio. [13]Presentarono quindi dei falsi testi-

di lingua greca, che vivevano
fuori della Palestina. Luca mostra
un particolare interesse per le
vedove, la cui condizione era allora drammatica: cfr. 9,39; Lc 2,
37; 7,12; 18,3; 20,47; 21,2.
[4] L'espressione ministero della
parola è usata qui per la prima
volta: cfr. Lc 1,2.
[5] I sette hanno tutti un nome

greco. Su Stefano v. 6,8-9,2; su
Filippo 8,5-40; 21,8.
[6] L'imposizione delle mani era
una investitura sacra. I sette non
sono tecnicamente chiamati diaconi, ma nel v. 2 si parla del loro
servizio, in greco: diaconìa.
[9] I liberti erano discendenti degli
Ebrei palestinesi fatti schiavi da
Pompeo nel 63 a.C.

moni, che dissero: « Costui non cessa di proferire parole contro questo luogo sacro e contro la legge. [14]Lo
abbiamo udito dichiarare che Gesù il Nazarèno distrug-
gerà questo luogo e sovvertirà i costumi tramandatici
da Mosè ».
[15]E tutti quelli che sedevano nel sinedrio, fissando gli
occhi su di lui, videro il suo volto come quello di
un angelo.

7 **Discorso di Stefano.** [1]Gli disse allora il sommo
sacerdote: « Queste cose stanno proprio così? ». [2]Ed
egli rispose: « Fratelli e padri, ascoltate: il *Dio della
gloria* apparve al nostro padre Abramo quando era
ancora in Mesopotamia, prima che egli si stabilisse in
Carran, [3]*e gli disse: Esci dalla tua terra e dalla tua
gente e va' nella terra che io ti indicherò.* [4]Allora,
uscito dalla terra dei Caldei, si stabilì in Carran; di là,
dopo la morte del padre, Dio lo fece emigrare in questo paese dove voi ora abitate, [5]ma non gli diede alcuna proprietà in esso, *neppure quanto l'orma di un
piede,* ma gli promise *di darlo in possesso a lui e alla
sua discendenza dopo di lui,* sebbene non avesse ancora
figli. [6]Poi Dio parlò così: *La discendenza di Abramo
sarà pellegrina in terra straniera, tenuta in schiavitù e
oppressione per quattrocento anni.* [7]*Ma del popolo di
cui saranno schiavi io farò giustizia,* disse Dio: *dopo
potranno uscire e mi adoreranno* in questo luogo. [8]E
gli diede l'alleanza della circoncisione. E così Abramo
generò Isacco e *lo circoncise l'ottavo giorno* e Isacco
generò Giacobbe e Giacobbe i dodici patriarchi. [9]Ma
i patriarchi, *gelosi di Giuseppe, lo vendettero* schiavo
in Egitto. *Dio però era con lui* [10]e lo liberò da tutte le

**7.** [1]Il lungo discorso di Stefano è un compendio della storia
della salvezza, tutta orientata verso Cristo. Delle fittissime citazioni bibliche indicheremo le
principali.

[3] Gn 12,1.
[5] Cfr. Gn 12,7; 15,2.
[6] Gn 15,13-14; Es 3,12.
[8] Gn 12,1-3; 17,1-14.
[9-11] Cfr. Gn 37,11.28; 39,2.21;
45,4; Sap 10,14; Sal 104,21.

sue afflizioni e *gli diede grazia* e saggezza *davanti al faraone re d'Egitto, il quale* lo nominò amministratore
dell'Egitto e di tutta la sua casa. ¹¹*Venne una carestia
su tutto l'Egitto e in Canaan* e una grande miseria, e i
nostri padri non trovavano da mangiare. ¹²*Avendo udito
Giacobbe che in Egitto c'era del grano,* vi inviò i nostri
padri una prima volta; ¹³la seconda volta Giuseppe *si
fece riconoscere dai suoi fratelli* e fu nota al faraone la
sua origine. ¹⁴Giuseppe allora mandò a chiamare Giacobbe suo padre e tutta la sua parentela, *settantacinque
persone in tutto.* ¹⁵E Giacobbe *si recò in Egitto, e qui
egli morì* come anche i nostri padri; ¹⁶*essi furono poi
trasportati in Sichem* e posti *nel sepolcro che Abramo
aveva acquistato* e pagato in denaro *dai figli di Emor,
a Sichem.*

¹⁷Mentre si avvicinava il tempo della promessa fatta da
Dio ad Abramo, il popolo *crebbe e si moltiplicò* in
Egitto, ¹⁸finché *salì al trono d'Egitto un altro re, che
non conosceva Giuseppe.* ¹⁹Questi, *adoperando l'astuzia
contro la nostra gente,* perseguitò i nostri padri fino a
costringerli a esporre i loro figli, perché non *sopravvi-
vessero.* ²⁰In quel tempo nacque Mosè e piacque a Dio;
*egli fu allevato per tre mesi* nella casa paterna, poi,
²¹essendo stato esposto, *lo raccolse la figlia del faraone*
e lo allevò *come figlio.* ²²Così Mosè venne istruito in
tutta la sapienza degli Egiziani ed era potente nelle
parole e nelle opere. ²³Quando stava per compiere i
quarant'anni, gli venne l'idea di far visita ai *suoi fratelli, i figli di Israele,* ²⁴e vedendone uno trattato ingiustamente, ne prese le difese e vendicò l'oppresso, *ucci-
dendo l'Egiziano.* ²⁵Egli pensava che i suoi connazionali
avrebbero capito che Dio dava loro salvezza per mezzo
suo, ma essi non compresero. ²⁶Il giorno dopo si presentò in mezzo a loro mentre stavano litigando e si ado-
però per metterli d'accordo, dicendo: Siete fratelli;

¹⁴ Gn 46,27 secondo la versione        ¹⁶ Cfr. Gn 50,13.
greca; Es 1,5.                         ¹⁸ Cfr. Es 1,8.

perché vi insultate l'un l'altro? [27]Ma *quello che maltrat-
tava il vicino* lo respinse, dicendo: *Chi ti ha nominato
capo e giudice sopra di noi?* [28]*Vuoi forse uccidermi, come hai ucciso ieri l'Egiziano?* [29]*Fuggì via Mosè a queste
parole, e andò ad abitare nella terra di Madian,* dove
ebbe due figli.
[30]Passati quarant'anni, *gli apparve nel deserto del monte*
Sinai *un angelo, in mezzo alla fiamma di un roveto
ardente.* [31]Mosè rimase stupito di questa visione; e mentre si avvicinava per veder meglio, si udì la voce del
Signore: [32]*Io sono il Dio dei tuoi padri, il Dio di Abramo, di Isacco e di Giacobbe.* Esterrefatto, Mosè non
osava guardare. [33]*Allora il Signore gli disse: Togliti dai
piedi i calzari, perché il luogo in cui stai è terra santa.*
[34]*Ho visto l'afflizione del mio popolo in Egitto, ho udito
il loro gemito e sono sceso a liberarli; ed ora vieni, che
ti mando in Egitto.*
[35]Questo Mosè che avevano rinnegato dicendo: *Chi ti
ha nominato capo e giudice?,* proprio lui Dio aveva
mandato per esser capo e liberatore, parlando per mezzo
dell'angelo che gli era apparso nel roveto. [36]Egli li fece
uscire, compiendo *miracoli e prodigi nella terra d'Egitto,*
nel Mare Rosso, e *nel deserto per quarant'anni.* [37]Egli è
quel Mosè che disse ai figli d'Israele: *Dio vi farà sorgere un profeta tra i vostri fratelli, al pari di me.* [38]Egli
è colui che, mentre erano radunati nel deserto, fu mediatore tra l'angelo che gli parlava sul monte Sinai e
i nostri padri; egli ricevette parole di vita da trasmettere
a noi. [39]Ma i nostri padri non vollero dargli ascolto, lo
respinsero e *si volsero* in cuor loro *verso l'Egitto,* [40]di-
cendo ad Aronne: *Fa' per noi una divinità che ci vada
innanzi, perché a questo Mosè che ci condusse fuori
dall'Egitto non sappiamo che cosa sia accaduto.* [41]E in
quei giorni *fabbricarono un vitello e offrirono sacrifici*
all'idolo e si rallegrarono per l'opera delle loro mani.

---

[30] L'angelo è un mediatore divino: cfr. Gal 3,19; Eb 2,2.

[37] Dt 18,15; cfr. At 3,22.
[40] Es 32,1-6.

⁴²Ma Dio si ritrasse da loro e li abbandonò al culto del-l'*esercito del cielo*, come è scritto nel libro dei Profeti:

⁴³*Mi avete forse offerto vittime e sacrifici*
   *per quarant'anni nel deserto, o casa d'Israele?*
   *Avete preso con voi la tenda di Mòloch,*
   *e la stella del dio Refàn,*
   *simulacri che vi siete fabbricati* per adorarli!
   *Perciò vi deporterò al di là di Babilonia.*

⁴⁴I nostri padri avevano nel deserto *la tenda della testi-monianza*, come aveva ordinato colui che *disse a Mosè di costruirla secondo il modello che aveva visto.* ⁴⁵E dopo averla ricevuta, i nostri padri con Giosuè se la portarono con sé nella *conquista dei popoli* che Dio scacciò davanti a loro, fino ai tempi di Davide. ⁴⁶Questi trovò grazia innanzi a Dio e domandò *di poter trovare una dimora per il Dio di Giacobbe;* ⁴⁷*Salomone* poi *gli edificò una casa.* ⁴⁸Ma l'Altissimo non abita in co-struzioni fatte da mano d'uomo, come dice il Profeta:

⁴⁹*Il cielo è il mio trono*
   *e la terra sgabello per i miei piedi.*
   *Quale casa potrete edificarmi, dice il Signore,*
   *o quale sarà il luogo del mio riposo?*
   ⁵⁰*Non forse la mia mano ha creato tutte queste cose?*

**Lapidazione di Stefano. Saulo persecutore.** ⁵¹*O gente testarda e pagana nel cuore e nelle orecchie,* voi sem-pre *opponete resistenza allo Spirito Santo;* come i vostri padri, così anche voi. ⁵²Quale dei profeti i vostri padri non hanno perseguitato? Essi uccisero quelli che prean-nunciavano la venuta del Giusto, del quale voi ora siete divenuti traditori e uccisori; ⁵³voi che avete ricevuto la legge per mano degli angeli e non l'avete osservata ».

---

⁴² Am 5,25-27 secondo la versio-ne greca.
⁴⁴ La Tenda custodiva le tavole della legge: cfr. Es 25,16.40.

⁴⁶ Cfr. Sal 131,5.
⁴⁹ Is 66,1-2.
⁵² Cfr. Mt 5,12; 23,29-37; Lc 13,34.

[54] All'udire queste cose, fremevano in cuor loro e digrignavano i denti contro di lui. [55] Ma Stefano, pieno di Spirito Santo, fissando gli occhi al cielo, vide la gloria di Dio e Gesù che stava alla sua destra [56] e disse: « Ecco, io contemplo i cieli aperti e il Figlio dell'uomo che sta alla destra di Dio ». [57] Proruppero allora in grida altissime turandosi gli orecchi; poi si scagliarono tutti insieme contro di lui, [58] lo trascinarono fuori della città e si misero a lapidarlo. E i testimoni deposero il loro mantello ai piedi di un giovane, chiamato Saulo. [59] E così lapidavano Stefano mentre pregava e diceva: « Signore Gesù, accogli il mio spirito ». [60] Poi piegò le ginocchia e gridò forte: « Signore, non imputar loro questo peccato ». Detto questo, morì.

**8** [1] Saulo era fra coloro che approvarono la sua uccisione.

**La Chiesa viene perseguitata.** In quel giorno scoppiò una violenta persecuzione contro la Chiesa di Gerusalemme e tutti, ad eccezione degli apostoli, furono dispersi nelle regioni della Giudea e della Samarìa. [2] Persone pie seppellirono Stefano e fecero un grande lutto per lui. [3] Saulo intanto infuriava contro la Chiesa ed entrando nelle case prendeva uomini e donne e li faceva mettere in prigione.

**Il vangelo in Samarìa.** [4] Quelli però che erano stati dispersi andavano per il paese e diffondevano la parola di Dio.
[5] Filippo, sceso in una città della Samarìa, cominciò a predicare loro il Cristo. [6] E le folle prestavano ascolto

---

[56] Cfr. Mt 26,64. Il titolo Figlio dell'uomo (v. Mt 8,20) ricorre soltanto qui fuori dei vangeli. Stefano afferma la divinità di Cristo.
[58] Saulo è Paolo, il futuro apostolo, menzionato per la prima volta: cfr. 22,20.
[59-60] Lc 23,46 e 23,34. La morte di Stefano avvenne nel 36-37.
**8.** [5] Filippo è uno dei sette « diaconi » (6,5).

unanimi alle parole di Filippo sentendolo parlare e vedendo i miracoli che egli compiva. [7]Da molti indemoniati uscivano spiriti immondi, emettendo alte grida e
molti paralitici e storpi furono risanati. [8]E vi fu grande
gioia in quella città.

**Gli apostoli e Simone il mago.** [9]V'era da tempo in
città un tale di nome Simone, dedito alla magia, il
quale mandava in visibilio la popolazione di Samarìa,
spacciandosi per un gran personaggio. [10]A lui aderivano
tutti, piccoli e grandi, esclamando: «Questi è la potenza di Dio, quella che è chiamata Grande». [11]Gli
davano ascolto, perché per molto tempo li aveva fatti
strabiliare con le sue magie. [12]Ma quando cominciarono
a credere a Filippo, che recava la buona novella del
regno di Dio e del nome di Gesù Cristo, uomini e donne
si facevano battezzare. [13]Anche Simone credette, fu battezzato e non si staccava più da Filippo. Era fuori di
sé nel vedere i segni e i grandi prodigi che avvenivano.
[14]Frattanto gli apostoli, a Gerusalemme, seppero che la
Samarìa aveva accolto la parola di Dio e vi inviarono
Pietro e Giovanni.
[15]Essi discesero e pregarono per loro perché ricevessero
lo Spirito Santo; [16]non era infatti ancora sceso sopra
nessuno di loro, ma erano stati soltanto battezzati nel
nome del Signore Gesù. [17]Allora imponevano loro le
mani e quelli ricevevano lo Spirito Santo.
[18]Simone, vedendo che lo Spirito veniva conferito con
l'imposizione delle mani degli apostoli, offrì loro del
denaro [19]dicendo: «Date anche a me questo potere perché a chiunque io imponga le mani, egli riceva lo Spirito Santo». [20]Ma Pietro gli rispose: «Il tuo denaro

---

[10] « Potenza... Grande » è forse
un titolo divino che Simone si
attribuiva.
[15] I neofiti avevano ricevuto soltanto il battesimo; la dottrina
cattolica vede nel conferimento

dello Spirito il sacramento della
Cresima.
[20] Il dono di Dio è lo Spirito
Santo: cfr. Gv 14,16; At 2,38;
10,45. Da Simone ha preso il
nome la simonìa, che è il pec-

vada con te in perdizione, perché hai osato pensare di acquistare con denaro il dono di Dio. [21]Non v'è parte né sorte alcuna per te in questa cosa, perché *il tuo cuore non è retto davanti a Dio.* [22]Pèntiti dunque di questa tua iniquità e prega il Signore che ti sia perdonato questo pensiero. [23]Ti vedo infatti chiuso *in fiele amaro e in lacci d'iniquità* ». [24]Rispose Simone: « Pregate voi per me il Signore, perché non mi accada nulla di ciò che avete detto ». [25]Essi poi, dopo aver testimoniato e annunziato la parola di Dio, ritornavano a Gerusalemme ed evangelizzavano molti villaggi della Samarìa.

**Filippo e l'Etìope.** [26]Un angelo del Signore parlò intanto a Filippo: « Alzati, e va' verso il mezzogiorno, sulla strada che discende da Gerusalemme a Gaza; essa è deserta ». [27]Egli si alzò e si mise in cammino, quand'ecco un Etìope, un eunuco, funzionario di Candàce, regina di Etiopia, sovrintendente a tutti i suoi tesori, venuto per il culto a Gerusalemme, [28]se ne ritornava, seduto sul suo carro di viaggio, leggendo il profeta Isaia. [29]Disse allora lo Spirito a Filippo: « Va' avanti, e raggiungi quel carro ». [30]Filippo corse innanzi e, udito che leggeva il profeta Isaia, gli disse: « Capisci quello che stai leggendo? ». [31]Quegli rispose: « E come lo potrei, se nessuno mi istruisce? ». E invitò Filippo a salire e a sedere accanto a lui. [32]Il passo della Scrittura che stava leggendo era questo:

> *Come una pecora fu condotto al macello*

cato compiuto comprando le cose spirituali.
[21] Cfr. Sal 77,37; Ef 5,5.
[23] Cfr. Dt 29,18; Is 58,6; Eb 12,15.
[26] La strada attraversava il deserto di Giuda.
[27] L'Etiopia era la regione a sud dell'Egitto, il Sudan egiziano o la Nubia. Eunuco poteva anche essere soltanto un titolo di corte; se è da intendersi nel senso fisico cfr. la profezia di Is 56,3-7. Candàce era il titolo delle regine etiopi: non è qui individuabile il suo vero nome.
[32-33] È la celebre profezia di Is 53,7-8.

*e come un agnello senza voce innanzi a chi lo tosa,*
*così egli non apre la sua bocca.*
³³*Nella sua umiliazione il giudizio gli è stato negato,*
*ma la sua posterità chi potrà mai descriverla?*
*Poiché è stata recisa dalla terra la sua vita.*

³⁴E rivoltosi a Filippo l'eunuco disse: «Ti prego, di quale persona il profeta dice questo? Di se stesso o di qualcun altro?». ³⁵Filippo, prendendo a parlare e partendo da quel passo della Scrittura, gli annunziò la buona novella di Gesù. ³⁶Proseguendo lungo la strada, giunsero a un luogo dove c'era acqua e l'eunuco disse: «Ecco qui c'è acqua; che cosa mi impedisce di essere battezzato?». [³⁷] ³⁸Fece fermare il carro e discesero tutti e due nell'acqua, Filippo e l'eunuco, ed egli lo battezzò. ³⁹Quando furono usciti dall'acqua, lo Spirito del Signore rapì Filippo e l'eunuco non lo vide più e proseguì pieno di gioia il suo cammino. ⁴⁰Quanto a Filippo, si trovò ad Azoto e, proseguendo, predicava il vangelo a tutte le città, finché giunse a Cesarèa.

**9** **Conversione e battesimo di Saulo.** ¹Saulo frattanto, sempre fremente minaccia e strage contro i discepoli del Signore, si presentò al sommo sacerdote ²e gli chiese lettere per le sinagoghe di Damasco al fine di essere autorizzato a condurre in catene a Gerusalemme uomini e donne, seguaci della dottrina di Cristo, che avesse trovati. ³E avvenne che, mentre era in

---

³⁷ Il v. omesso è un'antica glossa, contenente una professione di fede dell'eunuco.
⁴⁰ Azoto era a 37 km. a nord di Gaza, sulla costa marittima; Cesarea, sempre sulla costa, è a 50 km. dall'odierna Tel Aviv.
**9.** ¹ Il racconto riprende il filo di 8,1-3. La conversione di Paolo, avvenuta verso l'anno 37, è raccontata tre volte: qui e in 22,6-16; 26,12-18. Le narrazioni

concordano negli elementi essenziali; le divergenze risalgono forse nell'intenzione dell'autore di sottolineare alcuni punti particolari a motivo del contesto e per arricchire l'informazione. Sulla vocazione di Paolo cfr. anche Gal 1,11-24; 1Cor 9,1; 15,8; Ef 3,2; Fil 3,5-12.
**9.** ² A Damasco, 180 km. da Gerusalemme, si erano rifugiati i cristiani perseguitati: cfr. 8,1-4.

viaggio e stava per avvicinarsi a Damasco, all'improvviso lo avvolse una luce dal cielo [4]e cadendo a terra udì una voce che gli diceva: « Saulo, Saulo, perché mi perseguiti? ». [5]Rispose: « Chi sei, o Signore? ». E la voce: « Io sono Gesù, che tu perseguiti! [6]Orsù, alzati ed entra nella città e ti sarà detto ciò che devi fare ». [7]Gli uomini che facevano il cammino con lui si erano fermati ammutoliti, sentendo la voce ma non vedendo nessuno. [8]Saulo si alzò da terra ma, aperti gli occhi, non vedeva nulla. Così, guidandolo per mano, lo condussero a Damasco; [9]dove rimase tre giorni senza vedere e senza prendere né cibo né bevanda.

[10]Ora c'era a Damasco un discepolo di nome Ananìa e il Signore in una visione gli disse: « Ananìa! ». Rispose: « Eccomi, Signore! ». [11]E il Signore a lui: « Su, va' sulla strada chiamata Diritta, e cerca nella casa di Giuda un tale che ha nome Saulo, di Tarso; ecco sta pregando, [12]e ha visto in visione un uomo, di nome Ananìa, venire e imporgli le mani perché ricuperi la vista ». [13]Rispose Ananìa: « Signore, riguardo a quest'uomo ho udito da molti tutto il male che ha fatto ai tuoi fedeli in Gerusalemme. [14]Inoltre ha l'autorizzazione dai sommi sacerdoti di arrestare tutti quelli che invocano il tuo nome ». [15]Ma il Signore disse: « Va', perché egli è per me uno strumento eletto per portare il mio nome dinanzi ai popoli, ai re e ai figli di Israele; [16]e io gli mostrerò quanto dovrà soffrire per il mio nome ». [17]Allora Ananìa andò, entrò nella casa, gli impose le mani e disse: « Saulo, fratello mio, mi ha mandato a te il Signore Gesù, che ti è apparso sulla via per la quale venivi, perché tu riacquisti la vista e sia colmo di Spirito Santo ». [18]E improvvisamente gli caddero da-

---

[5] Cristo Risorto si identifica con i suoi fedeli; di qui prenderà le mosse Paolo per la sua dottrina sulla Chiesa Corpo mistico di Cristo.
[11] La via Diritta era una delle due vie principali di Damasco, e l'attraversava da est a ovest.
[13] Fedeli, in greco: santi; per la prima volta sono così chiamati i cristiani in quanto consacrati a Cristo.

gli occhi come delle squame e ricuperò la vista; fu subito battezzato, [19]poi prese cibo e le forze gli ritornarono.

**Predicazione di Saulo a Damasco.** Rimase alcuni giorni insieme ai discepoli che erano a Damasco, [20]e subito nelle sinagoghe proclamava Gesù Figlio di Dio. [21]E tutti quelli che lo ascoltavano si meravigliavano e dicevano: « Ma costui non è quel tale che a Gerusalemme infieriva contro quelli che invocano questo nome ed era venuto qua precisamente per condurli in catene dai sommi sacerdoti? ». [22]Saulo frattanto si rinfrancava sempre più e confondeva i Giudei residenti a Damasco, dimostrando che Gesù è il Cristo. [23]Trascorsero così parecchi giorni e i Giudei fecero un complotto per ucciderlo; [24]ma i loro piani vennero a conoscenza di Saulo. Essi facevano la guardia anche alle porte della città di giorno e di notte per sopprimerlo; [25]ma i suoi discepoli di notte lo presero e lo fecero discendere dalle mura, calandolo in una cesta.

**Saulo a Gerusalemme.** [26]Venuto a Gerusalemme, cercava di unirsi con i discepoli, ma tutti avevano paura di lui, non credendo ancora che fosse un discepolo. [27]Allora Bàrnaba lo prese con sé, lo presentò agli apostoli e raccontò loro come durante il viaggio aveva visto il Signore che gli aveva parlato, e come in Damasco aveva predicato con coraggio nel nome di Gesù. [28]Così egli poté stare con loro e andava e veniva a Gerusalemme, parlando apertamente nel nome del Signore [29]e parlava e discuteva con gli Ebrei di lingua greca; ma questi tentarono di ucciderlo. [30]Venutolo però a sapere i fratelli, lo condussero a Cesarèa e lo fecero partire per Tarso.
[31]La Chiesa era dunque in pace per tutta la Giudea, la

---

[19] Cfr. Gal 1,17.
[21] Cfr. Gal 1,13.23.
[27] Su Barnaba v. 4,36.

[30] Tarso in Cilicia è la patria di Paolo: cfr. 9,11.
[31] Il timore del Signore è l'ade-

Galilea e la Samarìa; essa cresceva e camminava nel
timore del Signore, colma del conforto dello Spirito
Santo.

**Pietro guarisce un paralitico.** [32]E avvenne che mentre
Pietro andava a far visita a tutti, si recò anche dai
fedeli che dimoravano a Lidda. [33]Qui trovò un uomo
di nome Enea, che da otto anni giaceva su un lettuccio ed era paralitico. [34]Pietro gli disse: « Enea, Gesù
Cristo ti guarisce; alzati e rifatti il letto ». E subito si
alzò. [35]Lo videro tutti gli abitanti di Lidda e del Saròn
e si convertirono al Signore.

**Pietro risuscita una vedova.** [36]A Giaffa c'era una
discepola chiamata Tabità, nome che significa « Gazzella », la quale abbondava in opere buone e faceva
molte elemosine. [37]Proprio in quei giorni si ammalò e
morì. La lavarono e la deposero in una stanza al piano
superiore. [38]E poiché Lidda era vicina a Giaffa i discepoli, udito che Pietro si trovava là, mandarono due
uomini ad invitarlo: « Vieni subito da noi! ». [39]E Pietro
subito andò con loro. Appena arrivato lo condussero
al piano superiore e gli si fecero incontro tutte le vedove in pianto che gli mostravano le tuniche e i mantelli che Gazzella confezionava quando era fra loro.
[40]Pietro fece uscire tutti e si inginocchiò a pregare; poi
rivolto alla salma disse: « Tabità, alzati! ». Ed essa aprì
gli occhi, vide Pietro e si mise a sedere. [41]Egli le diede
la mano e la fece alzare, poi chiamò i credenti e le
vedove, e la presentò loro viva.
[42]La cosa si riseppe in tutta Giaffa, e molti credettero
nel Signore. [43]Pietro rimase a Giaffa parecchi giorni,
presso un certo Simone conciatore.

sione perfetta alla sua volontà.
[32] Lidda era nella pianura di
Saron (v. 35), a circa 38 km.

a nord-ovest di Gerusalemme.
[36] Giaffa, sulla costa mediterra-
nea, presso l'attuale Tel Aviv.

**10** **La visione di Cornelio.** [1]C'era in Cesarèa un uomo di nome Cornelio, centurione della coorte Italica, [2]uomo pio e timorato di Dio con tutta la sua famiglia; faceva molte elemosine al popolo e pregava sempre Dio. [3]Un giorno verso le tre del pomeriggio vide chiaramente in visione un angelo di Dio venirgli incontro e chiamarlo: «Cornelio!». [4]Egli lo guardò e preso da timore disse: «Che c'è, Signore?». Gli rispose: «Le tue preghiere e le tue elemosine sono salite, in tua memoria, innanzi a Dio. [5]E ora manda degli uomini a Giaffa e fa' venire un certo Simone detto anche Pietro. [6]Egli è ospite presso un tal Simone conciatore, la cui casa è sulla riva del mare». [7]Quando l'angelo che gli parlava se ne fu andato, Cornelio chiamò due dei suoi servitori e un pio soldato fra i suoi attendenti e, [8]spiegata loro ogni cosa, li mandò a Giaffa.

**La visione di Pietro.** [9]Il giorno dopo, mentre essi erano per via e si avvicinavano alla città, Pietro salì verso mezzogiorno sulla terrazza a pregare. [10]Gli venne fame e voleva prendere cibo. Ma mentre glielo preparavano, fu rapito in estasi. [11]Vide il cielo aperto e un oggetto che discendeva come una tovaglia grande, calata a terra per i quattro capi. [12]In essa c'era ogni sorta di quadrupedi e rettili della terra e uccelli del cielo. [13]Allora risuonò una voce che gli diceva: «Alzati, Pietro, uccidi e mangia!». [14]Ma Pietro rispose: «No davvero, Signore, poiché io non ho mai mangiato nulla di profano e di immondo». [15]E la voce di nuovo a lui:

**10.** [1] Una svolta importantissima nella storia della prima comunità cristiana, sulla quale Luca ritorna in 11,1-17; 15,6-11. Per Cesarea v. 8,40. La coorte italica, una delle cinque dislocate in Palestina, veniva reclutata tra cittadini romani di origine italiana.

[2] Cornelio era un pagano simpatizzante per il giudaismo. Poiché il governo della Palestina passò dal 41 al 44 al giudeo Erode Agrippa I (cfr. 12,1), questo episodio è anteriore all'anno 41. [14] Per gli animali che la legge dichiarava immondi v. Lv 11, 3-8.26.

« Ciò che Dio ha purificato, tu non chiamarlo più profano ». [16]Questo accadde per tre volte; poi d'un tratto quell'oggetto fu risollevato al cielo.

**Pietro si reca da Cornelio.** [17]Mentre Pietro si domandava perplesso tra sé e sé che cosa significasse ciò che aveva visto, gli uomini inviati da Cornelio, dopo aver domandato della casa di Simone, si fermarono all'ingresso. [18]Chiamarono e chiesero se Simone detto anche Pietro, alloggiava colà. [19]Pietro stava ancora ripensando alla visione, quando lo Spirito gli disse: « Ecco, tre uomini ti cercano; [20]alzati, scendi e va' con loro senza esitazione, perché io li ho mandati ». [21]Pietro scese incontro agli uomini e disse: « Eccomi, sono io quello che cercate. Qual è il motivo per cui siete venuti? ». [22]Risposero: « Il centurione Cornelio, uomo giusto e timorato di Dio, stimato da tutto il popolo dei Giudei, è stato avvertito da un angelo santo di invitarti nella sua casa, per ascoltare ciò che hai da dirgli ». [23]Pietro allora li fece entrare e li ospitò.

Il giorno seguente si mise in viaggio con loro e alcuni fratelli di Giaffa lo accompagnarono. [24]Il giorno dopo arrivò a Cesarèa. Cornelio stava ad aspettarli ed aveva invitato i congiunti e gli amici intimi. [25]Mentre Pietro stava per entrare, Cornelio andandogli incontro si gettò ai suoi piedi per adorarlo. [26]Ma Pietro lo rialzò, dicendo: « Alzati: anch'io sono un uomo! ». [27]Poi, continuando a conversare con lui, entrò e trovate riunite molte persone disse loro: [28]« Voi sapete che non è lecito per un Giudeo unirsi o incontrarsi con persone di altra razza; ma Dio mi ha mostrato che non si deve dire profano o immondo nessun uomo. [29]Per questo sono venuto senza esitare quando mi avete mandato a chiamare. Vorrei dunque chiedere: per quale ragione mi avete fatto venire? ». [30]Cornelio allora rispose: « Quattro giorni or sono, verso quest'ora, stavo recitando la preghiera delle

[25] Cornelio, pagano, reputa Pietro     un essere celeste, cfr. 14,11-15.

tre del pomeriggio nella mia casa, quando mi si presentò un uomo in splendida veste [31] e mi disse: Cornelio, sono state esaudite le tue preghiere e ricordate le tue elemosine davanti a Dio. [32]Manda dunque a Giaffa e fa' venire Simone chiamato anche Pietro; egli è ospite nella casa di Simone il conciatore, vicino al mare. [33]Subito ho mandato a cercarti e tu hai fatto bene a venire. Ora dunque tutti noi, al cospetto di Dio, siamo qui riuniti per ascoltare tutto ciò che dal Signore ti è stato ordinato ».

**Discorso di Pietro.** [34]Pietro prese la parola e disse: « In verità sto rendendomi conto che *Dio non fa preferenze di persone,* [35]ma chi lo teme e pratica la giustizia, a qualunque popolo appartenga, è a lui accetto. [36]Questa è *la parola che egli ha inviato* ai figli d'Israele, *recando la buona novella* della pace, per mezzo di Gesù Cristo, che è il Signore di tutti. [37]Voi conoscete ciò che è accaduto in tutta la Giudea, incominciando dalla Galilea, dopo il battesimo predicato da Giovanni; [38]cioè come *Dio consacrò in Spirito Santo* e potenza Gesù di Nàzaret, il quale passò beneficando e risanando tutti coloro che stavano sotto il potere del diavolo, perché Dio era con lui. [39]E noi siamo testimoni di tutte le cose da lui compiute nella regione dei Giudei e in Gerusalemme. Essi lo uccisero appendendolo a una croce, [40]ma Dio lo ha risuscitato al terzo giorno e volle che apparisse, [41]non a tutto il popolo, ma a testimoni prescelti da Dio, a noi, che abbiamo mangiato e bevuto con lui dopo la sua risurrezione dai morti. [42]E ci ha ordinato di annunziare al popolo e di attestare che egli è il giudice dei vivi e dei morti costituito da Dio. [43]Tutti i profeti

34-36 Le frasi in corsivo ricorrono spesso nella Bibbia.
37-41 Schema essenziale della storia evangelica, che è alla base dei vangeli sinottici (cfr. introd. a Mc).

38 Cfr. 2,22: la parola greca per « consacrò » richiama il nome di « Cristo ».
39 Sulla testimonianza come dovere apostolico, cfr. 1,8.22.
41 Cfr. 1,4; Lc 24,41ss.

gli rendono questa testimonianza: chiunque crede in lui ottiene la remissione dei peccati per mezzo del suo nome ».

## Lo Spirito Santo sui pagani.

**⁴⁴**Pietro stava ancora dicendo queste cose, quando lo Spirito Santo scese sopra tutti coloro che ascoltavano il discorso. ⁴⁵E i fedeli circoncisi, che erano venuti con Pietro, si meravigliavano che anche sopra i pagani si effondesse il dono dello Spirito Santo; ⁴⁶li sentivano infatti parlare lingue e glorificare Dio. ⁴⁷Allora Pietro disse: « Forse che si può proibire che siano battezzati con l'acqua questi che hanno ricevuto lo Spirito Santo al pari di noi? ». ⁴⁸E ordinò che fossero battezzati nel nome di Gesù Cristo. Dopo tutto questo lo pregarono di fermarsi alcuni giorni.

## 11 Pietro giustifica la sua condotta.

¹Gli apostoli e i fratelli che stavano nella Giudea vennero a sapere che anche i pagani avevano accolto la parola di Dio. ²E quando Pietro salì a Gerusalemme, i circoncisi lo rimproveravano dicendo: ³« Sei entrato in casa di uomini non circoncisi e hai mangiato insieme con loro! ».

⁴Allora Pietro raccontò per ordine come erano andate le cose, dicendo: ⁵« Io mi trovavo in preghiera nella città di Giaffa e vidi in estasi una visione: un oggetto, simile a una grande tovaglia, scendeva come calato dal cielo per i quattro capi e giunse fino a me. ⁶Fissandolo con attenzione, vidi in esso quadrupedi, fiere e rettili della terra e uccelli del cielo. ⁷E sentii una voce che mi diceva: Pietro, alzati, uccidi e mangia!

⁴⁴ È la cosiddetta Pentecoste dei pagani: cfr. 11,15ss; 15,8-9.
⁴⁷ L'intervento dello Spirito Santo era la spinta decisiva per l'estensione dei benefici della salvezza ai pagani, voluta da Cristo: cfr. Mt 28,19; Mc 19,15.

**11.** ³ Non era soltanto un problema di comportamento, l'essenziale era che Pietro aveva ammesso i pagani (Cornelio e quelli della sua casa: v. 10,48) nella Chiesa senza imporre ad essi la legge e le osservanze ebraiche.

[8]Risposi: Non sia mai, Signore, poiché nulla di profano e di immondo è entrato mai nella mia bocca. [9]Ribatté nuovamente la voce dal cielo: Quello che Dio ha purificato, tu non considerarlo profano. [10]Questo avvenne per tre volte e poi tutto fu risollevato di nuovo nel cielo. [11]Ed ecco, in quell'istante, tre uomini giunsero alla casa dove eravamo, mandati da Cesarèa a cercarmi. [12]Lo Spirito mi disse di andare con loro senza esitare. Vennero con me anche questi sei fratelli ed entrammo in casa di quell'uomo. [13]Egli ci raccontò che aveva visto un angelo presentarsi in casa sua e dirgli: Manda a Giaffa e fa' venire Simone detto anche Pietro; [14]egli ti dirà parole per mezzo delle quali sarai salvato tu e tutta la tua famiglia. [15]Avevo appena cominciato a parlare quando lo Spirito Santo scese su di loro, come in principio era sceso su di noi. [16]Mi ricordai allora di quella parola del Signore che diceva: *Giovanni battezzò con acqua, voi invece sarete battezzati in Spirito Santo.* [17]Se dunque Dio ha dato a loro lo stesso dono che a noi per aver creduto nel Signore Gesù Cristo, chi ero io per porre impedimento a Dio? ».
[18]All'udir questo si calmarono e cominciarono a glorificare Dio dicendo: « Dunque anche ai pagani Dio ha concesso che si convertano perché abbiano la vita! ».

## La prima Chiesa dei pagani: Antiòchia.

[19]Intanto quelli che erano stati dispersi dopo la persecuzione scoppiata al tempo di Stefano, erano arrivati fin nella Fenicia, a Cipro e ad Antiòchia e non predicavano la parola a nessuno fuorché ai Giudei. [20]Ma alcuni fra loro, cittadini di Cipro e di Cirène, giunti ad Antiòchia, cominciarono a parlare anche ai Greci, predicando la buona novella del Signore Gesù. [21]E la mano del Signore era con loro e così un gran numero credette e si con-

---

[16] La parola del Signore qui ricordata è quella di 1,5.
[20] Antiochia, sul fiume Oronte in Siria, era la terza metropoli dell'impero romano dopo Roma e Alessandria d'Egitto.

vertì al Signore. [22]La notizia giunse agli orecchi della
Chiesa di Gerusalemme, la quale mandò Bàrnaba ad
Antiòchia.
[23]Quando questi giunse e vide la grazia del Signore, si
rallegrò e [24]da uomo virtuoso qual era e pieno di Spirito
Santo e di fede, esortava tutti a perseverare con cuore
risoluto nel Signore. E una folla considerevole fu condotta al Signore. [25]Bàrnaba poi partì alla volta di Tarso
per cercare Saulo e trovatolo lo condusse ad Antiòchia.
[26]Rimasero insieme un anno intero in quella comunità
e istruirono molta gente; ad Antiòchia per la prima
volta i discepoli furono chiamati Cristiani.

**Bàrnaba e Saulo inviati a Gerusalemme.** [27]In questo
tempo alcuni profeti scesero ad Antiòchia da Gerusalemme. [28]E uno di loro, di nome Àgabo, alzatosi in piedi,
annunziò per impulso dello Spirito che sarebbe scoppiata una grave carestia su tutta la terra. Ciò che di fatto
avvenne sotto l'impero di Claudio. [29]Allora i discepoli
si accordarono, ciascuno secondo quello che possedeva,
di mandare un soccorso ai fratelli abitanti nella Giudea; [30]questo fecero, indirizzandolo agli anziani, per
mezzo di Bàrnaba e Saulo.

**12** **Persecuzione di Erode. Arresto e liberazione
di Pietro.** [1]In quel tempo il re Erode cominciò a
perseguitare alcuni membri della Chiesa [2]e fece ucci-

---

[26] Cristiani, in relazione con Cristo, considerato non come titolo
— Cristo è l'ebraico Messia —
ma come nome proprio.
[27] Sui profeti cristiani confronta
15,32; 21,10. Dalle lettere di
Paolo (cfr. 1Cor 12,28; c. 14; Ef
2,20; 3,5; 4,11), risulta che essi
avevano il carisma di consolare,
di esortare, di illuminare i cristiani sugli avvenimenti di salvezza anche futuri.

[28] Al tempo dell'imperatore Claudio (41-54) vi furono frequenti
carestie.
[30] Gli anziani — in greco: presbiteri — erano i collaboratori o
sostituti degli apostoli.
**12.** [1] Erode Agrippa I regnò tra
il 41 e il 44.
[2] È Giacomo fratello dell'evangelista Giovanni, la cui morte
era stata annunciata da Gesù:
cfr. Mc 10,39.

dere di spada Giacomo, fratello di Giovanni. [3]Vedendo che questo era gradito ai Giudei, decise di arrestare anche Pietro. Erano quelli i giorni degli azzimi. [4]Fattolo catturare, lo gettò in prigione, consegnandolo in custodia a quattro picchetti di quattro soldati ciascuno, col proposito di farlo comparire davanti al popolo dopo la Pasqua. [5]Pietro dunque era tenuto in prigione, mentre una preghiera saliva incessantemente a Dio dalla Chiesa per lui. [6]E in quella notte, quando poi Erode stava per farlo comparire davanti al popolo, Pietro piantonato da due soldati e legato con due catene stava dormendo, mentre davanti alla porta le sentinelle custodivano il carcere. [7]Ed ecco gli si presentò un angelo del Signore e una luce sfolgorò nella cella. Egli toccò il fianco di Pietro, lo destò e disse: « Alzati, in fretta! ». E le catene gli caddero dalle mani. [8]E l'angelo a lui: « Mettiti la cintura e legati i sandali ». E così fece. L'angelo disse: « Avvolgiti il mantello, e seguimi! ». [9]Pietro uscì e prese a seguirlo, ma non si era ancora accorto che era realtà ciò che stava succedendo per opera dell'angelo: credeva infatti di avere una visione. [10]Essi oltrepassarono la prima guardia e la seconda e arrivarono alla porta di ferro che conduce in città: la porta si aprì da sé davanti a loro. Uscirono, percorsero una strada e a un tratto l'angelo si dileguò da lui. [11]Pietro allora, rientrato in sé, disse: « Ora sono veramente certo che il Signore ha mandato il suo angelo e mi ha strappato dalla mano di Erode e da tutto ciò che si attendeva il popolo dei Giudei ». [12]Dopo aver riflettuto, si recò alla casa di Maria, madre di Giovanni detto anche Marco, dove si trovava un buon numero di persone raccolte in preghiera. [13]Appena ebbe bussato

---

[3] I giorni degli azzimi erano quelli della settimana pasquale.
[4] Ogni picchetto faceva tre ore di guardia.
[12] È Marco l'evangelista; lo ritroveremo (12,25 e 13,5 ecc.) come compagno di Paolo e Bàrnaba. È probabile che la casa di Maria fosse da tempo un luogo di riunione di cristiani.

alla porta esterna, una fanciulla di nome Rode si avvicinò per sentire chi era. [14]Riconosciuta la voce di Pietro, per la gioia non aprì la porta, ma corse ad annunziare che fuori c'era Pietro. [15]« Tu vaneggi! » le dissero.
Ma essa insisteva che la cosa stava così. E quelli dicevano: « È l'angelo di Pietro ». [16]Questi intanto continuava a bussare e quando aprirono la porta e lo videro,
rimasero stupefatti. [17]Egli allora, fatto segno con la mano
di tacere, narrò come il Signore lo aveva tratto fuori
del carcere, e aggiunse: « Riferite questo a Giacomo
e ai fratelli ». Poi uscì e s'incamminò verso un altro
luogo.
[18]Fattosi giorno, c'era non poco scompiglio tra i soldati: che cosa mai era accaduto di Pietro? [19]Erode lo
fece cercare accuratamente, ma non essendo riuscito a
trovarlo, fece processare i soldati e ordinò che fossero
messi a morte; poi scese dalla Giudea e soggiornò a
Cesarèa.

**Morte di Erode.** [20]Egli era infuriato contro i cittadini
di Tiro e Sidone. Questi però si presentarono a lui di
comune accordo e, dopo aver tratto alla loro causa Bla-
sto, ciambellano del re, chiedevano pace, perché il loro
paese riceveva i viveri dal paese del re. [21]Nel giorno
fissato Erode, vestito del manto regale e seduto sul po-
dio, tenne loro un discorso. [22]Il popolo acclamava: « Parola di un dio e non di un uomo! ». [23]Ma improvvisamente un angelo del Signore lo colpì, perché non aveva
dato gloria a Dio; e roso dai vermi, spirò.

**Bàrnaba e Saulo ritornano ad Antiòchia.** [24]Intanto
la parola di Dio cresceva e si diffondeva. [25]Bàrnaba e
Saulo poi, compiuta la loro missione, tornarono da Ge-

[17] Si tratta di Giacomo, parente di Gesù (cfr. Mt 13,55; Gal
1,19) e capo della comunità di
Gerusalemme.
[23] Indicazione classica della punizione divina per i persecutori:
cfr. 2Mac 9,9. Erode Agrippa I
morì nel 44.
[24] Si noti la personificazione della parola di Dio.

rusalemme prendendo con loro Giovanni, detto anche
Marco.

# LA MISSIONE DI BÀRNABA E SAULO
## (13,1-15,35)

**13** [1]C'erano nella comunità di Antiòchia profeti e
dottori: Bàrnaba, Simeone soprannominato Niger,
Lucio di Cirène, Manaèn, compagno d'infanzia di Erode
tetrarca, e Saulo. [2]Mentre essi stavano celebrando il
culto del Signore e digiunando, lo Spirito Santo disse:
« Riservate per me Bàrnaba e Saulo per l'opera alla
quale li ho chiamati ». [3]Allora, dopo aver digiunato e
pregato, imposero loro le mani e li accomiatarono.

### L'evangelizzazione di Cipro. [4]Essi dunque, inviati dallo
Spirito Santo, discesero a Selèucia e di qui salparono
verso Cipro. [5]Giunti a Salamina cominciarono ad annunziare la parola di Dio nelle sinagoghe dei Giudei,
avendo con loro anche Giovanni come aiutante. [6]Attra-
versata tutta l'isola fino a Pafo, vi trovarono un tale,
mago e falso profeta giudeo, di nome Bar-Jesus, [7]al
seguito del proconsole Sergio Paolo, persona di senno,
che aveva fatto chiamare a sé Bàrnaba e Saulo e desiderava ascoltare la parola di Dio. [8]Ma Elimas, il mago,

---

**13.** [1] Cfr. 11,19ss. I dottori attendevano all'insegnamento religioso nella comunità; per i profeti cfr. 11,27. Su Erode il Tetrarca cfr. Lc 3,1; 22,7-12.
[3] Questa imposizione delle mani
non è una trasmissione di poteri
(come in 6,6), ma una specie di
benedizione.
[4] Comincia il primo viaggio apostolico di Paolo, anni 47-49. Seleucia era il porto di Antiochia,
distante 25 km. dalla città.

[5] Salamina era il porto principale di Cipro. Gli storici antichi
ci parlano di Giudei ivi residenti.
Giovanni è il Marco di 12,25. L'e-
vangelizzazione comincerà siste-
maticamente dagli Ebrei, primi
destinatari dell'annunzio di salvezza: cfr. v. 46; Mt 10,6; Rm 1,16.
[6] Bar-Jesus significa in aramaico
« figlio di Gesù ».
[8] Elimas è forse un soprannome
aramaico, col significato di mago,
sapiente, indovino.

– ciò infatti significa il suo nome – faceva loro opposizione cercando di distogliere il proconsole dalla fede.
⁹Allora Saulo, detto anche Paolo, pieno di Spirito Santo,
fissò gli occhi su di lui e disse: ¹⁰« O uomo pieno di ogni
frode e di ogni malizia, figlio del diavolo, nemico di
ogni giustizia, quando cesserai di sconvolgere le vie di-
ritte del Signore? ¹¹Ecco la mano del Signore è sopra
di te: sarai cieco e per un certo tempo non vedrai il
sole ». Di colpo piombò su di lui oscurità e tenebra, e
brancolando cercava chi lo guidasse per mano. ¹²Quando
vide l'accaduto, il proconsole credette, colpito dalla dottrina del Signore.

**Predicazione ad Antiòchia di Pisidia.** ¹³Salpati da
Pafo, Paolo e i suoi compagni giunsero a Perge di
Panfilia. Giovanni si separò da loro e ritornò a Gerusalemme. ¹⁴Essi invece proseguendo da Perge, arrivarono
ad Antiòchia di Pisidia ed entrati nella sinagoga nel
giorno di sabato, si sedettero. ¹⁵Dopo la lettura della
Legge e dei Profeti, i capi della sinagoga mandarono
a dire loro: « Fratelli, se avete qualche parola di esortazione per il popolo, parlate! ».
¹⁶Si alzò Paolo e fatto cenno con la mano disse: « Uomini di Israele e voi timorati di Dio, ascoltate. ¹⁷Il Dio
di questo popolo d'Israele scelse i nostri padri ed esaltò
il popolo durante il suo esilio in terra d'Egitto, *e con
braccio potente li condusse via di là.* ¹⁸Quindi, *dopo*

---

⁹ Luca sostituisce definitivamen-
te il nome Paolo a quello di
Saulo. I due nomi, di cui il primo è romano e il secondo ebraico, erano forse usati dall'apostolo fin dalla sua nascita.
¹² È la prima conversione di un
personaggio romano.
¹³ Perge, città della Panfilia, a pochi chilometri dalla costa meridionale dell'Asia Minore: Paolo vi
giunse dal porto di Attalia.

¹⁴ Antiochia di Pisidia era a 160
km. in linea d'aria da Perge,
nell'interno dell'Anatolia.
¹⁵ Per i servizi religiosi delle sinagoghe cfr. Mt 4,23.
¹⁶ Il discorso è il primo e tipico
saggio della predicazione di Paolo
agli Ebrei sulle prerogative messianiche di Gesù Salvatore.
¹⁷ Cfr. Is 1,2; Es 6,1.6; 12,51;
Dt 5,15 ecc.
¹⁸⁻¹⁹ Cfr. Dt 1,31; 7,1.

*essersi preso cura di loro per circa quarant'anni nel deserto,* [19]*distrusse sette popoli nel paese di Canaan e concesse loro in eredità* quelle terre, [20]per circa quattrocentocinquanta anni. Dopo questo diede loro dei Giudici, fino al profeta Samuele. [21]Allora essi chiesero un re e Dio diede loro Saul, figlio di Cis, della tribù di Beniamino, per quaranta anni. [22]E dopo averlo rimosso dal regno, suscitò per loro come re Davide, al quale rese questa testimonianza: *Ho trovato Davide,* figlio di Iesse, *uomo secondo il mio cuore;* egli adempirà tutti i miei voleri.

[23]Dalla discendenza di lui, secondo la promessa, Dio trasse per Israele un salvatore, Gesù. [24]Giovanni aveva preparato la sua venuta predicando un battesimo di penitenza a tutto il popolo d'Israele. [25]Diceva Giovanni sul finire della sua missione: Io non sono ciò che voi pensate che io sia! Ecco, viene dopo di me uno, al quale io non sono degno di sciogliere i sandali.

[26]Fratelli, figli della stirpe di Abramo, e quanti fra voi siete timorati di Dio, a noi è stata mandata questa parola di salvezza. [27]Gli abitanti di Gerusalemme infatti e i loro capi non l'hanno riconosciuto e condannandolo hanno adempiuto le parole dei profeti che si leggono ogni sabato; [28]e pur non avendo trovato in lui nessun motivo di condanna a morte, chiesero a Pilato che fosse ucciso. [29]Dopo aver compiuto tutto quanto era stato scritto di lui, lo deposero dalla croce e lo misero nel sepolcro. [30]Ma Dio lo ha risuscitato dai morti [31]ed egli è apparso per molti giorni a quelli che erano saliti con lui dalla Galilea a Gerusalemme, e questi ora sono i suoi testimoni davanti al popolo.

[32]E noi vi annunziamo la buona novella che la promessa fatta ai padri si è compiuta, [33]poiché Dio l'ha

[22] Cfr. 1Sam 13,14; 16,1; Sal 88,21; Is 44,28. Davide è qui descritto nella luce più favorevole.

[33-35] Cfr. Sal 2,7; Is 55,3; Sal 15,10, secondo la versione greca; cfr. At 2,27.

attuata per noi, loro figli, risuscitando Gesù, come anche sta scritto nel salmo secondo:

*Mio figlio sei tu, oggi ti ho generato.*

³⁴E che Dio lo ha risuscitato dai morti, in modo che non abbia mai più a tornare alla corruzione, è quanto ha dichiarato:

*Darò a voi le cose sante promesse a Davide, quelle*
[*sicure.*

³⁵Per questo anche in un altro luogo dice:

*Non permetterai che il tuo santo subisca la corru-*
[*zione.*

³⁶Ora Davide, dopo aver eseguito il volere di Dio nella sua generazione, morì e fu unito ai suoi padri e subì la corruzione. ³⁷Ma colui che Dio ha risuscitato, non ha subito la corruzione. ³⁸Vi sia dunque noto, fratelli, che per opera di lui vi viene annunziata la remissione dei peccati ³⁹e che per lui chiunque crede riceve giustificazione da tutto ciò da cui non vi fu possibile essere giustificati mediante la legge di Mosè. ⁴⁰Guardate dunque che non avvenga su di voi ciò che è detto nei Profeti:

⁴¹*Mirate, beffardi,*
*stupite e nascondetevi,*
*poiché un'opera io compio ai vostri giorni,*
*un'opera che non credereste, se vi fosse raccontata! ».*

⁴²E mentre uscivano, li pregavano di esporre ancora queste cose nel prossimo sabato. ⁴³Sciolta poi l'assemblea, molti Giudei e proseliti credenti in Dio seguirono Paolo e Bàrnaba ed essi, intrattenendosi con loro, li esortavano a perseverare nella grazia di Dio.
⁴⁴Il sabato seguente quasi tutta la città si radunò per ascoltare la parola di Dio. ⁴⁵Quando videro quella moltitudine, i Giudei furono pieni di gelosia e contraddi-

---

⁴¹ Cfr. Ab 1,5, secondo i 70, dove    il v. si riferisce al popolo ebraico.

cevano le affermazioni di Paolo, bestemmiando. [46]Allora
Paolo e Bàrnaba con franchezza dichiararono: « Era necessario che fosse annunziata a voi per primi la parola di Dio, ma poiché la respingete e non vi giudicate
degni della vita eterna, ecco noi ci rivolgiamo ai pagani. [47]Così infatti ci ha ordinato il Signore:

> Io ti ho posto come luce alle genti,
>   perché tu porti la salvezza sino all'estremità della
>                                             [terra ».

[48]Nell'udir ciò, i pagani si rallegravano e glorificavano
la parola di Dio e abbracciarono la fede tutti quelli
che erano destinati alla vita eterna. [49]La parola di Dio
si diffondeva per tutta la regione. [50]Ma i Giudei sobillarono le donne pie di alto rango e i notabili della
città e suscitarono una persecuzione contro Paolo e
Bàrnaba e li scacciarono dal loro territorio. [51]Allora essi,
scossa contro di loro la polvere dei piedi, andarono a
Icònio, [52]mentre i discepoli erano pieni di gioia e di
Spirito Santo.

**14** **Predicazione a Icònio.** [1]Anche ad Icònio essi
entrarono nella sinagoga dei Giudei e vi parlarono in modo tale che un gran numero di Giudei e di
Greci divennero credenti. [2]Ma i Giudei rimasti increduli
eccitarono e inasprirono gli animi dei pagani contro i
fratelli. [3]Rimasero tuttavia colà per un certo tempo e
parlavano fiduciosi nel Signore, che rendeva testimonianza alla predicazione della sua grazia e concedeva
che per mano loro si operassero segni e prodigi. [4]E la
popolazione della città si divise, schierandosi gli uni
dalla parte dei Giudei, gli altri dalla parte degli apostoli.
[5]Ma quando ci fu un tentativo dei pagani e dei Giudei
con i loro capi per maltrattarli e lapidarli, [6]essi se ne

---

[47] Is 49,6. Paolo estende agli
apostoli ciò che Dio diceva del
Messia suo Servo.
[51] Il gesto rifiuta ogni rappor-

to: cfr. Mt 14,14; Lc 10,11. Iconio era a 140 km. circa da Antiochia, al di là delle montagne.
**14.** [6] La Licaònia era un alto-

accorsero e fuggirono nelle città della Licaònia, Listra e Derbe e nei dintorni, [7]e là continuavano a predicare il vangelo.

## Il paralitico di Listra.

[8]C'era a Listra un uomo paralizzato alle gambe, storpio sin dalla nascita, che non aveva mai camminato. [9]Egli ascoltava il discorso di Paolo e questi, fissandolo con lo sguardo e notando che aveva fede di esser risanato, [10]disse a gran voce: « Alzati diritto in piedi! ». Egli fece un balzo e si mise a camminare. [11]La gente allora, al vedere ciò che Paolo aveva fatto, esclamò in dialetto licaonio e disse: « Gli dèi sono scesi tra di noi in figura umana! ». [12]E chiamavano Bàrnaba Zeus e Paolo Hermes, perché era lui il più eloquente.
[13]Intanto il sacerdote di Zeus, il cui tempio era all'ingresso della città, recando alle porte tori e corone, voleva offrire un sacrificio insieme alla folla. [14]Sentendo ciò, gli apostoli Bàrnaba e Paolo si strapparono le vesti e si precipitarono tra la folla, gridando: [15]« Cittadini, perché fate questo? Anche noi siamo esseri umani, mortali come voi, e vi predichiamo di convertirvi da queste vanità al Dio vivente *che ha fatto il cielo, la terra, il mare e tutte le cose che in essi si trovano.* [16]Egli, nelle generazioni passate, ha lasciato che ogni popolo seguisse la sua strada; [17]ma non ha cessato di dar prova di sé beneficando, concedendovi dal cielo piogge e stagioni ricche di frutti, fornendovi di cibo e riempiendo di letizia i vostri cuori ». [18]E così dicendo, riuscirono a fatica a far desistere la folla dall'offrire loro un sacrificio.
[19]Ma giunsero da Antiòchia e da Icònio alcuni Giudei,

---

piano selvaggio. Listra distava da Iconio circa 40 km.; Derbe era a circa 50 km. da Listra.
[12] La leggenda situava in quella regione la visita di Zeus (Giove) ed Hermes (Mercurio) a Bauci e Filemone.

[15] La frase in corsivo è frequente nella Bibbia. Il tema della rivelazione di Dio nella natura era classico nella predicazione ai pagani: cfr. 17,24-28; 1Ts 1,9; Rm 1,9ss. Temi qui presenti ritornano nel discorso di Atene c. 17.

i quali trassero dalla loro parte la folla; essi presero
Paolo a sassate e quindi lo trascinarono fuori della
città, credendolo morto. [20]Allora gli si fecero attorno i discepoli ed egli, alzatosi, entrò in città. Il giorno dopo
partì con Bàrnaba alla volta di Derbe.

**Conclusione della missione.** [21]Dopo aver predicato il
vangelo in quella città e fatto un numero considerevole
di discepoli, ritornarono a Listra, Icònio e Antiòchia,
[22]rianimando i discepoli ed esortandoli a restare saldi
nella fede poiché, dicevano, è necessario attraversare
molte tribolazioni per entrare nel regno di Dio. [23]Costi-
tuirono quindi per loro in ogni comunità alcuni anziani
e dopo avere pregato e digiunato li affidarono al Signore,
nel quale avevano creduto. [24]Attraversata poi la Pisidia,
raggiunsero la Panfilia [25]e dopo avere predicato la parola di Dio a Perge, scesero ad Attalìa; [26]di qui fecero
vela per Antiòchia, là dove erano stati affidati alla grazia
del Signore per l'impresa che avevano compiuto.
[27]Non appena furono arrivati, riunirono la comunità e
riferirono tutto quello che Dio aveva compiuto per
mezzo loro e come aveva aperto ai pagani la porta della
fede. [28]E si fermarono per non poco tempo insieme ai
discepoli.

**15** **Il problema della circoncisione.** [1]Ora alcuni,
venuti dalla Giudea, insegnavano ai fratelli questa
dottrina: « Se non vi fate circoncidere secondo l'uso di
Mosè, non potete esser salvi ».
[2]Poiché Paolo e Bàrnaba si opponevano risolutamente
e discutevano animatamente contro costoro, fu stabilito
che Paolo e Bàrnaba e alcuni altri di loro andassero
a Gerusalemme dagli apostoli e dagli anziani per tale
questione. [3]Essi dunque, scortati per un tratto dalla co-

---

[23] Istituzione della gerarchia locale: cfr. 6,3; 11,30, che governa
collegialmente in assenza di Paolo.

**15.** [1] Questa dottrina negava che
la fede in Cristo fosse bastante
per la salvezza.

munità, attraversarono la Fenicia e la Samarìa raccontando la conversione dei pagani e suscitando grande gioia in tutti i fratelli.

**Il concilio di Gerusalemme.** ⁴Giunti poi a Gerusalemme, furono ricevuti dalla Chiesa, dagli apostoli e dagli anziani e riferirono tutto ciò che Dio aveva compiuto per mezzo loro. ⁵Ma si alzarono alcuni della setta dei farisei, che erano diventati credenti, affermando: è necessario circonciderli e ordinar loro di osservare la legge di Mosè.

**Discorso di Pietro: la situazione dei pagani convertiti.** ⁶Allora si riunirono gli apostoli e gli anziani per esaminare questo problema. ⁷Dopo lunga discussione, Pietro si alzò e disse: « Fratelli, voi sapete che già da molto tempo Dio ha fatto una scelta fra voi, perché i pagani ascoltassero per bocca mia la parola del vangelo e venissero alla fede. ⁸E Dio, che conosce i cuori, ha reso testimonianza in loro favore concedendo anche a loro lo Spirito Santo, come a noi; ⁹e non ha fatto nessuna discriminazione tra noi e loro, purificandone i cuori con la fede. ¹⁰Or dunque, perché continuate a tentare Dio, imponendo sul collo dei discepoli un giogo che né i nostri padri, né noi siamo stati in grado di portare? ¹¹Noi crediamo che per la grazia del Signore Gesù siamo salvati e nello stesso modo anche loro ».
¹²Tutta l'assemblea tacque e stettero ad ascoltare Bàrnaba e Paolo che riferivano quanti miracoli e prodigi Dio aveva compiuto tra i pagani per mezzo loro.

**Discorso di Giacomo: una proposta conciliante.** ¹³Quand'essi ebbero finito di parlare, Giacomo aggiunse: ¹⁴« Fratelli, ascoltatemi. Simone ha riferito come fin da principio Dio ha voluto scegliere tra i pagani un po-

---

⁷ Pietro si appella ai fatti del c. 10.

¹¹ La via della salvezza è una sola per i Giudei e per i pagani.

polo per consacrarlo al suo nome. ¹⁵Con questo si accordano le parole dei profeti, come sta scritto:

> ¹⁶*Dopo queste cose ritornerò*
> *e riedificherò la tenda di Davide che era caduta;*
> *ne riparerò le rovine e la rialzerò,*
> ¹⁷*perché anche gli altri uomini cerchino il Signore*
> *e tutte le genti sulle quali è stato invocato il mio*
> [*nome,*
> ¹⁸*dice il Signore che fa queste cose da lui conosciute*
> [*dall'eternità.*

¹⁹Per questo io ritengo che non si debba importunare quelli che si convertono a Dio tra i pagani, ²⁰ma solo si ordini loro di astenersi dalle sozzure degli idoli, dalla impudicizia, dagli animali soffocati e dal sangue. ²¹Mosè infatti, fin dai tempi antichi, ha chi lo predica in ogni città, poiché viene letto ogni sabato nelle sinagoghe».

## La lettera apostolica. ²²Allora gli apostoli, gli anziani e tutta la Chiesa decisero di eleggere alcuni di loro e di inviarli ad Antiòchia insieme a Paolo e Bàrnaba: Giuda chiamato Barsabba e Sila, uomini tenuti in grande considerazione tra i fratelli. ²³E consegnarono loro la seguente lettera: «Gli apostoli e gli anziani ai fratelli di Antiòchia, di Siria e di Cilicia che provengono dai pagani, salute! ²⁴Abbiamo saputo che alcuni da parte nostra, ai quali non avevamo dato nessun incarico, sono venuti a turbarvi con i loro discorsi sconvolgendo i vostri animi. ²⁵Abbiamo perciò deciso tutti d'accordo di eleggere alcune persone e inviarle a voi insieme ai

---

¹⁶ Giacomo (v. 12,17), per espugnare la resistenza dei Giudei, si appella alla parola di Dio, citando Am 9,11-12.

²⁰ L'astinenza dalle carni degli animali offerti agli dèi, da certi legami matrimoniali proibiti dalla legge (cfr. Lv 18,6-18) e dalla carne di animali contenente ancora sangue (cfr. Lv 17,10-14) serviva a non urtare una sensibilità giudaica particolarmente acuta.

²² Barsabba è sconosciuto; Sila sarà un collaboratore di Paolo da 15,40 in poi.

²³ È il primo documento disciplinare della Chiesa.

nostri carissimi Bàrnaba e Paolo, [26]uomini che hanno
votato la loro vita al nome del nostro Signore Gesù
Cristo. [27]Abbiamo mandato dunque Giuda e Sila, che
vi riferiranno anch'essi queste stesse cose a voce. [28]Ab-
biamo deciso, lo Spirito Santo e noi, di non imporvi
nessun altro obbligo al di fuori di queste cose necessa-
sarie: [29]astenervi dalle carni offerte agli idoli, dal sangue, dagli animali soffocati e dalla impudicizia. Farete
cosa buona perciò a guardarvi da queste cose. State
bene ».

[30]Essi allora, congedatisi, discesero ad Antiòchia e riunita la comunità consegnarono la lettera. [31]Quando l'ebbero letta, si rallegrarono per l'incoraggiamento che in-
fondeva. [32]Giuda e Sila, essendo anch'essi profeti, parlarono molto per incoraggiare i fratelli e li fortifica-
rono. [33]Dopo un certo tempo furono congedati con
auguri di pace dai fratelli, per tornare da quelli che li
avevano inviati. [[34]] [35]Paolo invece e Bàrnaba rimasero ad Antiòchia, insegnando e annunziando, insieme a
molti altri, la parola del Signore.

## LA MISSIONE DI PAOLO
### (15,36-21,25)

[36]Dopo alcuni giorni Paolo disse a Bàrnaba: « Ritornia-
mo a far visita ai fratelli in tutte le città nelle quali
abbiamo annunziato la parola del Signore, per vedere
come stanno ». [37]Bàrnaba voleva prendere insieme anche
Giovanni, detto Marco, [38]ma Paolo riteneva che non si
dovesse prendere uno che si era allontanato da loro nella

[34] Questo v. è omesso perché
manca nei migliori manoscritti.
[36] L'assemblea di Gerusalemme
avvenne tra il 49 e il 50. Il secondo viaggio apostolico di Paolo si svolse tra il 50-52.

[37-38] Confronta 13,13. Troviamo
Marco di nuovo con Paolo in
Col 4,10; Fm v. 24; 2Tm 4,14.
Per Sila cfr. 1Ts 1,1; 2Ts 1,1;
2Cor 5,1. Bàrnaba, cugino di Mar-
co, scompare dalla scena degli At.

Panfilia e non aveva voluto partecipare alla loro opera.
[39]Il dissenso fu tale che si separarono l'uno dall'altro;
Bàrnaba, prendendo con sé Marco, s'imbarcò per Cipro.
[40]Paolo invece scelse Sila e partì, raccomandato dai fratelli alla grazia del Signore.
[41]E attraversando la Siria e la Cilicia, dava nuova forza alle comunità. ·

## 16 Timòteo nuovo compagno di Paolo.

[1]Paolo si recò a Derbe e a Listra. C'era qui un discepolo chiamato Timòteo, figlio di una donna giudea credente e di padre greco; [2]egli era assai stimato dai fratelli di Listra e di Icònio. [3]Paolo volle che partisse con lui, lo prese e lo fece circoncidere per riguardo ai Giudei che si trovavano in quelle regioni; tutti infatti sapevano che suo padre era greco. [4]Percorrendo le città, trasmettevano loro le decisioni prese dagli apostoli e dagli anziani di Gerusalemme, perché le osservassero. [5]Le comunità intanto si andavano fortificando nella fede e crescevano di numero ogni giorno.

## La chiamata dalla Macedonia.

[6]Attraversarono quindi la Frigia e la regione della Galazia, avendo lo Spirito Santo vietato loro di predicare la parola nella provincia di Asia. [7]Raggiunta la Misia, si dirigevano verso la Bitinia, ma lo Spirito di Gesù non lo permise loro; [8]così, attraversata la Misia, discesero a Tròade. [9]Durante la notte apparve a Paolo una visione: gli stava davanti un Macedone e lo supplicava: « Passa in Macedonia e

---

**16.** [3] I Giudei avrebbero considerato Timoteo un rinnegato, con grave pregiudizio dell'apostolato cristiano.
[6] La Frigia era nell'altopiano anatolico, verso occidente; la Galazia era probabilmente la Galazia del nord, il territorio circostante l'odierna Ankara. In Galazia

Paolo si ammalò: cfr. Gal 4, 13-15.
[7] La Misia era al nord della provincia romana d'Asia; la Bitinia era a nord-est della Misia.
[8] Tròade era un porto sull'Egeo, a 40 km. circa dall'antica Troia. La Macedonia era a nord della Grecia.

aiutaci! ». [10]Dopo che ebbe avuto questa visione, subito cercammo di partire per la Macedonia, ritenendo che Dio ci aveva chiamati ad annunziarvi la parola del Signore.

**I primi convertiti a Filippi.** [11]Salpati da Tròade, facemmo vela verso Samotràcia e il giorno dopo verso Neàpoli e [12]di qui a Filippi, colonia romana e città del primo distretto della Macedonia. Restammo in questa città alcuni giorni; [13]il sabato uscimmo fuori della porta lungo il fiume, dove ritenevamo che si facesse la preghiera, e sedutici rivolgevamo la parola alle donne colà riunite. [14]C'era ad ascoltare anche una donna di nome Lidia, commerciante di porpora, della città di Tiàtira, una credente in Dio, e il Signore le aprì il cuore per aderire alle parole di Paolo. [15]Dopo esser stata battezzata insieme alla sua famiglia, ci invitò: « Se avete giudicato ch'io sia fedele al Signore, venite ad abitare nella mia casa ». E ci costrinse ad accettare.

**La schiava indovina.** [16]Mentre andavamo alla preghiera, venne verso di noi una giovane schiava, che aveva uno spirito di divinazione e procurava molto guadagno ai suoi padroni facendo l'indovina. [17]Essa seguiva Paolo e noi gridando: « Questi uomini sono servi del Dio Altissimo e vi annunziano la via della salvezza ».

**Imprigionamento e liberazione di Paolo e Sila.** [18]Questo fece per molti giorni finché Paolo, mal sopportando la cosa, si volse e disse allo spirito: « In nome di

[10] È il primo dei quattro brani del « Diario » di Luca: cfr. introduzione al libro degli Atti.
[11] L'isola di Samotracia si trovava a metà percorso fra Tròade e Neapoli, oggi Kavalla, porto di Filippi. Tròade-Filippi due giorni; Filippi-Tròade a 26,6 cinque giorni.

[12] Filippi era a 17 km. da Neapoli, nell'entroterra.
[13] Dove non c'era una sinagoga gli Ebrei si riunivano all'aperto, in luogo appartato.
[14] Tiàtira (v. Ap 2,18) era una città della Lidia, famosa per le stoffe di porpora.

Gesù Cristo ti ordino di partire da lei ». E lo spirito partì all'istante. [19]Ma vedendo i padroni che era partita anche la speranza del loro guadagno, presero Paolo e Sila e li trascinarono nella piazza principale davanti ai capi della città; [20]presentandoli ai magistrati, dissero: « Questi uomini gettano il disordine nella nostra città; sono Giudei [21]e predicano usanze che a noi Romani non è lecito accogliere né praticare ». [22]La folla allora insorse contro di loro, mentre i magistrati, fatti strappare loro i vestiti, ordinarono di bastonarli [23]e dopo averli caricati di colpi, li gettarono in prigione e ordinarono al carceriere di far buona guardia. [24]Egli, ricevuto quest'ordine, li gettò nella cella più interna della prigione e strinse i loro piedi nei ceppi.

[25]Verso mezzanotte Paolo e Sila, in preghiera, cantavano inni a Dio, mentre i carcerati stavano ad ascoltarli. [26]D'improvviso venne un terremoto così forte che furono scosse le fondamenta della prigione; subito tutte le porte si aprirono e si sciolsero le catene di tutti. [27]Il carceriere si svegliò e vedendo aperte le porte della prigione, tirò fuori la spada per uccidersi, pensando che i prigionieri fossero fuggiti. [28]Ma Paolo gli gridò forte: « Non farti del male, siamo tutti qui ». [29]Quegli allora chiese un lume, si precipitò dentro e tremando gettò ai piedi di Paolo e Sila; [30]poi li condusse fuori e disse: « Signori, cosa devo fare per esser salvato? ». [31]Risposero: « Credi nel Signore Gesù e sarai salvato tu e la tua famiglia ». [32]E annunziarono la parola del Signore a lui e a tutti quelli della sua casa. [33]Egli li prese allora in disparte a quella medesima ora della notte, ne lavò le piaghe e subito si fece battezzare con tutti i suoi; [34]poi li fece salire in casa, apparecchiò la tavola e fu pieno di gioia insieme a tutti i suoi per avere creduto in Dio.

---

[21] Erano vietati i culti non ratificati dalle leggi.
[22] Prima persecuzione, a noi nota, da parte dell'autorità romana.
[27] Il carceriere avrebbe dovuto sostituire i prigionieri nella pena.

<sup>35</sup>Fattosi giorno, i magistrati inviarono le guardie a dire: « Libera quegli uomini! ». <sup>36</sup>Il carceriere annunziò a Paolo questo messaggio: « I magistrati hanno ordinato di lasciarvi andare! Potete dunque uscire e andarvene in pace ». <sup>37</sup>Ma Paolo disse alle guardie: « Ci hanno percosso in pubblico e senza processo, sebbene siamo cittadini romani, e ci hanno gettati in prigione; e ora ci fanno uscire di nascosto? No davvero! Vengano di persona a condurci fuori! ». <sup>38</sup>E le guardie riferirono ai magistrati queste parole. All'udire che erano cittadini romani, si spaventarono; <sup>39</sup>vennero e si scusarono con loro; poi li fecero uscire e li pregarono di partire dalla città. <sup>40</sup>Usciti dalla prigione, si recarono a casa di Lidia dove, incontrati i fratelli, li esortarono e poi partirono.

# 17 Paolo a Tessalonica; contrasti con i Giudei.

<sup>1</sup>Seguendo la via di Anfìpoli e Apollonia, giunsero a Tessalonica, dove c'era una sinagoga dei Giudei. <sup>2</sup>Come era sua consuetudine Paolo vi andò e per tre sabati discusse con loro sulla base delle Scritture, <sup>3</sup>spiegandole e dimostrando che il Cristo doveva morire e risuscitare dai morti; il Cristo, diceva, è quel Gesù che io vi annunzio. <sup>4</sup>Alcuni di loro furono convinti e aderirono a Paolo e a Sila, come anche un buon numero di Greci credenti in Dio e non poche donne della nobiltà. <sup>5</sup>Ma i Giudei, ingelositi, trassero dalla loro parte alcuni pessimi individui di piazza e radunata gente, mettevano in subbuglio la città. Presentatisi alla casa di Giàsone, cercavano Paolo e Sila per condurli davanti al popolo. <sup>6</sup>Ma non avendoli trovati, trascinarono Giàsone e alcuni fratelli dai capi della città gridando: « Quei tali che mettono il mondo in agitazione sono anche qui e Giàsone

---

<sup>37</sup> Era stata violata la legge romana: cfr. 22,25.
**17.** <sup>1</sup> I missionari seguono il percorso della « via Egnatia » che univa Brindisi con l'Oriente (da Durazzo a Bisanzio). Anfìpoli era a 44 km. da Filippi; Apollonia a 46 km. da Anfìpoli; Tessalonica, oggi Salonicco, era a 57 km. da Anfìpoli.

li ha ospitati. ⁷Tutti costoro vanno contro i decreti dell'imperatore, affermando che c'è un altro re, Gesù ». ⁸Così misero in agitazione la popolazione e i capi della città che udivano queste cose; ⁹tuttavia, dopo avere ottenuto una cauzione da Giàsone e dagli altri, li rilasciarono.

## Predicazione a Berèa e nuove difficoltà. ¹⁰Ma i fratelli subito, durante la notte, fecero partire Paolo e Sila verso Berèa. Giunti colà entrarono nella sinagoga dei Giudei. ¹¹Questi erano di sentimenti più nobili di quelli di Tessalonica ed accolsero la parola con grande entusiasmo, esaminando ogni giorno le Scritture per vedere se le cose stavano davvero così. ¹²Molti di loro credettero e anche alcune donne greche della nobiltà e non pochi uomini. ¹³Ma quando i Giudei di Tessalonica vennero a sapere che anche a Berèa era stata annunziata da Paolo la parola di Dio, andarono anche colà ad agitare e sobillare il popolo. ¹⁴Allora i fratelli fecero partire subito Paolo per la strada verso il mare, mentre Sila e Timòteo rimasero in città. ¹⁵Quelli che scortavano Paolo lo accompagnarono fino ad Atene e se ne ripartirono con l'ordine per Sila e Timòteo di raggiungerlo al più presto.

## Paolo ad Atene; la città idolatra e curiosa. ¹⁶Mentre Paolo li attendeva ad Atene, fremeva nel suo spirito al vedere la città piena di idoli. ¹⁷Discuteva frattanto nella sinagoga con i Giudei e i pagani credenti in Dio e ogni giorno sulla piazza principale con quelli che incontrava. ¹⁸Anche certi filosofi epicurei e stoici discutevano con lui e alcuni dicevano: « Che cosa vorrà mai

---

⁷ Accusano i missionari di lesa maestà.
¹⁰ Berèa, a 65 km. da Tessalonica.
¹⁶ L'Atene del tempo di Paolo era scaduta dall'antica gloria, superstite nei monumenti, e ridot-

ta a un borgo di poche migliaia di abitanti.
¹⁸ Gli epicurei erano materialisti; gli stoici sostenevano la dignità dell'uomo, ognuno dei quali era una scintilla del fuoco universale. Gli uni e gli altri ne-

insegnare questo ciarlatano? ». E ·altri: « Sembra essere un annunziatore di divinità straniere »; poiché annunziava Gesù e la risurrezione. [19]Presolo con sé, lo condussero sull'Areòpago e dissero: « Possiamo dunque sapere qual è questa nuova dottrina predicata da te? [20]Cose strane per vero ci metti negli orecchi; desideriamo dunque conoscere di che cosa si tratta ». [21]Tutti gli Ateniesi infatti e gli stranieri colà residenti non avevano passatempo più gradito che parlare e sentir parlare.

## Discorso di Paolo all'Areòpago. [22]Allora Paolo, alzatosi in mezzo all'Areòpago, disse:

« Cittadini ateniesi, vedo che in tutto siete molto timorati degli dèi. [23]Passando infatti e osservando i monumenti del vostro culto, ho trovato anche un'ara con l'iscrizione: Al Dio ignoto. Quello che voi adorate senza conoscere, io ve lo annunzio. [24]*Il Dio che ha fatto il mondo e tutto ciò che contiene,* che è signore del cielo e della terra, non dimora in templi costruiti dalle mani dell'uomo [25]né dalle mani dell'uomo si lascia servire come se avesse bisogno di qualche cosa, essendo lui che dà a tutti la vita e il respiro e ogni cosa. [26]Egli creò da uno solo tutte le nazioni degli uomini, perché abitassero su tutta la faccia della terra. Per essi ha stabilito l'ordine dei tempi e i confini del loro spazio, [27]perché cercassero Dio, se mai arrivino a trovarlo andando come a tentoni, benché non sia lontano da ciascuno di noi. [28]In lui infatti viviamo, ci muoviamo ed esistiamo, come anche alcuni dei vostri poeti hanno detto:

Poiché di lui stirpe noi siamo.

gavano ogni intervento soprannaturale nella storia.
[19] L'Areòpago, cioè « la collina di Marte », era a oriente dell'Acropoli di Atene; vi si riuniva l'antico tribunale delle cause criminali, detto anch'esso Areòpago.
[22] Questo discorso è celebre perché segna l'incontro della dottrina cristiana con la cultura pagana, alla quale Paolo abilmente si adatta.
[24] Libera citazione di Is 42,5.
[26] Uno solo è Adamo.
[28] Citazione dai « Fenomeni » del filosofo stoico Arato, del III sec.

²⁹Essendo noi dunque stirpe di Dio, non dobbiamo pensare che la divinità sia simile all'oro, all'argento e alla pietra, che porti l'impronta dell'arte e dell'immaginazione umana. ³⁰Dopo esser passato sopra ai tempi dell'ignoranza, ora Dio ordina a tutti gli uomini di tutti i luoghi di ravvedersi, ³¹poiché egli ha stabilito un giorno nel quale dovrà giudicare la terra con giustizia per mezzo di un uomo che egli ha designato, dandone a tutti prova sicura col risuscitarlo dai morti ». ³²Quando sentirono parlare di risurrezione di morti, alcuni lo deridevano, altri dissero: « Ti sentiremo su questo un'altra volta ». ³³Così Paolo uscì da quella riunione. ³⁴Ma alcuni aderirono a lui e divennero credenti, fra questi anche Dionìgi membro dell'Areòpago, una donna di nome Dàmaris e altri con loro.

**18** **A Corinto: predicazione, persecuzione e incoraggiamento divino.** ¹Dopo questi fatti Paolo lasciò Atene e si recò a Corinto. ²Qui trovò un Giudeo chiamato Aquila, oriundo del Ponto, arrivato poco prima dall'Italia con la moglie Priscilla, in seguito all'ordine di Claudio che allontanava da Roma tutti i Giudei. Paolo si recò da loro ³e poiché erano del medesimo mestiere, si stabilì nella loro casa e lavorava. Erano infatti di mestiere fabbricatori di tende. ⁴Ogni sabato poi discuteva nella sinagoga e cercava di persuadere Giudei e Greci.

a.C., ma il verso si trova anche nell'inno a Zeus di Cleante, del III sec. a.C.
³² Nessuna filosofia greca ammetteva la possibilità di una risurrezione: cfr. 1Cor 15,12.
³⁴ Sotto il nome di questo ignoto Dionigi si nasconde un grande teologo del sec. V-VI.
**18.** ¹ Corinto, capitale della provincia romana dell'Acaia, si affacciava con due porti sul mare

Egeo e sul mare Jonio. Era un grande emporio commerciale e città notoriamente corrotta.
² Il Ponto era sulla costa sud-est del mar Nero. L'editto di Claudio era nel 49-50.
³ Le tende venivano confezionate con tessuto di peli di capra, una specialità della Cilicia, patria di Paolo: cfr. 20,34; 1Cor 4,12; 9,15.18; 2Cor 11,9; 1Ts 2,9; 2Ts 3,8.

⁵Quando giunsero dalla Macedonia Sila e Timòteo, Paolo si dedicò tutto alla predicazione, affermando davanti ai Giudei che Gesù era il Cristo. ⁶Ma poiché essi gli si opponevano e bestemmiavano, scuotendosi le vesti, disse: « Il vostro sangue ricada sul vostro capo: io sono innocente; da ora in poi io andrò dai pagani ». ⁷E andatosene di là, entrò nella casa di un tale chiamato Tizio Giusto, che onorava Dio, la cui abitazione era accanto alla sinagoga. ⁸Crispo, capo della sinagoga, credette nel Signore insieme a tutta la sua famiglia; e anche molti dei Corinzi, udendo Paolo, credevano e si facevano battezzare.

⁹E una notte in visione il Signore disse a Paolo: « Non aver paura, ma continua a parlare e non tacere, ¹⁰perché io sono con te e nessuno cercherà di farti del male, perché io ho un popolo numeroso in questa città ». ¹¹Così Paolo si fermò un anno e mezzo, insegnando fra loro la parola di Dio.

**Paolo di fronte al proconsole Gallione.** ¹²Mentre era proconsole dell'Acaia Gallione, i Giudei insorsero in massa contro Paolo e lo condussero al tribunale dicendo: ¹³« Costui persuade la gente a rendere un culto a Dio in modo contrario alla legge ». ¹⁴Paolo stava per rispondere, ma Gallione disse ai Giudei: « Se si trattasse di un delitto o di un'azione malvagia, o Giudei, io vi ascolterei, come di ragione. ¹⁵Ma se sono questioni di parole o di nomi o della vostra legge, vedetevela voi; io non voglio essere giudice di queste faccende ». ¹⁶E li fece cacciare dal tribunale. ¹⁷Allora tutti afferrarono Sòstene, capo della sinagoga, e lo percossero davanti al tribunale ma Gallione non si curava affatto di tutto ciò.

---

5 Cfr. 1Ts 3,6-7.
10 È una formula frequente nell'A.T. per assicurare l'assistenza divina.
12 Lucio Giunio Gallione, fratello del filosofo Seneca, fu in Acaia probabilmente dalla primavera del 51 a quella del 52.
13 La legge degli Ebrei era protetta dai Romani.

**Paolo ad Antiòchia, e di nuovo in viaggio.** [18]Paolo si trattenne ancora parecchi giorni, poi prese congedo dai fratelli e s'imbarcò diretto in Siria, in compagnia di Priscilla e Aquila. A Cencre si era fatto tagliare i capelli a causa di un voto che aveva fatto. [19]Giunsero a Èfeso, dove lasciò i due coniugi, ed entrato nella sinagoga si mise a discutere con i Giudei. [20]Questi lo pregavano di fermarsi più a lungo, ma non acconsentì. [21]Tuttavia prese congedo dicendo: « Ritornerò di nuovo da voi, se Dio lo vorrà », quindi partì da Èfeso. [22]Giunto a Cesarèa, si recò a salutare la Chiesa di Gerusalemme e poi scese ad Antiòchia. [23]Trascorso colà un po' di tempo, partì di nuovo percorrendo di seguito le regioni della Galazia e della Frigia, confermando nella fede tutti i discepoli.

**Il predicatore Apollo.** [24]Arrivò a Èfeso un Giudeo, chiamato Apollo, nativo di Alessandria, uomo colto, versato nelle Scritture. [25]Questi era stato ammaestrato nella via del Signore e pieno di fervore parlava e insegnava esattamente ciò che si riferiva a Gesù, sebbene conoscesse soltanto il battesimo di Giovanni. [26]Egli intanto cominciò a parlare francamente nella sinagoga. Priscilla e Aquila lo ascoltarono, poi lo presero con sé e gli esposero con maggiore accuratezza la via di Dio. [27]Poiché egli desiderava passare nell'Acaia, i fratelli lo incoraggiarono e scrissero ai discepoli di fargli buona accoglienza. Giunto colà, fu molto utile a quelli che per opera della grazia erano divenuti credenti; [28]confutava infatti vigorosamente i Giudei, dimostrando pubblicamente attraverso le Scritture che Gesù è il Cristo.

[18] Si tratta del voto di nazireato: cfr. 21,23; Nm 6,1, che durava almeno un mese.
[23] Comincia il terzo viaggio missionario, dal 52 al 57.

[24] Alessandria d'Egitto era anche un centro culturale ebraico, ove si coltivava l'esegesi biblica.
[27] Si noti questa attività epistolare tra le antiche comunità.

**19** **Paolo a Èfeso.** [1]Mentre Apollo era a Corinto, Paolo, attraversate le regioni dell'altopiano, giunse a Èfeso. Qui trovò alcuni discepoli [2]e disse loro: «Avete ricevuto lo Spirito Santo quando siete venuti alla fede?». Gli risposero: «Non abbiamo nemmeno sentito dire che ci sia uno Spirito Santo». [3]Ed egli disse: «Quale battesimo avete ricevuto?». «Il battesimo di Giovanni», risposero. [4]Disse allora Paolo: «Giovanni ha amministrato un battesimo di penitenza, dicendo al popolo di credere in colui che sarebbe venuto dopo di lui, cioè in Gesù». [5]Dopo aver udito questo, si fecero battezzare nel nome del Signore Gesù [6]e non appena Paolo ebbe imposto loro le mani, scese su di loro lo Spirito Santo e parlavano in lingue e profetavano. [7]Erano in tutto circa dodici uomini.

[8]Entrato poi nella sinagoga, vi poté parlare liberamente per tre mesi, discutendo e cercando di persuadere gli ascoltatori circa il regno di Dio. [9]Ma poiché alcuni si ostinavano e si rifiutavano di credere dicendo male in pubblico di questa nuova dottrina, si staccò da loro separando i discepoli e continuò a discutere ogni giorno nella scuola di un certo Tiranno. [10]Questo durò due anni, col risultato che tutti gli abitanti della provincia d'Asia, Giudei e Greci, poterono ascoltare la parola del Signore.

**Miracoli di Paolo. Esorcisti giudei.** [11]Dio intanto operava prodigi non comuni per opera di Paolo, [12]al punto che si mettevano sopra i malati fazzoletti o grembiuli che erano stati a contatto con lui e le malattie cessavano e gli spiriti cattivi fuggivano.

[13]Alcuni esorcisti ambulanti giudei, si provarono a invocare anch'essi il nome del Signore Gesù sopra quanti

**19.** [1] Attraversata la Galazia e la Frigia sull'altopiano anatolico (18,23), Paolo giunse nella fiorentissima Efeso, capitale dell'Asia proconsolare, con circa 300.000 abitanti.

[2] Ignorano che lo Spirito Santo è il dono dell'èra messianica: cfr. 1,8; 2,4.15ss.
[10] Cfr. ciò che dice Paolo del suo apostolato ad Efeso in 20, 18-35.

avevano spiriti cattivi, dicendo: « Vi scongiuro per quel
Gesù che Paolo predica ». [14]Facevano questo sette figli
di un certo Sceva, un sommo sacerdote giudeo. [15]Ma
lo spirito cattivo rispose loro: « Conosco Gesù e so chi
è Paolo, ma voi chi siete? ». [16]E l'uomo che aveva lo
spirito cattivo, slanciatosi su di loro, li afferrò e li trattò
con tale violenza che essi fuggirono da quella casa nudi
e coperti di ferite. [17]Il fatto fu risaputo da tutti i Giudei
e dai Greci che abitavano a Èfeso e tutti furono presi
da timore e si magnificava il nome del Signore Gesù.
[18]Molti di quelli che avevano abbracciato la fede venivano a confessare in pubblico le loro pratiche magiche
[19]e un numero considerevole di persone che avevano
esercitato le arti magiche portavano i propri libri e li
bruciavano alla vista di tutti. Ne fu calcolato il valore
complessivo e trovarono che era di cinquantamila dramme d'argento. [20]Così la parola del Signore cresceva e si
rafforzava.

**Progetti di Paolo.** [21]Dopo questi fatti, Paolo si mise in
animo di attraversare la Macedonia e l'Acaia e di recarsi a Gerusalemme dicendo: « Dopo essere stato là
devo vedere anche Roma ». [22]Inviati allora in Macedonia due dei suoi aiutanti, Timòteo ed Erasto, si trattenne
ancora un po' di tempo nella provincia di Asia.

**Il tumulto di Èfeso.** [23]Verso quel tempo scoppiò un
gran tumulto riguardo alla nuova dottrina. [24]Un tale,
chiamato Demetrio, argentiere, che fabbricava tempietti
di Artèmide in argento e procurava in tal modo non
poco guadagno agli artigiani, [25]li radunò insieme agli
altri che si occupavano di cose del genere e disse:

---

[19] Quei libri erano gli « scritti
efesini » di magìa noti nel mondo antico. Ogni dramma era il
corrispondente del salario giorna-
liero di un operaio.
[21] Cfr. Rm 1,11-15; 15,20-23.

[23-24] Per le difficoltà di Paolo a
Efeso cfr. 20,3-19; 1Cor 15,30ss;
16,9; 2Cor 11,23-27. Il tempio
efesino di Artemide (la Diana
dei Romani) — dea della fecon-
dità — era celeberrimo.

« Cittadini, voi sapete che da questa industria proviene il nostro benessere; [26]ora potete osservare e sentire come questo Paolo ha convinto e sviato una massa di gente, non solo di Èfeso, ma si può dire di tutta l'Asia, affermando che non sono dèi quelli fabbricati da mani d'uomo. [27]Non soltanto c'è il pericolo che la nostra categoria cada in discredito, ma anche che il santuario della grande dea Artèmide non venga stimato più nulla e venga distrutta la grandezza di colei che l'Asia e il mondo intero adorano ».

[28]All'udire ciò s'infiammarono d'ira e si misero a gridare: « Grande è l'Artèmide degli Efesini! ». [29]Tutta la città fu in subbuglio e tutti si precipitarono in massa nel teatro, trascinando con sé Gaio e Aristarco macèdoni, compagni di viaggio di Paolo. [30]Paolo voleva presentarsi alla folla, ma i discepoli non glielo permisero. [31]Anche alcuni dei capi della provincia, che gli erano amici, mandarono a pregarlo di non avventurarsi nel teatro. [32]Intanto, chi gridava una cosa, chi un'altra; l'assemblea era confusa e i più non sapevano il motivo per cui erano accorsi.

[33]Alcuni della folla fecero intervenire un certo Alessandro, che i Giudei avevano spinto avanti ed egli, fatto cenno con la mano, voleva tenere un discorso di difesa davanti al popolo. [34]Appena s'accorsero che era Giudeo, si misero tutti a gridare in coro per quasi due ore: « Grande è l'Artèmide degli Efesini! ». [35]Alla fine il cancelliere riuscì a calmare la folla e disse: « Cittadini di Èfeso, chi fra gli uomini non sa che la città di Èfeso è custode del tempio della grande Artèmide e della sua statua caduta dal cielo? [36]Poiché questi fatti sono incontestabili, è necessario che siate calmi e non compiate gesti inconsulti. [37]Voi avete condotto qui questi uomini che non hanno profanato il tempio, né hanno bestem-

[29] Rimangono ancora resti notevoli di questo immenso teatro, che poteva contenere c.a 25.000 persone.

[35] In quel tempo molte statue di dèi si ritenevano cadute dal cielo.

miato la nostra dea. [38]Perciò se Demetrio e gli artigiani che sono con lui hanno delle ragioni da far valere contro qualcuno, ci sono per questo i tribunali e vi sono i proconsoli: si citino in giudizio l'un l'altro. [39]Se poi desiderate qualche altra cosa, si deciderà nell'assemblea ordinaria. [40]C'è il rischio di essere accusati di sedizione per l'accaduto di oggi, non essendoci alcun motivo per cui possiamo giustificare questo assembramento ». [41]E con queste parole sciolse l'assemblea.

**20** Paolo in Macedonia, in Grecia e infine a Tròade. [1]Appena cessato il tumulto, Paolo mandò a chiamare i discepoli e dopo averli incoraggiati, li salutò e si mise in viaggio per la Macedonia. [2]Dopo aver attraversato quelle regioni, esortando con molti discorsi i fedeli, arrivò in Grecia.
[3]Trascorsi tre mesi, poiché ci fu un complotto dei Giudei contro di lui, mentre si apprestava a salpare per la Siria, decise di far ritorno attraverso la Macedonia. [4]Lo accompagnarono Sòpatro di Berèa, figlio di Pirro, Aristarco e Secondo di Tessalonica, Gaio di Derbe e Timòteo, e gli asiatici Tìchico e Tròfimo. [5]Questi però, partiti prima di noi ci attendevano a Tròade; [6]noi invece salpammo da Filippi dopo i giorni degli Azzimi e li raggiungemmo in capo a cinque giorni a Tròade dove ci trattenemmo una settimana.

**A Tròade: risurrezione di Eutico.** [7]Il primo giorno della settimana ci eravamo riuniti a spezzare il pane e Paolo conversava con loro; e poiché doveva partire il giorno dopo, prolungò la conversazione fino a mezzanotte. [8]C'era un buon numero di lampade nella stanza al piano superiore, dove eravamo riuniti; [9]un ragazzo chiamato Eutico, che stava seduto sulla finestra, fu preso

---

**20.** [1] Il racconto si aggancia a 19,21-22.
[7] Era « il giorno del Signore »,

la domenica: cfr. Ap 20,7; 1Cor 16,2. Sull'espressione spezzare il pane cfr. 2,42.

da un sonno profondo mentre Paolo continuava a conversare e, sopraffatto dal sonno, cadde dal terzo piano
e venne raccolto morto. [10]Paolo allora scese giù, si gettò
su di lui, lo abbracciò e disse: « Non vi turbate; è
ancora in vita! ». [11]Poi risalì, spezzò il pane e ne mangiò
e dopo aver parlato ancora molto fino all'alba, partì.
[12]Intanto avevano ricondotto il ragazzo vivo, e si sentirono molto consolati.

**Da Tròade a Milèto.** [13]Noi poi, che eravamo partiti per
nave, facemmo vela per Asso, dove dovevamo prendere
a bordo Paolo; così infatti egli aveva deciso, intendendo
fare il viaggio a piedi. [14]Quando ci ebbe raggiunti ad
Asso, lo prendemmo con noi e arrivammo a Mitilène.
[15]Salpati da qui il giorno dopo, ci trovammo di fronte
a Chio; l'indomani toccammo Samo e il giorno dopo
giungemmo a Milèto. [16]Paolo aveva deciso di passare al
largo di Èfeso per evitare di subire ritardi nella provincia d'Asia: gli premeva di essere a Gerusalemme,
se possibile, per il giorno della Pentecoste.

**A Milèto: discorso di addio.** [17]Da Milèto mandò a chiamare subito ad Èfeso gli anziani della Chiesa. [18]Quando
essi giunsero disse loro: « Voi sapete come mi sono
comportato con voi fin dal primo giorno in cui arrivai
in Asia e per tutto questo tempo: [19]ho servito il Signore
con tutta umiltà, tra le lacrime e tra le prove che mi
hanno procurato le insidie dei Giudei. [20]Sapete come non
mi sono mai sottratto a ciò che poteva essere utile, al
fine di predicare a voi e di istruirvi in pubblico e nelle
vostre case, [21]scongiurando Giudei e Greci di conver

[13] Asso era a 40 km. via terra
da Tròade, sulla costa asiatica.
[14-15] Mitilene era un porto dell'isola di Lesbo; passando per le
isole di Chio e Samo giungono
a Mileto saltando Efeso.

[17] Per gli anziani cfr. 11,30.
[18] Il patetico discorso di Paolo
trova frequentissimi riscontri nelle sue lettere. Esso è ritenuto il
testamento pastorale-spirituale del
grande apostolo delle genti.

tirsi a Dio e di credere nel Signore nostro Gesù. [22]Ed ecco ora, avvinto dallo Spirito, io vado a Gerusalemme senza sapere ciò che là mi accadrà. [23]So soltanto che lo Spirito Santo in ogni città mi attesta che mi attendono catene e tribolazioni. [24]Non ritengo tuttavia la mia vita meritevole di nulla, purché conduca a termine la mia corsa e il servizio che mi fu affidato dal Signore Gesù, di rendere testimonianza al messaggio della grazia di Dio.

[25]Ecco, ora so che non vedrete più il mio volto, voi tutti tra i quali sono passato annunziando il regno di Dio. [26]Per questo dichiaro solennemente oggi davanti a voi che io sono senza colpa riguardo a coloro che si perdessero, [27]perché non mi sono sottratto al compito di annunziarvi tutta la volontà di Dio. [28]Vegliate su voi stessi e su tutto il gregge, in mezzo al quale lo Spirito Santo vi ha posti come vescovi a pascere la Chiesa di Dio, che egli si è acquistata con il suo sangue. [29]Io so che dopo la mia partenza entreranno fra voi lupi rapaci, che non risparmieranno il gregge; [30]perfino di mezzo a voi sorgeranno alcuni a insegnare dottrine perverse per attirare discepoli dietro di sé. [31]Per questo vigilate, ricordando che per tre anni, notte e giorno, io non ho cessato di esortare fra le lacrime ciascuno di voi. [32]Ed ora vi affido al Signore e alla parola della sua grazia che ha il potere di edificare e di concedere l'eredità con tutti i santificati. [33]Non ho desiderato né argento, né oro, né la veste di nessuno. [34]Voi sapete che alle necessità mie e di quelli che erano con me hanno provveduto queste mie mani. [35]In tutte le maniere vi ho dimostrato che lavorando così si devono soccorrere i deboli,

---

[25] Il presentimento fortunatamente non si avverò: cfr. 1Tm 1,3.

[28] « Vescovi », qui sinonimo di anziani o presbiteri (v. 17). Il titolo verso la fine del I secolo sarà riservato ai capi delle singole comunità. Sulla Chiesa greg-

ge di Cristo cfr. Lc 12,32; Gv 11,16. La Chiesa è il nuovo popolo di Dio, che Cristo si è acquistato col suo sangue: cfr. 1Pt 2,9-10; 5,1-2.

[35] Questa parola di Gesù non è stata registrata dai vangeli.

ricordandoci delle parole del Signore Gesù, che disse:
Vi è più gioia nel dare che nel ricevere! ».
[36]Detto questo, si inginocchiò con tutti loro e pregò.
[37]Tutti scoppiarono in un gran pianto e gettandosi al
collo di Paolo lo baciavano, [38]addolorati soprattutto perché aveva detto che non avrebbero più rivisto il suo
volto. E lo accompagnarono fino alla nave.

## 21 Da Milèto a Cesarèa. [1]Appena ci fummo sepa-
rati da loro, salpammo e per la via diretta giungemmo a Cos, il giorno seguente a Rodi e di qui a
Pàtara. [2]Trovata qui una nave che faceva la traversata
per la Fenicia, vi salimmo e prendemmo il largo. [3]Giunti
in vista di Cipro, ce la lasciammo a sinistra e, continuando a navigare verso la Siria, giungemmo a Tiro,
dove la nave doveva scaricare. [4]Avendo ritrovati i discepoli, rimanemmo colà una settimana, ed essi, mossi
dallo Spirito, dicevano a Paolo di non andare a Gerusalemme. [5]Ma quando furon passati quei giorni, uscimmo e ci mettemmo in viaggio, accompagnati da tutti
loro con le mogli e i figli sin fuori della città. Inginoc-
chiati sulla spiaggia pregammo, poi ci salutammo a
vicenda; [6]noi salimmo sulla nave ed essi tornarono alle
loro case. [7]Terminata la navigazione, da Tiro approdam-
mo a Tolemàide, dove andammo a salutare i fratelli e
restammo un giorno con loro.

[8]Ripartiti il giorno seguente, giungemmo a Cesarèa; ed
entrati nella casa dell'evangelista Filippo, che era uno
dei Sette, sostammo presso di lui. [9]Egli aveva quattro
figlie nubili, che avevano il dono della profezia. [10]Era-
vamo qui da alcuni giorni, quando giunse dalla Giu-

---

**21.** [1] Costeggiando l'isola di
Cos, il battello di piccolo cabo-
taggio toccò l'isola di Rodi e
giunse al porto di Pàtara, nella
Licia, sulla costa meridionale
dell'Asia Minore.

[7] Tolemaide era un antico porto dell'alta Palestina.
[8] Su Filippo cfr. 6,5; 8,5. L'e-
vangelista era un predicatore iti-
nerante: cfr. l'attività di Filippo
in 8,5-40.

dea un profeta di nome Àgabo. [11]Egli venne da noi e, presa la cintura di Paolo, si legò i piedi e le mani e disse: «Questo dice lo Spirito Santo: l'uomo a cui appartiene questa cintura sarà legato così dai Giudei a Gerusalemme e verrà quindi consegnato nelle mani dei pagani». [12]All'udir queste cose, noi e quelli del luogo pregammo Paolo di non andare più a Gerusalemme. [13]Ma Paolo rispose: «Perché fate così, continuando a piangere e a spezzarmi il cuore? Io sono pronto non soltanto a esser legato, ma a morire a Gerusalemme per il nome del Signore Gesù». [14]E poiché non si lasciava persuadere, smettemmo di insistere dicendo: «Sia fatta la volontà del Signore!».

**Paolo a Gerusalemme. Il nazireàto.** [15]Dopo questi giorni, fatti i preparativi, salimmo verso Gerusalemme. [16]Vennero con noi anche alcuni discepoli da Cesarèa, i quali ci condussero da un certo Mnasòne di Cipro, discepolo della prima ora, dal quale ricevemmo ospitalità.
[17]Arrivati a Gerusalemme, i fratelli ci accolsero festosamente. [18]L'indomani Paolo fece visita a Giacomo insieme con noi: c'erano anche tutti gli anziani. [19]Dopo aver rivolto loro il saluto, egli cominciò a esporre nei particolari quello che Dio aveva fatto tra i pagani per mezzo suo. [20]Quand'ebbero ascoltato, essi davano gloria a Dio; quindi dissero a Paolo: «Tu vedi, o fratello, quante migliaia di Giudei sono venuti alla fede e tutti sono gelosamente attaccati alla legge. [21]Ora hanno sentito

---

[11] L'azione simbolica di Àgabo è nello stile degli antichi profeti: cfr. Is 20,2-3; Ger 13,1-11; 27,8 ecc.
[14] Cfr. Mt 6,10; Lc 22,24.
[18] Su Giacomo cfr. 20,24. Paolo consegnò a Giacomo le offerte della sua comunità, in segno di unione tra i cristiani convertiti dal paganesimo e quelli di origine ebraica: cfr. 24,27; Rm 15, 25-31; 1Cor 16,1-4.
[21] Paolo affermava che i pagani non dovevano essere sottoposti alle osservanze giudaiche dopo la loro conversione, come la circoncisione: i Giudei convertiti erano però liberi di mantenerle.

dire di te che vai insegnando a tutti i Giudei sparsi tra
i pagani che abbandonino Mosè, dicendo di non circoncidere più i loro figli e di non seguire più le nostre
consuetudini. <sup>22</sup>Che facciamo? Senza dubbio verranno a
sapere che sei arrivato. <sup>23</sup>Fa' dunque quanto ti diciamo: vi sono fra noi quattro uomini che hanno un voto
da sciogliere. <sup>24</sup>Prendili con te, compi la purificazione
con loro e paga tu la spesa per loro perché possano ra-
dersi il capo. Così tutti verranno a sapere che non c'è
nulla di vero in ciò di cui sono stati informati, ma che
invece anche tu ti comporti bene osservando la legge.
<sup>25</sup>Quanto ai pagani che sono venuti alla fede, noi abbia-
mo deciso ed abbiamo loro scritto che si astengano dalle
carni offerte agli idoli, dal sangue, da ogni animale sof-
focato e dalla impudicizia ».


# PAOLO PRIGIONIERO DI CRISTO
## (21,26-28,28)

**Sommossa nel tempio. Arresto di Paolo.** <sup>26</sup>Allora
Paolo prese con sé quegli uomini e il giorno seguente,
fatta insieme con loro la purificazione, entrò nel tempio
per comunicare il compimento dei giorni della purificazione, quando sarebbe stata presentata l'offerta per ciascuno di loro.
<sup>27</sup>Stavano ormai per finire i sette giorni, quando i Giu-
dei della provincia d'Asia, vistolo nel tempio, aizzarono
tutta la folla e misero le mani su di lui gridando: <sup>28</sup>« Uomini d'Israele, aiuto! Questo è l'uomo che va insegnando
a tutti e dovunque contro il popolo, contro la legge e
contro questo luogo; ora ha introdotto perfino dei Greci

---

23-24 Si tratta del voto di nazireato; cfr. 18,18.
25 V. 15,29: sono le decisioni del
Concilio di Gerusalemme.
26 Per l'offerta cfr. Nm 6,14-15.

27 Sui Giudei dell'Asia confronta 14,19.
28 I pagani, sotto pena di morte, non potevano andare oltre
l'atrio più esterno del tempio.

nel tempio e ha profanato il luogo santo! ». ²⁹Avevano infatti veduto poco prima Tròfimo di Èfeso in sua compagnia per la città, e pensavano che Paolo lo avesse fatto entrare nel tempio. ³⁰Allora tutta la città fu in subbuglio e il popolo accorse da ogni parte. Impadronitisi di Paolo, lo trascinarono fuori del tempio e subito furono chiuse le porte. ³¹Stavano già cercando di ucciderlo, quando fu riferito al tribuno della coorte che tutta Gerusalemme era in rivolta. ³²Immediatamente egli prese con sé dei soldati e dei centurioni e si precipitò verso i rivoltosi. Alla vista del tribuno e dei soldati, cessarono di percuotere Paolo. ³³Allora il tribuno si avvicinò, lo arrestò e ordinò che fosse legato con due catene; intanto s'informava chi fosse e che cosa avesse fatto. ³⁴Tra la folla però chi diceva una cosa, chi un'altra. Nell'impossibilità di accertare la realtà dei fatti a causa della confusione, ordinò di condurlo nella fortezza. ³⁵Quando fu alla gradinata, dovette essere portato a spalla dai soldati a causa della violenza della folla. ³⁶La massa della gente infatti veniva dietro, urlando: « A morte! ». ³⁷Sul punto di esser condotto nella fortezza, Paolo disse al tribuno: « Posso dirti una parola? ». « Conosci il greco?, disse quello. ³⁸Allora non sei quell'Egiziano che in questi ultimi tempi ha sobillato e condotto nel deserto i quattromila ribelli? ». ³⁹Rispose Paolo: « Io sono un Giudeo di Tarso di Cilicia, cittadino di una città non certo senza importanza. Ma ti prego, lascia che rivolga la parola a questa gente ». ⁴⁰Avendo egli acconsentito, Paolo stando in piedi sui gradini, fece cenno con la mano al popolo e, fattosi un grande silenzio, rivolse loro la parola in ebraico dicendo:

---

³¹ Il tribuno, Claudio Lisia (23, 26), comandava la coorte acquartierata nella fortezza Antonia, all'angolo nord-ovest della spianata del tempio.
³⁸ L'agitatore egiziano Ben-Stadà

aveva sollevato a Gerusalemme, nel 54, quattromila fanatici nazionalisti giudei.
⁴⁰ L'ebraico, cioè la lingua degli Ebrei, che allora era l'aramaico.

**22** **Discorso di Paolo in propria difesa.** ¹« Fratelli e padri, ascoltate la mia difesa davanti a voi ». ²Quando sentirono che parlava loro in lingua ebraica, fecero silenzio ancora di più. ³Ed egli continuò: « Io sono un Giudeo, nato a Tarso di Cilicia, ma cresciuto in questa città, formato alla scuola di Gamalièle nelle più rigide norme della legge paterna, pieno di zelo per Dio, come oggi siete tutti voi. ⁴Io perseguitai a morte questa nuova dottrina, arrestando e gettando in prigione uomini e donne, ⁵come può darmi testimonianza il sommo sacerdote e tutto il collegio degli anziani. Da loro ricevetti lettere per i nostri fratelli di Damasco e partii per condurre anche quelli di là come prigionieri a Gerusalemme, per essere puniti.

⁶Mentre ero in viaggio e mi avvicinavo a Damasco, verso mezzogiorno, all'improvviso una gran luce dal cielo rifulse attorno a me; ⁷caddi a terra e sentii una voce che mi diceva: Saulo, Saulo, perché mi perseguiti? ⁸Risposi: Chi sei, o Signore? Mi disse: Io sono Gesù il Nazareno, che tu perseguiti. ⁹Quelli che erano con me videro la luce, ma non udirono colui che mi parlava. ¹⁰Io dissi allora: Che devo fare, Signore? E il Signore mi disse: Alzati e prosegui verso Damasco; là sarai informato di tutto ciò che è stabilito che tu faccia. ¹¹E poiché non ci vedevo più, a causa del fulgore di quella luce, guidato per mano dai miei compagni, giunsi a Damasco.

¹²Un certo Ananìa, un devoto osservante della legge e in buona reputazione presso tutti i Giudei colà residenti, ¹³venne da me, mi si accostò e disse: Saulo, fratello, torna a vedere! E in quell'istante io guardai verso di lui e riebbi la vista. ¹⁴Egli soggiunse: Il Dio dei nostri padri ti ha predestinato a conoscere la sua vo-

---

**22.** ³ Su Gamaliele cfr. 5,34. Per gli altri due racconti della conversione di Paolo cfr. 9,3ss e 26,12ss.

¹⁴ Cfr. Gal 1,15. Il Giusto è Cristo: cfr. 3,14. Paolo accenna a Gesù senza nominarlo, onde non scatenare le ire degli ascoltatori.

lontà, a vedere il Giusto e ad ascoltare una parola dalla sua bocca stessa, [15]perché gli sarai testimone davanti a tutti gli uomini delle cose che hai visto e udito. [16]E ora perché aspetti? Alzati, ricevi il battesimo e lavati dai tuoi peccati, invocando il suo nome.
[17]Dopo il mio ritorno a Gerusalemme, mentre pregavo nel tempio, fui rapito in estasi [18]e vidi Lui che mi diceva: Affrettati ed esci presto da Gerusalemme, perché non accetteranno la tua testimonianza su di me. [19]E io dissi: Signore, essi sanno che facevo imprigionare e percuotere nelle sinagoghe quelli che credevano in te; [20]quando si versava il sangue di Stefano, tuo testimone, anch'io ero presente e approvavo e custodivo i vestiti di quelli che lo uccidevano. [21]Allora mi disse: Va', perché io ti manderò lontano, tra i pagani ».

**Paolo si dichiara cittadino romano.** [22]Fino a queste parole erano stati ad ascoltarlo, ma allora alzarono la voce gridando: « Toglilo di mezzo; non deve più vivere! ». [23]E poiché continuavano a urlare, a gettar via i mantelli e a lanciar polvere in aria, [24]il tribuno ordinò di portarlo nella fortezza, prescrivendo di interrogarlo a colpi di flagello al fine di sapere per quale motivo gli gridavano contro in tal modo.
[25]Ma quando l'ebbero legato con le cinghie, Paolo disse al centurione che gli stava accanto: « Potete voi flagellare un cittadino romano, non ancora giudicato? ». [26]Udito ciò, il centurione corse a riferire al tribuno: « Che cosa stai per fare? Quell'uomo è un romano! ». [27]Allora il tribuno si recò da Paolo e gli domandò: « Dimmi, tu sei cittadino romano? ». Rispose: « Sì ». [28]Replicò il tribuno: « Io questa cittadinanza l'ho acqui-

[20] « Tuo testimone » (in greco « tuo martire ») perché anche Stefano ha visto il Signore risorto e gli ha reso testimonianza fino alla morte (7,55-60).

[25] Cfr. 16,37. « È delitto legare un cittadino romano; un'empietà bastonarlo » (Cicerone).
[28] La cittadinanza romana era un privilegio ambitissimo.

ATTI 22,29 366

stata a caro prezzo ». Paolo disse: « Io, invece, lo sono
di nascita! ». ²⁹E subito si allontanarono da lui quelli
che dovevano interrogarlo. Anche il tribuno ebbe paura,
rendendosi conto che Paolo era cittadino romano e che
lui lo aveva messo in catene.

**Paolo di fronte al sinedrio.** ³⁰Il giorno seguente, volendo conoscere la realtà dei fatti, cioè il motivo per
cui veniva accusato dai Giudei, gli fece togliere le catene
e ordinò che si riunissero i sommi sacerdoti e tutto
il sinedrio; vi fece condurre Paolo e lo presentò davanti
a loro.

**23** ¹Con lo sguardo fisso al sinedrio Paolo disse:
« Fratelli, io ho agito fino ad oggi davanti a Dio
in perfetta rettitudine di coscienza ». ²Ma il sommo sacerdote Ananìa ordinò ai suoi assistenti di percuoterlo
sulla bocca. ³Paolo allora gli disse: « Dio percuoterà
te, muro imbiancato! Tu siedi a giudicarmi secondo la
legge e contro la legge comandi di percuotermi? ». ⁴E
i presenti dissero: « Osi insultare il sommo sacerdote di
Dio? ». ⁵Rispose Paolo: « Non sapevo, fratelli, che è il
sommo sacerdote; sta scritto infatti: *Non insulterai il
capo del tuo popolo* ».
⁶Paolo sapeva che nel sinedrio una parte era di sadducei e una parte di farisei; disse a gran voce: « Fratelli, io sono un fariseo, figlio di farisei; io sono chiamato in giudizio a motivo della speranza nella risurrezione dei morti ». ⁷Appena egli ebbe detto ciò, scoppiò
una disputa tra i farisei e i sadducei e l'assemblea si
divise. ⁸I sadducei infatti affermano che non c'è risurrezione, né angeli, né spiriti; i farisei invece professano
tutte queste cose. ⁹Ne nacque allora un grande clamore
e alcuni scribi del partito dei farisei, alzatisi in piedi,

**23.** ² Anania fu sommo sacerdote dal 47 al 59; fu assassinato
nel 66.

⁵ Citazione di Es 22,28.
⁷ Cfr. Mt 22,23; Mc 12,18; Lc
20,27.

protestavano dicendo: « Non troviamo nulla di male
in quest'uomo. E se uno spirito o un angelo gli avesse
parlato davvero? ». [10]La disputa si accese a tal punto
che il tribuno, temendo che Paolo venisse linciato da
costoro, ordinò che scendesse la truppa a portarlo via
di mezzo a loro e ricondurlo nella fortezza. [11]La notte
seguente gli venne accanto il Signore e gli disse: « Coraggio! Come hai testimoniato per me a Gerusalemme,
così è necessario che tu mi renda testimonianza anche
a Roma ».

**Congiura contro Paolo.** [12]Fattosi giorno, i Giudei ordi-
rono una congiura e fecero voto con giuramento esecratorio di non toccare né cibo né bevanda, sino a che
non avessero ucciso Paolo. [13]Erano più di quaranta
quelli che fecero questa congiura. [14]Si presentarono ai
sommi sacerdoti e agli anziani e dissero: « Ci siamo
obbligati con giuramento esecratorio di non assaggiare
nulla sino a che non avremo ucciso Paolo. [15]Voi dunque
ora, insieme al sinedrio, fate dire al tribuno che ve lo
riporti, col pretesto di esaminare più attentamente il suo
caso; noi intanto ci teniamo pronti a ucciderlo prima
che arrivi ».
[16]Ma il figlio della sorella di Paolo venne a sapere del
complotto; si recò alla fortezza, entrò e ne informò
Paolo. [17]Questi allora chiamò uno dei centurioni e gli
disse: « Conduci questo giovane dal tribuno, perché
ha qualche cosa da riferirgli ». [18]Il centurione lo prese e
lo condusse dal tribuno dicendo: « Il prigioniero Paolo
mi ha fatto chiamare e mi ha detto di condurre da te
questo giovanetto, perché ha da dirti qualche cosa ».
[19]Il tribuno lo prese per mano, lo condusse in disparte
e gli chiese: « Che cosa è quello che hai da riferirmi? ».

[12] Il giuramento esecratorio con-
sisteva nell'invocare su di sé la
maledizione divina nel caso di
inadempienza.

[16] È la sola notizia che si ha
sulla famiglia di Paolo. Le visite
a chi era imprigionato erano possibili: cfr. Mt 11,2; 25,36.

²⁰Rispose: « I Giudei si sono messi d'accordo per chiederti di condurre domani Paolo nel sinedrio, col pretesto di informarsi più accuratamente nei suoi riguardi. ²¹Tu però non lasciarti convincere da loro, poiché più di quaranta dei loro uomini hanno ordito un complotto, facendo voto con giuramento esecratorio di non prendere cibo né bevanda finché non l'abbiano ucciso; e ora stanno pronti, aspettando che tu dia il tuo consenso ».
²²Il tribuno congedò il giovanetto con questa raccomandazione: « Non dire a nessuno che mi hai dato queste informazioni ».

**Trasferimento a Cesarèa.** ²³Fece poi chiamare due dei centurioni e disse: « Preparate duecento soldati per andare a Cesarèa insieme con settanta cavalieri e duecento lancieri, tre ore dopo il tramonto. ²⁴Siano pronte anche delle cavalcature e fatevi montare Paolo, perché sia condotto sano e salvo dal governatore Felice ». ²⁵Scrisse anche una lettera in questi termini: ²⁶« Claudio Lisia all'eccellentissimo governatore Felice, salute. ²⁷Quest'uomo era stato assalito dai Giudei e stava per essere ucciso da loro; ma sono intervenuto con i soldati e l'ho liberato, perché ho saputo che è cittadino romano. ²⁸Desideroso di conoscere il motivo per cui lo accusavano, lo condussi nel loro sinedrio. ²⁹Ho trovato che lo si accusava per questioni relative alla loro legge, ma che in realtà non c'erano a suo carico imputazioni meritevoli di morte o di prigionia. ³⁰Sono stato però informato di un complotto contro quest'uomo da parte loro, e così l'ho mandato da te, avvertendo gli accusatori di deporre davanti a te quello che hanno contro di lui. Sta' bene ».

²⁴ Antonio Felice fu procuratore della Giudea dal 53 al 59/60. Era un liberto imperiale, prepotente, vizioso e venale (cfr. Tacito, Storie V, 9; Annali XII, 54), fratello di Pallante, il famoso favorito di Agrippina e potente sotto Nerone. ²⁹ Cfr. 18,15; 25,18-19.

³¹Secondo gli ordini ricevuti, i soldati presero Paolo e lo condussero di notte ad Antipàtride. ³²Il mattino dopo, lasciato ai cavalieri il compito di proseguire con lui, se ne tornarono alla fortezza. ³³I cavalieri, giunti a Cesarèa, consegnarono la lettera al governatore e gli presentarono Paolo. ³⁴Dopo averla letta, domandò a Paolo di quale provincia fosse e saputo che era della Cilicia, disse: ³⁵« Ti ascolterò quando saranno qui anche i tuoi accusatori ». E diede ordine di custodirlo nel pretorio di Erode.

**24** **Il processo di fronte a Felice.** ¹Cinque giorni dopo arrivò il sommo sacerdote Ananìa insieme con alcuni anziani e a un avvocato di nome Tertullo e si presentarono al governatore per accusare Paolo. ²Quando questi fu fatto venire, Tertullo cominciò l'accusa dicendo: ³« La lunga pace di cui godiamo grazie a te e le riforme che ci sono state in favore di questo popolo grazie alla tua provvidenza, le accogliamo in tutto e per tutto, eccellentissimo Felice, con profonda gratitudine. ⁴Ma per non trattenerti troppo a lungo, ti prego di darci ascolto brevemente nella tua benevolenza. ⁵Abbiamo scoperto che quest'uomo è una peste, fomenta continue rivolte tra tutti i Giudei che sono nel mondo ed è capo della setta dei Nazorei. ⁶Ha perfino tentato di profanare il tempio e noi l'abbiamo arrestato. [⁷] ⁸Interrogandolo personalmente, potrai renderti conto da lui di tutte queste cose delle quali lo accusiamo ». ⁹Si associarono nell'accusa anche i Giudei, affermando che i fatti stavano così.

---

³¹ Antipàtride distava 60 km. da Gerusalemme e 40 da Cesarea, residenza ufficiale del procuratore romano.
**24.** ⁵ Cfr. Lc 23,2; 16,20; 17,6. I seguaci di Gesù Nazareno (cfr. 2,22; 3,6; 4,10; 22,8; 26,9) vengono qui considerati come membri di una setta giudaica eretica (i Nazorei).
⁷ Questo v. è omesso perché manca nei migliori manoscritti.

**Difesa di Paolo.** [10]Quando il governatore fece cenno a Paolo di parlare, egli rispose: « So che da molti anni sei giudice di questo popolo e parlo in mia difesa con fiducia. [11]Tu stesso puoi accertare che non sono più di dodici giorni da quando mi sono recato a Gerusalemme per il culto. [12]Essi non mi hanno mai trovato nel tempio a discutere con qualcuno o a incitare il popolo alla sommossa, né nelle sinagoghe, né per la città [13]e non possono provare nessuna delle cose delle quali ora mi accusano. [14]Ammetto invece che adoro il Dio dei miei padri, secondo quella dottrina che essi chiamano setta, credendo in tutto ciò che è conforme alla Legge e sta scritto nei Profeti, [15]nutrendo in Dio la speranza, condivisa pure da costoro, che ci sarà una risurrezione dei giusti e degli ingiusti. [16]Per questo mi sforzo di conservare in ogni momento una coscienza irreprensibile davanti a Dio e davanti agli uomini. [17]Ora, dopo molti anni, sono venuto a portare elemosine al mio popolo e per offrire sacrifici; [18]in occasione di questi essi mi hanno trovato nel tempio dopo che avevo compiuto le purificazioni. Non c'era folla né tumulto. [19]Furono dei Giudei della provincia d'Asia a trovarmi, e loro dovrebbero comparire qui davanti a te ad accusarmi, se hanno qualche cosa contro di me; [20]oppure dicano i presenti stessi quale colpa han trovato in me quando sono comparso davanti al sinedrio, [21]se non questa sola frase che gridai stando in mezzo a loro: A motivo della risurrezione dei morti io vengo giudicato oggi davanti a voi! ».

**Prigionia di Paolo a Cesarèa.** [22]Allora Felice, che era assai bene informato circa la nuova dottrina, li rimandò dicendo: « Quando verrà il tribuno Lisia, esaminerò il vostro caso ». [23]E ordinò al centurione di tenere Paolo sotto custodia, concedendogli però una certa libertà e senza impedire a nessuno dei suoi amici di dargli assistenza.

[17] Cfr. 11,29; 18,18; 1Cor 16,2-4;    2Cor cc. 8-9; Rm 15,25-27.30-31.

²⁴Dopo alcuni giorni Felice arrivò in compagnia della moglie Drusilla, che era giudea; fatto chiamare Paolo, lo ascoltava intorno alla fede in Cristo Gesù. ²⁵Ma quando egli si mise a parlare di giustizia, di continenza e del giudizio futuro, Felice si spaventò e disse: « Per il momento puoi andare; ti farò chiamare di nuovo quando ne avrò il tempo ». ²⁶Sperava frattanto che Paolo gli avrebbe dato del denaro; per questo abbastanza spesso lo faceva chiamare e conversava con lui.

²⁷Trascorsi due anni, Felice ebbe come successore Porcio Festo; ma Felice, volendo dimostrare benevolenza verso i Giudei, lasciò Paolo in prigione.

**25** Paolo si appella a Cesare. ¹Festo dunque, raggiunta la provincia, tre giorni dopo salì da Cesarèa a Gerusalemme. ²I sommi sacerdoti e i capi dei Giudei gli si presentarono per accusare Paolo e cercavano di persuaderlo, ³chiedendo come un favore, in odio a Paolo, che lo facesse venire a Gerusalemme; e intanto disponevano un tranello per ucciderlo lungo il percorso. ⁴Festo rispose che Paolo stava sotto custodia a Cesarèa e che egli stesso sarebbe partito fra breve. ⁵« Quelli dunque che hanno autorità tra voi, disse, vengano con me e se vi è qualche colpa in quell'uomo, lo denuncino ».

⁶Dopo essersi trattenuto fra loro non più di otto o dieci giorni, discese a Cesarèa e il giorno seguente, sedendo in tribunale, ordinò che gli si conducesse Paolo. ⁷Appena giunse, lo attorniarono i Giudei discesi da Gerusalemme, imputandogli numerose e gravi colpe, senza però riuscire a provarle. ⁸Paolo a sua difesa disse: « Non ho commesso alcuna colpa, né contro la legge dei Giu-

²⁴ Drusilla, figlia di Erode Agrippa I, a quindici anni aveva abbandonato il primo marito, re di Emesa, per diventare la terza moglie di Felice.

²⁷ Porcio Festo fu un eccellente procuratore, che restò in carica dal 59 al 62, anno in cui morì. I due anni, di cui si parla, corrono dal 57 al 59.

dei, né contro il tempio, né contro Cesare ». [9]Ma Festo
volendo fare un favore ai Giudei, si volse a Paolo e
disse: « Vuoi andare a Gerusalemme per essere là giudicato di queste cose, davanti a me? ». [10]Paolo rispose:
« Mi trovo davanti al tribunale di Cesare, qui mi si
deve giudicare. Ai Giudei non ho fatto alcun torto, come anche tu sai perfettamente. [11]Se dunque sono in
colpa e ho commesso qualche cosa che meriti la morte,
non rifiuto di morire; ma se nelle accuse di costoro non
c'è nulla di vero, nessuno ha il potere di consegnarmi
a loro. Io mi appello a Cesare ». [12]Allora Festo, dopo
aver conferito con il consiglio, rispose: « Ti sei appellato a Cesare, a Cesare andrai ».

**Festo e Agrippa.** [13]Erano trascorsi alcuni giorni, quando arrivarono a Cesarèa il re Agrippa e Berenìce, per
salutare Festo. [14]E poiché si trattennero parecchi giorni,
Festo espose al re il caso di Paolo: « C'è un uomo,
lasciato qui prigioniero da Felice, contro il quale, [15]du-
rante la mia visita a Gerusalemme, si presentarono con
accuse i sommi sacerdoti e gli anziani dei Giudei per
reclamarne la condanna. [16]Risposi che i Romani non
usano consegnare una persona, prima che l'accusato
sia stato messo a confronto con i suoi accusatori e
possa aver modo di difendersi dall'accusa. [17]Allora essi
convennero qui e io senza indugi il giorno seguente
sedetti in tribunale e ordinai che vi fosse condotto quel-
l'uomo. [18]Gli accusatori gli si misero attorno, ma non
addussero nessuna delle imputazioni criminose che io
immaginavo; [19]avevano solo con lui alcune questioni

**25.** [10-11] Un cittadino romano
non poteva essere trasferito da
una giurisdizione a un'altra senza il suo consenso. L'appello a
Cesare era nel suo pieno diritto:
così si sottraeva al tribunale locale e veniva sospesa la sentenza.

[13] Marco Giulio Agrippa II era
figlio di Erode Agrippa I (cfr.
12,1); Berenice era sua sorella,
vedova, che conviveva marital-
mente con lui, biasimata anche
a Roma, dove Agrippa era nato
e cresciuto.

relative la loro particolare religione e riguardanti un certo Gesù, morto, che Paolo sosteneva essere ancora in vita. [20]Perplesso di fronte a simili controversie, gli chiesi se voleva andare a Gerusalemme ed esser giudicato là di queste cose. [21]Ma Paolo si appellò perché la sua causa fosse riservata al giudizio dell'imperatore, e così ordinai che fosse tenuto sotto custodia fino a quando potrò inviarlo a Cesare ». [22]E Agrippa a Festo: « Vorrei anch'io ascoltare quell'uomo! ». « Domani, rispose, lo potrai ascoltare ».

**Paolo di fronte ad Agrippa.** [23]Il giorno dopo, Agrippa e Berenìce vennero con gran pompa ed entrarono nella sala dell'udienza, accompagnati dai tribuni e dai cittadini più in vista; per ordine di Festo fu fatto entrare anche Paolo. [24]Allora Festo disse: « Re Agrippa e cittadini tutti qui presenti con noi, voi avete davanti agli occhi colui sul conto del quale tutto il popolo dei Giudei si è appellato a me, in Gerusalemme e qui, per chiedere a gran voce che non resti più in vita. [25]Io però mi sono convinto che egli non ha commesso alcuna cosa meritevole di morte ed essendosi appellato all'imperatore ho deciso di farlo partire. [26]Ma sul suo conto non ho nulla di preciso da scrivere al sovrano; per questo l'ho condotto davanti a voi e soprattutto davanti a te, o re Agrippa, per avere, dopo questa udienza, qualcosa da scrivere. [27]Mi sembra assurdo infatti mandare un prigioniero, senza indicare le accuse che si muovono contro di lui ».

**26** **Discorso di Paolo.** [1]Agrippa disse a Paolo: « Ti è concesso di parlare a tua difesa ». Allora Paolo, stesa la mano, si difese così: [2]« Mi considero fortunato, o re Agrippa, di potermi discolpare da tutte le accuse di cui sono incriminato dai Giudei, oggi qui davanti a te, [3]che conosci a perfezione tutte le usanze e questioni riguardanti i Giudei. Perciò ti prego di

ascoltarmi con pazienza. ⁴La mia vita fin dalla mia giovinezza, vissuta tra il mio popolo e a Gerusalemme, la
conoscono tutti i Giudei; ⁵essi sanno pure da tempo, se
vogliono renderne testimonianza, che, come fariseo, sono
vissuto nella setta più rigida della nostra religione. ⁶Ed
ora mi trovo sotto processo a causa della speranza nella
promessa fatta da Dio ai nostri padri, ⁷e che le nostre
dodici tribù sperano di vedere compiuta, servendo Dio
notte e giorno con perseveranza. Di questa speranza,
o re, sono ora incolpato dai Giudei! ⁸Perché è considerato inconcepibile fra di voi che Dio risusciti i morti?
⁹Anch'io credevo un tempo mio dovere di lavorare atti-
vamente contro il nome di Gesù il Nazareno, ¹⁰come
in realtà feci a Gerusalemme; molti dei fedeli li rin-
chiusi in prigione con l'autorizzazione avuta dai sommi
sacerdoti, e quando venivano condannati a morte, anch'io ho votato contro di loro. ¹¹In tutte le sinagoghe
cercavo di costringerli con le torture a bestemmiare e,
infuriando all'eccesso contro di loro, davo loro la caccia
fin nelle città straniere.
¹²In tali circostanze, mentre stavo andando a Damasco
con autorizzazione e pieni poteri da parte dei sommi
sacerdoti, verso mezzogiorno ¹³vidi sulla strada, o re,
una luce dal cielo, più splendente del sole, che avvolse
me e i miei compagni di viaggio. ¹⁴Tutti cademmo a
terra e io udii dal cielo una voce che mi diceva in
ebraico: Saulo, Saulo, perché mi perseguiti? Duro è per
te ricalcitrare contro il pungolo. ¹⁵E io dissi: Chi sei, o
Signore? E il Signore rispose: Io sono Gesù, che tu perseguiti. ¹⁶Su, alzati e rimettiti in piedi; ti sono apparso
infatti per costituirti ministro e testimone di quelle cose
che hai visto e di quelle per cui ti apparirò ancora.

**26.** ⁶⁻⁷ Paolo non si considera
un giudeo apostata: egli ha semplicemente raggiunto la mèta della religione dei padri, il Messia
e la salvezza.

⁹⁻¹⁸ È il terzo racconto della conversione di Paolo: cfr. 9,1-19;
22,4-16. I tre racconti differisco-
no per i diversi elementi che
l'autore vuole sottolineare.

[17]Per questo ti *libererò* dal popolo e *dai pagani, ai quali ti mando* [18]*ad aprir* loro *gli occhi,* perché passino *dalle tenebre alla luce* e dal potere di satana a Dio e ottengano la remissione dei peccati e l'eredità in mezzo a coloro che sono stati santificati per la fede in me. [19]Pertanto, o re Agrippa, io non ho disobbedito alla visione celeste; [20]ma prima a quelli di Damasco, poi a quelli di Gerusalemme e in tutta la regione della Giudea e infine ai pagani, predicavo di convertirsi e di rivolgersi a Dio, comportandosi in maniera degna della conversione. [21]Per queste cose i Giudei mi assalirono nel tempio e tentarono di uccidermi. [22]Ma l'aiuto di Dio mi ha assistito fino a questo giorno, e posso ancora rendere testimonianza agli umili e ai grandi. Null'altro io affermo se non quello che i profeti e Mosè dichiararono che doveva accadere, [23]che cioè il Cristo sarebbe morto, e che, primo tra i risorti da morte, avrebbe annunziato la luce al popolo e ai pagani ».

## Reazioni di Festo e di Agrippa. [24]Mentr'egli parlava così in sua difesa, Festo a gran voce disse: « Sei pazzo, Paolo; la troppa scienza ti ha dato al cervello! ». [25]E Paolo: « Non sono pazzo, disse, eccellentissimo Festo, ma sto dicendo parole vere e sagge. [26]Il re è al corrente di queste cose e davanti a lui parlo con franchezza. Penso che niente di questo gli sia sconosciuto, poiché non sono fatti accaduti in segreto. [27]Credi, o re Agrippa, nei profeti? So che ci credi ». [28]E Agrippa a Paolo: « Per poco non mi convinci a farmi cristiano! ». [29]E Paolo: « Per poco o per molto, io vorrei supplicare Dio che non soltanto tu, ma quanti oggi mi ascoltano diventassero così come sono io, eccetto queste catene! ». [30]Si alzò allora il re e con lui il governatore, Berenìce, e quelli che avevano preso parte alla seduta [31]e avvian-

17-18 Cfr. Is 42,7.16. Per l'assimilazione dell'apostolo al Servo di Dio della profezia messianica cfr. 13,47.

dosi conversavano insieme e dicevano: « Quest'uomo
non ha fatto nulla che meriti la morte o le catene ».
[32]E Agrippa disse a Festo: « Costui poteva essere rimesso in libertà, se non si fosse appellato a ·Cesare ».

**27** In viaggio verso l'Italia. [1]Quando fu deciso che
ci imbarcassimo per l'Italia, consegnarono Paolo,
insieme ad alcuni altri prigionieri, a un centurione di
nome Giulio della coorte Augusta. [2]Salimmo su una nave
di Adramitto, che stava per partire verso i porti della
provincia d'Asia e salpammo, avendo con noi Aristarco,
un Macèdone di Tessalonica. [3]Il giorno dopo facemmo
scalo a Sidone e Giulio, con gesto cortese verso Paolo,
gli permise di recarsi dagli amici e di riceverne le cure.
[4]Salpati di là, navigammo al riparo di Cipro a motivo
dei venti contrari [5]e, attraversato il mare della Cilicia
e della Panfilia, giungemmo a Mira di Licia. [6]Qui il
centurione trovò una nave di Alessandria in partenza per
l'Italia e ci fece salire a bordo. [7]Navigammo lentamente
parecchi giorni, giungendo a fatica all'altezza di Cnido.
Poi, siccome il vento non ci permetteva di approdare,
prendemmo a navigare al riparo di Creta, dalle parti di
Salmòne, [8]e costeggiandola a fatica giungemmo in una
località chiamata Buoni Porti, vicino alla quale era la
città di Lasèa.

**Tempesta e naufragio.** [9]Essendo trascorso molto tempo ed essendo ormai pericolosa la navigazione poiché
era già passata la festa dell'Espiazione, Paolo li ammo-

---

**27.** [1] Comincia un diario di Luca minuzioso e vivace, informatis-
simo sull'antica arte del navigare.
[2] Adramitto era nella Misia, a
sud-est di Tròade. Su Aristarco
cfr. 19,29; 20,4; Col 4,10.
[3] Sidone era un porto della costa fenicia.

[5] Mira, non lontana da Pàtara,
dove Paolo, in viaggio verso la
Palestina, aveva cambiato nave.
[7] Cnido, nell'omonima penisola
a nord di Rodi.
[9] L'Espiazione era la grande celebrazione penitenziale degli Ebrei
(cfr. Lv 16,29-31), che cadeva nel-
l'autunno.

niva dicendo: [10]« Vedo, o uomini, che la navigazione comincia a essere di gran rischio e di molto danno non solo per il carico e per la nave, ma anche per le nostre vite ». [11]Il centurione però dava più ascolto al pilota e al capitano della nave che alle parole di Paolo. [12]E poiché quel porto era poco adatto a trascorrervi l'inverno, i più furono del parere di salpare di là nella speranza di andare a svernare a Fenice, un porto di Creta esposto a libeccio e a maestrale. [13]Appena cominciò a soffiare un leggero scirocco, convinti di potere ormai realizzare il progetto, levarono le ancore e costeggiavano da vicino Creta. [14]Ma dopo non molto tempo si scatenò contro l'isola un vento d'uragano, detto allora « Euroaquilone ». [15]La nave fu travolta nel turbine e, non potendo più resistere al vento, abbandonati in sua balìa, andavamo alla deriva. [16]Mentre passavamo sotto un isolotto chiamato Càudas, a fatica riuscimmo a padroneggiare la scialuppa; [17]la tirarono a bordo e adoperarono gli attrezzi per fasciare di gòmene la nave. Quindi, per timore di finire incagliati nelle Sirti, calarono il galleggiante e si andava così alla deriva. [18]Sbattuti violentemente dalla tempesta, il giorno seguente cominciarono a gettare a mare il carico; [19]il terzo giorno con le proprie mani buttarono via l'attrezzatura della nave. [20]Da vari giorni non comparivano più né sole, né stelle e la violenta tempesta continuava a infuriare, per cui ogni speranza di salvarci sembrava ormai perduta. [21]Da molto tempo non si mangiava, quando Paolo alzatosi in mezzo a loro, disse: « Sarebbe stato bene, o uomini, dar retta a me e non salpare da Creta; avreste evitato questo pericolo e questo danno. [22]Tuttavia ora

---

[14] L'Euroaquilone era il vento di nord-ovest.
[16] Càudas (l'odierna Gadvos), 40 km. a sud di Fenice.
[17] Le Sirti (la Gran Sirte) erano due insenature con estesi banchi sabbiosi sulla costa libica tra Misurata e Bengasi. Erano tristemente celebri negli ambienti marinari.

ATTI 27,23 378

vi esorto a non perdervi di coraggio, perché non ci sarà alcuna perdita di vite in mezzo a voi, ma solo della nave. ²³Mi è apparso infatti questa notte un angelo del Dio al quale appartengo e che servo, ²⁴dicendomi: Non temere Paolo; tu devi comparire davanti a Cesare ed ecco, Dio ti ha fatto grazia di tutti i tuoi compagni di navigazione. ²⁵Perciò non perdetevi di coraggio, uomini; ho fiducia in Dio che avverrà come mi è stato annunziato. ²⁶Ma è inevitabile che andiamo a finire su qualche isola ».

²⁷Come giunse la quattordicesima notte da quando andavamo alla deriva nell'Adriatico, verso mezzanotte i marinai ebbero l'impressione che una qualche terra si avvicinava. ²⁸Gettato lo scandaglio, trovarono venti braccia; dopo un breve intervallo, scandagliando di nuovo, trovarono quindici braccia. ²⁹Nel timore di finire contro gli scogli, gettarono da poppa quattro ancore, aspettando con ansia che spuntasse il giorno. ³⁰Ma poiché i marinai cercavano di fuggire dalla nave e già stavano calando la scialuppa in mare, col pretesto di gettare le ancore da prora, Paolo disse al centurione e ai soldati: ³¹« Se costoro non rimangono sulla nave, voi non potrete mettervi in salvo ». ³²Allora i soldati recisero le gòmene della scialuppa e la lasciarono cadere in mare.

³³Finché non spuntò il giorno, Paolo esortava tutti a prendere cibo: « Oggi è il quattordicesimo giorno che passate digiuni nell'attesa, senza prender nulla. ³⁴Per questo vi esorto a prender cibo; è necessario per la vostra salvezza. Neanche un capello del vostro capo andrà perduto ». ³⁵Ciò detto, prese il pane, rese grazie a Dio davanti a tutti, lo spezzò e cominciò a mangiare. ³⁶Tutti si sentirono rianimati, e anch'essi presero cibo. ³⁷Eravamo complessivamente sulla nave duecento settantasei

²⁷ L'Adriatico indicava in genere i mari tra l'Italia, la Grecia e l'Africa.
²⁸ Un braccio è di m. 1,85.

³⁵ Si può trattare o di un pasto normale preceduto dalla tradizionale preghiera o di una celebrazione eucaristica: cfr. 2,42.

persone. <sup>38</sup>Quando si furono rifocillati, alleggerirono la nave, gettando il frumento in mare.

<sup>39</sup>Fattosi giorno non riuscivano a riconoscere quella terra, ma notarono un'insenatura con spiaggia e decisero, se possibile, di spingere la nave verso di essa. <sup>40</sup>Levarono le ancore e le lasciarono andare in mare; al tempo stesso allentarono i legami dei timoni e spiegata al vento la vela maestra, mossero verso la spiaggia. <sup>41</sup>Ma incapparono in una secca e la nave vi si incagliò; mentre la prua arenata rimaneva immobile, la poppa minacciava di sfasciarsi sotto la violenza delle onde. <sup>42</sup>I soldati pensarono allora di uccidere i prigionieri, perché nessuno sfuggisse gettandosi a nuoto, <sup>43</sup>ma il centurione, volendo salvare Paolo, impedì loro di attuare questo progetto; diede ordine che si gettassero per primi quelli che sapevano nuotare e raggiunsero la terra; <sup>44</sup>poi gli altri, chi su tavole, chi su altri rottami della nave. E così tutti poterono mettersi in salvo a terra.

## 28 Paolo a Malta. <sup>1</sup>Una volta in salvo, venimmo a sapere che l'isola si chiamava Malta. <sup>2</sup>Gli indigeni ci trattarono con rara umanità; ci accolsero tutti attorno a un gran fuoco, che avevano acceso perché era sopraggiunta la pioggia ed era freddo. <sup>3</sup>Mentre Paolo raccoglieva un fascio di sarmenti e lo gettava sul fuoco, una vipera, risvegliata dal calore, lo morse a una mano. <sup>4</sup>Al vedere la serpe pendergli dalla mano, gli indigeni dicevano tra loro: «Certamente costui è un assassino, se, anche scampato dal mare, la Giustizia non lo lascia vivere». <sup>5</sup>Ma egli scosse la serpe nel fuoco e non ne patì alcun male. <sup>6</sup>Quella gente si aspettava di vederlo gonfiare e cadere morto sul colpo, ma dopo avere molto

<sup>42</sup> I soldati avrebbero pagato con la vita la fuga dei prigionieri: cfr. 12,19; 16,27.

**28.** <sup>1</sup> Malta dipendeva dall'amministrazione romana della Sicilia.
<sup>4</sup> La Giustizia personificata, la dea Dike.
<sup>5</sup> Cfr. Mc 16,18; Lc 10,19.

atteso senza vedere succedergli nulla di straordinario, cambiò parere e diceva che era un dio. [7]Nelle vicinanze di quel luogo c'era un terreno appartenente al "primo" dell'isola, chiamato Publio; questi ci accolse e ci ospitò con benevolenza per tre giorni. [8]Avvenne che il padre di Publio dovette mettersi a letto colpito da febbri e da dissenteria; Paolo l'andò a visitare e dopo aver pregato gli impose le mani e lo guarì. [9]Dopo questo fatto, anche gli altri isolani che avevano malattie accorrevano e venivano sanati; [10]ci colmarono di onori e al momento della partenza ci rifornirono di tutto il necessario.

**Da Malta a Roma.** [11]Dopo tre mesi salpammo su una nave di Alessandria che aveva svernato nell'isola, recante l'insegna dei Diòscuri. [12]Approdammo a Siracusa, dove rimanemmo tre giorni [13]e di qui, costeggiando, giungemmo a Reggio. Il giorno seguente si levò lo scirocco e così l'indomani arrivammo a Pozzuoli. [14]Qui trovammo alcuni fratelli, i quali ci invitarono a restare con loro una settimana. Partimmo quindi alla volta di Roma. [15]I fratelli di là, avendo avuto notizia di noi, ci vennero incontro al Foro di Appio e alle Tre Taverne. Paolo, al vederli, rese grazie a Dio e prese coraggio. [16]Arrivati a Roma, fu concesso a Paolo di abitare per suo conto con un soldato di guardia.

**Paolo e i Giudei di Roma.** [17]Dopo tre giorni, egli con-

---

[7] « Primo » era il titolo ufficiale del magistrato locale, rappresentante del pretore della Sicilia.
[11] Siamo probabilmente nel febbraio del 60. I Diòscuri, i gemelli Castore e Polluce, erano protettori dei marinai.
[14] Pozzuoli era in relazioni commerciali con l'Oriente.
[15] I cristiani percorrono la via Appia; il Foro di Appio era a

66 km. da Roma; Tre Taverne, a 49 km. Entrarono in Roma per la porta Capena, oggi porta S. Sebastiano.
[16] Il prigioniero, pur vivendo in una casa di sua scelta, era legato col polso destro al soldato che lo aveva in custodia.
[17] Nel I sec. Roma — che contava all'incirca un milione e mezzo di abitanti — ospitava tredici

vocò a sé i più in vista tra i Giudei e venuti che furono,
disse loro: « Fratelli, senza aver fatto nulla contro il mio
popolo e contro le usanze dei padri, sono stato arrestato
a Gerusalemme e consegnato in mano dei Romani.
[18]Questi, dopo avermi interrogato, volevano rilasciarmi,
non avendo trovato in me alcuna colpa degna di morte.
[19]Ma continuando i Giudei ad opporsi, sono stato costretto ad appellarmi a Cesare, senza intendere con questo muovere accuse contro il mio popolo. [20]Ecco perché
vi ho chiamati, per vedervi e parlarvi, poiché è a causa
della speranza d'Israele che io sono legato da questa
catena ». [21]Essi gli risposero: « Noi non abbiamo ricevuto nessuna lettera sul tuo conto dalla Giudea, né
alcuno dei fratelli è venuto a riferire o a parlar male
di te. [22]Ci sembra bene tuttavia ascoltare da te quello
che pensi; questa setta infatti sappiamo che trova dovunque opposizione ».

**Dai Giudei ai pagani.** [23]E fissatogli un giorno, vennero in molti da lui nel suo alloggio; egli dal mattino
alla sera espose loro accuratamente, rendendo la sua
testimonianza, il regno di Dio, cercando di convincerli
riguardo a Gesù, in base alla Legge di Mosè e ai Profeti.
[24]Alcuni aderirono alle cose da lui dette, ma altri non
vollero credere [25]e se ne andavano discordi tra loro,
mentre Paolo diceva questa sola frase: « Ha detto bene
lo Spirito Santo, per bocca del profeta Isaia, ai nostri
padri:

[26]*Va' da questo popolo e di' loro:*
   *Udrete con i vostri orecchi, ma non comprenderete;*
   *guarderete con i vostri occhi, ma non vedrete.*
[27]*Perché il cuore di questo popolo si è indurito*
   *e hanno ascoltato di mala voglia con gli orecchi;*

sinagoghe e cinquantamila Ebrei.
[20] Per la speranza d'Israele cfr.
23,6; 26,6-7.

[25] Citazione di Is 6,9-10, un testo
classico nella predicazione evangelica: cfr. Mt 13,14-15.

*hanno chiuso i loro occhi*
*per non vedere con gli occhi,*
*non ascoltare con gli orecchi,*
*non comprendere nel loro cuore e non convertirsi,*
*perché io li risani.*

[28]Sia dunque noto a voi che questa salvezza di Dio
viene ora rivolta ai pagani ed essi l'ascolteranno! ». [29]

# EPILOGO
## (28,30-31)

[30]Paolo trascorse due anni interi nella casa che aveva
preso a pigione e accoglieva tutti quelli che venivano
a lui, [31]annunziando il regno di Dio e insegnando le cose
riguardanti il Signore Gesù Cristo, con tutta franchezza
e senza impedimento.

---

[29] Il v. omesso manca nei manoscritti più antichi.
[31] Dopo, Paolo fu assolto: cfr.
2Tm 4,17. Arrestato di nuovo,
forse in seguito alla persecuzione
di Nerone contro i cristiani, morì
di spada (ancora un privilegio del
cittadino romano) nel 67.

# INDICE ANALITICO

MAGI: *Mt.* 2, 1 ss.

MAGNIFICAT: *Lc.* 1, 46 ss.

MALCO: *Mt.* 26, 51; *Mc.* 14, 47; *Lc.* 22, 50; *Gv.* 18, 10.

MAMMONA: *Mt.* 6, 24; *Lc.* 16, 13.

MANNA: *Gv.* 6, 31 ss.

MARCO, evangelista: *At.* 12, 12. 25; 13, 5. 13; 15, 37-39.

MARIA VERGINE, madre di Gesù; — matrimonio con Giuseppe: *Mt.* 1, 18-25; — annunciazione: *Lc.* 1, 26-38; — visita Elisabetta: *Lc.* 1, 39-56; — nel Natale: *Mt.* 2, 1-12; *Lc.* 2, 2-21; — nella purificazione: *Lc.* 2, 22-38; — fuga in Egitto: *Mt.* 2, 13-21; — a Nazaret: *Mt.* 2, 22-23; *Lc.* 1, 26-27; 2, 39-40; — smarrimento di Gesù: *Lc.* 2, 41-52; — alle nozze di Cana: 2, 1-11; — nella vita pubblica di Gesù: *Mt.* 2, 46-47; *Mc.* 3, 31-32; *Lc.* 8, 19-20; *Gv.* 2, 12; — sul Calvario: *Gv.* 19, 25-27; — madre di Dio: *Lc.* 1, 31-32. 43; — santità: *Lc.* 1, 28. 42; — verginità: *Mt.* 1, 22-25; — obbedienza: *Lc.* 1, 38; — umiltà: *Lc.* 1, 38. 48; — partecipazione alla missione di Gesù: *Lc.* 2, 35; — mediatrice di grazia: *Gv.* 2, 1-11; — maternità spirituale: *Gv.* 19, 26.

MARIA di Betania: *Mt.* 26, 7 ss.; *Mc.* 14, 3 ss.; *Lc.* 38 ss.; *Gv.* 12, 1 ss.

MARIA di Cleofa: *Mt.* 27, 56; 28, 1; *Mc.* 15, 40. 47; 16, 1; *Lc.* 24, 10; *Gv.* 19, 25.

MARIA di Magdala: *Mt.* 27, 56. 61; 28, 1; *Mc.* 15, 40. 47; 16, 1; *Lc.* 8, 2; 24, 10; *Gv.* 19, 25; 20, 1 ss.

MARTA: *Lc.* 10, 38 ss.; *Gv.* 11, 1 ss.; 12, 2.

MATRIMONIO, istituzione divina: *Mt.* 19, 4-6; *Mc.* 10, 6-9; — indissolubilità (v. *Divorzio*).

MATTEO apostolo ed evangelista: vocazione; *Mt.* 9, 9; 10, 3; *Mc.* 2, 14; 3, 18; *Lc.* 5, 27 ss.; 6, 15; *At.* 1, 13.

MATTIA: *At.* 1, 23. 26.

MENZOGNA: *Gv* 8, 44.

MERITO delle opere buone: *Mt.* 10, 40-42; 25, 34-40.

MESSIA (v. *Gesù* Messia); — falsi: *Mt.* 24, 5. 24-26; *Mc.* 13, 6. 21-22; *Lc.* 21, 8; *Gv.* 5, 43.

MILETO: *At.* 20, 15-17.

MIRACOLI, segni della missione divina di Gesù: *Mt.* 11, 3-5; *Mc.* 16, 17-20; *Lc.* 7, 20-23; *Gv.* 1, 14; 2, 11. 23; 3, 2; 7, 31; 9, 16. 33; 11, 46. 47; 12, 37-42; — compiuti da Gesù: risurrezioni: il figlio della vedova di

tuito da Gesù: *Mt.* 16, 19; 18, 18; *Gv.* 20, 23.

PENITENZA e mortificazione necessarie (v. *Croce*): *Mt.* 3, 2. 8; 4, 17; 5, 29; 7, 14; 11, 20; 16, 24; 17, 21; *Mc.* 1, 15; 6, 12; *Lc.* 3, 8; 5, 32; 10, 13-14; 13, 3-5; 14, 27. 33; 24, 46-47; — cancella i peccati: *Mc.* 1, 4; *Lc.* 3, 3; 18, 13-14; 24, 47; — esempi: *Mt.* 26, 75; *Lc.* 7, 37-38; 15, 18-21; 18, 13; 19, 8; 22, 62; 23, 41.

PENSIERI CATTIVI: *Mt.* 15, 19-20; *Mc.* 7, 21-23.

PENTECOSTE: *Mt.* 10, 20; *Gv.* 3, 34; *At.* 2, 1-13.

PERDONO delle offese: *Mt.* 5, 23-24; 6, 12. 14-15; 18, 15. 21-35; *Mc.* 11, 25; *Lc.* 6, 29; 11, 4; 17, 3-4; 23, 34.

PEREA: *Mt.* 19, 1; *Mc.* 10, 1.

PERFEZIONE: *Mt.* 5, 20-48 (v. *Carità, Castità, Consigli evangelici*).

PERSECUZIONI predette da Gesù per i credenti in lui: *Mt.* 10, 16-25; 20, 23; 24, 9; *Mc.* 10, 29-30. 38-39; *Lc.* 10, 3; 11, 49; 21, 12-19; *Gv.* 15, 20-25; 16, 1-4; — frutto: *Mt.* 5, 10-12; *Mc.* 10, 29; — come sopportarle: *Mt.* 5, 44-48; 10, 23; — Dio punisce i persecutori: *Mt.* 23, 34-35; *Lc.* 18, 7;

*At.* 12, 21-23.

PERSEVERANZA necessaria per la salvezza: *Mt.* 10, 22; 24, 13; *Mc.* 13, 13; *Lc.* 9, 62; 14, 30; *Gv.* 6, 66-70; — nella preghiera: *Mt.* 7, 7-11; 15, 22-28; *Mc.* 7, 24-29; *Lc.* 11, 5-13; 18, 1-8; 21, 36.

PIETRO (SIMONE), elezione: *Mt.* 4, 18-20; *Mc.* 1, 16-18; *Lc.* 5, 1-11; — chiamato Cefa: *Gv.* 1, 40-42; — Gesù gli guarisce la suocera: *Mt.* 8, 14-15; *Mc.* 1, 29-31; *Lc.* 4, 38-39; — cammina sulle acque: *Mt.* 14, 28-32; — professione di fede in Gesù: *Mt.* 16, 13-19; *Mc.* 8, 27-29; *Lc.* 9, 18-21; *Gv.* 6, 70; — suo primato nel collegio apostolico: *Mt.* 10, 2; 16, 18-19; *Lc.* 22, 32; *Gv.* 21, 15-18; — non comprende la necessità della Passione di Gesù: *Mt.* 16, 21-23; *Mc.* 8, 31-33; — nella Trasfigurazione di Gesù, (v. *Trasfigurazione*); — Gesù paga il tributo per sé e per Pietro: *Mt.* 17, 24-27; — nell'ultima cena: *Gv.* 13, 6-9; — nel Getsemani: *Mt.* 26, 37-41; *Mc.* 14, 33-38; *Gv.* 18, 10-11; — rinnegamento di Gesù e pentimento: *Mt.* 26, 33-35. 57-75;

# INDICE GENERALE

La Palestina al tempo di Cristo

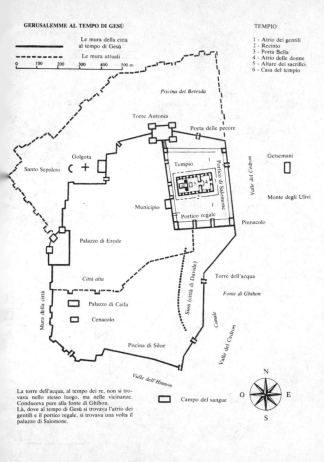

**GERUSALEMME AL TEMPO DI GESÙ**

Le mura della città
al tempo di Gesù

Le mura attuali

0   100   200   300   400   500 m

**TEMPIO**

1 - Atrio dei gentili
2 - Recinto
3 - Porta Bella
4 - Atrio delle donne
5 - Altare dei sacrifici
6 - Casa del tempio

Piscina del Betesda

Torre Antonia

Porta delle pecore

Golgota

Santo Sepolcro

Tempio

Portico di Salomone

Valle del Cedron

Getsemani

Monte degli Ulivi

Municipio

Portico regale

Pinnacolo

Palazzo di Erode

Città alta

Sion (città di Davide)

Torre dell'acqua

Fonte di Ghihon

Palazzo di Caifa

Cenacolo

Mura della città

Canale

Piscina di Siloe

Valle del Cedron

Valle dell'Hinnon

La torre dell'acqua, al tempo dei re, non si trovava nello stesso luogo, ma nelle vicinanze.
Conduceva pure alla fonte di Ghihon.
Là, dove al tempo di Gesù si trovava l'atrio dei
gentili e il portico regale, si trovava una volta il
palazzo di Salomone.

Campo del sangue

N
O   E
S

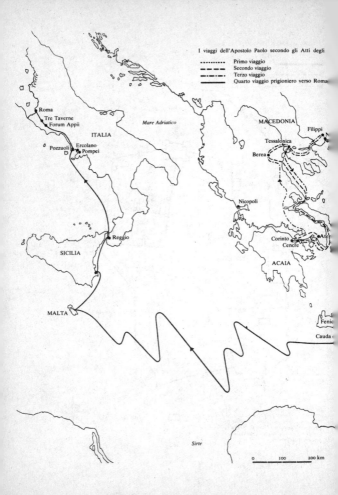

I viaggi dell'Apostolo Paolo secondo gli Atti degli

........... Primo viaggio
- - - - - - Secondo viaggio
-·-·-·- Terzo viaggio
———— Quarto viaggio prigioniero verso Roma

MACEDONIA

Filippi

Tessalonica

Berea

Mare Adriatico

ITALIA

Roma
Tre Taverne
Forum Appii

Pozzuoli  Ercolano
Pompei

Nicopoli

Reggio

SICILIA

Corinto  Ate
Cencre

ACAIA

MALTA

Fenic

Cauda

Sirte

0        100        200 km

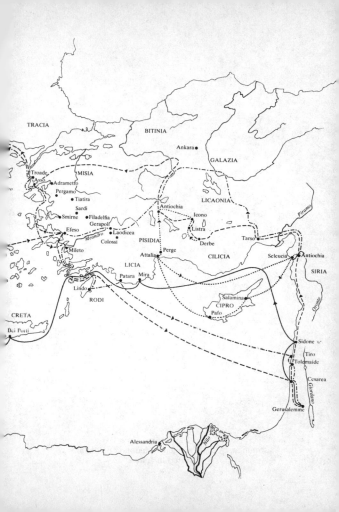

TRACIA

BITINIA

Ankara •

GALAZIA

MISIA

• Troade
Asso •
Adrametto •
Pergamo •
Tiatira •
Sardi •
Smirne •
Filadelfia •
Gerapoli •
Efeso •
Meandro
Colossi •
Laodicea •

Antiochia •

LICAONIA

Icono •
Listra •

Tarso •

PISIDIA

Attalia
Perge •
Derbe •

CILICIA

Seleucia
Antiochia

LICIA

Patara •
Mira

SIRIA

Oronte

RODI
Lindo •

Salamina •
CIPRO
Pafo •

CRETA

Dei Porti

Sidone
Tiro
Tolemaide
Cesarea

Giordano

Gerusalemme

Alessandria •

Nilo

Piramo

Stampa: AGAM Cuneo - Madonna dell'Olmo
Printed in Italy